LE QUÉBEC
Autoroute
Route
Limite d'État
Limite de province
0
50
100
150
200 km
LABRADOR
LABRADOR CITY
Lac Opiscotéo
Lac Nickicun
Lac Naococane
Lac Plétipi
Réservoir Manicouagan
Lac Magpie
Lac Manouane
Réservoir Outardes Quatre
Réservoir Pipmuacan
HAVRE-SAINT-PIERRE
SEPT-ÎLES
PORT-CARTIER
PORT-MENIER
ÎLE D'ANTICOSTI
FLEUVE SAINT-LAURENT
GODBOUT
BAIE-COMEAU
SAINTE-ANNE-DES-MONTS
GRANDE-VALLÉE
CAP-CHAT
LES MÉCHINS
GASPÉ
MURDOCHVILLE
MATANE
FORESTVILLE
PERCÉ
GRANDE-RIVIÈRE
CHANDLER
NEWPORT
MONT-JOLI
AMQUI
RIMOUSKI
CAUSAPSCAL
NEW-RICHMOND
Îles-de-la-Madeleine
CHICOUTIMI
LES ESCOUMINS
LE BIC
LA BAIE
CARLETON
BONAVENTURE
PASPÉDIAC
TADOUSSAC
TROIS-PISTOLES
DALHOUSIE
RIVIÈRE-DU-LOUP
LA MALBAIE
CABANO
KAMOURASKA
BATHURST
LA POCATIÈRE
EDMONSTON
NOUVEAU-BRUNSWICK
SAINT-JEAN-PORT-JOLI
SAINT-PAMPHILE
MONTMAGNY
BEAUMONT
LÉVIS-LAUZON
SAINT-GEORGES
THETFORD-MINES
LAC-MÉGANTIC
ÉTATS-UNIS
GOLFE DU SAINT-LAURENT
Îles-de-la-Madeleine
CAP-AUX-MEULES
F
G
H
I
J
3
4
5
6
7
8
9
10
D1269941

Anne-marie
Larose

La rivière Montmorency prend sa source dans les hauteurs des Laurentides. Elle termine sa course dans le fleuve Saint-Laurent, après avoir effectué un plongeon de plus de 80 m dans le vide. La chute, qui donnait autrefois directement sur le Saint-Laurent, se trouve aujourd'hui à environ 500 m en retrait du littoral. En hiver, les faisceaux de brume qui se forment à la base de la cascade se cristallisent pour former un spectaculaire cône de glace, que les Québécois désignent familièrement par le nom de «pain de sucre».

« Tu nous débites de fort belles choses, dit un Wendat au père Brébeuf, au début des années 1640, et il n'y a rien dans tout ce que tu nous enseignes qui ne puisse être vrai, mais cela est bon pour vous autres, qui êtes venus d'au-delà des Mers. Mais ne vois-tu pas que puisque nous habitons un Monde si différent du vôtre, il doit y avoir aussi un autre Paradis pour nous, et par conséquent un autre chemin pour y arriver. »

François-Xavier Charlevoix (1774)

Janvier sous la neige : la blancheur éblouissante, l'air froid saisissant, un calme sourd reposant... Mais parfois s'élèvent le vent et la tempête. Bien avant le Montréal souterrain et l'invention des chasse-neige, les habitants doivent composer avec les caprices d'un climat inéluctable.

De nombreuses personnalités universitaires ou locales ont collaboré à ce guide. Toutes les informations contenues dans cet ouvrage ont été soumises à leur approbation.

Guides Gallimard
Direction :
Pierre Marchand
Assisté de :
Hedwige Pasquet

Comité de rédaction :
Nicole Jusserand
Séverine Mathorel (itinéraires)
Jean-Pierre Girard (partie pratique)
Élisabeth Cohat (graphisme)
Développement et partenariats :
Jean-Paul Lacombe et Philippe Rossat
Coordination :
Architecture : Bruno Lenormand
Cartographie : Vincent Brunot
Nature : Philippe J. Dubois, Frédéric Bony
Photographie : Éric Guillemot, Patrick Léger
Fabrication :
Catherine Bourrabier
Presse et promotion :
Manuèle Destors

Québec
Coordination : Virginie Maubourguet
Édition : Denis Béliveau, Céline Bouchard, Anne Cauquetoux, Sophie Mastelinck, Sabine Rousselet (carnet d'adresses)
Nature : Alban Larousse
Architecture : Domitille Héron
Maquette : Benoît Giguère et Anne Thomas
Iconographie : Margaux Ouimet
Partenariats : Chantal Périé

Des clefs pour comprendre :
Identité : Claude Meinau
Nature : Serge Courville, Katéri Lescop-Sinclair, Jean-Luc DesGranges, Pierre Fradette
Histoire et langue : Pierre-André Linteau, Daniel Arsenault, Laurier Turgeon, Thomas Wien, Claire Gourdeau, Brian Young, Nive Voisine, Michel Noël, Gaston Dulong, Henri Dorion, André Bolduc
Traditions et art de vivre : Jocelyne Mathieu, René Hardy, Lucie K. Morisset, Eileen Marcil, Jean-Claude Dupont, Paul-Louis Martin, Donald Guay, Bernard Genest, Sophie-Laurence Lamontagne, Isabelle Tanguay, Aline Gélinas, Stéphane Lépine, Pierre Véronneau
Architecture : Lucie K. Morisset, Jean Simard
Le Québec vu par les peintres : François-Marc Gagnon
Le Québec vu par les écrivains : Jean-François Chassay

Itinéraires au Québec :
Yves Beauregard, Jean-Paul Bernard, Hélène Bouchard, Russel Bouchard, Dinu Bumbaru, Dimitri Christozov, Normand David, Éric Fournier, Pierre Fradette, David B. Hanna, Fernard Harvey, Marc Lafrance, Serge Laurin, Jean-Marie Lebel, Paul-André Linteau, Paul-Louis Martin, Louis Messely, André Michel, Christian Morissonneau, musée de la Civilisation, Michel Noël, Pierre Rastoul, Bernard Saladin d'Anglure, Michel Savard, Louise Trottier, Bernard Vallée, Réal Viens, Claude Villeneuve, Odette Vincent, Nive Voisine

Carnet de voyage :
Louise Dugas, Claire Thivierge

Correction et révision :
Dominique Boucher, Dominique Robert, Agathe Roso

Illustrations :
Nature : Jacqueline Candiard, Jean Chevallier, François Desbordes, Claire Felloni, Domitille Héron, Gilbert Houbre, Alban Larousse, Dominique Mansion, Patrick Mérienne, Serge Nicolle, François Place, Pascal Robin
Hydroélectricité : Domitille Héron, Jean-Olivier Héron
Traditions et art de vivre : Frédéric Back, Domitille Héron
Vivre les saisons : Frédéric Back
Architecture : Domitille Héron, Jean-Benoît Héron, Donald Lavoie, Josée Morin
Itinéraires : Frédéric Back, François Desbordes, Domitille Héron, Alban Larousse
Carnet de voyage : Justine Fournier, Maurice Pommier
Cartographie et infographie : Saintonge Vision Design

Photographes :
Pierre Lahoud, Sylvain Majeau, Brigitte Ostiguy, Pascal Quittemelle, François Rivard, Maxime Saint-Amour

Nous remercions pour leur précieuse collaboration : Frédéric Back, Roselyne Hébert, Paul-Louis Martin, Roanne Moktar, Lucie K. Morisset, Marie-Claude Saia, Nathalie Thibault et tout particulièrement Paul-André Linteau pour ses conseils avisés.

Nous remercions le Fonds de solidarité des travailleurs du Québec (FTQ) sans le soutien duquel cet ouvrage n'aurait pu se faire. Le FTQ est un fonds d'investissement qui fait appel publiquement à l'épargne – et à la solidarité économique – des 45 000 membres de la Fédération des travailleurs et travailleuses du Québec, ainsi que l'ensemble de la population québécoise, en vue de contribuer à créer et maintenir des emplois au Québec, principalement au sein des petites et moyennes entreprises.
C'est aussi un fonds qui cherche, dans la poursuite de ses objectifs, à être rentable et à faire fructifier les épargnes de ses 231 000 actionnaires. Au 30 avril 1995, l'actif net du Fonds de solidarité était de 1,15 milliard de dollars. Avec ses Fonds associés, il était partenaire de plus de 300 entreprises québécoises.

Les erreurs ou omissions involontaires qui auraient pu subsister dans ce guide malgré les soins et les contrôles de l'équipe de rédaction ne sauraient engager la responsabilité de l'Éditeur.
Tous droits de traduction, de reproduction et d'adaptation réservés pour tous pays.
© Éditions Nouveaux-Loisirs, 1995.
Dépôt légal : août 1995. Numéro d'édition : 55031 ISBN 2-7424-0182-2
Photogravure : France Nova Gravure (Paris). Imprimé en Italie par la Editoriale Libraria sur un papier 100 % biologique
Août 1995

QUÉBEC

GUIDES GALLIMARD

Sommaire
Des clés pour comprendre

Sommaire
Itinéraires au Québec

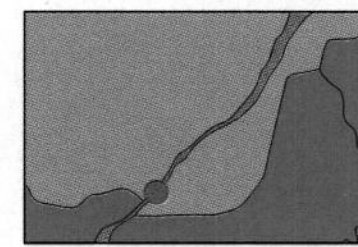

Montréal

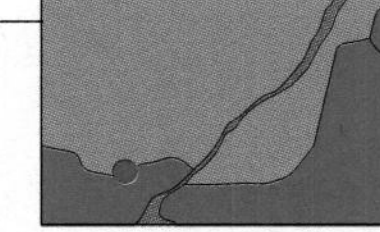

Ottawa et Hull

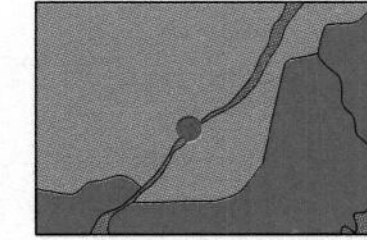

Trois-Rivières

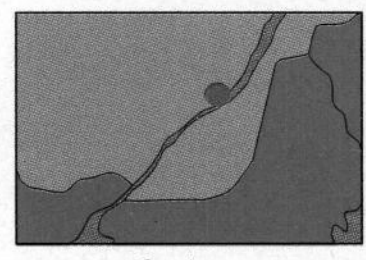

Québec

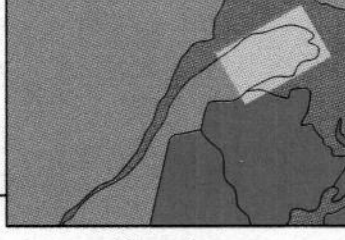

Gaspésie-Îles-de-la-Madeleine

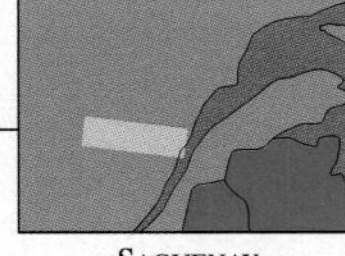

Saguenay-Lac-Saint-Jean

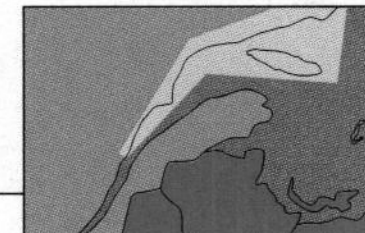

Côte-Nord et Basse Côte-Nord

Le Québec
1. Montréal
2. Ottawa
3. Hull
4. Rouyn-Noranda
5. Val d'Or
6. Temiscaming
7. Trois-Rivières
8. Québec
9. La Malbaie
10. Rimouski
11. Matane
12. Gaspé
13. Îles-de-la-Madeleine
14. Chicoutimi
Baie d'Ungava
Baie d'Hudson
Baie James

15. Tadoussac
16. Baie-Comeau
17. Sept-Îles
18. Havre-Saint-Pierre
19. Anticosti
20. Blanc-Sablon
21. Fermont
22. Chibougamau
23. Radisson
24. Chisasibi
25. Kuujjuarapik
26. Pivirnituk
27. Ivujivik
28. Kuujjuaq
Océan Atlantique
Fleuve Saint-Laurent
21
20
17
18
19
11
10
12
13

INDUSTRIE
L'industrialisation du Québec a toujours été étroitement liée à l'hydroélectricité ● *65*, ressource énergétique abondante et peu coûteuse. Le développement d'activités telles que la fabrication de l'aluminium et celle des pâtes et papiers, qui exigent beaucoup d'énergie, lui est en effet imputable. Le Québec est également l'une des plus importantes régions minières du monde. On y exploite des mines d'or, de fer, de cuivre, de pierre, de zinc et d'amiante. Le secteur des communications, l'industrie pharmaceutique et l'aéronautique connaissent une forte expansion.

LE QUÉBEC EN CHIFFRES
SUPERFICIE : 1 540 680 km²
(15,5 % du Canada)
POPULATION : 6 895 963
(25,27 % du Canada)
CAPITALE PROVINCIALE : Québec
LANGUE OFFICIELLE : français
19 RÉGIONS TOURISTIQUES
1. Îles-de-la-Madeleine
2. Gaspésie
3. Bas-Saint-Laurent
4. Québec
5. Charlevoix
6. Chaudière-Appalaches
7. Cœur-du-Québec
8. Estrie
9. Montérégie
10. Lanaudière
11. Laurentides
12. Montréal
13. Outaouais
14. Abitibi-Témiscamingue
15. Saguenay-Lac-Saint-Jean
16. Manicouagan
17. Duplessis
18. Nouveau-Québec-Baie-James
19. Laval

TOURISME
Il constitue désormais une réalité économique importante de la province. En dehors du marché naturel américain, le tourisme a plus que doublé au cours des quinze dernières années ; il dépasse aujourd'hui les sept millions de visiteurs par an, soit un chiffre supérieur à la population de la province. Parmi eux, 300 000 (4,3 %) sont français.

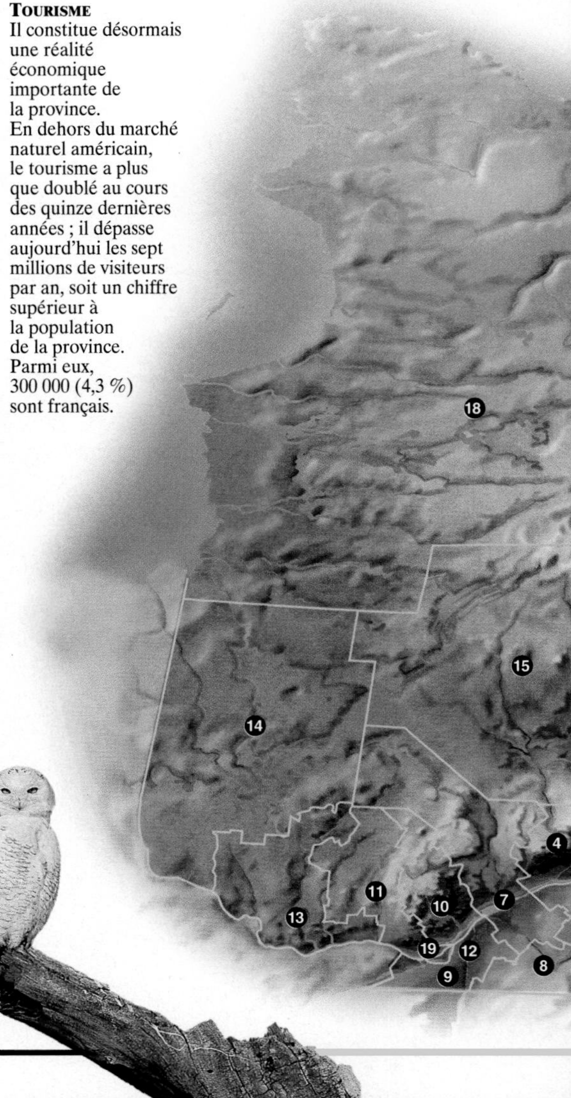

SYMBOLE
Le harfang des neiges, grande chouette blanche. Ce rapace nocturne est devenu l'emblème aviaire du Québec en 1987.

Agriculture

Le paysage rural québécois se caractérise par le système de division des terres par rangs ● *50* hérité du régime seigneurial. L'agriculture draine 1,4 % du produit intérieur brut de la province. L'élevage laitier est le premier secteur agricole : il représente près du tiers de la valeur totale de la production.

Population et langue

La population du Québec se compose d'environ 82 % de francophones, 10 % d'anglophones, 1 % d'autochtones et 8 % d'allophones. Le terme allophone (du grec *allos*, autre) est apparu dans la province dans les années soixante. Il est utilisé pour désigner toute personne d'une langue maternelle autre que le français, l'anglais ou une langue autochtone. En 1977, la Charte de la langue française (la loi 101) a fait du français la langue officielle du Québec.

Forêt

Elle couvre près des deux tiers du territoire québécois, dont plus de 500 000 km^2 sont considérés comme productifs. La forêt boréale est essentiellement constituée de conifères ; elle alimente les industries des pâtes et papiers et de la construction. Dans la forêt mixte, les conifères côtoient les feuillus. Les principales essences exploitées sont l'épinette et le sapin.

«Je me souviens»

Le «Je me souviens» aurait été utilisé comme thème de la construction du Parlement du Québec de 1877 à 1886. En adoptant cette devise en 1883, le peuple québécois aurait voulu signifier que depuis la Conquête anglaise, les luttes pour la préservation de la culture et des traditions françaises ne l'ont pas amoindri, et que le souvenir de la France demeure.

Comment utiliser un guide Gallimard

(Page extraite du guide «Venise»)

En haut de page, les symboles annoncent les différentes parties du guide.

■ Nature

● Des clefs pour comprendre

▲ Itinéraires

◆ Informations pratiques

La carte itinéraire présente les principaux points d'intérêt du parcours et permet de se reporter à un plan.

La minicarte situe l'itinéraire à l'intérieur de la zone couverte par le guide.

●▲■◆ Les symboles, en titre ou à l'intérieur du texte, renvoient à un lieu ou à un thème traité ailleurs dans le guide.

♥ Le coup de cœur de l'éditeur pour un site dont la beauté, l'atmosphère ou l'intérêt culturel séduiront particulièrement le visiteur.

Au début de chaque itinéraire, les modes de déplacement possible et la durée sont signalés sous les cartes :

- En voiture
- A pied
- En bateau
- A bicyclette
- Durée

L'arrivée à Venise ♥ ■ 281

Pont de la Libertà. Construit par les Autrichiens, cinquante ans après le traité de Campoformio (1797) ● *34*, pour relier Venise à Milan, ce pont mit fin à un isolement millénaire. Il bouleversa par la même occasion l'économie de la ville, qui, en pleine révolution industrielle, vit grandir

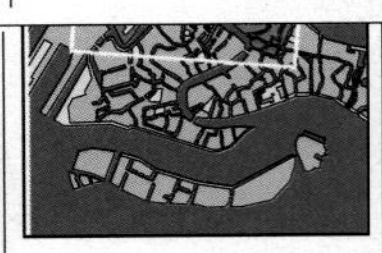

1/2 journée

Les ponts de Venise

Nature

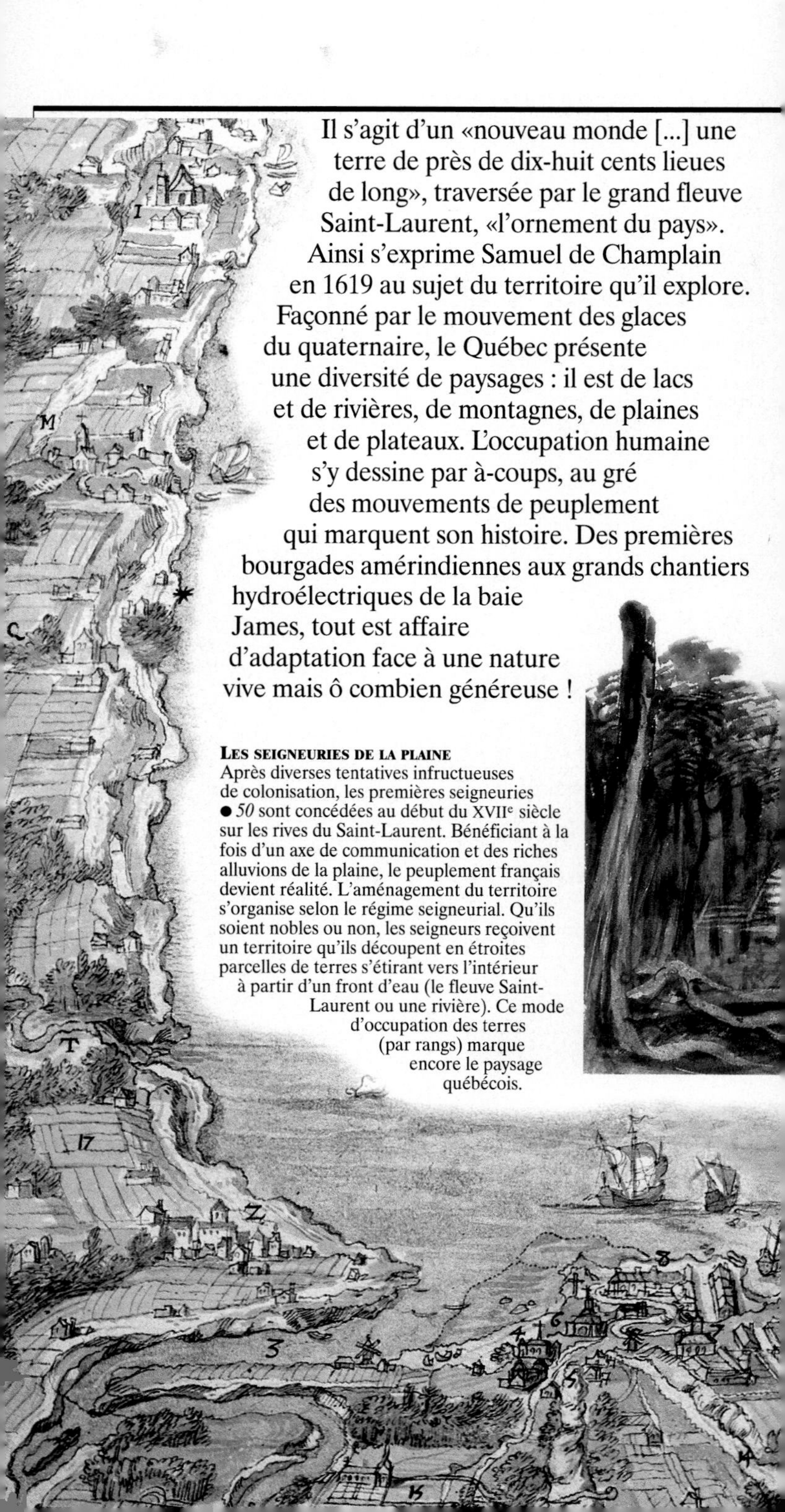

Il s'agit d'un «nouveau monde [...] une terre de près de dix-huit cents lieues de long», traversée par le grand fleuve Saint-Laurent, «l'ornement du pays». Ainsi s'exprime Samuel de Champlain en 1619 au sujet du territoire qu'il explore. Façonné par le mouvement des glaces du quaternaire, le Québec présente une diversité de paysages : il est de lacs et de rivières, de montagnes, de plaines et de plateaux. L'occupation humaine s'y dessine par à-coups, au gré des mouvements de peuplement qui marquent son histoire. Des premières bourgades amérindiennes aux grands chantiers hydroélectriques de la baie James, tout est affaire d'adaptation face à une nature vive mais ô combien généreuse !

LES SEIGNEURIES DE LA PLAINE
Après diverses tentatives infructueuses de colonisation, les premières seigneuries ● *50* sont concédées au début du XVIIe siècle sur les rives du Saint-Laurent. Bénéficiant à la fois d'un axe de communication et des riches alluvions de la plaine, le peuplement français devient réalité. L'aménagement du territoire s'organise selon le régime seigneurial. Qu'ils soient nobles ou non, les seigneurs reçoivent un territoire qu'ils découpent en étroites parcelles de terres s'étirant vers l'intérieur à partir d'un front d'eau (le fleuve Saint-Laurent ou une rivière). Ce mode d'occupation des terres (par rangs) marque encore le paysage québécois.

PREMIERS OCCUPANTS
Originaires d'Asie, les premiers groupes d'Amérindiens s'installent au Canada il y a plus de 12 000 ans, vers la fin de la dernière période glaciaire. Quelques milliers d'années plus tard, à mesure que reculent les glaciers, différents groupes ● *44* s'établissent un peu partout sur le territoire actuel du Québec.

LES CANTONS DE L'EST
Les rives du Saint-Laurent toutes occupées, les vagues suivantes d'immigrants n'auront d'autre choix que de s'installer plus loin. À la fin du XVIIIe siècle, des colons anglais opposés à l'Indépendance américaine (on les appellera «loyalistes») migrent au Canada. Ils s'établissent sur un territoire (les Cantons de l'Est ▲ *210*) doté d'une division cadastrale différente du rang.

DE NOUVELLES FRONTIÈRES
Depuis la Seconde Guerre mondiale, l'exploitation des richesses naturelles (forêts, mines, ressources hydrauliques) a suscité l'ouverture de nombreux chantiers et la croissance de régions périphériques (comme la Côte-Nord ▲ *328*). Effet pervers de ce développement, la survie de certaines villes demeure trop souvent tributaire d'un seul secteur d'activités.

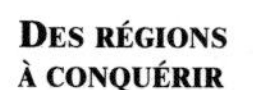

DES RÉGIONS À CONQUÉRIR
Au XIXe siècle, le Québec connaît divers mouvements migratoires liés à la fois à l'ouverture de chantiers forestiers et aux besoins croissants en nouvelles terres agricoles. En dépit de la pauvreté des sols, des efforts de colonisation sont ainsi déployés afin de peupler des régions jusque-là peu habitées comme la Gaspésie ▲ *298*, la Mauricie ▲ *240* et les Laurentides ▲ *216*. À partir de 1930, la crise économique suscite une nouvelle vague de colonisation, notamment vers l'Abitibi ▲ *230*.

LA MONTÉE DE L'URBANISATION
Pendant que des convois de colons partent défricher de nouvelles terres, de nombreuses personnes préfèrent s'établir dans les villes avec l'espoir d'y trouver du travail. La ville de Montréal enregistre ainsi une forte poussée démographique au XIXe siècle. Cependant, la population québécoise reste majoritairement rurale jusqu'en 1921.

CHAMP FLEURI DE LA GASPÉSIE
À la fin de l'été, l'abondante floraison vient clore une courte saison de croissance.

Le Québec est un pays au relief peu marqué. Le contraste joue ici sur les saisons, dont le rythme est influencé par le courant froid du Labrador : l'hiver long et rigoureux fait place à un printemps attendu, puis un été chaud et enfin un automne coloré. Trois zones phytogéographiques, délimitées par la température, la nature des sols, la saison de croissance et les vents dominants, composent le paysage : au nord, la toundra, au centre, la forêt boréale et, au sud, la forêt tempérée.

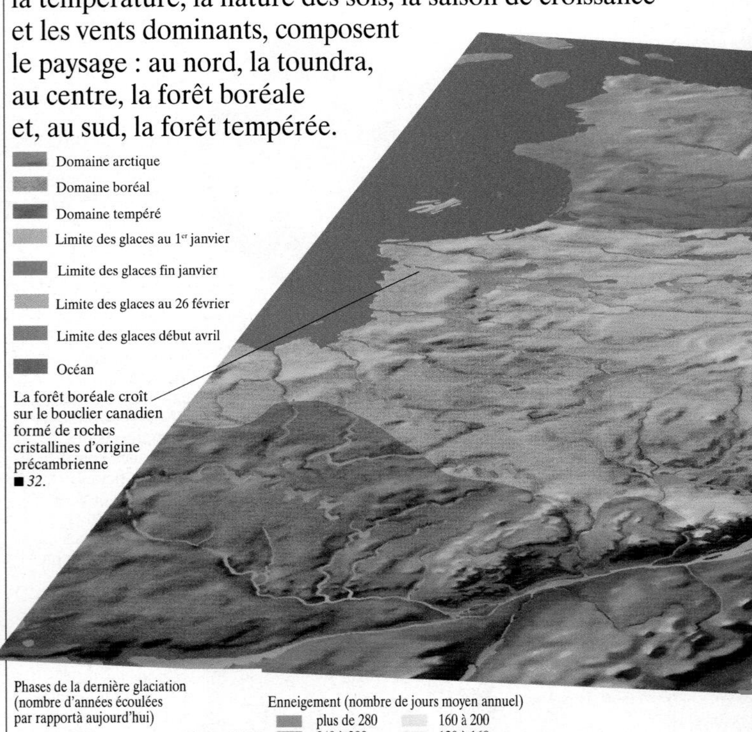

La forêt boréale croît sur le bouclier canadien formé de roches cristallines d'origine précambrienne ■ *32*.

Phases de la dernière glaciation (nombre d'années écoulées par rapportà aujourd'hui)

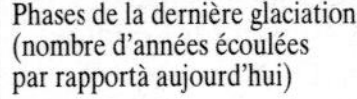

0 à - 7000
- 7000 à - 10000
- 10000 à - 13000
- 13000 ou plus

Québec
Québec
Montréal

La glaciation wisconsinienne a frappé le Québec il y a 20 000 ans. L'avancée et le retrait du glacier ont modelé le paysage québécois. Actuellement, le recouvrement des glaces atteint son minimum sur le fleuve et dans le golfe début mai.

Enneigement (nombre de jours moyen annuel)

plus de 280
240 à 280
200 à 240
160 à 200
120 à 160
80 à 120
moins de 80

L'ENNEIGEMENT
C'est au sud du Québec que le couvert de neige persiste le moins longtemps. En toundra, la neige demeure parfois jusqu'en juin et, à certains endroits, des combes à neige se détachent dans le paysage.

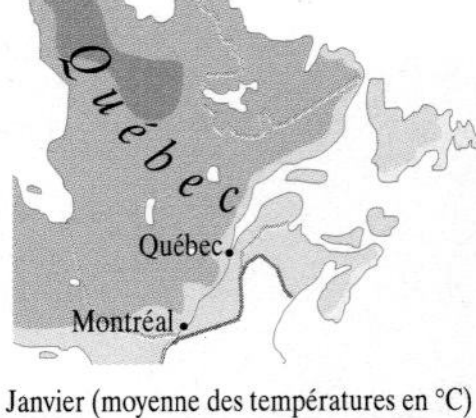

Janvier (moyenne des températures en °C)

- 25 et plus
- 25 à - 15
- 15 à - 5
plus de - 5

TEMPÉRATURES
C'est en janvier qu'on enregistre les températures les plus basses. Il n'est pas rare, même au sud de la province, de sortir par - 30° C.

L'ÉTÉ DES INDIENS. Cette brève période de chaleur survient au cœur de l'automne, après de sévères gelées. On l'appelle ainsi car les Amérindiens pensaient que ce temps clément leur était octroyé par une divinité favorable située au Sud-Ouest.

UN HIVER RIGOUREUX
Les chutes de neige commencent tôt à l'automne et persistent jusque fin avril. Durant cette période, le Saint-Laurent ■ *22* se couvre de glaces. Le Québec se situe d'ailleurs dans l'axe des grandes tempêtes.

Au nord, la toundra est couverte d'une végétation basse ■ *30*. La saison des neiges y est d'environ neuf mois, et le peu d'évaporation y engendre un climat sec.

Le courant du Labrador, glacial, descend entre la terre de Baffin et le Groenland. Il vient refroidir le climat québécois en longeant les côtes du Labrador.

La forêt tempérée correspond principalement aux basses terres de la vallée du Saint-Laurent et à la région appalachienne ■ *34*. On y enregistre la plus longue saison de croissance de la province.

PESSIÈRE À LICHENS. Cette forêt d'épinettes pousse dans le domaine boréal. Elle se couvre l'hiver d'un épais manteau de neige qui offre une protection à la végétation et aux animaux qui y creusent leur tannière.

BERNACHE DU CANADA
Cette oie bien connue niche au Québec de la forêt boréale à la toundra et fuit le froid hivernal pour se réfugier aux États-Unis. Elle migre alors en groupes bruyants qui prennent, au vol, une forme en «V» typique. Dès mars, elle revient avec les premières fontes de neige. Au Québec, la bernache porte aussi le nom d'*outarde*.

TYPHAS. Ils se nourrissent des détritus organiques qui se déposent au fond de l'eau. Leur prolifération contribue à surélever les rivages vaseux.

C'est autour du lac Saint-Pierre que les zones humides du Saint-Laurent forment le biotope le plus riche. De vastes marais herbacés et d'immenses herbiers flottants couvrent une grande portion de cet élargissement peu profond du fleuve, que bordent prairies humides, forêts riveraines et arbustaies marécageuses. Les invertébrés, nombreux, y représentent une riche source alimentaire pour les autres animaux. Cette région constitue en outre une halte importante pour les oiseaux migrateurs.

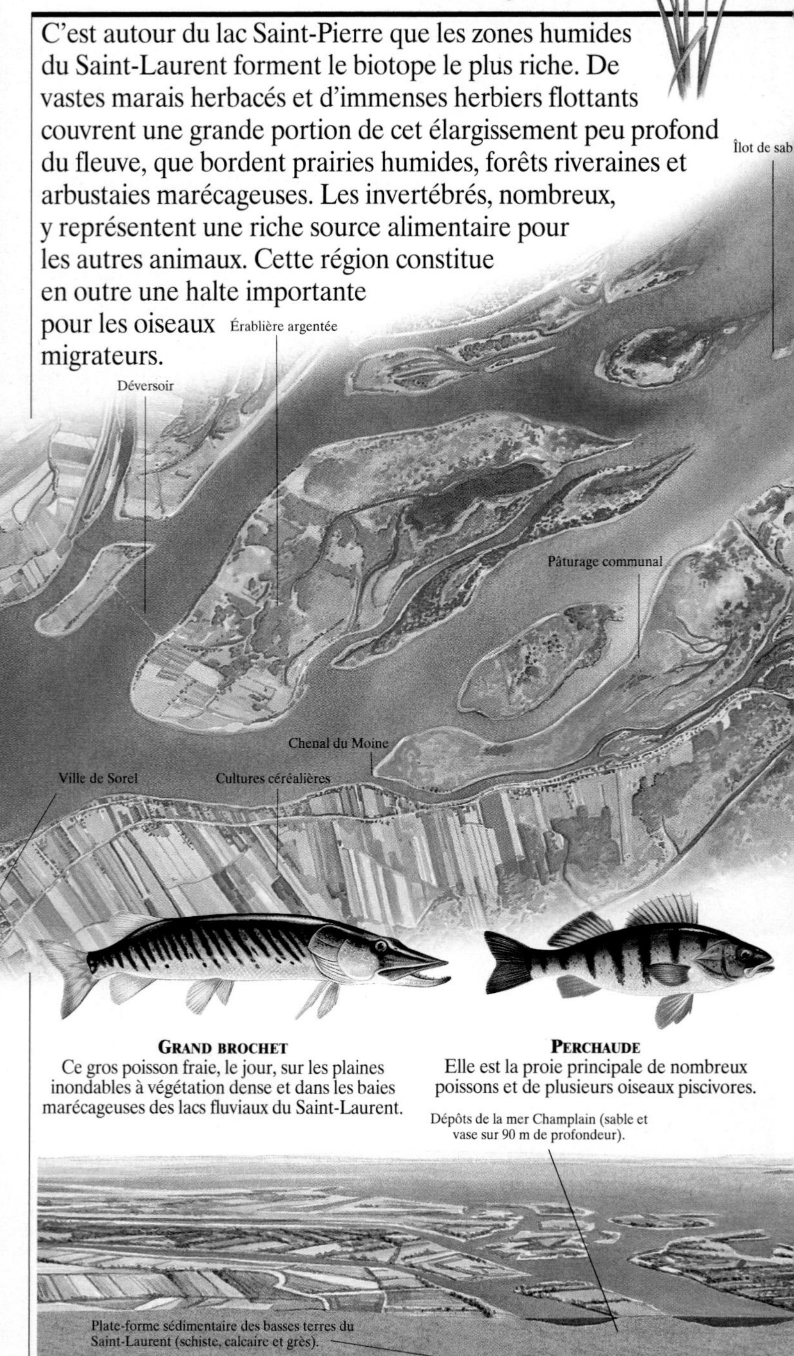

GRAND BROCHET
Ce gros poisson fraie, le jour, sur les plaines inondables à végétation dense et dans les baies marécageuses des lacs fluviaux du Saint-Laurent.

PERCHAUDE
Elle est la proie principale de nombreux poissons et de plusieurs oiseaux piscivores.

Dépôts de la mer Champlain (sable et vase sur 90 m de profondeur).

Plate-forme sédimentaire des basses terres du Saint-Laurent (schiste, calcaire et grès).

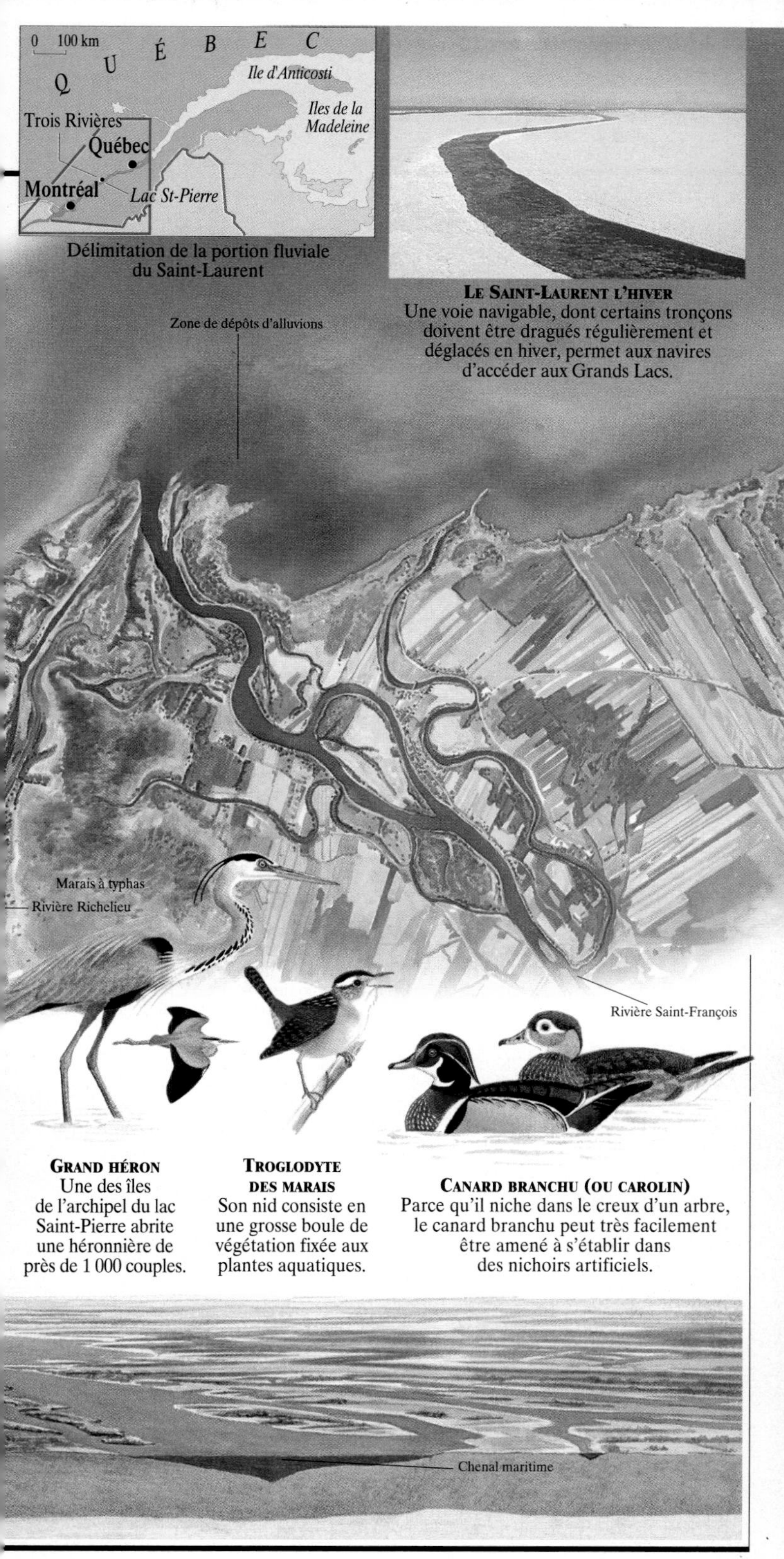

Délimitation de la portion fluviale du Saint-Laurent

Le Saint-Laurent l'hiver
Une voie navigable, dont certains tronçons doivent être dragués régulièrement et déglacés en hiver, permet aux navires d'accéder aux Grands Lacs.

Grand héron
Une des îles de l'archipel du lac Saint-Pierre abrite une héronnière de près de 1 000 couples.

Troglodyte des marais
Son nid consiste en une grosse boule de végétation fixée aux plantes aquatiques.

Canard branchu (ou carolin)
Parce qu'il niche dans le creux d'un arbre, le canard branchu peut très facilement être amené à s'établir dans des nichoirs artificiels.

SAINT-LAURENT ESTUARIEN

Le marais salé à spartines produit trois fois plus de matière végétale qu'un champ de maïs bien fertilisé.

La rive sud de l'estuaire maritime du Saint-Laurent est caractérisée par des terrasses marines alluviales, que remplacent progressivement des falaises littorales surplombant d'étroits estrans rocheux. À plusieurs endroits de la côte, le fond des anses et des baies est couvert de marais salés, troués de marelles. Ce milieu, dominé par la spartine, est extrêmement riche : des milliers d'oiseaux de rivage s'y arrêtent en migration, tandis que plusieurs espèces d'oiseaux aquatiques en dépendent l'été pour leur alimentation et l'élevage de leur progéniture.

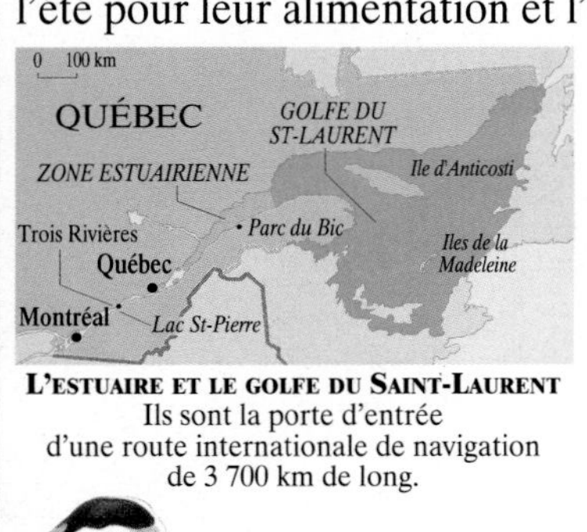

L'ESTUAIRE ET LE GOLFE DU SAINT-LAURENT
Ils sont la porte d'entrée d'une route internationale de navigation de 3 700 km de long.

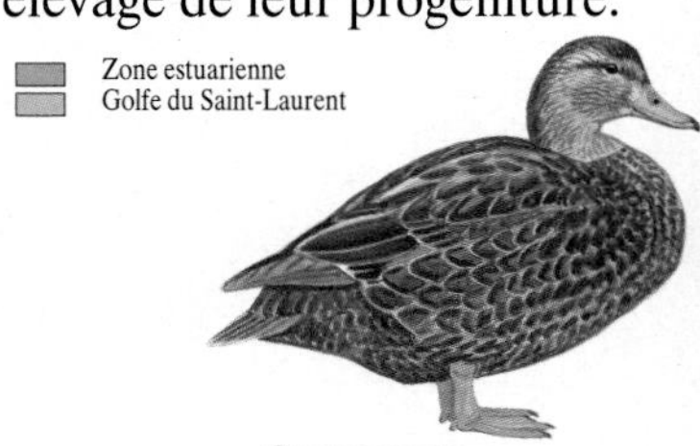

CANARD NOIR
Ce canard barboteur fréquente tout autant les *battures* marines – ou zones battues par les marées – que les marais d'eau douce.

EIDER À DUVET
L'eider est un canard marin couvert d'un duvet doux et abondant, qui a donné son nom à «édredon».

GUILLEMOT À MIROIR
Ce pingouin de petite taille niche en petites colonies installées dans les crevasses de certaines falaises ou des talus d'éboulis.

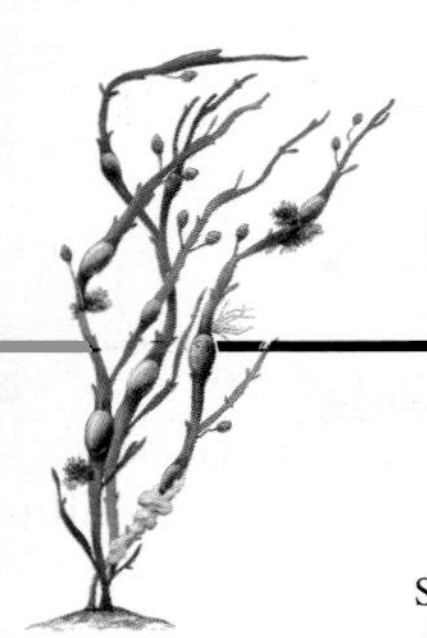

ASCOPHYLLE
Cette algue brune caoutchouteuse se présente en longs rubans ramifiés, munis de flotteurs.

SPARTINE ALTERNIFLORE
Sans la spartine, les rivages maritimes vaseux resteraient déserts et sujets à l'érosion.

ZOSTÈRE MARINE
Les tempêtes l'arrachent et l'accumulent en bourrelets sur le haut des plages, où elle noircit en séchant.

MYRIQUE BAUMIER
Lorsqu'elles sont froissées, les feuilles de cette plante buissonnante dégagent une odeur agréable.

Bihoreau

Marelle

Les trous se remplissent d'eau et deviennent un habitat propice aux épinoches. Ils sont également fréquentés par les canards noirs et les bihoreaux à couronne noire.

BIHOREAU À COURONNE NOIRE (OU BIHOREAU GRIS)
Ce héron trapu chasse le plus souvent la nuit au bord de l'eau.

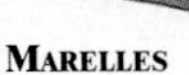

MARELLES
Ces petites cuvettes d'eau salée, nombreuses dans la zone d'oscillation des marées de l'estuaire, sont creusées par la glace qui, en hiver, emprisonne la végétation herbacée. Au printemps, la glace emporte une partie de cette végétation qui échoue ailleurs sur la *batture*.

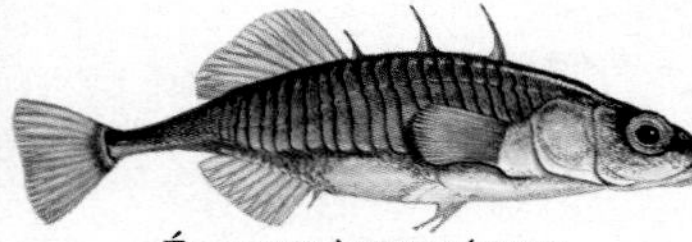

ÉPINOCHE À TROIS ÉPINES
Ce petit poisson, abondant dans les mares, constitue une source d'alimentation importante pour les oiseaux ichtyophages.

Civelles

ANGUILLE D'AMÉRIQUE
Elle est capturée au cours des pêches à fascines ■ *28* lors de sa migration d'avalaison vers la mer des Sargasses.

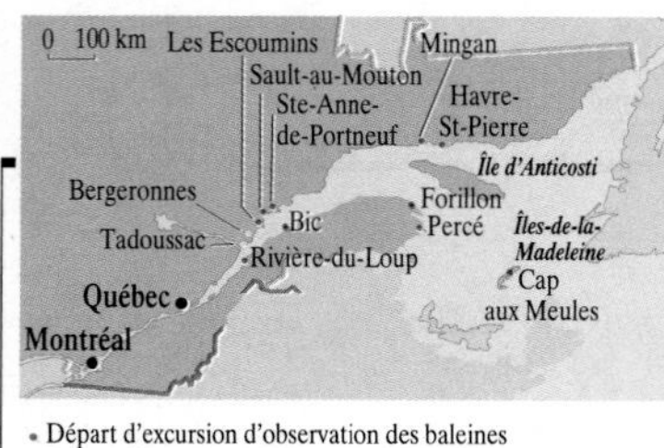

- Départ d'excursion d'observation des baleines
- Départ d'excursion et site terrestre d'observation des baleines
- Départ d'excursion d'observation des phoques

MOUETTE TRIDACTYLE
Elle niche en colonies dans les falaises et s'alimente en mer.

Nombre de mammifères marins pénètrent dans ce bras de l'Atlantique que sont le golfe et l'estuaire du Saint-Laurent. Les remontées d'eau profonde, riche en éléments nutritifs en amont dans l'estuaire maritime et en Minganie sur la Côte-Nord, créent des conditions favorables à la prolifération du phytoplancton, des petits crustacés et des petits poissons. Cette manne attire les phoques et les baleines dont une population de bélugas comptant un demi-millier d'individus.

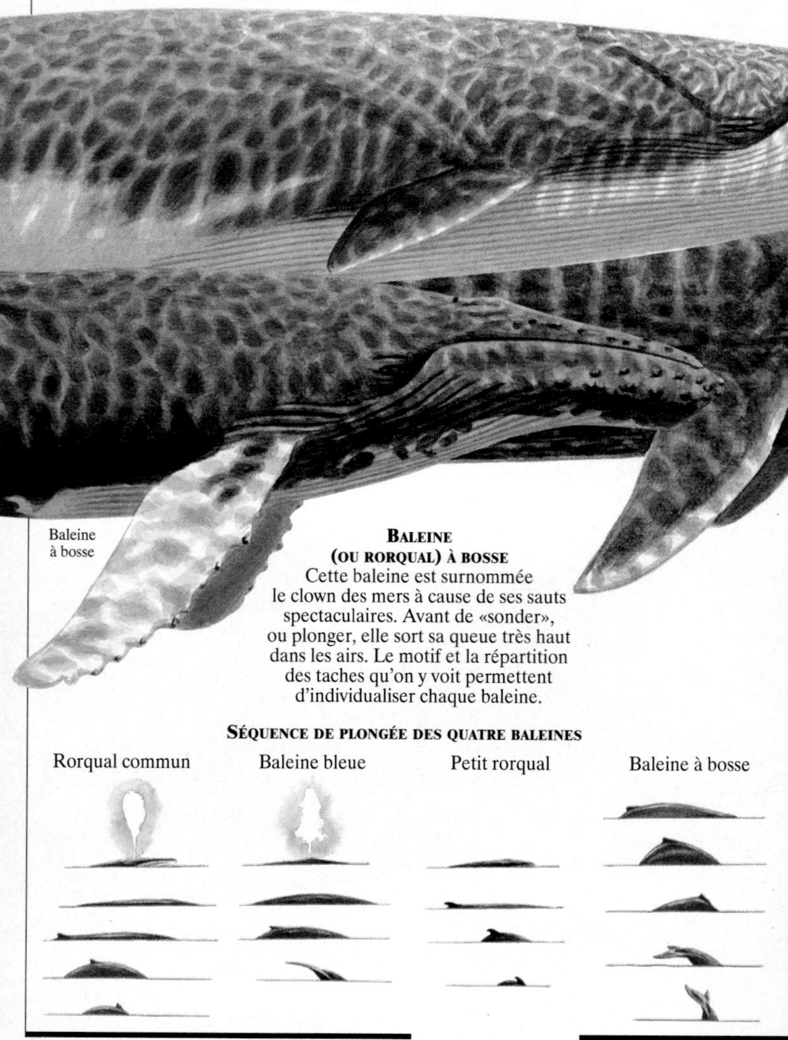

BALEINE (OU RORQUAL) À BOSSE
Cette baleine est surnommée le clown des mers à cause de ses sauts spectaculaires. Avant de «sonder», ou plonger, elle sort sa queue très haut dans les airs. Le motif et la répartition des taches qu'on y voit permettent d'individualiser chaque baleine.

SÉQUENCE DE PLONGÉE DES QUATRE BALEINES

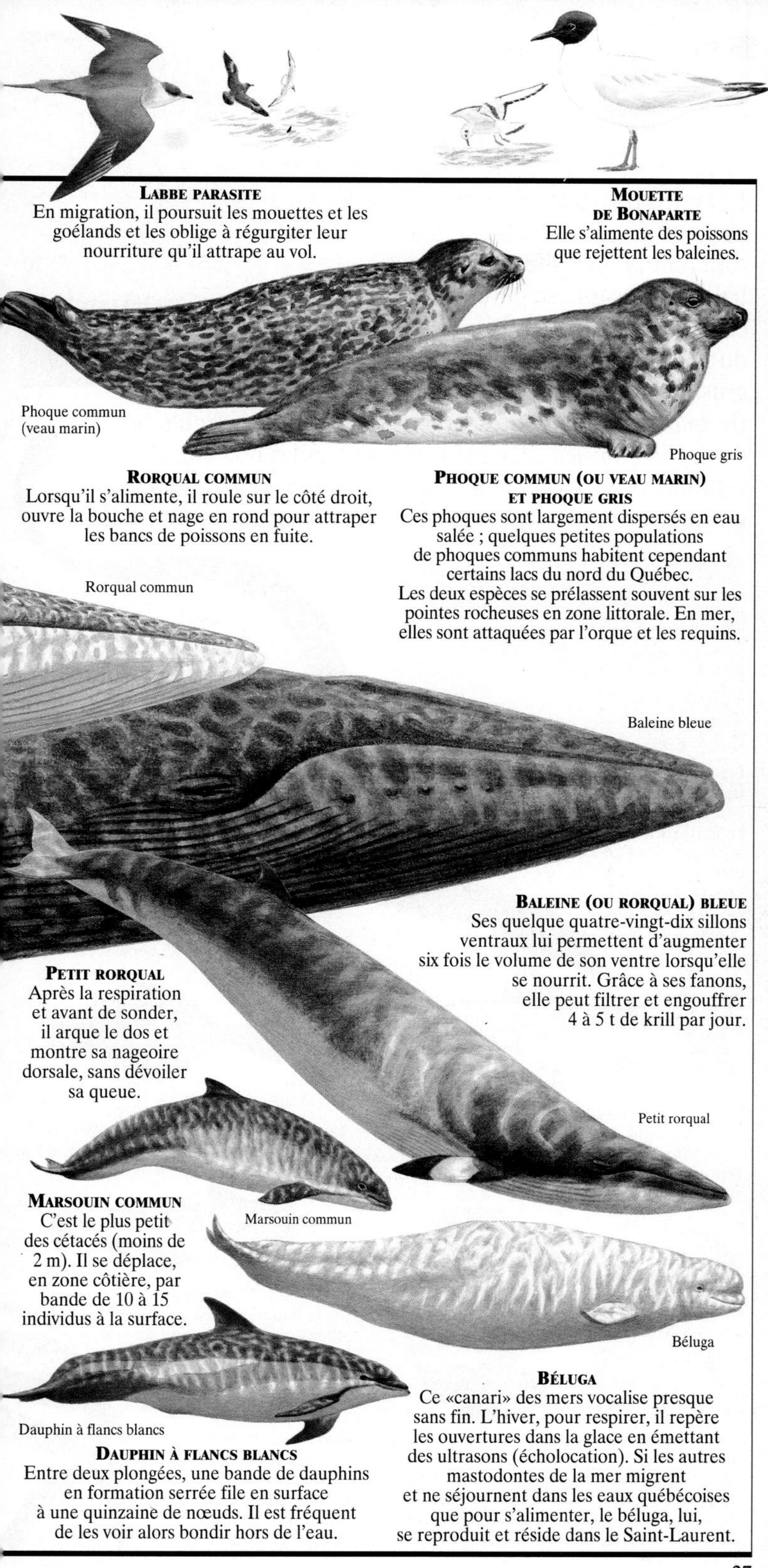

Labbe parasite
En migration, il poursuit les mouettes et les goélands et les oblige à régurgiter leur nourriture qu'il attrape au vol.

Mouette de Bonaparte
Elle s'alimente des poissons que rejettent les baleines.

Rorqual commun
Lorsqu'il s'alimente, il roule sur le côté droit, ouvre la bouche et nage en rond pour attraper les bancs de poissons en fuite.

Phoque commun (ou veau marin) et phoque gris
Ces phoques sont largement dispersés en eau salée ; quelques petites populations de phoques communs habitent cependant certains lacs du nord du Québec.
Les deux espèces se prélassent souvent sur les pointes rocheuses en zone littorale. En mer, elles sont attaquées par l'orque et les requins.

Baleine (ou rorqual) bleue
Ses quelque quatre-vingt-dix sillons ventraux lui permettent d'augmenter six fois le volume de son ventre lorsqu'elle se nourrit. Grâce à ses fanons, elle peut filtrer et engouffrer 4 à 5 t de krill par jour.

Petit rorqual
Après la respiration et avant de sonder, il arque le dos et montre sa nageoire dorsale, sans dévoiler sa queue.

Marsouin commun
C'est le plus petit des cétacés (moins de 2 m). Il se déplace, en zone côtière, par bande de 10 à 15 individus à la surface.

Béluga
Ce «canari» des mers vocalise presque sans fin. L'hiver, pour respirer, il repère les ouvertures dans la glace en émettant des ultrasons (écholocation). Si les autres mastodontes de la mer migrent et ne séjournent dans les eaux québécoises que pour s'alimenter, le béluga, lui, se reproduit et réside dans le Saint-Laurent.

Dauphin à flancs blancs
Entre deux plongées, une bande de dauphins en formation serrée file en surface à une quinzaine de nœuds. Il est fréquent de les voir alors bondir hors de l'eau.

Pêche et techniques de pêche

La pêche à la fascine. En voulant contourner la barrière érigée perpendiculairement au littoral – la fascine –, le hareng se fait prendre au piège dans l'enclos.

Les ports de pêche, répartis tout au long de l'estuaire et du golfe du Saint-Laurent, reflètent la diversité des ressources halieutiques que se partagent les pêcheurs côtiers et hauturiers. Parmi les spécialités du pays figurent en bonne place les crustacés, qui se partagent les fonds (homards près des côtes, crabes sur les fonds meubles et crevettes dans les chenaux profonds), et les poissons de profondeur (sébaste ou morue). Le hareng et le capelan, grégaires, se capturent près des côtes où ils se reproduisent.

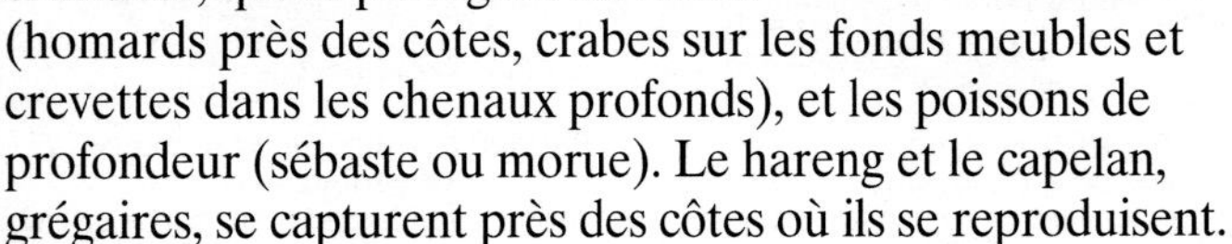

Les principaux ports de pêche
Les ports de Gaspésie et des Îles-de-la-Madeleine se sont spécialisés dans la pêche au homard ; Matane, dans celle de la crevette nordique ; Rivière-Portneuf dans la drague à la mye. Les ports du nord de l'estuaire sont plutôt des ports crabiers.

Anguille d'Amérique
Les jeunes croissent en eau douce. Les adultes migrent vers la mer des Sargasses, s'y reproduisent puis meurent.

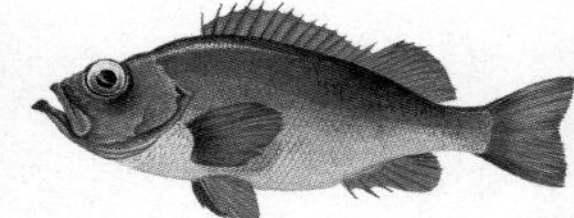

Sébaste
Deux espèces de sébastes, non distinguables à l'œil, habitent les eaux profondes du Saint-Laurent. Leur croissance est lente et leur longévité dépasse 35 ans.

Saumon de l'Atlantique
Après quelques années en mer, les adultes remontent les rivières d'origine pour s'y reproduire. C'est là que les pêcheurs sportifs les attrapent à la mouche ● *86*.

Flétan du Groenland
Ce poisson plat, appelé aussi turbot au Québec, se cantonne dans les eaux profondes et froides. Il se pêche au filet maillant.

Morue
Elle se maintient au-dessus des fonds rocheux où elle glane tout sur son passage.

Mollusques. La mye (1) vit enfouie dans la vase et filtre l'eau pour se nourrir. Le pétoncle géant (2) se déplace sur les fonds de quelques mètres à chaque déplacement. La palourde (3) se concentre sous la zone des marées, la moule bleue (4) se fixe à un substrat dur.

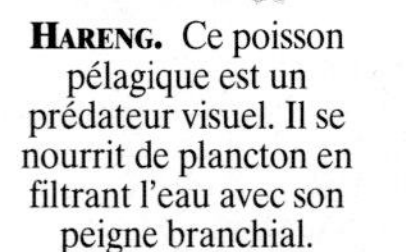

Hareng. Ce poisson pélagique est un prédateur visuel. Il se nourrit de plancton en filtrant l'eau avec son peigne branchial.

Crabier. Le crabe est exploité par une flotte côtière et une autre semi-hauturière. La taille des crabiers s'échelonne entre 14 et 26 m.

Crevettier. La remontée du chalut s'effectue en général vers l'arrière. Les crevettes triées sont déversées dans la cale, sur de la glace.

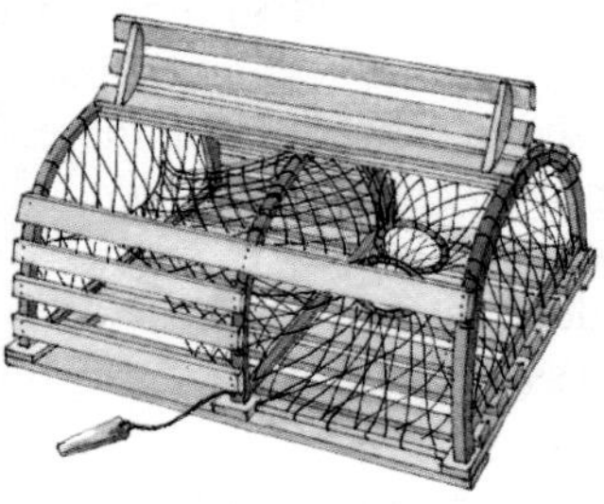

Casier à homards
Semi-cylindrique ou rectangulaire, le casier appâté possède un vestibule avec des entrées et un compartiment – le «salon» – où s'accumulent les prises.

Casier à crabes des neiges
La forme de casier la plus utilisée est conique, pour pouvoir être empilée sur le pont du bateau. On appâte le crabe avec du poisson, déposé dans un sac en filet.

Crabe des neiges
À la saison de la mue apparaissent dans les casiers des «crabes blancs», avec leur nouvelle carapace molle. Ce phénomène signale la courte saison de pêche.

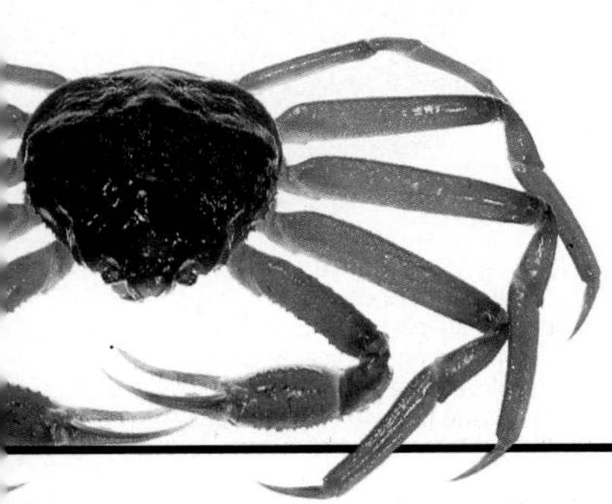

Crevette nordique
Elle est pêchée au chalut. Hermaphrodite, la crevette nordique naît mâle et se métamorphose en femelle vers l'âge de trois ans. Contrairement au crabe, on mange surtout les femelles.

Homard d'Amérique
Il change de carapace pour croître, comme tous les crustacés. À la mue, son exuvie (ancienne carapace), riche en calcium, lui sert de premier repas. Les mâles muent tous les ans ; les femelles, portant une année sur deux des œufs accolés à leur abdomen, ne muent en revanche que tous les deux ans. Il faut de six à huit ans pour que le homard atteigne une taille commercialisable.

■ TOUNDRA

TRANSITION ENTRE FORÊT BORÉALE ■ 32 ET TOUNDRA

Mince épaisseur de sol
Arbustes rabougris de la toundra
Granit
Arbres rabougris en toundra forestière

La toundra recouvre l'extrême nord du Québec, où prévalent un climat rude, des températures basses et des vents violents. Le pergélisol, sol gelé en permanence, occupe une grande partie du territoire. Des polygones de toundra et une végétation basse modèlent le paysage. Dans les lieux secs, les lichens dominent, saules nains et éricacées rampent au sol. À la belle saison, courte à cette latitude, les plantes complètent très rapidement leur cycle vital. Au sud de la région, dans les dépressions et les lieux protégés, croissent en revanche des épinettes arbustives (*krummholz*).

HARFANG DES NEIGES
Cette majestueuse chouette blanche a été choisie comme emblème du Québec. L'été, elle réside en toundra qu'elle survole à la recherche de proies, comme le lemming.

LEMMING D'UNGAVA
Ce petit rongeur, bien adapté à la vie dans l'Arctique, a une densité de population qui fluctue selon un cycle de 2 à 5 ans.

LAGOPÈDE DES SAULES
Il habite parmi les saules nains. L'hiver, ses pattes emplumées le protègent du froid.

LINAIGRETTE
Cette plante aux délicates têtes blanches affectionne les milieux humides.

LA TOUNDRA
Entièrement couverte d'une épaisse couche de neige pendant la plus grande partie de l'année, la toundra se colore de façon extraordinaire lors de la saison estivale ■ *20*.

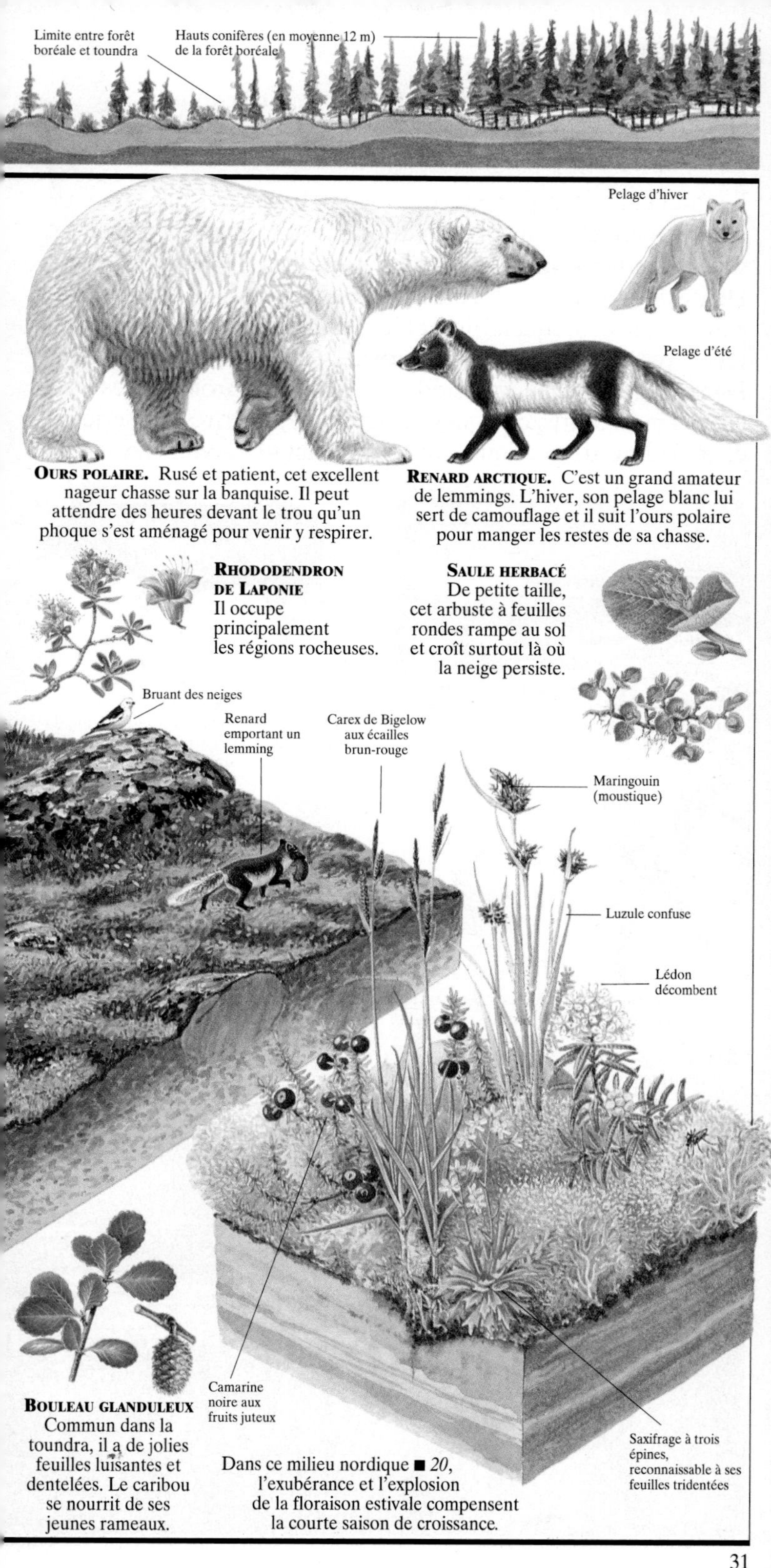

Ours polaire. Rusé et patient, cet excellent nageur chasse sur la banquise. Il peut attendre des heures devant le trou qu'un phoque s'est aménagé pour venir y respirer.

Renard arctique. C'est un grand amateur de lemmings. L'hiver, son pelage blanc lui sert de camouflage et il suit l'ours polaire pour manger les restes de sa chasse.

Rhododendron de Laponie
Il occupe principalement les régions rocheuses.

Saule herbacé
De petite taille, cet arbuste à feuilles rondes rampe au sol et croît surtout là où la neige persiste.

Bouleau glanduleux
Commun dans la toundra, il a de jolies feuilles luisantes et dentelées. Le caribou se nourrit de ses jeunes rameaux.

Dans ce milieu nordique ■ *20*, l'exubérance et l'explosion de la floraison estivale compensent la courte saison de croissance.

Forêt boréale

Geai du Canada
De nature curieuse, ce geai aux allures de grosse mésange n'hésite pas à venir rendre visite aux campeurs.

La forêt boréale, dominée par les sapins baumiers et les épinettes noires, auxquels se mêle parfois le bouleau à papier, s'étend sur la plus grande partie du territoire québécois. Dense au sud, ouverte au nord, elle possède un sous-bois assez pauvre, que de fréquents incendies permettent cependant de régénérer. Le sol y est acide, tourbières, lacs et rivières abondent. Dans cet écosystème, caractérisé par des hivers froids et des étés chauds mais courts, quelques mammifères – martre d'Amérique, écureuil roux d'Amérique – ont cependant su s'acclimater.

Coupes en forêt. La coupe en damier contribue à la diversité des milieux fauniques en maintenant l'habitat des espèces.

Orignal (élan)
Excellent nageur, le plus grand cervidé du Québec (1,80 m au garrot !) vit l'été autour des lacs, où il se nourrit de plantes aquatiques.

Bec-croisé à ailes blanches (bifascié)
Son bec lui permet de décortiquer les graines de conifères dont il se nourrit.

Thé du Labrador
Ses feuilles dégagent une odeur agréable ; elles se concoctent en tisane.

Cladine
Les cladines étoilées et douces et les mousses à caribous forment un tapis blanchâtre dans les lieux ouverts et secs.

Maïanthème du Canada
Très courant au Québec, il couvre le sol des érablières, des forêts mixtes et de conifères.

Sapin baumier. Sa silhouette symétrique l'a rendu célèbre comme arbre de Noël. Il porte des aiguilles plates au revers blanchâtre.

Épinette noire. Cette espèce dominante du nord de la forêt boréale forme souvent des pessières. Elle se reconnaît aisément à sa silhouette élancée et à ses aiguilles quadrangulaires.

Pin gris. Il préfère les lieux sableux ou graveleux. Ses cônes ne s'ouvrent que s'ils sont exposés à l'intense chaleur du feu.

Bouleau à papier
Son écorce blanche se détache en longues bandes, dont les Amérindiens se servaient pour confectionner canots et récipients.

La foudre déclenche un incendie.

Les flammes se propagent de cime en cime.

Les troncs restent debout pendant quelques années tandis que la forêt se régénère.

Contrairement à ce que l'on pourrait croire, les incendies sont nécessaires au maintien de la forêt boréale : c'est seulement chauffés que les cônes s'ouvrent, libérant leurs graines.

Au sud du Québec, toundra et forêt boréale laissent la place à la forêt tempérée froide. Les érablières, royaume de l'érable à sucre, dominent dans les régions les plus méridionales, et se mêlent, au nord ou en altitude, de bouleau jaune et de conifères, comme la pruche de l'est ou le pin blanc. Le sous-bois de cette forêt tempérée est riche en espèces végétales (fougères, viornes) qui, grâce à un climat clément, se développent à loisir. De nombreux mammifères (castor, chevreuil) et oiseaux (sitelles, parulines ou grives) y élisent domicile.

RATON LAVEUR. L'épithète «laveur» vient de son habitude de toucher les aliments qu'il va consommer. Il se distingue par son masque facial et sa queue rayée de noir.

CHEVREUIL (CERF DE VIRGINIE)
Il habite les zones de régénération mais passe l'hiver dans des «ravages» (forêts de conifères), où la faible épaisseur de neige l'avantage.

COULEURS D'AUTOMNE
Elles sont dues à la diminution des heures de lumière dans la journée. Leurs nuances sont influencées par l'acidité du sol et la température.

RAINETTE CRUCIFÈRE
Au printemps, les appels nocturnes de cette grenouille arboricole résonnent comme des bruits de clochettes.

PIN BLANC
Ce conifère majestueux est devenu rare de nos jours en raison de son exploitation abusive au XIXe siècle.

SALAMANDRE RAYÉE
La nuit, elle cherche des insectes dans les débris de plantes.

ÉRABLE À SUCRE ■ *36* ● *82*
C'est l'espèce par excellence de la forêt tempérée. L'érable à sucre, qui préfère l'ombre, peut vivre jusqu'à l'âge de 300-400 ans. Ses feuilles se colorent d'une manière particulièrement spectaculaire.

GÉLINOTTE HUPPÉE
En parade, le mâle tambourine de ses ailes, comme un bruit de moteur qui démarre au loin.

TANGARA ÉCARLATE
Il vit dans les forêts parvenues à maturité et hiverne de la Colombie à la Bolivie.

MÉSANGE À TÊTE NOIRE
Peu farouche, elle fréquente les mangeoires. On la reconnaît à son *qui-es-tu-tu-tu*.

GRAND PIC
Il niche dans les forêts âgées où il creuse de profonds trous dans les troncs à la recherche d'insectes.

BOULEAU JAUNE
Son écorce se détache en minces feuillets et dégage une odeur caractéristique.

ÉRYTHRONE D'AMÉRIQUE
Sa fleur, au printemps, est une des premières à éclore dans les érablières.

ASTER ACUMINÉ
Cette plante d'ombre, à la tige en zigzag, fleurit à l'automne sur les collines boisées.

TRILLE BLANC
Il forme de vastes parterres dans les érablières riches du Québec méridional.

ÉRABLE À SUCRE

Au printemps, l'érablière devient le théâtre de la traditionnelle partie de sucre ● *82*.

L'érable à sucre est l'espèce dominante des forêts tempérées du Québec. À l'automne, il déploie la subtile palette de sa gamme colorée, dans toutes les nuances du pourpre à l'or.
Au printemps, cet arbre généreux est exploité pour sa sève : recueillie par les acériculteurs au moyen de *chaudières* ou de *tubulures* (séries de tuyaux), elle est ensuite bouillie pour devenir ce délicieux sirop sucré, spécialité gourmande de la région.

Montée de la sève

Chaudière

Un *chalumeau* (petit tuyau), enfoncé dans une entaille, permet l'écoulement de la sève.

DE LA SÈVE AU SIROP
La sève qui circule dans les vaisseaux du xylem dégèle le jour et descend alors, par gravité, vers les racines, avant d'être stoppée par un *chalumeau* qui dirige la sève vers la *chaudière*. Une fois récoltée, la sève, vidée dans un tonneau, était traditionnellement transportée sur un traîneau tiré par des chevaux.
Le liquide, riche en sucre, est chauffé dans la cabane à sucre ; l'eau s'évapore, la sève se transforme en sirop d'érable.

Pour une bonne coulée, il faut des nuits froides (<0 °C) et des journées plus chaudes (>0 °C).

LA FEUILLE D'ÉRABLE
Elle se reconnaît à ses cinq lobes dentés. À l'automne, la chlorophylle meurt, les pigments rouge, jaune et orange deviennent dominants. La feuille tombe, se dessèche et disparaît, ensevelie sous la neige.

FEUILLE ET SAMARES
Les graines de l'érable, portées par des samares ailées, tournoient dans les airs, se dispersent puis donnent, après une période de dormance, naissance à des plantules.

HISTOIRE ET LANGUE

HISTOIRE

-8000 Arrivée des Amérindiens

0

1492 Arrivée de Christophe Colomb en Amérique

1500

1515-1547 François Ier roi de France

1534 Arrivée de Jacques Cartier au Canada

1562-1598 Guerres de religion en France

Début du commerce des fourrures

1600

1607 Fondation de Jamestown en Virginie

1608 Champlain fonde Québec

PRÉHISTOIRE

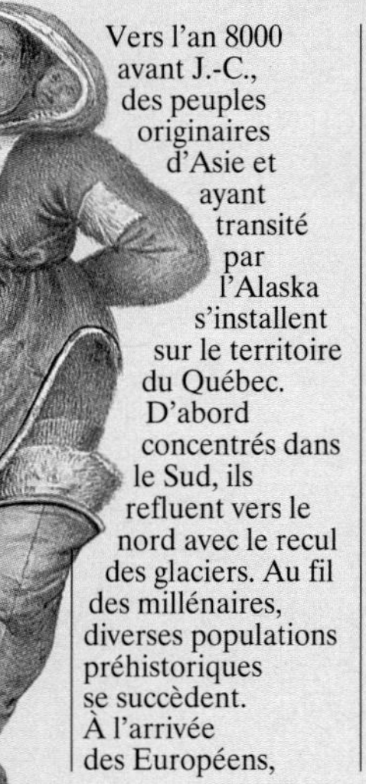

Vers l'an 8000 avant J.-C., des peuples originaires d'Asie et ayant transité par l'Alaska s'installent sur le territoire du Québec. D'abord concentrés dans le Sud, ils refluent vers le nord avec le recul des glaciers. Au fil des millénaires, diverses populations préhistoriques se succèdent. À l'arrivée des Européens, au XVIe siècle, les nations autochtones appartiennent à trois grandes familles linguistiques. Les Algonquiens, des chasseurs-pêcheurs se déplaçant au gré des saisons, occupent la plus grande partie du territoire. Les Iroquoiens, sédentarisés et pratiquant l'agriculture, habitent les rives du Saint-Laurent. Le nord est occupé par les Inuit ● *44*. Leur mode de vie sera profondément perturbé au contact des Européens ● *46*

Sauvage Iroquois

et leurs populations seront décimées par les maladies des nouveaux venus, contre lesquelles elles n'ont développé aucune immunité.

LA COLONIE FRANÇAISE

L'EMPIRE DE LA FOURRURE

Lors de ses trois voyages, de 1534 à 1542, Jacques Cartier explore le Saint-Laurent jusqu'à Montréal et prend possession du pays au nom du roi de France. Au cours du XVIe siècle, des pêcheurs français et basques passent l'été dans l'estuaire et commencent la traite des fourrures avec les Amérindiens. En 1608, Samuel de Champlain fonde à Québec le premier établissement français permanent au bord du Saint-Laurent, un poste de traite. Le commerce des fourrures, longtemps la principale activité économique de la colonie, conduit à des alliances avec des nations amérindiennes et provoque l'hostilité des Iroquois, associés aux Anglais jusqu'à la Paix de Montréal (1701). Depuis la vallée du Saint-Laurent, les Français explorent l'intérieur du continent et établissent des postes de traite autour des Grands Lacs, vers le Mississippi et les plaines de l'Ouest. Québec et Montréal prennent alors la tête d'un vaste empire commercial que sillonnent «coureurs de bois» et «voyageurs» ● *48*.

1643-1715 Louis XIV roi de France

1689-1697 Guerre de la ligue d'Augsbourg

1700

1701-1714 Guerre de la Succession d'Espagne

1755 Déportation des Acadiens

1763 Traité de Paris

1776 Indépendance américaine

1789 Révolution française

1800

1642 Maisonneuve fonde Montréal

1689-1697 Première guerre entre les colonies françaises et britanniques

1701 Paix de Montréal

1760 Conquête du Canada par l'Angleterre

1774 Acte de Québec

1791 Acte constitutionnel

Une Nouvelle-France

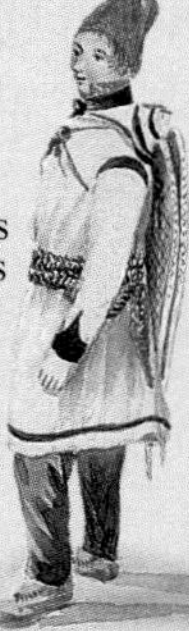

D'abord exploité par des compagnies de commerce, le Canada devient colonie royale en 1663. Son territoire correspond au Québec méridional actuel et à la région des Grands Lacs. À l'instigation des autorités, qui administrent la colonie comme une province française, près de 10 000 Français s'établissent dans la vallée laurentienne de 1608 à 1760 ● *50*. L'Église catholique jouit d'un monopole religieux et dispose d'un pouvoir considérable. Au contact des Amérindiens, et dans un contexte américain, les colons, les Canadiens, développent des habitudes et des comportements spécifiques, par exemple l'adaptation aux saisons. Le cours du peuplement se poursuit, mais en raison de la faiblesse de l'immigration, la population de souche française n'est que de 65 000 personnes en 1760. Elle se concentre surtout entre les villes de Québec et de Montréal.

Les rivalités intercoloniales

Avec Terre-Neuve, l'Acadie et la Louisiane, le Canada est l'une des composantes de la Nouvelle-France du début du XVIIIe siècle, tandis que des colonies britanniques sont établies le long de la côte atlantique. Entre ces deux groupes, les conflits se multiplient ; on se dispute les droits de pêche, l'accès aux régions productrices de fourrure et les territoires. La dernière guerre, celle de la Conquête (1754-1760), provoque la capitulation du Canada en 1760. La France cède la colonie à l'Angleterre en 1763 ▲ *254*.

La colonie britannique

Le peuplement britannique

Pendant deux décennies, la population d'origine britannique se limite à une élite d'administrateurs et d'hommes d'affaires. Après la guerre d'Indépendance américaine (1775-1783), quelques milliers de loyalistes s'installent au Québec et dans ce qui sera l'Ontario. La fin des guerres napoléoniennes (1815) amorce une vague migratoire en provenance des îles Britanniques, amplifiée par la Grande Famine qui sévit en Irlande (1847). Le Québec perd ainsi son caractère presque exclusivement français. Au milieu du XIXe siècle, les Britanniques forment le quart de la population et sont même majoritaires à Montréal, dans les Cantons de l'Est et l'Outaouais. Les francophones assurent leur croissance démographique par une forte natalité. Au début du XIXe siècle, la traite des fourrures, passée aux mains d'Écossais, est progressivement supplantée par le commerce du bois, qui devient le principal produit d'exportation. Le gros de la population pratique l'agriculture, et après la Conquête, ses surplus alimentent les villes de la colonie et la métropole. Mais au début du XIXe siècle, une crise agricole se développe, due notamment au surpeuplement des zones rurales et à l'épuisement des sols.

1803 Acquisition de la Louisiane par les États-Unis

1815 Défaite de Napoléon à Waterloo

1837-1901 Victoria reine d'Angleterre

1800 — **1820** — **1840**

1812-1814 Guerre anglo-américaine

1826 Formation du Parti patriote

1837-1838 Soulèvements patriotes

1840 Union du Haut et du Bas-Canada

Un cadre politique à définir

Après la Conquête, la Proclamation royale de 1763 établit le premier gouvernement civil de la province de Québec, nouveau nom du Canada. Londres veut favoriser l'immigration britannique et assimiler les Canadiens français. Les lois françaises sont abolies et les catholiques sont exclus des charges publiques. L'échec de cette politique et l'agitation croissante dans les autres colonies d'Amérique nécessitent l'adoption, en 1774, de l'*Acte de Québec*, rétablissant le droit civil français et reconnaissant la religion catholique. En 1791, l'Acte constitutionnel crée les premières institutions parlementaires et divise la province en deux colonies : le Haut-Canada (Ontario), peuplé surtout de Britanniques, et le Bas-Canada

(Québec), dont la population est majoritairement d'origine française.

L'agitation politique

Le parlementarisme favorise l'émergence d'une nouvelle

élite politique canadienne-française qui formule des revendications nationales. Lésée par le contrôle de Londres sur le pouvoir exécutif, elle réclame l'octroi du gouvernement responsable, ce à quoi la Grande-Bretagne se refuse. L'agitation politique s'accentue à partir de 1830, sous la direction de Louis-Joseph Papineau. L'escalade de la violence verbale débouche en 1837 et 1838 sur des soulèvements armés réprimés par les troupes britanniques ▲ *204*. Le rêve d'une république canadienne-française est écrasé et Lord Durham est dépêché par Londres pour enquêter sur la situation. Il recommande de placer les Canadiens français en minorité en réunissant le Haut et le Bas-Canada, ce qui sera fait par l'Acte d'union en 1840. Pour sa part, l'Église catholique, restée loyale à la couronne, sort de cette crise renforcée, au détriment de l'élite laïque.

Le régime de l'Union

Sous l'Union de 1840, les chefs politiques francophones obtiennent que la langue française soit reconnue au Parlement et dans les lois. En 1848, le gouvernement responsable est octroyé. On assiste alors à l'instauration d'un régime bicéphale, dirigé conjointement par un anglophone et un francophone. On entreprend de réformer les institutions : le régime seigneurial est aboli (1854) et les lois civiles françaises sont révisées. L'Église catholique est omniprésente : elle encadre les fidèles étroitement, multiplie les communautés religieuses et contrôle l'éducation et les services sociaux ● *56*. La construction ferroviaire et une première industrialisation favorisent un essor économique. La crise agricole s'aggrave cependant et provoque l'émigration de nombreux Canadiens français vers les États-Unis. Sur le plan politique, l'instabilité ministérielle pousse les administrateurs à envisager un régime fédéral qui réunirait les colonies britanniques de l'Amérique du Nord. Le projet sera réalisé avec la Confédération.

1848 Gouvernement responsable

1854 Traité de réciprocité avec les États-Unis

1860

1861-1865 Guerre de Sécession

1867 Confédération canadienne

1870 Guerre franco-prussienne

1876 Invention du téléphone

1880

1885 Pendaison du chef métis Louis Riel

1897-1936 Le Parti libéral au pouvoir

1899-1902 Guerre des Boers

1900

La Confédération

Une province fédérée

La Confédération sépare les deux entités réunies en 1840. Le Québec devient l'une des quatre provinces de la nouvelle fédération, avec l'Ontario, le Nouveau-Brunswick et la Nouvelle-Écosse. Il a son parlement à majorité francophone et obtient des pouvoirs exclusifs, notamment dans les domaines touchant sa culture spécifique comme l'éducation et le droit civil. À l'échelle du Canada, cependant, la position minoritaire des francophones est accentuée par l'addition des provinces maritimes, essentiellement anglophones.

Une ère de transformations

À la fin du XIXe siècle, l'agriculture sort lentement de son marasme en se spécialisant dans la production laitière. La surpopulation des campagnes entraîne un fort mouvement d'exode vers les villes de la Nouvelle-Angleterre, puis du Québec. Après 1867, l'industrialisation s'accélère. Aux mains de Canadiens anglais, auxquels s'ajoutent des Américains, la production manufacturière mobilise une abondante main-d'œuvre canadienne-française peu qualifiée et donc peu coûteuse. Elle s'implante d'abord dans les principales villes, mais à partir du XXe siècle, la transformation de ressources naturelles, telles que

l'hydroélectricité et les pâtes et papiers, permet l'industrialisation de régions jusque-là périphériques : le Saguenay, la Mauricie, l'Outaouais. La Seconde Guerre mondiale donne une forte impulsion à la production. Le Québec s'urbanise alors rapidement, d'où des changements sociaux et culturels majeurs : prolétarisation, baisse de la natalité, essor de la culture urbaine.

1900	1915	1930	1945

1900 Première Caisse populaire Desjardins

1914-1918 Première Guerre mondiale

1917 Crise de la conscription

1929 Début de la grande crise économique

1936-1939 ET 1944-1959 Maurice Duplessis Premier ministre du Québec

1939-1945 Deuxième Guerre mondiale

1948 Choix du drapeau du Québec le fleurdelisé

LA SURVIVANCE

À toutes ces transformations, l'Église catholique ● *56* oppose une vision traditionaliste de la société qui idéalise le mode de vie rural. Elle encourage la natalité pour contrer les effets de l'immigration qui réduit le poids des francophones au Canada. Mais au XXe siècle, son autorité résiste mal aux assauts de la modernité. La volonté de préserver la culture française reste néanmoins une priorité au cœur du nationalisme qui est une dimension fondamentale de l'identité québécoise.

LE QUÉBEC MODERNE

LA RÉVOLUTION TRANQUILLE

Malgré une évolution notable de la société au début du XXe siècle, les institutions héritées du XIXe siècle s'ajustent lentement aux nouvelles réalités. Le régime conservateur de Maurice Duplessis, au pouvoir de 1936 à 1939 et de 1944 à 1959, freine les réformes. De 1960 à 1966, le Parti libéral de Jean Lesage amorce une ère de changements rapides appelée Révolution tranquille ● *58*. L'État est modernisé et plus centralisé. Il adhère aux principes de l'État-providence. Le gouvernement intervient dans le domaine économique en créant des sociétés d'État et en complétant la nationalisation des entreprises d'électricité, amorcée dans les années quarante. Le processus s'accompagne d'une laïcisation des institutions et d'une réforme substantielle dans l'éducation, la santé et les affaires sociales.

LA REVENDICATION NATIONALE

La Révolution tranquille est portée par un nouveau nationalisme résolument moderne qui vise à faire du Québec l'État national des Canadiens français, un vocable vite abandonné au profit de celui de Québécois. Il a une forte composante culturelle exprimée par une nouvelle génération d'artistes ● *92*. On exige une francisation accrue du Québec, obtenue par des lois linguistiques telle la *Charte de la langue française* (loi 101) en 1977 ● *60*. Ce mouvement conduit les gouvernements successifs du Québec à réclamer une décentralisation des pouvoirs fédéraux et une autonomie provinciale plus grande. Un courant lutte pour la souveraineté du Québec ; d'abord marginal, il se consolide avec la création du Parti québécois par René Lévesque en 1968. Depuis 1960, le débat agite la société québécoise, mais les gouvernements n'obtiennent pas de réforme de la constitution canadienne, pas plus que les Québécois, consultés par référendum en 1980, ne parviennent à dégager une majorité en faveur de l'option indépendantiste.

1955 Pacte de Varsovie

1960 Début de la Révolution tranquille

1969 Premier pas sur la Lune

1975

1976-1985 Parti québécois de René Lévesque au pouvoir

1977 Charte de la langue française

1980 Référendum sur la souveraineté-association

1982 Nouvelle constitution canadienne

1989 Chute du mur de Berlin

1990

1991 Démantèlement de l'URSS

1992 Accord de libre-échange nord-américain

1992 Référendum constitutionnel

2000

Une société nouvelle

L'américanité
Au XXe siècle, l'influence des États-Unis s'impose de façon croissante et transforme les modes de vie. La technologie américaine envahit tant l'industrie que la vie quotidienne. Les grandes marques de commerce et la publicité qui les accompagne accaparent le marché. Traduite en français, et adaptée aux particularités québécoises, la production culturelle américaine envahit les médias. Quatre États du Nord-Est bordent le territoire du Québec tandis que les plages de l'Atlantique en été et le soleil de la Floride en hiver exercent un attrait irrésistible.

Depuis la Seconde Guerre mondiale, et à l'instar d'autres nations occidentales, la société québécoise évolue de façon accélérée. La pratique religieuse et l'autorité de l'Église s'effondrent, tandis que s'imposent de nouvelles valeurs laïques et individualistes. La scolarisation et le niveau de vie augmentent, pavant la voie à l'ère de la consommation. Les Québécois d'origine française sont les premiers bénéficiaires de ces mutations : ils accroissent leur maîtrise de l'économie, ils affirment leur caractère distinct et leur culture spécifique, et l'usage du français se répand dans toutes les sphères d'activités. Parallèlement, les autochtones exigent la reconnaissance de leur identité. La composition ethnoculturelle du Québec se modifie ; le poids de la population d'origine britannique décline et plusieurs cohortes d'immigrants de tous les continents ● *54* s'installent dans la province. C'est ainsi qu'à la fin du XXe siècle, la société québécoise affirme toujours davantage son caractère francophone tout en s'ouvrant à la diversité et au multiculturalisme. Elle s'inscrit aussi dans le concert de la francophonie mondiale.

Le nationalisme
Au début du XXe siècle, un nationalisme canadien-français se développe. Il vise à la fois l'indépendance du Canada face à l'Angleterre et l'égalité entre francophones et anglophones dans tout le pays. L'échec de ce projet pan-canadien provoque l'essor d'un nationalisme plus exclusivement québécois qui revendique une autonomie accrue pour le Québec, foyer national des Canadiens français. Il débouche, à partir de 1960, sur l'idée d'indépendance de la province.

Au moment où les premiers Européens arrivent sur le sol québécois, de nombreux groupes autochtones sont déjà établis. Inégalement répartis sur un vaste territoire, ces derniers forment alors une population hétérogène estimée à 40 000 individus appartenant à trois grandes familles culturelles distinctes : les Algonquiens, les Iroquoiens et les Thuléens (Inuits). Chacune d'elles se distingue tant par la langue et l'organisation matérielle que par les traditions, le mode de subsistance ou la religion.

PRATIQUES RELIGIEUSES
Le chamanisme est au cœur des pratiques rituelles. Chants, danses, rites mortuaires et sacrifices s'appuient sur une riche mythologie peuplée d'êtres fantastiques et d'ancêtres. Les chamans communiquent avec les esprits par le rêve, la transe, en consommant du tabac, par le biais d'offrandes ou encore par l'expression artistique.

NOMADES OU SÉDENTAIRES ?
Vivant de chasse, de pêche et de cueillette, Thuléens et Algonquiens se déplacent au gré des saisons. Les Iroquoiens, peuples semi-sédentaires, pratiquent l'agriculture, surtout dans la vallée du Saint-Laurent.

«Pierre Pastedechouan nous a rapporté que sa grand'mère prenoit plaisir à raconter l'estonnement qu'eurent les Sauvages voyans arriver le vaisseau des François [...] ils pensoient que ce fust une Isle mouvante»

Père Paul Lejeune (1633)

Structure sociale

Les Algonquiens, tout comme les Thuléens, occupent, en petits groupes de quelques familles, des villages temporaires. Ils se réunissent en grand nombre pendant l'été et ils profitent de cette période pour célébrer les mariages. Chez les Iroquoiens, le lignage maternel est à la base de l'organisation sociale : seule l'ascendance maternelle est prise en compte dans la transmission du nom et des privilèges.

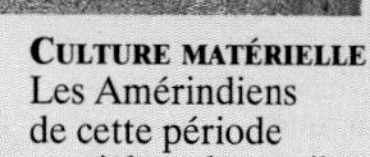

Culture matérielle

Les Amérindiens de cette période possèdent des outils en pierre, en bois, en os ou en ramure de cervidés. Ceux-ci leur permettent de travailler la pierre, le cuir et divers matériaux. Ils se fabriquent en outre des objets en céramique ou en vannerie.

Tensions et conflits

Certains événements ou tiraillements entre les groupes dégénèrent parfois en conflits ouverts. Les rivalités territoriales, le besoin de ressources spécifiques ou des représailles à la suite d'une défaite peuvent commander des expéditions guerrières. Des alliances sont parfois conclues sous forme de pacte ou d'organisation politique, telle la ligue des Cinq-Nations iroquoises.

Amérindiens et Européens au XVIe siècle

Au début du XVIe siècle, les pêcheurs portugais, anglais, français et espagnols exploitent les eaux poissonneuses du golfe du Saint-Laurent. Les Français s'imposent très vite en équipant chaque année des centaines de navires. Ils sont aussi les premiers à pratiquer la traite des fourrures avec les Amérindiens qui, dès le premier voyage de Jacques Cartier, en 1534, troquaient des fourrures contre des produits européens. Durant la seconde moitié du siècle, la traite devient une entreprise organisée, distincte de la pêche, et prépare la colonisation française du territoire, amorcée au début du XVIIe siècle.

Les échanges culturels
Outre les objets de troc, Européens et autochtones échangent techniques et expressions langagières. Ainsi, dès le début du XVIIe siècle, les Micmacs de l'Acadie parlent français et basque et savent naviguer à voile. Plusieurs récits de voyages indiquent que les Amérindiens aidaient les Basques à fondre la graisse des baleines «pour un peu de cidre et un morceau de pain». C'est sans doute lors de ces contacts prolongés avec les Européens que les populations amérindiennes ont contracté des maladies qui les ont décimées. Aussi, lorsque Samuel de Champlain (v. 1567-1635) établit une colonie permanente à Québec, en 1608, les Iroquoiens ont disparu des basses terres du Saint-Laurent.

Le legs amérindien
Parmi les emprunts faits par les Français aux autochtones pour s'adapter au pays, on compte des moyens de transport comme le canot, la traîne sauvage et les raquettes. Les mocassins complètent leurs vêtements, le maïs et les courges, leur alimentation. Des techniques de pêche hivernale sont aussi un héritage important.

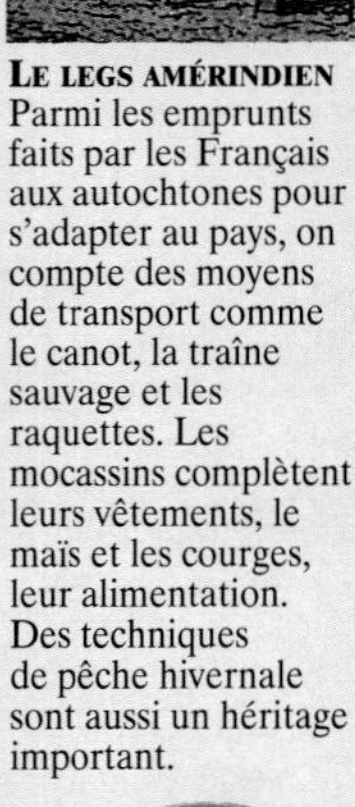

Les premiers Européens

La morue fut la première ressource du pays exploitée par les Européens. De juin à septembre, une flotte estimée à 500 ou 600 morutiers, dont plus de la moitié étaient français, pratiquait la pêche sur les côtes et les bancs de Terre-Neuve, et le long des côtes de la Nouvelle-Écosse et de la Gaspésie. Le plus souvent, la morue était salée et séchée dans de petits établissements côtiers. Sur la grève, on construisait un quai et un abri appelé échafaud ▲ *303*. La chasse de la baleine devient une activité importante au milieu du siècle. Pratiquée exclusivement par les Basques, elle mobilise chaque année une vingtaine de navires appareillant vers la côte du Labrador, ainsi que vers la Côte-Nord et l'estuaire du Saint-Laurent ▲ *293*. Diverses espèces de baleines fréquentent toujours ces eaux durant l'été.

Jacques Cartier (v. 1491-1557)

À la recherche d'or et d'une route vers l'Asie, Jacques Cartier prend possession du pays au nom de François Ier en 1534. Il embarque les deux fils d'un chef iroquois de Stadaconé (Québec) et les emmène en France. De retour en 1535, Cartier remonte le fleuve jusqu'à Hochelaga (Montréal). Il passe l'hiver de 1535-1536 à Stadaconé. Il écrira : «Il y avait la hauteur de quatre pieds de neige [...], tellement qu'elle était plus haute que les bords de nos navires.» En 1541, Cartier tente de fonder une colonie à Québec, mais il échoue, peut-être en raison de l'hostilité des Amérindiens.

Fourrures contre cuivre

Entre 1580 et 1600, une vingtaine de navires basques font le trafic des fourrures. Les Français échangent des chaudrons de cuivre, des haches, des couteaux et des perles de verre contre des peaux de castors, de martres et de loutres. Ces objets européens connaissent une diffusion rapide et vaste ; on les retrouve aujourd'hui sur la côte acadienne, au Saguenay-Lac-Saint-Jean, aux Grands Lacs et dans la vallée de l'Ohio. Les Amérindiens affectionnent particulièrement le chaudron de cuivre rouge, qu'ils déposent dans les tombes ou transforment en bijoux.

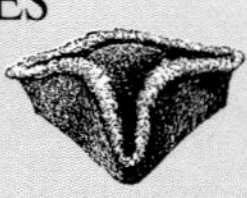

Couronne de métal, œuvre d'un orfèvre de Montréal

Le commerce transatlantique des fourrures naît vers 1500 et demeure pendant la majeure partie du XVIIe siècle la principale activité économique de la jeune colonie française. Depuis fort longtemps, les pelleteries alimentaient les échanges entre les différents peuples autochtones. Ils s'amplifient avec l'arrivée des Européens qui, ravitaillés par les Montagnais et les Algonquins, font d'abord commerce à Tadoussac. Puis, sous l'impulsion de la concurrence entre les commerçants, un vaste réseau de comptoirs de traite se met en place. Il s'étend progressivement à toute la vallée du Saint-Laurent et à la région des Grands Lacs pour atteindre le Pacifique, au XIXe siècle.

LES COUREURS DE BOIS
Au milieu du XVIIe siècle, colons et marchands se disputent de plus en plus âprement les fourrures apportées par les autochtones. La paix franco-iroquoise (1667) pousse des soldats, des engagés et des habitants à se diriger vers les Grands Lacs afin de traiter directement avec les Amérindiens. Ils seront bientôt plusieurs centaines à «prendre le bois», au grand dam des autorités. Entre 1670 et 1720, différentes ordonnances visant à retenir les colons sur les terres et, bientôt, à mieux encadrer le commerce des fourrures sont adoptées. En principe, seules les personnes ayant obtenu un «congé» peuvent désormais participer au commerce, le terme «coureurs de bois» désignant les individus qui persistent à partir sans permission.

Les postes de traite

Dès le XVIe siècle, des postes de traite sont érigés sur les rives du Saint-Laurent à l'embouchure des rivières importantes. Relais entre les marchands et leurs fournisseurs, ils servent aussi à entretenir un système complexe d'alliances avec les Amérindiens. Ils sont de taille inégale, les plus gros comptant plusieurs bâtiments protégés par une palissade.

En retour... des fourrures

En échange de leurs fourrures, les Amérindiens reçoivent principalement des articles de fer et de cuivre, des tissus et de l'alcool, en quantité importante lorsque la concurrence est vive. Les peaux ainsi obtenues sont expédiées en Europe. Jusqu'au XIXe siècle, alors que le chapeau de castor se démode, les chapeliers demeurent les plus importants clients de ce commerce. Ils utilisent le duvet des peaux de castor pour en faire du feutre. D'autres peaux alimentent le marché européen du vêtement : la martre, la loutre, le lynx, le cerf...

Monopole et compagnies

Sous le Régime français, les autorités confient le monopole de l'ensemble du commerce, puis celui de l'exportation des peaux de castor, à différentes compagnies. Créée en 1783, la Compagnie du Nord-Ouest finit par regrouper l'essentiel des marchands de fourrures montréalais, avant de passer en 1821, sous le contrôle de la Hudson's Bay Company, son principal rival.

Afin d'assurer l'occupation du territoire de la Nouvelle-France, l'État instaure le régime seigneurial. De larges portions de terre appelées seigneuries sont concédées à des particuliers chargés de recruter et d'établir des habitants, ou censitaires. Cette population jeune, ouverte à tout métier et majoritairement catholique, est arrivée dans la colonie, à raison de quelques dizaines de personnes par an, sauf durant les années 1660, avec la venue massive des «filles du roi» et des militaires. En 1760, à la fin du régime français, environ 250 fiefs ont été accordés et plus de 7 000 terres, redistribuées aux immigrants français, venus surtout de Normandie, d'Île-de-France, de Charente, d'Aunis et du Poitou.

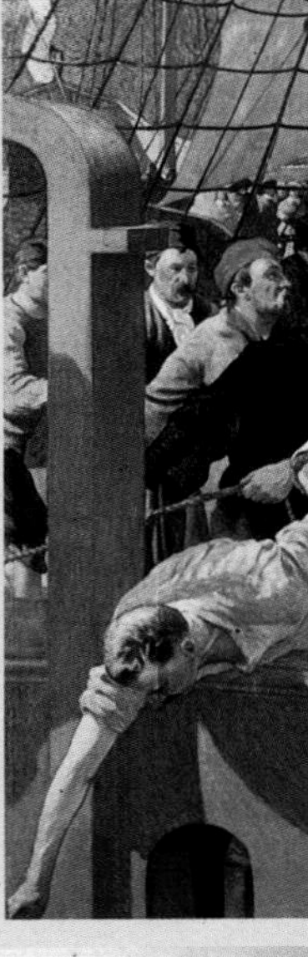

LA VIE CITADINE
À la fin du XVIIe siècle, le quart de la population vit en ville. Elle se compose principalement de gens de métier et d'apprentis. Les autorités favorisent la venue de ces artisans, nécessaires à la jeune colonie, en leur permettant de tenir boutique après six années de pratique. La ville est également le lieu où se regroupent les administrateurs, les communautés religieuses, les militaires et les marchands.

LA CENSIVE ET LE RANG
Chaque seigneurie est divisée en censives, la censive étant la terre de l'habitant. De forme rectangulaire, cette parcelle longe le fleuve sur 3 arpents et mesure 30 arpents de profondeur. Une fois les rives occupées, on ouvre une seconde ligne d'occupation, parallèle à la première, appelée rang. Un chemin commun, ou «montée», coupe les rangs et mène au fleuve, principale voie de communication.

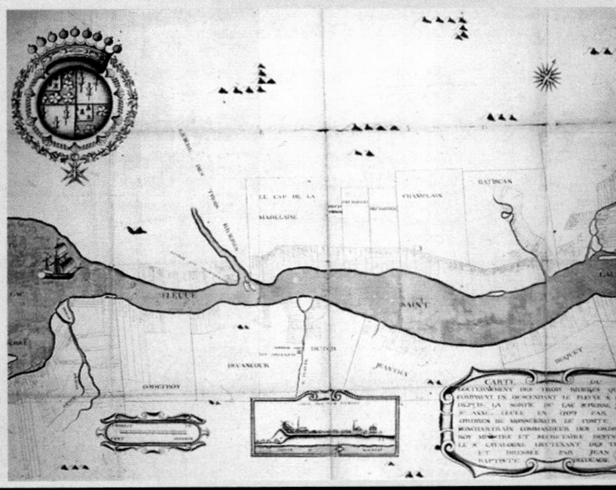

Le régime seigneurial
Contre redevances, le seigneur doit tenir feu et lieu sur sa terre et bâtir un moulin. L'habitant lui verse les cens et rentes (des produits de la terre et quelques sols), fournit des journées de travail et paie pour user des biens seigneuriaux (moulin, bois, champs).

Qui sont les «habitants» ?
Les «engagés», de jeunes immigrants sans le sou, donnent trois années de travail à un particulier ou une communauté religieuse en échange d'une terre. Environ 400 hommes du régiment Carignan-Salières, venu en 1665 défendre la colonie contre les Iroquois, se font aussi habitants. La plupart d'entre eux épousent des «filles du roi», 700 à 800 orphelines que Louis XIV dote, entre 1663 et 1673, pour qu'elles s'installent au pays.

Les congrégations religieuses
Les récollets, arrivés en 1615, seront rejoints dix ans plus tard par les jésuites. Ces derniers se font missionnaires, enseignants et prêtres jusqu'à la fondation du Séminaire de Québec par Mgr de Laval ▲ *265*. En 1639 s'installent à Québec les ursulines ▲ *268*, vouées à l'éducation des filles, et les hospitalières ▲ *268*, chargées de prendre soin des malades. En 1657, Montréal reçoit les premiers sulpiciens.

Avec la Conquête de 1760, la colonie française installée sur les berges du Saint-Laurent passe sous l'autorité impériale de Londres. De nombreux marchands et administrateurs nés en Angleterre s'établissent au Canada. Par la suite, la communauté anglophone se diversifie avec l'arrivée de colons loyalistes après la Révolution américaine (1776-1783) et celle de nombreux immigrants irlandais au XIXe siècle, puis juifs et italiens au début du XXe siècle. Forte de son pouvoir économique et de ses traditions, elle occupe un rôle important dans l'histoire économique, sociale et culturelle du Québec.

COMMUNAUTÉS AUTOCHTONES ET RIVALITÉS EUROPÉENNES
Les Mohaws font partie de la grande Confédération iroquoise. Au XVIIIe siècle, lors de la guerre franco-britannique, ils s'allient aux britanniques et adoptent leur langue. On les voit ici, campant à Pointe-Saint-Charles ▲ *200* où ils viennent pêcher (XIXe siècle).

MARCHANDS, INDUSTRIELS ET BANQUIERS
De nombreux Écossais s'enrichissent dans le commerce des fourrures après 1760. La communauté anglophone de Montréal ▲ *165* s'impose rapidement dans le monde des affaires et de l'industrie. On estime qu'à la fin du XIXe siècle, 70 % de la richesse canadienne est entre les mains de quelques grandes familles de la métropole tels les Molson et les McGill.

La pelle de l'Amérique

À partir de 1820, les autorités de la colonie, soucieuses de favoriser tant l'essor de la communauté anglophone que le développement industriel, encouragent la venue d'une main-d'oeuvre ouvrière d'expression anglaise. Entre 1845 et 1848, près de 100 000 Irlandais migrent au Canada, échappant à la famine qui sévit dans leur pays. Ils contribuent à la réalisation de grands chantiers tel le canal Lachine ▲ *201* (ci-contre).

Écoles confessionnelles

Aux termes de la constitution de 1867 ● *41*, l'éducation et la santé relèvent de la juridiction des provinces. Les écoles et les hôpitaux du Québec continuent toutefois d'être gérés par les communautés religieuses. Les protestants se dotent rapidement de leurs propres institutions. Ils peuvent compter sur un réseau unifié d'établissements scolaires, avec des écoles primaires, des «high schools» et deux universités dont celle de McGill, créée à Montréal ▲ *179*, grâce au legs d'un riche marchand de fourrures, James McGill (ci-dessus).

Artistes anglophones

Issus de la communauté auglophone du Québec, certains artistes ont réussi à percer sur la scène nationale et internationale. Parmi les plus connus, citons Leonard Cohen ● *144* (ci-dessous), Oscar Peterson ▲ *200*, ou encore Gino Vanelli.

«Deux solitudes» ● *149*

Les Québécois anglophones se concentrent dans les grands centres urbains et dans les régions limitrophes de l'Ontario et des États-Unis tels l'Estrie ▲ *210* et l'Outaouais ▲ *222*. S'identifiant volontiers à la grande communauté canadienne-anglaise, ils demeurent généralement hostiles au nationalisme québécois. Certains écrivains, comme Mordechai Richler, n'hésitent pas à clamer haut et fort leur opposition.

LE POIDS DE L'ÉGLISE CATHOLIQUE ENTRE 1840 ET 1960

À partir de 1840, l'Église catholique occupe une place prédominante dans la société québécoise. Elle encadre les individus, influence l'opinion, surveille de près la politique et contrôle le réseau d'assistance publique et l'éducation. Du haut de leur chaire, les évêques parlent «beaucoup, [...] fort, et sèchement» (Jean Hamelin). Ils exaltent l'utopie d'une société catholique, française et rurale, à l'abri des menaces extérieures et porteuse d'une mission civilisatrice dans toute l'Amérique du Nord. Dans les années trente, certaines forces minoritaires s'organisent et préparent insensiblement la laïcisation des années soixante.

LA PEUR DES NOUVEAUTÉS
Les leaders catholiques fondent leur action sur la doctrine sociale de l'Église, diffusée par les jésuites et l'École sociale populaire, un imposant centre de propagande. Accentuée par la peur du communisme, leur méfiance à l'égard des nouveautés grandit.

POUR UNE SÉPARATION DE L'ÉGLISE ET DE L'ÉTAT À L'INSTITUT CANADIEN DE MONTRÉAL
Fondé en 1844, lieu d'échanges, de débats et de documentation, l'Institut canadien véhicule des idéaux libéraux et prône la séparation de l'État et de l'Église. De telles positions seront condamnées par Mgr Bourget (son gisant, ci-dessous) qui, à partir de 1858, engage une véritable guérilla. Il s'opposera à ce qu'un membre de l'Institut soit enterré dans un cimetière catholique (affaire Guibord). Il aura raison de l'Institut qui, en 1875, devra cesser ses activités.

L'ÉGLISE ET L'ÉDUCATION
Forte d'un clergé nombreux, aidée d'une phalange de religieux et religieuses, l'Église possède le seul réseau complet d'éducation en langue française, de la maternelle à l'université. Dès 1875, elle contrôle aussi le système public par le biais du Comité catholique du Conseil de l'Instruction publique, le ministère de l'Éducation, créé sept ans auparavant, ayant été aboli. Prétextant l'ingérence de l'État, le clergé s'opposera jusqu'aux années quarante à des mesures telles que l'école obligatoire et gratuite.

LES COURANTS ANTICLÉRICAUX
Entre 1840 et 1960, l'idéologie cléricale engendre différents courants d'opposition au sein même de l'Église, mais surtout dans la société laïque. Leur influence s'accroît lorsqu'ils s'appuient sur des groupes tels que l'Institut canadien de Montréal (1844-1875), la franc-maçonnerie (fin du XIXe siècle) ou le milieu artistique (le *Refus global* ● *140*). Cependant, le plus souvent, elle est le fait d'individus. À partir des années cinquante, un courant plus ouvert naît à la faculté des sciences sociales de Laval et à la Commission sacerdotale d'études sociales. L'influence du Québec anglophone, qui vit en marge avec sa religion et ses institutions, nuance ce tableau, surtout à Montréal.

Pour une «théocratie»

Se réclamant de l'ultramontanisme, doctrine qui prône le pouvoir absolu du pape, le clergé revendique, à partir des années 1840 ● *40*, la liberté totale dans ses champs d'activités et tend à instaurer une «théocratie». À l'instigation des évêques de Montréal, Mgr Lartigue (1777-1840) et surtout Mgr Bourget (1799-1885) ▲ *175*, l'Église se libère de la tutelle gouvernementale, puis profite de la conjoncture (faiblesse de l'État et fonction publique quasi inexistante) pour faire main basse sur l'éducation, l'assistance publique et le bien-être, désormais gérés par le clergé et par les communautés religieuses.

Démonstratif et attentif aux besoins des gens, le catholicisme ultramontain rallie les masses.

REFUS GLOBAL

La Révolution tranquille correspond à une période de rapides transformations que connaît le Québec sous le gouvernement libéral de Jean Lesage (1960-1966) et de son «équipe du tonnerre». En privilégiant la modernisation, l'État québécois entreprend de réformer en profondeur les institutions comme la fonction publique, l'éducation, la santé et les affaires sociales. Nouveau nationalisme, ouverture sur le monde, foi en l'État providence, et explosion culturelle sur fond d'effervescence des années soixante : la Révolution tranquille fait naître un état d'esprit qui se maintiendra bien après 1966. De plus, elle remet en question les rapports traditionnels entre le Québec et le reste du Canada.

Éducation et langue
En 1960, un frère enseignant dénonce dans ses *Insolences* les carences du système d'éducation. Il donne le départ d'une profonde remise en question. Au nom de l'accessibilité et de la modernisation, la réforme des programmes et des structures touche tous les niveaux, de la maternelle à l'université. Le choix de l'anglais comme langue d'enseignement par la majorité des immigrants provoque la bataille linguistique. Des lois, dont la Charte de la langue française (loi 101) ● *61*, viseront à affirmer le caractère francophone du Québec.

Laïcisation
Avec l'amélioration du niveau de vie et la scolarisation des *baby boomers*, l'Église, dont les effectifs sont en baisse, ne peut plus assumer seule l'éducation et les services sociaux. Elle doit céder la place aux laïcs : ses écoles et ses hopitaux sont pris en main par l'État. Parallèlement, la pratique religieuse s'effrite. L'univers entretenu par l'Église pendant plus d'un siècle s'effondre ● *54*.

Effervescence culturelle
Un climat plus propice à la création s'installe. Poètes et romanciers, peintres et sculpteurs, musiciens et chansonniers ● *92* s'expriment plus librement, sous le signe de la modernité. Une nouvelle culture québécoise est née.

Pauline Julien

Reconquête économique
La nationalisation de l'électricité en 1963 par Jean Lesage (ci-dessous) symbolise la volonté de contrer l'emprise des anglophones sur l'économie du Québec. L'État appuie désormais les entrepreneurs francophones.

Nouveau nationalisme
Ce mouvement veut faire du Québec «l'État national des Canadiens français» et affirmer sa présence sur la scène internationale. La vision traditionnelle du Canada est remise en question : certains demandent une décentralisation au profit des provinces tandis que d'autres, plus radicaux, prônent l'indépendance du Québec. S'amorce alors une longue période de débats constitutionnels, ponctués de référendums, dont aucun consensus ne se dégagera.

Après un long silence, les peuples autochtones du Québec cherchent depuis quelques décennies à renaître de leurs cendres. Puisant leur énergie dans leur patrimoine culturel et spirituel, les Amérindiens ont entrepris de revendiquer haut et fort, et sur toutes les scènes, leur existence mais aussi les droits inaliénables auxquels ils n'ont jamais renoncé. Ils entendent effacer plus de quatre siècles de tutelle et se gouverner eux-mêmes sur les vastes territoires de leurs ancêtres.

L'exode
Phénomène récent, un nombre croissant d'Amérindiens et d'Inuits, des jeunes pour la plupart, vont s'installer dans les grandes villes (Montréal compte ainsi environ 15 000 autochtones). Ils quittent leur communauté pour venir étudier, travailler, jouir d'une liberté accrue ou même pour fuir un milieu sclérosant. Les conséquences de cet exode sont difficiles à mesurer.

Les communautés autochtones
On dénombre aujourd'hui près de 60 000 Amérindiens et 7 000 Inuits, vivant pour la plupart dans une cinquantaine de communautés distinctes (ci-contre). Les onze nations amérindiennes auxquelles se rattachent ces communautés sont désormais toutes sédentarisées et accèdent rapidement à la modernité.

CRISE D'IDENTITÉ
Le mouvement d'affirmation des autochtones n'est pas sans provoquer certains heurts entre Amérindiens. Comme le symbolise le tableau ci-contre, on reproche à certains de penser et d'agir à l'image de «pommes» : sous la peau rouge, le fruit est blanc.

«PRENDRE LA PAROLE»
Nibimatisiwin, disent les Algonquins («C'est notre vie et nous prenons la parole»). Les Amérindiens exposent leurs revendications tant sur les scènes locale et nationale qu'internationale. En mars 1990, les Mohawks de Kanesatake, en banlieue de Montréal (Oka), érigent des barricades afin de protéger une pinède que des promoteurs veulent transformer en terrain de golf. Il s'ensuit un long affrontement (ci-contre) qui a marqué les rapports entre autochtones et Québécois.

L'AVENIR ?
Les jeunes de moins de vingt-cinq ans représentent 60 % de la population autochtone du Québec. C'est cette génération qui, dit-on, décidera de la survivance des peuples autochtones. Moins patients que leurs aînés, ils revendiquent et sont à la base d'une renaissance culturelle et spirituelle. Ils renouent avec les Sages qui sont les porteurs de traditions.

EXPLOSION CRÉATRICE
Au cours des vingt-cinq dernières années, la création artistique chez les peuples autochtones s'est développée à un rythme soutenu aussi bien dans les domaines de la musique (notamment avec le groupe rock Kashtin) et du cinéma que dans ceux de la danse, de la peinture et de la sculpture. Ces artistes (telle Alanis Obumsawin, cinéaste et chanteuse, ci-contre) partagent un langage original, contemporain, qu'ils puisent dans un riche patrimoine.

En 1756, quelle n'est pas la surprise du général Montcalm ▲ *252* de pouvoir s'entretenir en français avec les paysans de la côte de Beaupré ! Les colons, originaires surtout de Normandie, de l'Île-de-France et du Centre-Ouest, avaient déjà réalisé leur unité linguistique, alors qu'en France les deux tiers de la population ignoraient le français.

LE FRUIT DE NOMBREUX LEGS

LES NOMS DE FAMILLE
Parmi les patronymes québécois, on relève des surnoms portés autrefois par des soldats de régiments : Bellehumeur, Brindamour, Laterreur, Sansfaçon, Sansregret, Sansouci, Tranchemontagne. Certaines appellations évoquent les origines : Anjou, Larochelle, Normand, Picard, Poitevin ; ou des noms catholiques : Cardinal, Chrétien, Larchevêque, Lévesque... Quant aux Bouchard et aux Tremblay, ils sont au Québec ce que les Martin et les Dupont sont à la France.

AMÉRINDIANISMES

Les contacts avec les habitants du Nouveau Monde se sont traduits par l'emprunt de mots qui ont désormais leur place dans les dictionnaires, alors que certains amérindianismes sont propres au français du Québec, comme *annedda* (remède contre le scorbut), *tabagane* (traîneau sans patins glissant sur la neige), appelée aussi traîne sauvage (ci-dessous), ou *babiche* (fine lanière de peau crue d'anguille utilisée comme fil à coudre ▲ *232*).

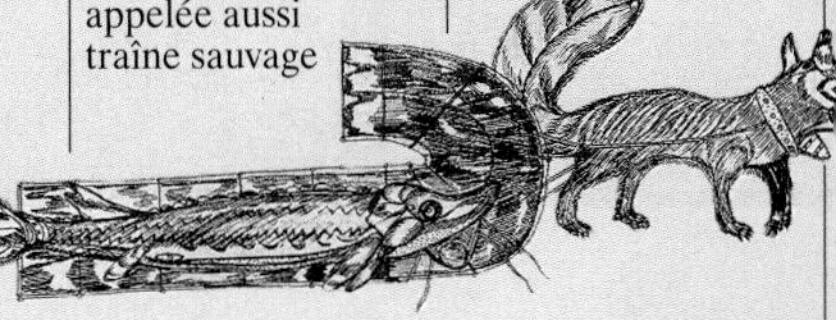

ARCHAÏSMES ET DIALECTALISMES

Toute langue qui émigre et qui est plus ou moins coupée du pays d'origine conserve des mots et des tournures syntaxiques devenus rares, littéraires ou archaïques dans la mère patrie. Le québécois n'y échappe pas : avaricieux (avare), capot (manteau), dalle (gouttière), gravelle (gravier), ménage (meubles), menterie (mensonge), noirceur (obscurité), endêver (taquiner), pâtir (souffrir), serrer (ranger), mais que (lorsque), quand et (en même temps), c'est selon (ça dépend)... Nombreux également sont les vocables originaires des provinces françaises : moulange (meule de moulin à farine), effardocher (débroussailler), besson (jumeau).

L'INFLUENCE ANGLAISE

ANGLICISMES

Après la Conquête, le français ne demeurera langue véhiculaire qu'à l'église et au sein des familles. Le fait que l'administration et le commerce soient passés aux mains des Britanniques a largement contribué à l'anglicisation du français au Canada. L'Angleterre approvisionnant le pays, tout arrivait et se vendait sous étiquette anglaise :

du *corduroy* (velours côtelé) aux gants de *kid* (chevreau) en passant par les *saucepans* (casseroles). Il suffit parfois qu'une denrée passe entre les mains de commerçants pour qu'elle soit désignée sous un nom anglais. La publicité par catalogues illustrés, à la fin du XIXe siècle, accentue encore ce phénomène. Avec le temps, l'assimilation de ces anglicismes à la syntaxe française a fini par produire un langage truculent, appelé le «joual». Pendant la Révolution tranquille ● *56*, s'exprimer en «joual», même à l'écrit, était considéré par certains (Michel Tremblay par exemple ● *155*) comme une façon d'affirmer l'identité nationale des Québécois.

Nous invitons spécialement les étrangers à visiter notre chambre d'exposition, où on trouvera un immense assortiment de fourrures.

MANTEAUX EN SEAL ET ROTONDES EN SOIE
UNE SPÉCIALITÉ.

Aussi, un grand assortiment de CHAPEAUX IMPORTÉS des manufactures anglaises et françaises ; ce que l'on peut trouver de mieux à Montréal.

INDUSTRIALISATION ET ANGLICISATION DU MONDE DU TRAVAIL

L'industrialisation, qui débute avec le bois, est d'abord possible grâce aux capitaux britanniques avant que ne s'imposent, après 1914, les investisseurs américains. Dans la plupart des entreprises, l'anglais est la langue utilisée, bien que la majorité des ouvriers soient francophones. Depuis une vingtaine d'années, nombre de sociétés ont décidé de faire une plus grande place au français. Cette transformation tient beaucoup à la loi 101 ● *42* adoptée sous le gouvernement de René Lévesque (1977), qui a consacré le mouvement de francisation du travail. En édictant des normes d'affichage, la législation a en outre permis à Montréal de se donner un visage français.

LE VOCABULAIRE ASSOCIÉ AU MODE DE VIE

MOTS D'ORIGINE MARITIME

Les premiers colons se sont d'abord établis sur les rives du fleuve Saint-Laurent et dans ses îles. En l'absence de route pavée, les déplacements s'effectuaient souvent par canot ou par bateau. Ainsi, la terminologie navale devient bientôt familière à la plupart des habitants. Depuis le XVIIe siècle, les Québécois emploient des centaines de mots tirés ou inspirés du vocabulaire maritime. Aujourd'hui encore, on «appareille» ou on «greille» les enfants pour l'école, on «hale» (tire) de l'eau et l'on «embarque» dans une auto. De même, on dira : larguer (jeter) un objet, faire des «radoubs» (réparations) à une maison, poser du «prélart» (linoléum) sur un parquet et, au figuré, être à l'ancre (être chômeur ou sans emploi) ou faire pacager les vaches «au large» (loin de l'étable).

L'HIVER

Les colons français possédaient un vocabulaire restreint pour exprimer l'hiver auquel ils étaient confrontés. Très tôt sont apparus les verbes «poudrer» (impersonnel), «faire de la poudrerie» (neige sèche déjà au sol que le vent soulève) ainsi que deux diminutifs, «poudrailler» et «poudrasser». La poudrerie crée les «bancs de neige» ou congères (ci-dessous). On appelle «croûte» une surface de neige durcie (à la suite d'une pluie ou d'un dégel) suffisamment épaisse pour porter les piétons.

«LA RONDE DES JURONS»
Les Québécois ne jurent pas, ils sacrent. Influencés par la tradition catholique, les jurons utilisés renvoient pour la plupart à des objets liturgiques tels que : ciboire ! calice ! tabernacle ! calvaire ! sacrement ! christ !... À ces jurons s'ajoutent leurs dérivés et de nombreuses combinaisons (christ de calice ! saint-ciboire ! etc.). Absents bien sûr de la langue châtiée, ils reviennent souvent dans le parler familier ou sous le coup d'une émotion. Comme l'écrit le chansonnier québécois Plume Latraverse, «ça met du piquant à la vie».

La toponymie du Québec

Rivière-à-Pierre
Notre-Dame-de-Montauban
Saint-Ubalde

On estime que le Québec compte quelque 800 000 lacs. Moins de 10 % seulement ont un nom connu. Et pourtant, plus de 300 d'entre eux s'appellent lac Long et presque autant se nomment lac Vert. La toponymie du Québec serait-elle donc si banale ? Souvent sévères envers eux-mêmes, beaucoup de Québécois le pensent. Il n'en reste pas moins que les noms de lieux au Québec sont souvent originaux, pittoresques et quelquefois... mystérieux. Ils reflètent les différentes périodes du peuplement, autant que des différences régionales marquées.

Une toponymie inspirée

Les sources

La carte géographique du Québec révèle quatre strates toponymiques principales : l'amérindienne-inuite, la française, l'anglaise et une plus récente consolidant le visage français du Québec. La toponymie autochtone était essentiellement descriptive : Québec, «rétrécissement des eaux» ; Chicoutimi, «jusqu'ici, c'est profond» ; Abitibi, «le partage des eaux» ; Saguenay, «eau qui sort» ; Témiscouata et Témiscamingue, «lac profond». Les Français, dès leur arrivée, ont doté le pays d'une toponymie bien différente, souvent subjective ou dédicatoire : détroit de Belle-Isle, cap Tourmente, cap Diamant ; Bourg-Royal, Montréal, Charlesbourg, lac Champlain (baptisé ainsi par Champlain lui-même). Après la Conquête (1760), les Anglais parsèment le pays de noms commémoratifs rappelant des personnages et des villes de l'empire colonial : Dorchester, New Liverpool, New Glasgow, Buckingham, Sherbrooke, Warwick. En fait, la dualité des mères patries successives caractérise encore la toponymie du Québec.

Des spécificités régionales

Les colons français ont laissé leur marque d'abord dans la vallée du Saint-Laurent, qui fut la porte d'entrée de la colonie : île d'Orléans, Trois-Rivières, mont Royal. La toponymie y est presque exclusivement française. Puis les loyalistes ont baptisé dans leur langue les lieux de l'Estrie : Frelighsburg, Philipsburg, Adamsville. Lorsque la vague d'immigrants irlandais arrive, au milieu du XIXe siècle, ils s'installent sur la marge du Bouclier canadien, la plaine du Saint-Laurent étant déjà occupée ; c'est là qu'on retrouve des villages comme Rawdon, Kildare, Shannon. Quant aux territoires du Nord, le paysage toponymique y est essentiellement autochtone ; rivière Koksoak, Povungnituk (inuktitut), Opinaca (cri), Mistassini, Manicouagan (montagnais). Chaque région conserve donc ses particularités toponymiques, mais toutes portent la marque, à des degrés divers, de chaque période et de chaque groupe ethnique (français, anglais, autochtone). Aussi n'est-il pas rare que trois villages voisins aient des noms appartenant à trois langues différentes. C'est le cas en Gaspésie, où Wakeham, Saint-Majorique et Gaspé sont limitrophes.

Une toponymie sanctifiée et répétitive

À quels saints se vouer ?

Municipalités, villages, mais aussi lacs et rivières honorent les saints du ciel. Ainsi tous les villages de l'île d'Orléans ▲ *277* portent des noms de saints ; de même, les deux tiers des panneaux routiers entre Montréal et Québec annoncent des localités au nom sanctifié. Les mouvements de colonisation ▲ *216*, résultat de la concertation de l'Église et de l'État, expliquent ce phénomène. Mais l'imagination populaire a eu la sanctification facile et plusieurs toponymes amérindiens se sont retrouvés sur les cartes ou dans l'usage sous forme de noms de saints. Sinsic a ainsi donné Saint-Sixte ; Sarosto, Saint-Roustaud et Ashuapmushuan, Saint-Machoine.

Noms hybrides
Sainte-Rose-de-Watford, Saint-Onésime-d'Ixworth, Saint-Roch-de-Mékinac, Grande-Cascapédia, L'Ascension-de-Patapédia.

«J'ai pour toi un lac»

Plus de 200 lacs Rond, plus de 300 lacs Long, plus nombreux encore ceux qui honorent la truite ou le castor. Une litanie !
Les eaux du Québec regorgent de truites et, en effet, dans certaines régions, tous les lacs ont une forme allongée. Mais cela s'explique aussi par le fait que, en exagérant un peu comme le veut le dicton, «chaque Québécois a son lac» et l'a nommé spontanément sans songer aux inconvénients de l'homonymie.

Termes dialectaux et régionaux
Barachois : baie fermée ;
batture : estran ;
bogue : marécage ;
crique (masculin) : ruisseau ;
dame : barrage ;
échouerie : endroit où les bateaux ou les loups marins échouent ;
platon : terrain plat et élevé ;
plée : plaine ;
ruau : bras droit entre deux îles.

LA TOPONYMIE A AUSSI...

... SES SECRETS

La simplicité apparente qui caractérise généralement les noms de lieux du Québec est quelquefois trompeuse : une seule rivière traverse la ville de Trois-Rivières (le Saint-Maurice) mais des îles, à son embouchure dans le Saint-Laurent, donnent l'illusion que traduit son nom. De même, la ville de Rivière-du-Loup ne tire pas son nom de l'animal à quatre pattes ; trois hypothèses également plausibles sont proposées pour en expliquer l'origine : il s'agirait du nom d'un bateau, d'une tribu amérindienne, ou encore d'une référence aux loups marins. Le lac du Spectacle n'a jamais connu de représentation théâtrale malgré son nom, inspiré par son contour en forme de lunettes (*spectacles* en anglais). Déformation d'un mot basque signifiant «les côtes», le Havre des Belles-Amours est moins poétique qu'il n'en paraît. Dans la toponymie québécoise, ces petits mystères savoureux, ces pièges et ces leurres sont légion.

... SA POÉSIE

Le territoire québécois est également parsemé de lieux et de sites aux noms évocateurs. Ainsi, un cours d'eau bruyant s'appellera ruisseau Jureux ou rivière Qui-Mène-du-Train ; une rivière sautant des rapides à gros bouillons sera nommée Rapide-Danseur ou, de façon plus imagée, rapide du Cheval Blanc ; une montée difficile s'appellera Crève-Cheval, une concession de mauvaises terres, rang Trompe-Souris (le sol produit si peu que même les souris ne peuvent trouver de blé !). Les mauvais souvenirs sont aussi consignés : la conscription, durant la dernière guerre mondiale, fut l'occasion de baptiser un cours d'eau la Coulée des Larmes.

NOMS SAVOUREUX
Le Grand Pisseux ;
anse de la Descente des Femmes ;
Désert à Brave-Homme ;
baie des Ha ! Ha ! ;
rang Vire-Crêpe ;
lac Trompe-la-Vue.

... ET SES CAPRICES

Cap d'Espoir, en Gaspésie, est apparu sur des cartes anglaises sous la forme «Cape Despair» (cap Désespoir, soit l'inverse). Dix lacs, au Québec, sont officiellement nommés lac Sans Nom (alors que plus de 700 000 n'ont pas encore de nom !). Et on lira, au hasard des cartes : lac Inconnu, lac Pas-d'Eau, lac à Deux-Étages, Saint-André-de-l'Épouvante, le Bas-de-Sainte-Rose, lac J'En-Peux-Plus...

EXERCICES DE MÉMOIRE
Kangiqsualujjuaq et... Kangiqsujuaq (qui n'est pas l'abréviation du précédent) sont deux villages inuit. Portage Kamushkuapetshishkuakanishit : «portage où on s'accroche les pieds dans les racines».

Du moulin à la centrale hydroélectrique

André Bolduc

Le moulin

La force cinétique de l'eau influence les formes d'organisation de la vie sociale en Nouvelle-France : en effet les moulins, aménagés sur les nombreuses rivières du pays, suivent de près l'installation des premiers colons.

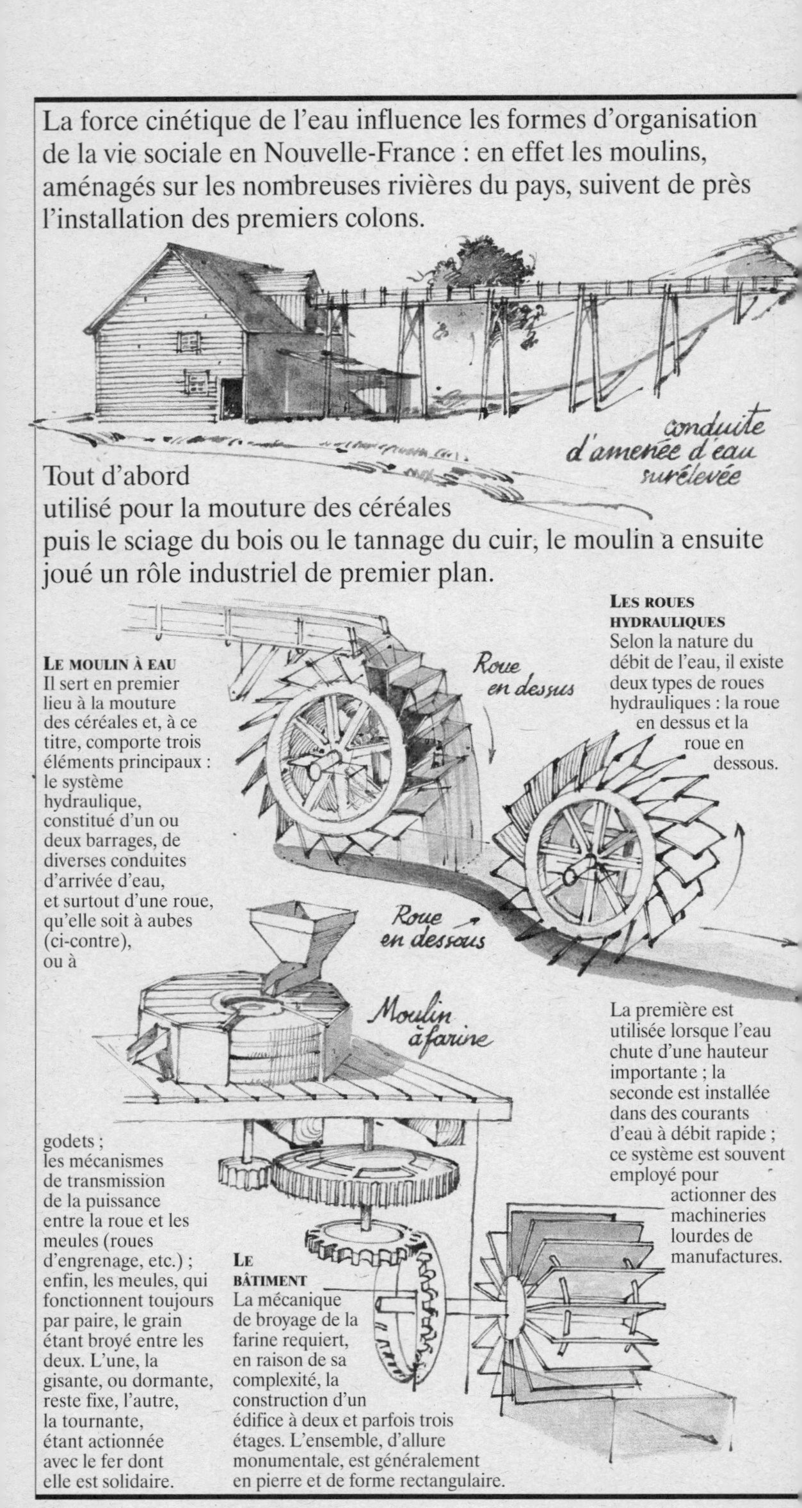

Tout d'abord utilisé pour la mouture des céréales puis le sciage du bois ou le tannage du cuir, le moulin a ensuite joué un rôle industriel de premier plan.

Le moulin à eau
Il sert en premier lieu à la mouture des céréales et, à ce titre, comporte trois éléments principaux : le système hydraulique, constitué d'un ou deux barrages, de diverses conduites d'arrivée d'eau, et surtout d'une roue, qu'elle soit à aubes (ci-contre), ou à godets ; les mécanismes de transmission de la puissance entre la roue et les meules (roues d'engrenage, etc.) ; enfin, les meules, qui fonctionnent toujours par paire, le grain étant broyé entre les deux. L'une, la gisante, ou dormante, reste fixe, l'autre, la tournante, étant actionnée avec le fer dont elle est solidaire.

Le bâtiment
La mécanique de broyage de la farine requiert, en raison de sa complexité, la construction d'un édifice à deux et parfois trois étages. L'ensemble, d'allure monumentale, est généralement en pierre et de forme rectangulaire.

Les roues hydrauliques
Selon la nature du débit de l'eau, il existe deux types de roues hydrauliques : la roue en dessus et la roue en dessous.

La première est utilisée lorsque l'eau chute d'une hauteur importante ; la seconde est installée dans des courants d'eau à débit rapide ; ce système est souvent employé pour actionner des machineries lourdes de manufactures.

JUMELAGE
Au XVIIe siècle, seuls les seigneurs avaient le droit de posséder un moulin ● *50*. Lorsqu'ils en avaient les moyens, ils associaient un moulin à vent et un moulin à eau afin de pallier les désavantages saisonniers que présentaient ces deux formes d'énergie.

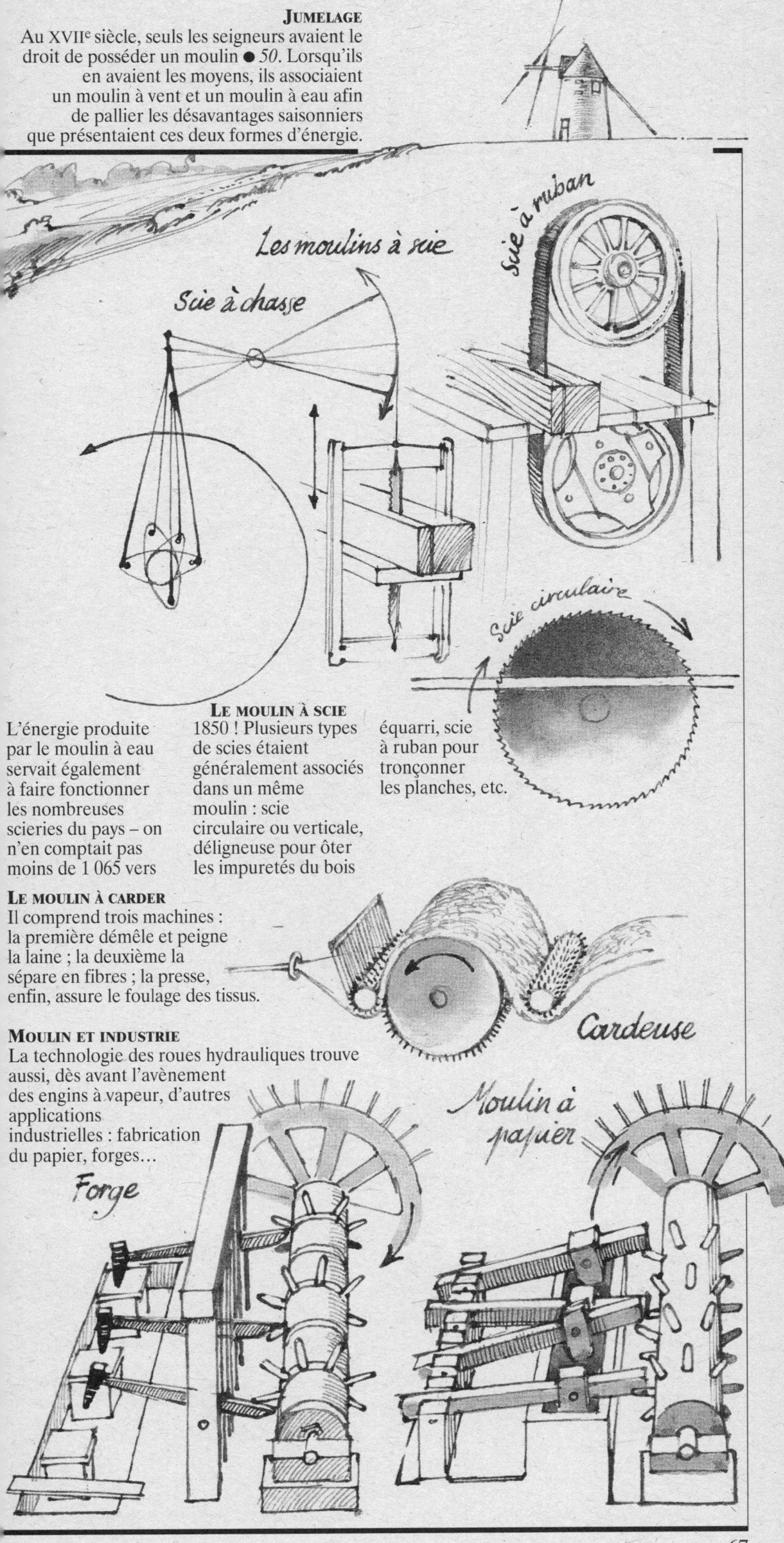

LE MOULIN À SCIE
L'énergie produite par le moulin à eau servait également à faire fonctionner les nombreuses scieries du pays – on n'en comptait pas moins de 1 065 vers 1850 ! Plusieurs types de scies étaient généralement associés dans un même moulin : scie circulaire ou verticale, délignéuse pour ôter les impuretés du bois équarri, scie à ruban pour tronçonner les planches, etc.

LE MOULIN À CARDER
Il comprend trois machines : la première démêle et peigne la laine ; la deuxième la sépare en fibres ; la presse, enfin, assure le foulage des tissus.

MOULIN ET INDUSTRIE
La technologie des roues hydrauliques trouve aussi, dès avant l'avènement des engins à vapeur, d'autres applications industrielles : fabrication du papier, forges…

La mise en valeur des grands cours d'eau dont le Québec est abondamment pourvu se résume en une suite ininterrompue de victoires sur des éléments hostiles : climat rigoureux, longues distances, formations géologiques complexes. Des modestes aménagements de la fin du siècle dernier aux puissantes centrales de la baie James, une constante se dégage cependant : l'esprit inventif des concepteurs et bâtisseurs.

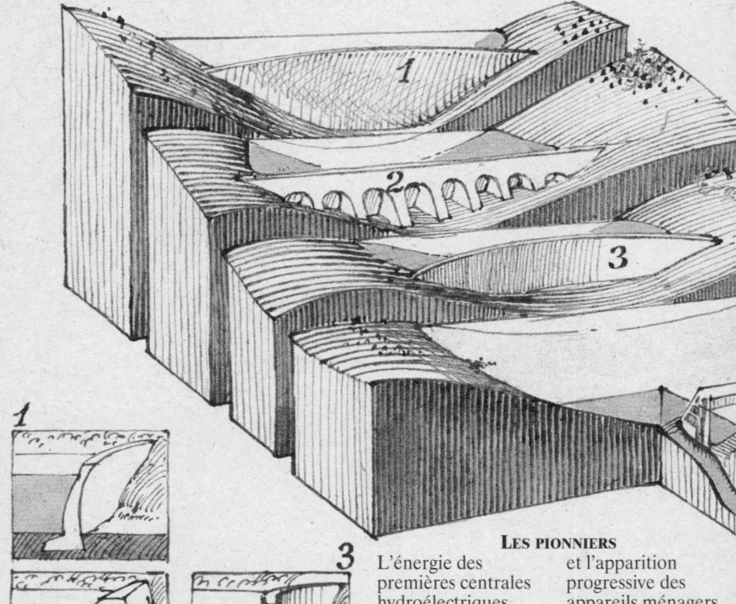

1

2

3

LES DIFFÉRENTS TYPES DE BARRAGES
Il en existe autant que de configurations topographiques. Il est cependant possible de les diviser en deux grandes catégories : les barrages remblayés, faits de matériaux meubles – roche, terre ou gravier –, et les barrages en béton. Ces derniers regroupent les barrages à voûtes (3), les barrages à voûtes et contreforts (2) et ceux à double courbure (1). Ci-dessus, barrage-poids en terre et gravier (4).

LES PIONNIERS
L'énergie des premières centrales hydroélectriques, au début du siècle, sert avant tout à l'éclairage des rues et au fonctionnement des industries. Dans les années vingt, Montréal connaît une expansion démographique sans précédent ; la prospérité et l'apparition progressive des appareils ménagers augmentent la demande en électricité : l'édification de la centrale au fil de l'eau de Beauharnois ● *70*, ▲ *209* comble une partie de ces besoins.

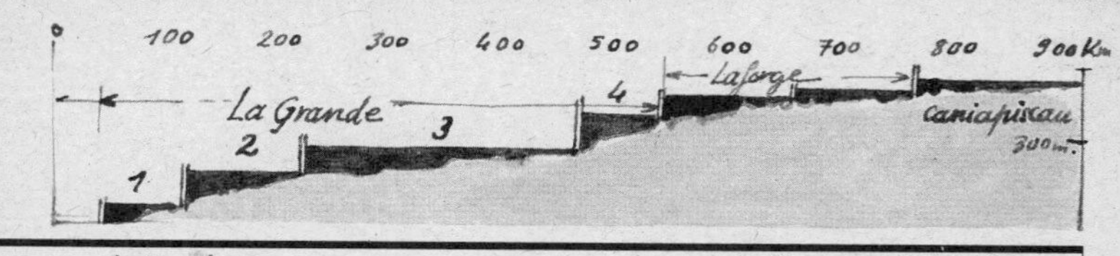

Le complexe de La Grande ▲ 234

Dans les années quatre-vingt, l'aménagement de la Grande Rivière, sur un vaste territoire de 35 000 km², a constitué le point d'orgue des constructions de centrales au Québec. L'ensemble comprend un complexe de huit centrales et bénéficie de l'apport en eau de plusieurs réservoirs de déviation. Avec une dénivellation de 548 m entre la source et l'embouchure et un courant moyen de 1 700 m³ d'eau par seconde, la Grande Rivière possède en effet les deux qualités qui confèrent à une rivière sa puissance hydraulique. Elle fournit une puissance de 15 500 mégawatts.

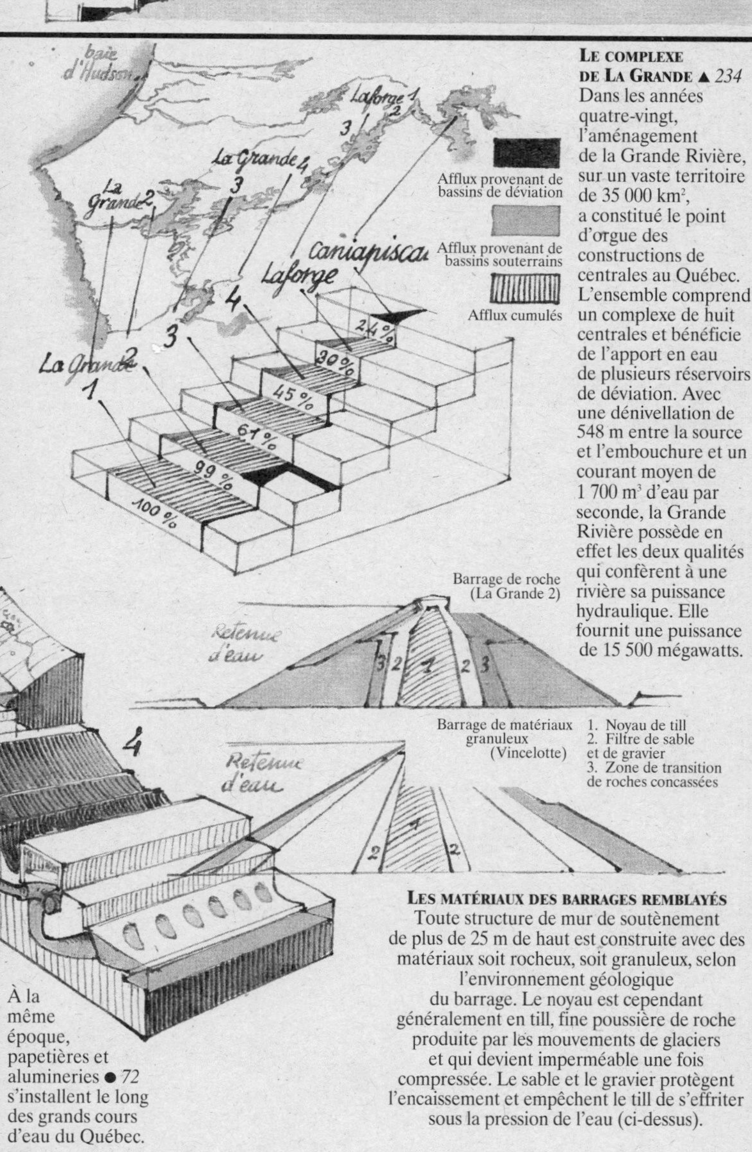

À la même époque, papetières et alumineries ● 72 s'installent le long des grands cours d'eau du Québec.

Les matériaux des barrages remblayés

Toute structure de mur de soutènement de plus de 25 m de haut est construite avec des matériaux soit rocheux, soit granuleux, selon l'environnement géologique du barrage. Le noyau est cependant généralement en till, fine poussière de roche produite par les mouvements de glaciers et qui devient imperméable une fois compressée. Le sable et le gravier protègent l'encaissement et empêchent le till de s'effriter sous la pression de l'eau (ci-dessus).

Années soixante

La mise au point de lignes à très haute tension (735 000 volts) rend désormais possible le transport de grandes quantités d'énergie sur de longues distances. Cette percée technologique entraîne l'aménagement des rivières de la Côte-Nord ▲ 330, pourtant éloignées des grands centres urbains. Des centrales sont alors installées sur les rivières Manicouagan, Aux Outardes, et sur le fleuve Churchill.

Une centrale hydroélectrique produit de l'électricité grâce à la force motrice de l'eau. Parfois dotée d'un barrage lorsque le débit naturel de l'eau n'est pas assez puissant, elle abrite turbines et alternateurs qui transformeront l'énergie cinétique de l'eau en énergie mécanique puis électrique, laquelle sera transportée à travers le pays par un réseau de lignes à haute tension.

GIGANTISME
Les aménagements de La Grande, édifiée entre les 49e et 55e parallèles de latitude nord, en pleine taïga québécoise, constituent à ce jour l'un des plus grands complexes hydroélectriques du monde. La hauteur du petit personnage coincé entre deux machines de la salle Haute tension donne une idée des dimensions de l'ouvrage !

CENTRALES AU FIL DE L'EAU, CENTRALES À RÉSERVOIR
Les premières sont construites sur des lieux à fort débit d'eau, impossible à emmagasiner (centrale de Beauharnois ▲ *209*). Les centrales les plus nombreuses, au Québec, sont cependant celles à réservoir, c'est-à-dire jumelées à un barrage ; celui-ci retient l'eau jusqu'à son utilisation où il crée alors une chute d'eau (ci-dessus, barrage Daniel-Johnson ▲ *330*).

BARRAGE-POIDS ÉVIDÉ DE MANIC 2
Il s'agit d'un énorme mur de béton (le plus grand de ce type au monde), implanté à travers la vallée. Le barrage, dont l'épaisseur est la même d'une rive à l'autre, résiste à la poussée de l'eau par sa masse. Les vides ont été ménagés afin d'économiser le béton.

TURBINE KAPLAN
Proche de la turbine à hélice, elle est dotée de pales orientables. Leur position peut ainsi être ajustée en fonction du débit de la rivière, variable selon les saisons.

TURBINE À HÉLICE
Comme son nom l'indique, cette turbine a la forme d'une hélice. Permettant d'obtenir de grandes vitesses de rotation, elle est sutout utilisée pour une faible chute d'eau.

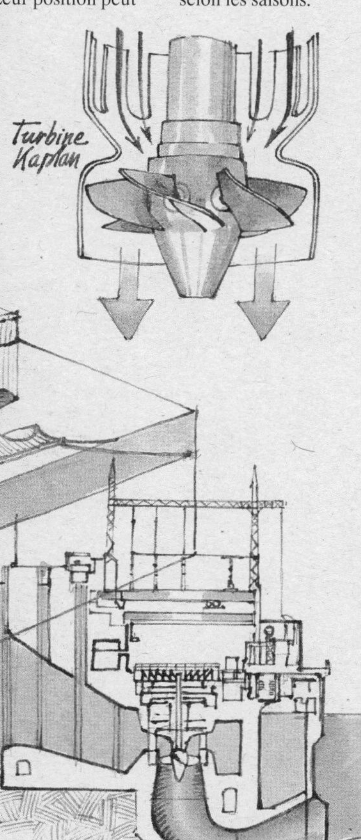

Schéma d'un groupe alternateur/turbine d'une centrale hydroélectrique

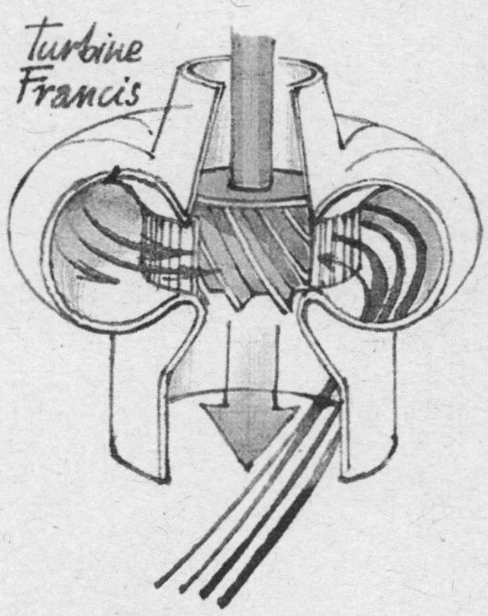

TURBINE FRANCIS
Sorte de roue à aubes, cette turbine est particulièrement adaptée aux chutes de moins de 200 m. Elle est la plus utilisée au Québec et se retrouve par exemple dans les centrales de la Manicougan ▲ *330* et dans celles de la baie James ▲ *234*.

FONCTIONNEMENT D'UNE CENTRALE
L'eau pénètre dans la centrale par une prise d'eau fermée par une vanne et munie d'une grille afin d'empêcher les objets flottants de pénétrer. L'eau est ensuite conduite le long d'un gros tube métallique qui descend en pente jusqu'à la turbine. Dirigée vers la bâche spirale, sorte de conduit métallique entourant la turbine et qui assure un débit régulier, elle atteint la roue, partie mobile de la turbine. L'arbre auquel la roue est couplée entraîne alors l'alternateur dont la fonction est de produire l'électricité. L'eau est ensuite évacuée.

«PITOUNE»
Troncs d'arbres acheminés par voie d'eau

L'exploitation des vastes forêts pour faire du papier et la transformation de la bauxite en aluminium ont présidé à l'industrialisation du Québec au XXe siècle. Ces activités se déroulent toujours sur des sites où l'eau est abondante ; toutes deux demandent, en effet, une énergie électrique considérable et peu coûteuse.

DU BOIS AU PAPIER

Pour transformer le bois en pâte à papier, il faut en séparer les fibres. Cette opération peut s'effectuer mécaniquement ou chimiquement. La technique mécanique consiste à presser dans l'eau des billes écorcées à l'aide de gigantesques meules (défibreurs). L'autre procédé oblige à chauffer des copeaux avec des produits chimiques dans d'immenses autoclaves. La pâte produite est ensuite pressée en feuilles afin d'en extraire l'eau. Dernière opération : le passage des feuilles dans des cylindres-séchoirs afin d'obtenir la consistance désirée.

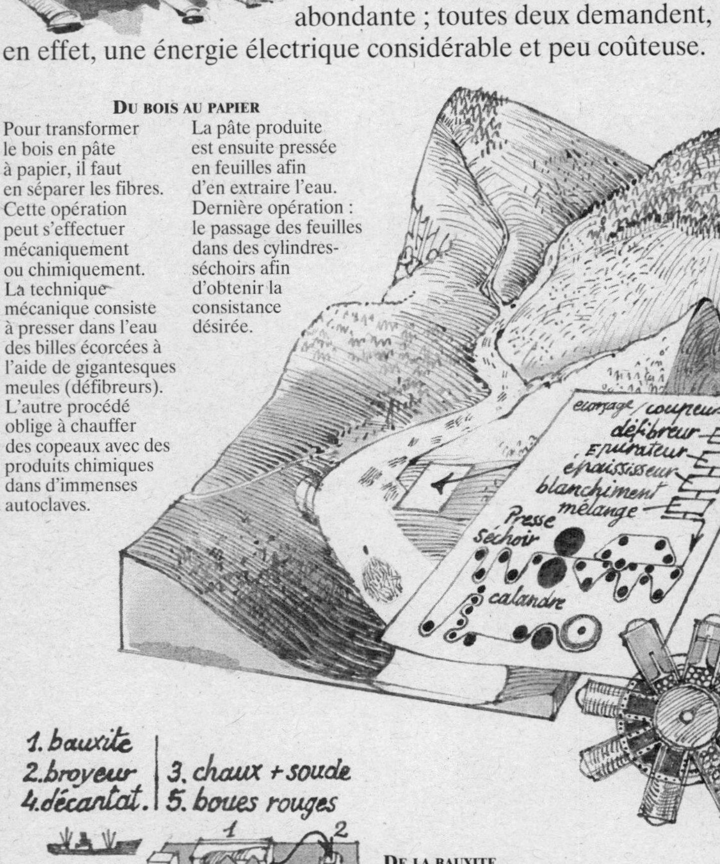

DE LA BAUXITE À L'ALUMINIUM

L'aluminium est produit en deux étapes : l'extraction de l'alumine de la bauxite par procédé chimique, puis la séparation de l'oxygène et de l'alumine par procédé électrolytique. Il faut 4 t de bauxite pour obtenir 2 t d'alumine, qui donneront à leur tour 1 t d'aluminium.

LEADER

Détenant 12 % du marché mondial, le Québec est l'un des plus grands producteurs de papier journal de la planète, devançant ainsi des pays comme le Japon, la Suède ou la Finlande.

TRADITIONS ET ART DE VIVRE

L'adaptation au climat rigoureux du pays se manifeste dans l'habillement d'hiver qui allie la tradition européenne à l'expérience des autochtones. Comme l'Amérindien, le Canadien utilise des peaux pour confectionner les vêtements des voyageurs et des coureurs de bois. Les habitants, pour leur part, revêtent l'«étoffe du pays» tissée selon les techniques d'outre-Atlantique. Au cours du XIXe siècle, quelques distinctions seraient apparues sans toutefois donner lieu à une gamme importante de nouveaux costumes. Malgré ces particularismes, la mode européenne a toujours gardé son attrait.

LES ACCESSOIRES

En hiver, les tricots de laine tels que la tuque (bonnet), le foulard, les mitaines (moufles) et les bas, aux couleurs souvent très vives, sont indispensables. Au XIXe siècle, la ceinture fléchée, tissée à la main sans métier, distingue la région de Lanaudière ▲ *221*. Elle se répand vers l'ouest du Canada devenant un emblème canadien et amérindien.

LA «CANADIENNE»
La canadienne est un manteau d'étoffe à capuchon, souvent orné de bandes colorées en bas et aux manches. Depuis la fin du XIXe siècle, grâce aux travailleurs de chantiers (ci-contre), la chemise de lainage à carreaux est aussi populaire.

LES FOURRURES
Les trappeurs portent la veste de martre, le bonnet d'ours et les jambières de chevreuil. Sur les rives du Saint-Laurent, les habitants revêtent plutôt des manteaux de castor, des casques de loutre, des manchons de vison, des mitaines de loup marin et des collets de renard argenté. Le manteau de fourrure demeure une marque de prestige.

LES MOCASSINS, LES BOTTES SAUVAGES ET LES SOULIERS DE BŒUF
Bien adaptés aux nécessités du pays, les mocassins, empruntés aux Amérindiens, sont confectionnés en cuir de vache ou de chevreuil puis imperméabilisés à l'huile de lin ou à la graisse de phoque. La botte sauvage est un mocassin auquel on a ajouté une tige montant jusqu'au genou. Souples et résistantes au froid, ces chaussures sont parfois portées pour faire de la raquette. Le soulier de bœuf (prononcer «beu») est un mocassin taillé dans le cuir de bœuf, très résistant.

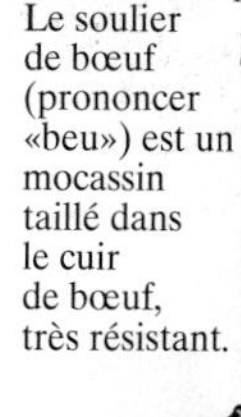

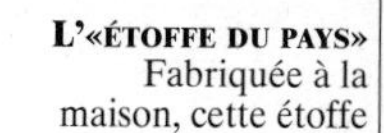

L'«ÉTOFFE DU PAYS»
Fabriquée à la maison, cette étoffe était utilisée pour la confection des pantalons, des jupes, des vestes et des manteaux. Elle était faite d'un mélange de laines, d'où sa teinte grise. Après le tissage au métier, laine sur laine, on pouvait la fouler pour la rendre plus épaisse, plus chaude et plus résistante.

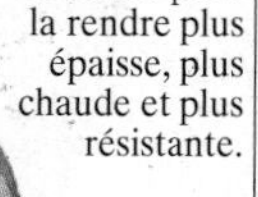

L'exploitation commerciale des forêts débute au XIXe siècle lorsque la Grande-Bretagne se tourne vers ses colonies pour s'approvisionner en bois d'œuvre. Les pins géants dans lesquels on taille les mâts de navires et les poutres des grands édifices sont les arbres les plus recherchés. Au milieu du siècle, l'urbanisation des États-Unis ouvre un marché plus diversifié qui s'accommode de plusieurs essences de bois de sciage. Au XXe siècle, l'explosion démographique du voisin nord-américain et l'éclosion de la presse à grand tirage créent une nouvelle demande insatiable.

LES «TRAINS DE BOIS»
La coupe intensive du pin a donné lieu à une technique particulière de coupe et de transport. Favorisés par une ressource abondante et une main-d'œuvre peu coûteuse, les entrepreneurs exigent que les pins soient équarris à la hache dans la forêt. Les troncs sont assemblés en radeaux, ou «cages», qui, attachés les uns aux autres, forment des «trains de bois». Équipés de voiles et de rames et dirigés par des dizaines de «cageux», ils descendent le Saint-Laurent et l'Outaouais jusqu'à Québec.

L'abattage
Il se pratique durant l'automne et l'hiver pour profiter du gel qui facilite le travail à la hache, unique outil jusqu'à la fin du XIXe siècle. Des chevaux transportent les troncs qui sont ensuite empilés sur la glace des lacs et des rivières.

Le recul de la forêt au Québec
Au XIXe siècle, le peuplement déborde la vallée laurentienne et fait reculer la forêt. Pourtant, la déforestation n'a jamais été totale car les cultivateurs ont toujours maintenu des bois sur leur lot. Aujourd'hui, on reboise les terres où l'agriculture n'est plus rentable.

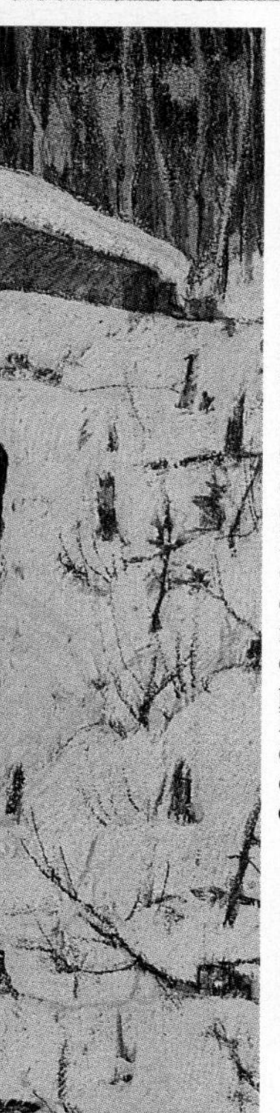

Un camp de bûcherons
Les bûcherons habitent des cabanes rudimentaires faites de bois rond. Le camp de la première moitié du XIXe siècle fait à la fois fonction de dortoir, de cuisine et de salle à manger. Les lits sont alignés le long des murs, autour d'un foyer central qui sert à cuisiner l'ordinaire de fèves au lard. Plus tard, les camps demeurent des constructions de bois rond mais gagnent en confort. Ils évoluent plus rapidement après la grève des bûcherons de 1934 et l'édiction de règlements concernant l'hygiène.

La «drave»
Le moindre cours d'eau dont le débit est gonflé par des écluses peut servir au flottage, qui demeure quasiment l'unique moyen de transport jusqu'aux années récentes. La «drave», du mot anglais *drive*, consiste à diriger les billes jusqu'à la scierie ou à l'usine. À la fin de la saison, au printemps, les bûcherons se font «draveurs». Munis d'une gaffe, ils dirigent les troncs, préviennent les embâcles ou les défont à la dynamite.

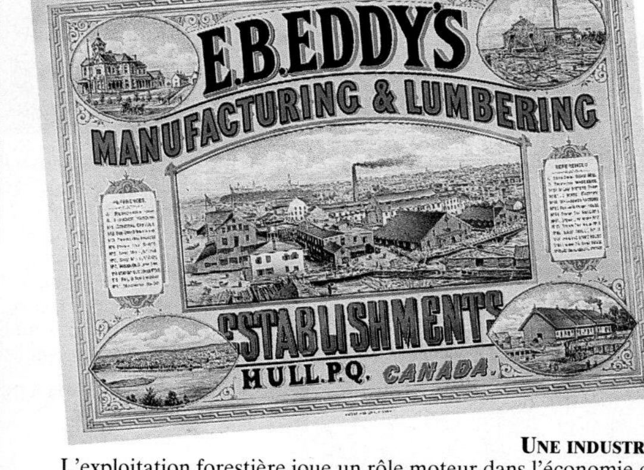

Une industrie
L'exploitation forestière joue un rôle moteur dans l'économie du Québec. Elle représente des milliers d'emplois. Le papier et les produits connexes figurent au troisième rang des exportations, le bois, au douzième. Le défi consiste à préserver sa part de marché tout en protégeant ses ressources.

Longtemps tributaire des modes étrangères, l'esthétique mobilière québécoise est récente. La menuiserie locale s'est longtemps bornée à reproduire en bois de pin des formes développées outre-mer. Elle s'inspire des meubles importés de France au XVIIe siècle par des notables, ou des bois incrustés des *cabinetmakers* venus de la Grande-Bretagne au XIXe siècle. L'école du Meuble qui, à l'instar de l'Europe des années vingt, prône l'industrialisation et l'épuration des formes, rejette l'épisode historiciste de la fin du XIXe siècle. L'émancipation de ces créateurs engendre une originalité encore palpable dans les actuelles explorations montréalaises.

LE MOBILIER DU XVIIe SIÈCLE
Les meubles sont rares en Nouvelle-France. Les plus belles pièces de cette époque sont aujourd'hui conservées par les communautés religieuses.

MOBILIER INTÉGRÉ
Dans la seconde moitié du XVIIIe siècle, une meilleure coordination s'établit entre les ouvriers qui érigent les maisons. Apparaît alors un grand nombre de meubles encastrés, qui dégagent l'espace. Malgré les démolitions, les portes de certains de ces meubles ont été sauvegardées et sont devenues de véritables tableaux ornant les murs des musées.

MEUBLES DE MENUISIERS
Jusqu'au début du XIXe siècle, en l'absence d'une véritable tradition d'ébénisterie, les menuisiers produisent la plupart des meubles. Ces assemblages à panneaux, moulurés, s'inspirent principalement des traités d'architecture.

L'art de la chaise
En l'absence de catégories stylistiques rigides et entre les mains d'artisans imaginatifs, la recherche de confort transforme la chaise en fauteuil aux formes variées.

Meubles à fonctions multiples
Les intérieurs modestes et exigus laissent peu d'espace au mobilier. Les artisans, ingénieux, inventent des meubles à fonctions multiples : les bancs s'ouvrent pour devenir des lits, les tables se transforment en chaises…

À l'heure anglaise
En bois plaqué et incrusté, le mobilier anglais s'impose dans les années 1820-1830. Quelques *cabinetmakers* donnent le ton au travail des artisans locaux. L'horloge à gaine devient l'objet fétiche de l'époque : Ira Twiss lance à Montréal un modèle reproduit en nombre par le Trifluvien Michel Bellerose.

Époque victorienne
Les meubles de la seconde moitié du XIXe siècle sont issus de manufactures qui s'abreuvent aux styles historiques. Le mobilier est d'abord Renaissance italienne, puis Second Empire, avant qu'un éclectisme encore plus opulent l'emporte, nourri du maniérisme des Flandres et de l'Europe germanique où prospère l'industrie du meuble.

L'école du Meuble de Montréal
Réagissant contre les répertoires historiques de l'industrie qui menacent la création et l'identité locale, l'école du Meuble de Montréal opte pour la modernité. Lorsqu'en 1928 Jean-Marie Gauvreau dessine cette table de toilette avec siège (ci-dessus), il se fait l'émule de Henry Van de Velde et des artistes du mouvement des Arts décoratifs.

Le design actuel
Parmi les objets qui font la réputation de l'industrie mobilière montréalaise, la chaise *Baby Face* (ci-dessous) de la collection OMNI (Jean-François Jacques) requalifie l'esthétique de la production en série.

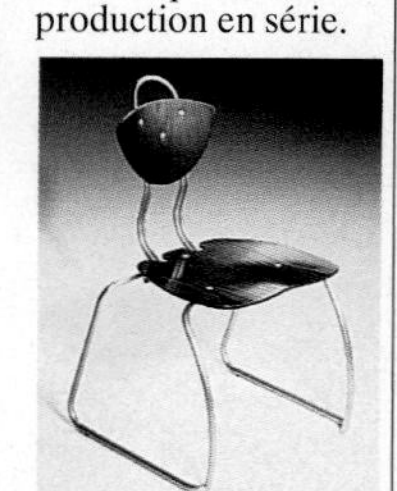

Pendant des siècles, les seules embarcations à emprunter le fleuve Saint-Laurent sont les pirogues et les canots d'écorce des autochtones. L'arrivée des pêcheurs européens, au début du XVIe siècle, de Jacques Cartier puis des premiers colons vient renouveler les moyens de transport. Le Saint-Laurent constitue l'épine dorsale du pays : il représente la voie d'entrée des immigrants et permet un intense trafic maritime et commercial. Villes et villages se dressent de part et d'autre de ses berges ou de celles de ses affluents. Essentiels pour les déplacements, le commerce et l'industrie, de nombreux types de navires les sillonnent contre vents et marées depuis le XVIIe siècle.

CANOTS AMÉRINDIENS
Selon sa taille, le canot algonquin (ci-dessus) pouvait transporter jusqu'à quatorze personnes. Il était tout désigné pour le transport et le commerce des fourrures ● *48*. Ces canots étaient faits d'écorce de bouleau doublée de lamelles de cèdre. Leur revêtement était assemblé et cousu à l'aide de racines préalablement pelées et fendues. Un mélange de gomme d'épinette et de graisse animale calfatait les coutures.

Bienvenue à bord ! En 1809, un service de bateau à vapeur effectuant la navette entre Montréal et Québec est mis sur pied par le brasseur montréalais John Molson ● *52*. Le trajet, qui prenait jusqu'à trois semaines en voilier, s'effectue désormais en moins de deux jours !

La barre à tribord ! Au XIXe siècle, le gouvernement installe des bouées et fait construire des phares ▲ *302* afin de pallier les nombreux écueils de la navigation sur le Saint-Laurent. Un service de pilotage ▲ *258* est également offert. Pendant longtemps, les glaces fermaient le fleuve en hiver. De nos jours, les brise-glaces permettent la navigation en toutes saisons.

Des mâts et des voiles

Entre 1750 et 1759, la plupart des navires servant au transport des colons et de leur matériel entre la métropole et la Nouvelle-France sont des voiliers de moins de 150 tonnes. La traversée s'effectue alors en deux mois en moyenne. Au milieu des années 1880, les voiliers qui amènent les colons anglais pèsent jusqu'à 2 000 tonnes. Certains ont été construits dans les chantiers de Québec.

Les chantiers

Depuis les années 1660, de nombreux chantiers navals ont été mis sur pied dans la colonie. Entre 1739 et 1759, le chantier royal de Québec produit une dizaine de vaisseaux de guerre destinés à la marine française. Au XIXe siècle, le territoire est ponctué de chantiers fabriquant de petits bateaux côtiers. En outre, la flotte britannique s'enrichira de plus de 2 000 voiliers montés au Québec.

Le temps des sucres coïncide avec l'équinoxe de printemps ; dès la mi-mars et pendant un mois et demi, les «sucriers» s'affairent à la cabane à sucre, délaissant la ferme. Si les Amérindiens transformaient déjà l'eau d'érable (la sève) en résidu sucré, l'arrivée des Européens, qui utilisaient des récipients métalliques, a permis d'élargir la gamme des produits de l'érable.
Une atmosphère de fête et de nombreuses traditions ont toujours accompagné le temps des sucres. Il est ainsi devenu un symbole de la fin du trop long hiver et de l'arrivée du printemps.

LA CUEILLETTE
À l'origine, l'érable était entaillé à la hache et une éclisse de bois, fichée dans le tronc, laissait tomber la sève dans une auge placée sur le sol ■ *36*. Au XIXe siècle, une gouterelle (branche de genévrier) était fixée dans une entaille faite au foret. Une chaudière (seau) suspendue à l'arbre recueillait la sève. Pour le transport jusqu'à la cabane, le cueilleur, chaussé de raquettes et nanti d'un joug d'épaules, vidait le contenu des seaux dans un tonneau fixé à un traîneau tiré par un cheval. Depuis 1960, les grandes sucreries utilisent une tuyauterie en plastique actionnée par la succion.

LA FABRICATION
Autrefois, le «bouillage» de la sève se faisait à l'extérieur, dans un chaudron suspendu à une crémaillère au-dessus du feu. Au XIXe siècle, la cuisson se faisait sous un abri temporaire, dans un récipient en fer-blanc. Les cabanes permanentes existent depuis le milieu du XIXe siècle.
Lorsque la sève brunie et épaissie bouillait, le sirop était prêt. Pour obtenir la tire, un produit comparable au caramel, l'évaporation se poursuivait à feu doux. Enfin, lorsque des gouttelettes de tire séchaient en tombant, on la malaxait pour en faire du sucre ● *100* qu'on moulait en pains.

LES US ET COUTUMES
L'exploitation des érablières a toujours suscité coutumes, croyances, légendes et dictons. Par exemple, les arbres n'étaient entaillés qu'après l'arrivée des «oiseaux de sucre», de la famille des mésanges. Le garçon à qui on permettait pour la première fois de passer ses nuits à la cabane, pour surveiller la «bouilleuse», était considéré comme un adulte. On disait aussi «Pâques commence les sucres ou bien les finit». Ces mœurs de sucriers sont autant de traits de l'identité culturelle québécoise.

«En caravane allons à la cabane
On est jamais de trop
Pour manger du sirop
Du bon sirop d'érable»

Couplet d'une chanson folklorique

La «partie de sucre»

La journée passée à la cabane à sucre est entièrement consacrée à la cueillette de la sève, à la fabrication des produits de l'érable et à la fête qui entoure les repas. Ceux-ci se composent de soupe aux pois, de fèves au lard, de jambon et d'omelettes dans le sirop, de grillades de lard salé rôties, appelées oreilles de crisse, de marinades, de crêpes arrosées de sirop et de tire sur la neige. La partie de sucre était autrefois incomplète sans une veillée de danses folfloriques.

Une industrie

En 1994, le Québec a produit plus de neuf millions de litres de sirop, soit 90 % de la production du Canada et 70 % de toute la production mondiale.

Les premiers colons deviennent rapidement de fervents chasseurs : contrairement à l'usage français, le régime seigneurial instauré en Nouvelle-France concède aux «habitants» le droit de chasser. Ces derniers utilisent ainsi différentes techniques selon le type de gibier convoité. La chasse leur apporte d'abord un complément alimentaire, mais le commerce des fourrures représente pour plusieurs une source de revenus importante. Aujourd'hui, une gestion rationnelle et étroitement contrôlée de la faune maintient le Québec au rang des territoires les plus giboyeux de l'Amérique du Nord.

CHASSE À L'APPEL
L'élan d'Amérique, ou orignal (du basque *oregnac*), est le plus grand des cervidés du continent : il mesure jusqu'à 2 m au garrot et peut peser 600 kg. On le chasse surtout à l'appel, pendant la période de rut, en imitant dans un cornet les brames de la femelle. Héritée des Amérindiens, cette technique a peu à peu supplanté la traditionnelle poursuite en hiver.

RÉGLEMENTATION
Déjà en 1721, une ordonnance défend à quiconque de «tuer, vendre ou acheter des perdrix à compter du Quinze mars à aller jusqu'au Quinze juillet, à peine de Cinquante livres d'amende». Les premiers gardes-chasse employés par l'État n'apparaissent cependant qu'à la fin du XIXe siècle. De nos jours, la chasse du petit comme du gros gibier se pratique dans les parcs et réserves des terres publiques, dans les Zones d'exploitation contrôlée (ZEC), en pourvoiries ou sur des terres privées avec la permission du propriétaire ◆ *368*.

DIFFÉRENTS CHASSEURS
Les Amérindiens rencontrés par les premiers Français tirent une large partie de leur subsistance de la chasse. Les colons français et, par la suite, les Canadiens français traquent le gibier tant pour se nourrir que pour ses peaux. La chasse sportive n'apparaît qu'au second tiers du XIXe siècle. Les premiers adeptes de cette activité sont en majorité des militaires anglophones.

Chasse à l'arc
Depuis une quinzaine d'années, la chasse à l'arc (cerf, ours...) fait de plus en plus d'adeptes. La réglementation prévoit des périodes précises pour ce type de chasse, qui débute avant l'ouverture générale de la saison et qui varie selon les proies convoitées.

Techniques de chasse pour le petit gibier
Au Québec, le piégeage du lièvre n'a jamais perdu sa place, ni son intérêt. La pose des collets s'effectue pendant tout l'automne. Civets et tourtières figurent ainsi au nombre des plats régionaux les plus anciens et les plus appréciés en zones forestières.

Chasse à la sauvagine
Entre Montréal et Québec, notamment autour des îles de Sorel et du lac Saint-Pierre ■ *22*, se pratique la chasse à la sauvagine en cache flottante. La fabrication de leurres en bois sculpté a donné naissance depuis les années vingt à un art animalier apprécié.

Les Québécois jouissent d'un vaste réseau hydrographique composé de plusieurs centaines de lacs et de rivières poissonneuses. La piscifaune, abondante et variée, a constitué un apport non négligeable à la subsistance des premiers colons. Dès la fin du XVIIIe siècle, la pêche sportive se pratique près des zones urbaines, mais ses règles et ses usages ne se développent qu'à partir de 1800, sous l'influence des militaires britanniques. Depuis une vingtaine d'années, de nombreux parcs, des zones d'exploitation contrôlée et des réserves ont été créés afin de mieux encadrer cette activité.

DES CLUBS SELECTS
Au XIXe siècle, l'essor de la villégiature et l'extension du réseau ferroviaire amènent de nombreux pêcheurs sur les plateaux des Laurentides et des Appalaches ■ *20*. À partir de 1883, les clubs de chasse et de pêche voient le jour. Le gouvernement, afin notamment de préserver les ressources, leur attribue sous bail des territoires réservés. L'accès à de telles associations, d'abord composées presque exclusivement de gens fortunés, se démocratise peu à peu. En 1978, de nouvelles structures (ZEC) ◆ *369* sont mises en place par le gouvernement québécois.

UNE TECHNIQUE TRADITIONNELLE
Les Inuits et les Amérindiens pêchaient parfois à l'aide du *nigog*, un harpon apparenté à la foëne européenne. Ils repéraient les fosses où se reposaient les poissons ou dressaient un barrage de pierres sur une rivière de façon à emprisonner leur proie (saumons, anguilles et autres poissons), qu'ils n'avaient plus qu'à transpercer.

PÊCHE BLANCHE
L'hiver, de nombreux pêcheurs bravent le froid pour aller s'installer sur les lacs et rivières glacés. Ils perforent la surface de petits trous espacés d'environ un mètre, pour y glisser des lignes plombées ou dormantes, dûment appâtées (ci-dessous). Le poisson s'approche de la lumière du jour et mord à l'hameçon.

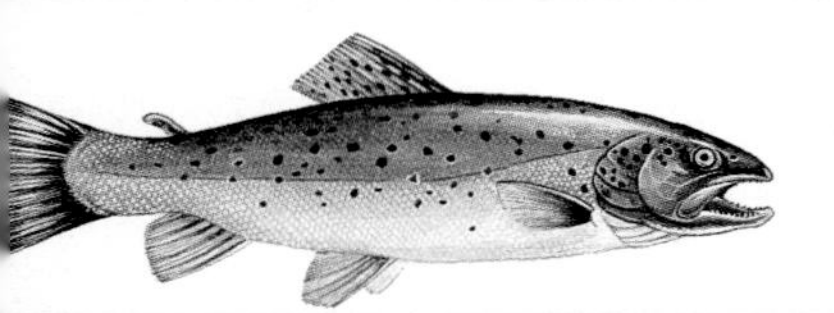

La truite
Espèce très recherchée, l'omble des fontaines (ou truite mouchetée) se pêche dès la fonte des neiges, dans presque tous les lacs et rivières du Québec méridional.
On taquine également la truite arc-en-ciel (ci-dessus), la truite grise (ou touladi) et la truite brune.

Les poissons du Nord
Chaque année, de nombreux pêcheurs se rendent en Abitibi ▲ *230*, dans la Haute-Mauricie ▲ *240* ou au nord du lac Saint-Jean ▲ *320* pour y traquer le doré et le brochet (ci-dessous), hôtes des eaux froides et profondes. La capture de ces gros poissons exige savoir-faire et patience, récompensés par une chair au goût délicat.

Le dilemme
Pour appâter, que choisir entre des mouches artificielles, des leurres pivotants ou de simples hameçons garnis de lombrics ? Les pêcheurs aguerris prennent en compte la saison, la couleur du temps, celle de l'eau, sa température, sa profondeur et les mœurs du poisson convoité. Avec un peu de chance...

«Salmo salar» : le roi des eaux
À la fin du printemps, le saumon atlantique quitte les eaux salées pour venir frayer dans les affluents du Saint-Laurent. Il y a cent cinquante ans, sa montaison (vers juillet) le conduisait jusqu'à Montréal où on le pêchait. Il a battu retraite depuis, chassé par l'urbanisation et l'industrialisation. Les nombreuses rivières de l'estuaire et du golfe du Saint-Laurent accueillent toujours cet hôte vigoureux que l'on pêche exclusivement à la mouche (ci-dessus). Le balancement de la canne, le fil de soie et la légèreté de la mouche vont leurrer le poisson qui croit voir un véritable insecte se poser sur l'eau.

La culture des premiers Canadiens, héritée de la France du XVIIe siècle, ne comptait aucune pratique sportive. Il faut attendre 1760 pour que les Britanniques introduisent la notion d'exercices physiques. Dans les années 1850, le paysage ludique se transforme avec l'apparition de sports d'équipe dont le base-ball, le football et surtout le hockey sur glace, qui suscite une véritable passion. Pratiqué par les enfants dans toutes les ruelles du Québec, il fait aussi naître des héros nationaux. Depuis les années soixante-dix, la conscience écologique et l'émergence de nouvelles valeurs favorisent la pratique de nombreuses activités de plein air telles que le ski de randonnée, le vélo et le canot.

L'HÉRITAGE AMÉRINDIEN
Après avoir été le principal moyen de transport, le canot est devenu un sport de compétition et une activité d'aventure ou de détente. Adaptées aux déplacements sur la neige, la raquette et la traîne sauvage, luge de bois sans patins, ont aussi été reprises par les sportifs. La crosse a été empruntée aux Amérindiens par les Britanniques dès 1850, et a été le premier sport d'équipe pratiqué par les Québécois.

L'APPORT BRITANNIQUE
La contribution de la Grande-Bretagne au monde ludique québécois est caractérisée par la quantité et la diversité. Au XIXe siècle, une vingtaine de nouveaux sports sont adoptés par les Québécois. Parmi ceux-là, on compte le curling (ci-dessous), la boxe, le cricket, le tir à la carabine, le patinage, la natation, le golf et le tennis.

L'ÉMEUTE DU FORUM
En mars 1955, Maurice Richard (ci-contre) est sur le point de remporter le titre de meilleur buteur de tous les temps au hockey quand il est suspendu jusqu'à la fin de la saison : il avait bousculé un arbitre pendant une bagarre lors d'un match à Boston. Compte tenu de la popularité du joueur, cet événement provoqua l'une des plus importantes émeutes de l'histoire du Québec, le 17 mars 1955, au Forum de Montréal, l'aréna où évolue le Canadien.

LE HOCKEY SUR GLACE
Sport national du Canada, le hockey est créé à Montréal, par des militaires anglais en garnison, dans les années 1870. S'inspirant de jeux de balle anglais, il consiste à marquer des points en faisant pénétrer une rondelle de caoutchouc au fond d'un filet à l'aide d'une crosse appelée hockey. Il se joue en patins sur une patinoire d'environ 56 mètres sur 26. Outre le gardien de but, le jeu oppose cinq joueurs par équipe. La partie compte trois périodes de vingt minutes.

LE CANADIEN DE MONTRÉAL
Mise sur pied en 1909, l'équipe est composée à l'origine de joueurs francophones. Elle est l'une des quatre équipes à former la Ligue nationale de hockey, créée en 1917. Depuis sa fondation, le club a remporté 25 fois la coupe Stanley, le célèbre trophée de la Ligue, une performance jamais égalée. C'est ainsi que sont nées de véritables légendes vivantes comme Maurice Richard, Guy Lafleur et Patrick Roy (ci-dessous).

LA MOTONEIGE
En 1959, Armand Bombardier invente la motoneige, véhicule sur chenille adapté aux espaces enneigés et parfois accidentés ▲ *212*. Souvent utilisée par des fermiers et des secouristes, la motoneige est aussi, depuis sa création, un sport très populaire. Le coureur automobile Gilles Villeneuve ▲ *221* avait commencé sa carrière en faisant de la course de motoneige ; depuis 1988, l'Abitibi organise de grands raids nordiques auxquels participent des équipes du monde entier.

Des porteurs de traditions

Riche composante du patrimoine culturel, les savoirs et savoir-faire traditionnels demeurent vivaces. Cet héritage que l'on côtoie quotidiennement est transmis de génération en génération par les porteurs de traditions. Détenteurs de connaissances, de gestes et de paroles qu'ils perpétuent, ils sont facteurs d'accordéons, chaloupiers ou tisserandes, et actualisent les anciens procédés de fabrication. Sous l'archet du «violoneux», ils giguent et animent la vie d'aujourd'hui d'airs et de danses d'autrefois. À travers les intonations de la voix et l'expression du geste, ils pérennisent un vieil art de dire : ils sont conteurs. Âme du patrimoine, les porteurs de traditions symbolisent l'alliance du présent et du passé.

Les musiciens et les danseurs

À Inverness, dans les Bois-Francs ▲ *247*, des liens géographiques, sociaux et identitaires unissent les membres de la communauté, pour qui la danse et la musique traditionnelles constituent un ciment entre les cultures francophone et anglophone. Les musiciens interprètent des airs irlandais, et les *calls* sont lancés par des descendants d'Écossais qui parsèment leur anglais de plusieurs emprunts au français. Et sur la piste... les danseurs se fondent pour ne former qu'un seul groupe.

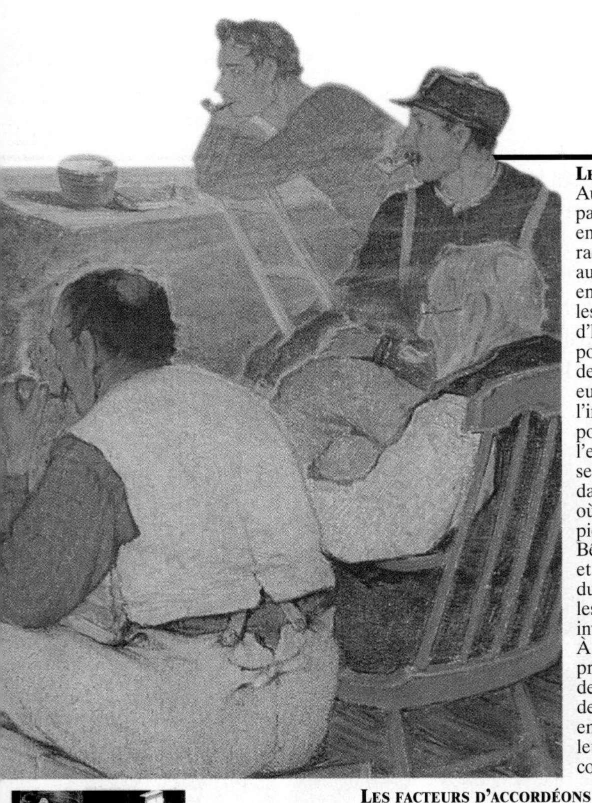

Les conteurs
Autrefois, le conteur passait de chantier en chantier pour raconter ses histoires aux bûcherons isolés en forêt, pendant les longues soirées d'hiver. Un conte pouvait durer des heures. Avec eux le temps s'arrête, l'improbable devient possible et l'extraordinaire se produit, comme dans ces histoires où Ti-Jean, ce va-nu-pieds, décapite la Bête-à-Sept-Têtes et épouse la fille du roi, répétant les exploits les plus invraisemblables. À Saint-Raphaël, près de Saint-Michel-de-Bellechasse ▲ *288*, des conteurs de père en fils transmettent leur répertoire de contes merveilleux.

Les chaloupiers
Les traditions maritimes font partie intégrante de l'histoire de l'île d'Orléans ▲ *276*. Jusque dans les années cinquante, on venait de loin pour se faire construire des chaloupes et des yachts à voile. Une chaloupe est une petite embarcation de 3 à 12 m, non pontée, à rames ou à voiles, et faite de cèdre et de pin. Autrefois les chaloupiers travaillaient à l'œil, sans plan, selon une technique appelée «mise en lisse». Transmise de génération en génération, cette technique repose exclusivement sur l'expérience.

Les facteurs d'accordéons
Montmagny ▲ *288* est aujourd'hui reconnu mondialement comme un haut lieu de la fabrication d'accordéons. L'instrument a toujours joui d'une grande popularité régionale. La famille Messervier incarne un savoir-faire qui fait la réputation de la ville : musiciens hors pair, ces facteurs d'accordéons produisent des instruments de qualité qui portent leur nom aux quatre coins du monde, si bien que Montmagny est aujourd'hui l'hôte du Carrefour mondial de l'accordéon.

Les sculpteurs animaliers
Cet art populaire est très répandu au Québec. À Saint-Ubalde de Portneuf ▲ *250* une famille pratique la sculpture animalière depuis quatre générations. Au moins neuf membres de la famille Richard-Lavallée ont été ou sont sculpteurs. Aimé Desmeules (ci-contre) perpétue cet art dans le petit village de Saint-Paul-de-la-Croix (Bas-Saint-Laurent ▲ *288*).

Durant les années soixante-dix, les Montréalais se rassemblent à plusieurs reprises sur le mont Royal ▲ *183* pour écouter leurs chansonniers favoris clamer leur attachement au Québec et leur désir d'indépendance.

Véhicule culturel par excellence, la chanson revêt une importance particulière dans cette région francophone au cœur de l'Amérique. À la fin des années cinquante succède au folklore et aux chanteurs de charme une chanson spécifiquement québécoise qui raconte le pays et l'âme de ses habitants. Durant la Révolution tranquille, le contexte politique en fait l'un des principaux porte-parole de l'affirmation nationale. Depuis, les artistes québécois chantent leur différence sur toutes les scènes du monde.

De gauche à droite : Claude Léveillée, Yvon Deschamps, Jean-Pierre Ferland, Gilles Vigneault, Robert Charlebois.

LA BOLDUC : UNE CHANSON POUR CHAQUE OCCASION
Dans les années trente, Mary Travers, dite la Bolduc ▲ *307*, connaît un succès populaire fulgurant. En chroniqueuse avertie, elle brosse avec humour le portrait de son époque. S'accompagnant à la «musique à bouche» (harmonica), elle chante les gens, le travail, les petits et grands événements de l'actualité.

LA POÉSIE DES GRANDS
C'est avec une poésie évocatrice que Félix Leclerc (1914-1988) ▲ *241*, Gilles Vigneault (1928) ▲ *334*, Raymond Lévesque (1928) ou Claude Léveillée (1932) chantent leur amour du pays, des grands espaces et des petites gens. Ils ont ouvert la voie à toute une génération d'auteurs-compositeurs et d'interprètes qui ont fait les beaux soirs des boîtes à chansons ; dans ces lieux au décor souvent rustique, la jeunesse se rassemble pour écouter Georges Dor ▲ *330*, Pauline Julien ● *56*, Claude Gauthier ou les Bozos.

LES GROUPES (1960-1980)
Le phénomène yé-yé n'a pas épargné le Québec : des dizaines de chanteurs et musiciens, aux cheveux longs et aux tenues excentriques, interprètent à leur manière les succès américains ou anglais. Dans les années soixante-dix, des groupes majeurs, Beau Dommage (ci-contre), les Séguin, Harmonium, Corbeau, Offenbach ou Octobre, voient le jour. Leurs textes parlent d'amour, de paix et de liberté, et accusent la société de tous les maux.

LES STARS (1980-1990)
Les groupes se séparent au profit de carrières solo et de nouveaux noms émergent : Luc de Larochellière, Jean Leloup, Marie-Denise Pelletier… Parmi ces chanteurs, Céline Dion et l'Acadien Roch Voisine sont passés au rang de stars internationales.

DÉBRANCHE ! (1990)
Comme partout ailleurs, la décennie quatre-vingt-dix marque le retour aux musiques acoustiques. On soigne les textes et on travaille en formations réduites. Après des années difficiles, l'auteur-compositeur interprète Richard Desjardins (ci-dessus), connu jusqu'alors d'une poignée de fidèles, sort de l'ombre pour se ranger parmi les plus grands.

DES TEXTES QUI DÉRANGENT, UNE MUSIQUE QUI SÉDUIT
Si 1968 est l'année de la contestation estudiantine et ouvrière, c'est aussi celle où Robert Charlebois (1944) et Louise Forestier (1943) se réunissent, parmi d'autres, pour monter *L'Osstidcho*, un spectacle qui marque un tournant. Jamais un tel vent de liberté n'a soufflé sur la chanson québécoise : le langage choque, la musique secoue. Peu de temps après, Diane Dufresne (ci-contre) apparaît dans toute sa marginalité. Grande interprète des textes de Luc Plamondon (auteur de la comédie musicale *Starmania*), elle chante la rébellion, la liberté et la folie. En vingt-cinq ans de carrière, elle a connu tous les succès comme interprète, scénariste, réalisatrice et tragédienne. Elle signe en 1994 les textes de son disque *Détournement majeur*.

Si des auteurs comme Gratien Gélinas, Marcel Dubé et Michel Tremblay ont régné tour à tour sur la scène théâtrale depuis le début des années cinquante, metteurs en scène et scénographes dominent aujourd'hui l'art de la représentation. De grands dramaturges renouvellent l'écriture théâtrale et de brillants acteurs perpétuent une tradition de jeu «à l'américaine». Mais la relecture des classiques et la création d'images scéniques puissamment évocatrices distinguent désormais le théâtre québécois. Les chorégraphes montréalais ont, pour leur part, forgé dans les années quatre-vingt des langages singuliers, en dehors des codes, au point de faire de leur ville une capitale de la création chorégraphique contemporaine.

Lepage ou l'expression du mythique
Acteur, metteur en scène et aujourd'hui réalisateur, Robert Lepage est le Jean Cocteau du théâtre québécois. Naviguant entre l'autobiographie impudique et une vision personnelle des classiques, passant de l'opéra à des fresques qui embrassent l'universel, ce globe-trotter parcourt la planète et son paysage intérieur avec virtuosité et gravité.

Énergie
Les corps virevoltent de façon spectaculaire et abordent les frontières de l'impossible : les spectacles de La La La Human Steps, chorégraphiés par Édouard Lock, dégagent une énergie sulfureuse, incandescente.

Mâle entendu
Imageries érotiques sublimées, jouissances cruelles, évocations des terreurs enfantines et des peines d'amours perdues, le théâtre corporel et visuel de Carbone 14 explore *Le Dortoir* des passions masculines et s'enfonce dans l'inconscient et l'imaginaire des hommes.

LE 840, RUE CHERRIER
L'Agora de la danse abrite l'école de danse de l'université du Québec à Montréal et deux salles de spectacles où Tangente produit de jeunes chorégraphes, et où se succèdent des grands de la création.

HUMANISME
En 1983, Jean-Pierre Perreault signe un véritable classique : *Joe*. Anonymes, vulnérables, martelant le sol de leurs bottes, les danseurs figurent l'humanité entière, souffrante et désirante. Perreault sonde la fragilité des êtres enclos dans des espaces trop vastes.

MARGIE GILLIS
Cette déesse de la scène s'inscrit dans la lignée des Isadora Duncan et Martha Graham. Acrobate et comédienne, cette athlète transforme la scène en un torrent d'émotions et d'images.

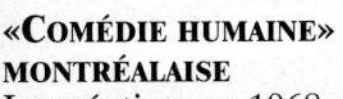

LE CIRQUE RÉINVENTÉ
Loin des animaux domptés au fouet, le Cirque du Soleil propose une magie théâtrale et musicale, un voyage au cœur des Mille et Une Nuits, un grand bal masqué défiant la gravité. Alegría !

«COMÉDIE HUMAINE» MONTRÉALAISE
La création, en 1968, des *Belles-sœurs* de Michel Tremblay ● *155* est une étape charnière dans l'histoire du théâtre au Québec. Le public se reconnaît dans ces personnages de femmes qui désirent rompre l'aliénation et dans cette langue populaire qui sait exprimer des sentiments élevés. Elle sera la première pierre d'une œuvre qui ne cesse de grandir et qui triomphe dans tous les pays.

Depuis les débuts timides du cinéma local, en 1901, les salles québécoises vivent sous le signe d'une présence étrangère dominante. La création d'institutions et de studios, dans les années quarante, favorise la production cinématographique locale. Mais avec l'arrivée de la télévision, en 1952, le téléroman devient le produit culturel populaire par excellence. À partir de 1960 se développent parallèlement un cinéma commercial et un cinéma d'auteur ; des œuvres de qualité émergent et sont reconnues à l'étranger. Depuis la fin des années soixante-dix, la fiction et le documentaire connaissent une fortune inégale ; de nouveaux cinéastes se sont révélés et imposés, renouvelant l'esthétique et les sujets des films.

LE DOCUMENTAIRE

Les Québécois ont révolutionné le cinéma direct au début des années soixante, particulièrement avec *Pour la suite du monde* de Pierre Perrault et Michel Brault (ci-dessus). Instrument de la prise de conscience nationale et moyen d'intervention sur la scène sociale et politique, le documentaire, parfois présenté en salle, reprend les thèmes des grands enjeux du Québec : question des femmes, travail, Amérindiens, immigration…

L'INTERVENTION DE L'ÉTAT

Sans intervention ou aide de l'État, il n'y aurait pratiquement pas de cinéma au Québec. Les gouvernements québécois et canadien financent la production depuis plus de cinquante ans et l'Office national du film, dont le siège est à Montréal, a acquis une réputation mondiale. Ils subventionnent chacun l'industrie privée en plus de lui accorder des privilèges fiscaux.

L'animation

Ce champ d'excellence est reconnu à l'échelle mondiale : Norman McLaren (ci-contre), Frédéric Back (ci-dessous), Co Hocdeman ont été souvent primés, y compris aux Oscars. Ce cinéma d'artistes, tout en invention et poésie, explore une infinité de techniques, et même l'ordinateur.

La fiction : entre le divertissement et le cinéma d'auteur

Depuis les années quarante, la production québécoise, majoritairement francophone, oscille entre le divertissement et le cinéma d'auteur. Elle est confrontée à deux défis : se définir une personnalité dans un contexte dominé par le cinéma étranger et toucher un vaste public. Quelques réalisateurs et interprètes occupent le devant de la scène : Denys Arcand (ci-dessous), Claude Jutra, Gilles Carle et Micheline Lanctôt (ci-contre) ; Geneviève Bujold, Carole Laure.

DER UNTERGANG
DES AMERIKANISCHEN IMPERIUMS

Ein Film von DENYS ARCAND Produziert von RENÉ MALO und ROGER FRAPPIER
mit DOMINIQUE MICHEL DOROTHÉE BERRYMAN LOUISE PORTAL PIERRE CURZI
RÉMY GIRARD YVES JACQUES GENEVIÈVE RIOUX DANIEL BRIÈRE und GABRIEL ARCAND

Le téléroman

Des millions de téléspectateurs vivent depuis 50 ans une fascinante histoire d'amour avec les héros de leurs feuilletons télévisés. Les récits offrent à la fois de l'évasion et une prise directe sur l'actualité.

La cipaille ou le ci-pâte

La froidure hivernale et le travail harassant des chantiers de coupe forestière et de colonisation exigeaient une nourriture riche et consistante. L'alimentation se composait donc jadis de viande de gibier, abondante partout, de poisson dans certaines régions, de lard, de pommes de terre et d'oignons. Comme la tourtière du Lac-Saint-Jean, le bouilli et la gibelotte, la cipaille révèle toute l'originalité de la cuisine québécoise. Elle est appréciée partout au Québec, mais chaque région y va bien sûr de sa pointe d'originalité, comme en Gaspésie où elle se prépare avec du poisson.

Ingrédients...
900 g de filet de porc, un poulet d'environ 1,3 kg, un canard de 1,5 kg (sauvage de préférence), 900 g de chevreuil (ou de bœuf), 8 tranches de lard, 1 200 ml de consommé.

... et encore
4 oignons, 60 g de persil, 1 cuil. à café de sariette, 1/4 de cuil. à café de marjolaine, 60 g de feuilles de céleri hachées, 1 pincée de cannelle, 1 pincée de muscade, 400 g de pommes de terre crues, sel, poivre.

1. Hacher finement les oignons, le persil, les feuilles de céleri. Couper les pommes de terre crues en cubes.

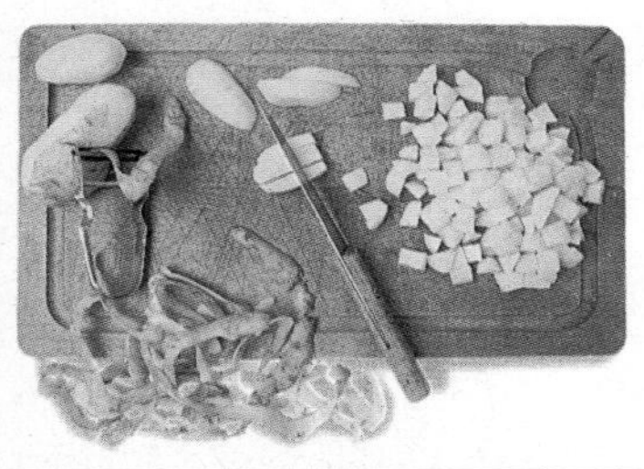

2. Couper le porc, le chevreuil et les volailles (désossées et sans peau) en gros cubes. Dans des bols différents, mélanger chaque viande avec les oignons, les feuilles de céleri, le persil, la sariette, la marjolaine, le sel, le poivre, la cannelle et la muscade. Couvrir et réfrigérer toute la nuit.

Réalisation

1. Tapisser de tranches de lard le fond d'une grosse cocotte allant au four.

2. Répartir le mélange de viande de porc, couvrir avec 1/4 des pommes de terre coupées et verser 1/4 du consommé tiède. Recouvrir d'une abaisse de pâte de 1/2 cm d'épaisseur que l'on piquera ici et là avec la pointe d'un couteau.

3. Renouveler l'opération avec la volaille et le gibier, en ajoutant la pâte en couches alternées.

4. Recouvrir le tout d'une nouvelle abaisse de pâte plus épaisse (environ 1 cm).

5. Couvrir et cuire au four pendant 2 h 30 à 150 °C en arrosant régulièrement de consommé. Réduire la température à 100 °C et continuer la cuisson à couvert pendant 2 h 30.

La pâte

1 200 g de farine, 375 ml d'eau bouillante, 360 g de saindoux, 3 cuil. à café de levure chimique, 3 œufs, 3 cuil. à café de sel.

1. Creuser un puits dans la farine à laquelle on aura mélangé la levure et le sel. Ajouter les œufs battus et le saindoux ramolli tout en pétrissant. Verser petit à petit l'eau bouillante jusqu'à l'obtention d'une pâte plus molle que la pâte brisée.

2. L'envelopper et la laisser reposer au réfrigérateur quelques heures afin qu'elle soit assez ferme pour l'abaisser.

6. Servir chaud, avec des betteraves, des oignons marinés et de gros cornichons.

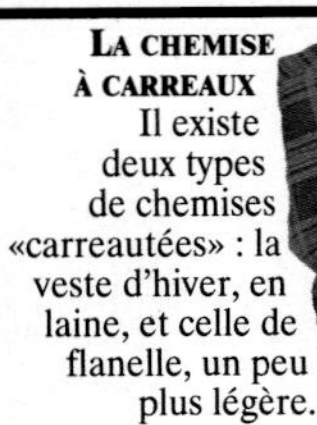

La chemise à carreaux
Il existe deux types de chemises «carreautées» : la veste d'hiver, en laine, et celle de flanelle, un peu plus légère.

Les claques
Faites de caoutchouc, les claques, ou *shoe-claques*, sont un accessoire masculin indispensable pour affronter sans risques les périls de la *slush*, la neige fondante.

Les spiritueux
Le Québec possède deux liqueurs typiques : le caribou, mélange d'alcool et de vin rouge, et le Dubleuet, création du Lac-Saint-Jean à base de bleuet ▲ *321*.

Les bières
Grands amateurs de bière, les Québécois n'ont bu longtemps que des bières industrielles ; pourtant, depuis peu, la recherche de la qualité a favorisé l'émergence de brasseries artisanales qui produisent notamment la Maudite, la Fin du monde, la Saint-Ambroise et la Boréale.

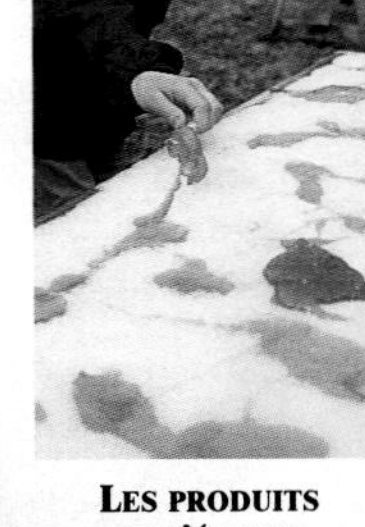

Les produits de l'érable
D'abord exploité pour la fabrication du sucre, l'érable donne lieu aujourd'hui à toute une gamme de produits dont plusieurs sont commercialisés : le classique et incontournable sirop (ci-dessous), la tire, sorte de caramel, le beurre et le sucre mou ou dur (ci-dessous). Certains produits restent des gourmandises réservées aux parties de sucre ● *82* : l'eau d'érable (la sève), le réduit, entre l'eau et le sirop, et la tire sur la neige (ci-dessus).

La presse
Outre les cinq grands quotidiens : *Le Devoir*, *La Presse*, *Le Journal de Montréal* et *The Gazette,* de Montréal, et *Le Soleil,* de Québec, deux hebdomadaires culturels et pratiques se sont taillé une place enviable dans la région de Montréal : il s'agit de *Voir* et du *Mirror*.

The Gazette
La Presse
Santé : la CSN part en guerre
LE DEVOIR
Un baume sur l'économie canadienne

LE SOLEIL
Marois prépare son plan
Des frais qui jettent un froid

Le hockey et le patinage
Sport national oblige ● *88*, le hockey alimente une industrie florissante qui produit, entre autres, des hockeys (crosses) et des rondelles.
Le patinage compte aussi d'innombrables amateurs ; ainsi, chaque village et chaque quartier possède sa patinoire extérieure ou son aréna.

VIVRE LES SAISONS AU QUÉBEC

SOPHIE-LAURENCE LAMONTAGNE

LA DUALITÉ DES SAISONS

Au Québec, dit-on, il n'y a que deux saisons, l'hiver et le mois de juillet. Ce vieil adage ne nie pas l'existence de quatre saisons distinctes ; il montre plutôt l'omniprésence de l'hiver et l'importance de son contrepoids, l'été.
Cette dualité imprègne depuis longtemps la culture. Déjà les premiers explorateurs et les pionniers de la Nouvelle-France ont eu, en leur temps, la nette impression qu'il n'existe en ce pays que deux saisons. En 1603, Samuel Champlain ▲ *254* fait l'expérience d'un premier hiver dont la rigueur le déconcerte : l'été ne laissait en rien présager un tel contraste.

Dans son rapport, il écrit : «L'hiver nous surprit plus tôt que n'espérions, et nous empêcha de faire beaucoup de choses que nous nous étions proposées [...]. Il était malaisé de reconnaître ce pays sans y avoir hiverné, car y arrivant en été tout y est fort agréable, à cause des bois, beaux pays et bonnes pêcheries de poissons de plusieurs sortes que nous y trouvâmes. Il y a six mois d'hiver en ce pays.» Un demi-siècle plus tard, quand la Nouvelle-France se peuple de colons venus de la métropole, Pierre Boucher ▲ *238*, interprète en Huronnie, soldat puis seigneur de Boucherville, précise dans son ouvrage destiné à encourager le peuplement de la colonie : «Je dirai un petit mot en passant des saisons : on n'en compte à proprement parler que deux, car nous passons tout d'un coup d'un grand froid à un grand chaud, et d'un grand chaud à un grand froid, c'est pourquoi on ne parle que par hiver et été.» Au XVIIIe siècle encore, des témoignages confirment la persistance de cette dualité qui tend à masquer l'existence, voire la beauté des saisons intermédiaires que sont l'automne et le printemps. Au milieu du XXe siècle, le géographe français Raoul Blanchard explique leur quasi-absence par le fait que «l'hiver [...] dévore à peu près entièrement le printemps et mord sur la fin de l'automne».

La coupe de la glace
À la fin de l'hiver, la glace des rivières était découpée en blocs par de grandes scies et conservée en prévision de la chaleur estivale.

VIVRE LES SAISONS AU QUÉBEC
L'HIVER APPRIVOISÉ

Plus de trois cent cinquante hivers ont forcé l'habitant du Québec à passer de la culture européenne à la culture québécoise. L'organisation de la vie quotidienne, le développement des technologies, voire les divertissements de cette période de froidure font l'identité du Québec d'aujourd'hui, façonnée à la dure réalité du climat. Mais ce passage ne s'est pas fait sans difficultés, les premiers colons venus s'établir en Nouvelle-France y ont souvent connu le désarroi.

L'appréhension de l'hiver, la vie des pionniers de la Nouvelle-France
Les maisons sont construites selon la tradition architecturale française : l'âtre dans la pièce commune occasionne une grande déperdition de chaleur. Malgré les grands froids, les pionniers s'habillent à l'européenne et souffrent d'engelures et des maux de l'hiver qu'une alimentation pauvre, essentiellement composée de salaisons, ne peut soulager. Des emprunts aux autochtones, telles les indispensables traînes et raquettes, permettent de combattre l'isolement. L'hiver force les premiers colons à s'adapter pour s'enraciner.

L'adaptation à l'hiver, un cheminement vers l'accoutumance
Grâce à l'apport économique du commerce des fourrures, l'habitant s'équipe contre le froid. Les maisons se modifient : les fenêtres garnies de papier se couvrent de carreaux de vitre puis de fenêtres doubles, le mur du côté nord se voit privé d'ouvertures et le poêle supplante le foyer et son âtre. On congèle les viandes sous la neige et les produits de la ferme s'entassent dans les celliers, caves ou greniers. Les divertissements les plus populaires

restent les glissades en traîne sauvage et les promenades en traîneau ● *88*. Au cours de cette phase d'acclimatation, on profite donc de l'hiver plus qu'on ne le subit.

La domestication de l'hiver, un équilibre fragile

Dans les chantiers forestiers ● *76* comme dans les nouvelles zones de colonisation ■ *18*, les conditions d'existence rappellent souvent les durs moments du début de la colonie. Avec l'industrialisation amorcée en 1850, les ouvriers des manufactures souffrent du chômage hivernal, ils s'appauvrissent en achetant des produits de ferme et du bois de chauffage. La domestication de l'hiver est compromise par les changements de modes de vie.

Vivre son hiver aujourd'hui

Au fil des ans, les Québécois ont appris à aimer l'hiver, sinon à le vivre sereinement. Des technologies modernes adaptées à l'hiver sont nées. Elles touchent des domaines aussi variés que l'architecture, l'équipement routier, la construction ou le déblaiement des routes, le matériel sportif, l'industrie du vêtement et du loisir. Des festivals et des carnavals célèbrent la neige. Les stations de ski, les patinoires, les sentiers de randonnée de ski de fond, de motoneige et de raquettes regroupent les inconditionnels de la froidure pour qui un hiver sans neige n'aurait plus de charme. Pourtant, jour après jour, deux grands défis doivent être relevés : maintenir le réseau électrique et le réseau routier en état. En somme, les hantises des premiers arrivants, se protéger du froid et vaincre l'isolement, restent d'une constante actualité.

Le printemps, rite de passage entre l'hiver et l'été

Mais les autres saisons possèdent aussi leurs caractéristiques et leurs propres activités. Le début du printemps se vit tel un rite de passage : l'hiver s'efface avec l'arrivée du temps doux qui accélère la fonte des neiges. En mars, la traditionnelle tempête des corneilles – ainsi appelée parce qu'elle survient tandis que le vol tournoyant de ces oiseaux annonce l'arrivée du printemps – marque la fin prochaine de l'hiver. Le temps des sucres ● *82*, vieille coutume de la vie rurale toujours aussi populaire, vient alors adoucir les derniers moments passés sur la couverture neigeuse. Jadis, chez l'habitant, le printemps était le temps du «consommage», c'est-à-dire de la fabrication du savon fait de déchets de gras de viande accumulés pendant l'hiver ; le temps aussi du traitement des textiles : le lin retenu en écheveaux était mis à blanchir sur la neige et les ballots de laine, immergés dans les cours d'eau plus tard, durant le mois de mai. Aujourd'hui encore, c'est l'époque où les animaux sortent de la grange-étable et où les travaux agricoles commencent. Sur les voies d'eau, on pouvait jadis apercevoir, outre l'imposant spectacle des débâcles, celui non moins impressionnant de la drave ● *76*, le flottage des billes de bois coupées pendant l'hiver. Les draveurs montés sur les trains de bois les dirigeaient en aval, vers les ports d'embarquement ou les usines. De nos jours, tandis que les agriculteurs reprennent au printemps le travail de la terre, les citadins envahissent les rues, s'adonnent aux travaux de nettoyage de l'extérieur des maisons et se préparent pour aller camper, pêcher, ou faire des randonnées à vélo.

La Saint-Jean-Baptiste, proche du solstice, annonce l'été. Les premiers colons venus s'établir en Nouvelle-France parlent de «chaleurs extrêmement grandes» et de difficultés de toutes sortes, dont l'embarras causé par les «maringouins» ◆ *346*. Les Amérindiens, au XVIIe siècle, apprennent aux arrivants à s'enduire le corps de graisse pour chasser ces moustiques. Ils les initient aussi à la culture du maïs, de la courge, du tabac. Pendant près de trois siècles, le cycle des cultures et des récoltes constitue l'essentiel des activités de l'été. Les légumes du potager et les petits fruits sauvages permettent de varier les menus. Le dimanche, on se promène en calèche, ce qu'un visiteur qui veut parcourir au rythme d'hier les rues de Québec ou de Montréal peut aujourd'hui imiter. La traditionnelle «épluchette de blé d'Inde» (égrenage des épis de maïs sucré), qui rassemble parents et amis lors d'un repas champêtre, clôture l'été qui empiète souvent sur les premiers jours de l'automne. Les terrasses des cafés accueillent encore les passants qui recherchent la chaleur des derniers rayons de soleil.

L'AUTOMNE, UN PREMIER PAS VERS LA FROIDURE

Dès septembre, aux chaleurs de l'été se mêlent les refroidissements intermittents de l'automne. L'été s'évanouit devant les signes avant-coureurs de l'hiver. Le charme de «la plus belle saison, celle où la végétation se déploie davantage», d'après le botaniste Marie-Victorin ▲ *247*, réside dans la féerie de couleurs des forêts : les ocres et les vermillons sont soutenus par le vert tenace des sapins et des épinettes. Depuis quelques années, on célèbre, dans les Laurentides, le Festival des couleurs ◆ *350*, qui attire les amants de la nature. L'été des Indiens, dernier sursaut de temps chaud qui survient habituellement à la fin d'octobre, est suivi de pluies froides et des premières neiges, vite fondues ; les chasseurs de petit et gros gibier ● *84* font leurs dernières prises. Quand arrive la Sainte-Catherine, le 25 novembre, l'engourdissement de la nature est commencé : l'hiver frappe aux portes.

Dans la société rurale d'autrefois, la fin des récoltes marquait une période de repli vers la maison où se faisaient entendre, pendant la mise en conserve des aliments, les premiers grondements du poêle à bois. À la Toussaint, lorsque rentraient les animaux, tous les travaux en vue du long hiver s'achevaient et déjà on commençait à accommoder les mets qui allaient orner la table de Noël. Aujourd'hui comme hier, seul l'été réussit à faire oublier l'hiver. Le printemps et l'automne, érodés à chaque extrémité par la froide saison, assurent une douce transition.

Architecture

Lucie K. Morisset

Pendant un siècle (1660-1760), les maîtres d'œuvre, formés en France, reprennent l'architecture classique française pour asseoir dans le Nouveau Monde le prestige du roi. S'inspirant de l'esthétique du Grand Siècle et guidés par les règles de la convenance, ils mettent en chantier sur les rives du Saint-Laurent un projet monumental digne de la métropole mais irréaliste dans le contexte colonial : il n'en subsiste aujourd'hui que des traces.

LA VILLE CLASSIQUE
Le classicisme conçoit les fortifications comme un élément défensif mais aussi comme un signe d'urbanité destiné à distinguer la ville du faubourg. Dès 1716, l'ingénieur Chaussegros de Léry planifie une croissance ordonnée de Québec : enceinte ouest, citadelle, haute et basse-ville loties en parcelles régulières selon un plan en damier. Ce projet ne sera complété qu'au début du XIXe siècle ▲ *262*.

Le séminaire des sulpiciens au XVIIIe siècle

LA VOÛTE D'ARÊTES DU XVIIe SIÈCLE
Le classicisme français impose la stéréotomie, ou art de voûter en dur. Les premières voûtes érigées en Nouvelle-France démontrent la virtuosité des architectes et maçons : sous le profil en anse de panier très plat, les arêtes contrôlent les poussées et ouvrent des lunettes éclairant la pièce.

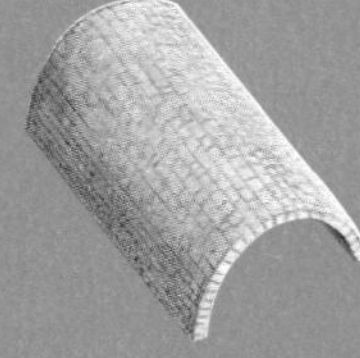

LA VOÛTE EN BERCEAU DU XVIIIe SIÈCLE
L'art d'ériger les voûtes s'étiole quand la main-d'œuvre se forme au pays plutôt qu'en métropole. Pour plus de stabilité, les ouvriers, moins sûrs de leur expertise, établissent désormais des voûtes de profil arrondi, qui s'appuient très bas sur les murs et ne sont percées d'aucune ouverture.

LES ATTRIBUTS DU CLASSICISME
Le séminaire des sulpiciens de Montréal ▲ *169* a été construit par étapes entre 1685 et 1715 selon un plan palatial. À l'origine (ci-dessus), trois corps de logis de deux étages encadraient une cour d'honneur. Le pavillon principal se dresse sur trois étages de voûtes (cave, cellier, cuisines). La toiture mansardée a fait place, vers 1735, à un étage de maçonnerie que coiffe un comble à deux versants.

Le clocher de l'âge classique
Composé d'un double tambour et coiffé de coupoles, ce clocher typique du XVIIe siècle est un vestige de l'ancienne église de Sainte-Anne-de-Beaupré (vers 1689). Il a été rétabli sur le pignon de l'actuelle chapelle commémorative de la commune ▲ *280*.

Un ornement baroque. Le baldaquin de l'église de Neuville ▲ *250* est typique de l'époque de Louis XIV, époque à laquelle ce type d'ornement, inspiré par celui du Bernin à Saint-Pierre de Rome, apparaît dans les églises parisiennes. Importée de France à la toute fin du XVIIe siècle pour orner la chapelle du palais épiscopal de Mgr de Saint-Vallier, cette pièce de mobilier est la plus imposante qu'ait connue la Nouvelle-France.

L'hôtel classique
Charles Aubert de La Chesnaye est un bourgeois de Québec qui, en vue de son anoblissement par le roi, fait reconstruire sa maison en forme d'hôtel particulier. Ce type d'habitation, articulé autour d'une cour d'honneur et distribuant des appartements en enfilade, est par convenance l'apanage des seuls nobles.

L'idéal classique
Le château Saint-Louis à Québec ▲ *260* est mis en chantier pour le gouverneur Frontenac par François de La Joué, en 1692, et achevé par l'ingénieur de Léry en 1725. Avec sa composition symétrique, l'ordonnance tripartite de sa façade, ses deux étages, sa haute toiture, ses tourelles coiffées d'impériales, ce monument incarnait en Nouvelle-France un idéal classique «à la française», dominé par une recherche d'élégance.

L'art d'habiter au XVIIIe siècle
Pour le palais de l'intendant de Québec ▲ *259*, qu'on reconstruit en 1715, apparaît le corps de logis double avec enfilades de pièces côté cour et côté jardin. À l'ensemble salle, antichambre et chambre du XVIIIe siècle s'ajoutent désormais cabinets et garde-robes.

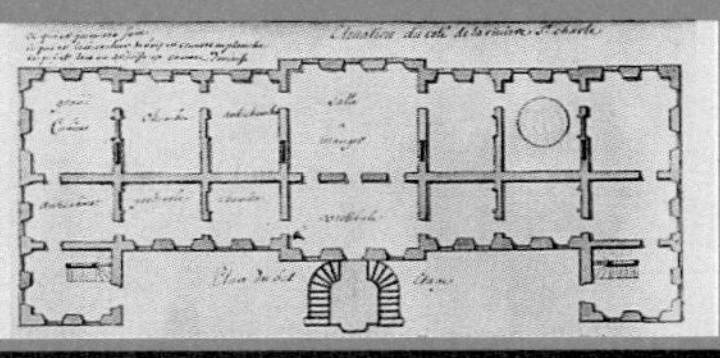

Une première architecture canadienne au XVIIIe siècle

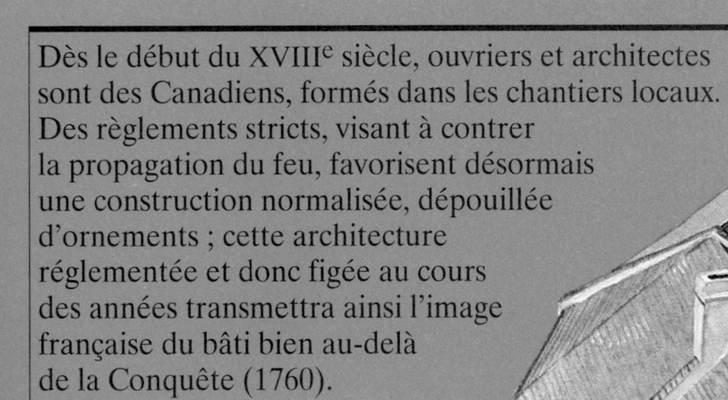

Dès le début du XVIIIe siècle, ouvriers et architectes sont des Canadiens, formés dans les chantiers locaux. Des règlements stricts, visant à contrer la propagation du feu, favorisent désormais une construction normalisée, dépouillée d'ornements ; cette architecture réglementée et donc figée au cours des années transmettra ainsi l'image française du bâti bien au-delà de la Conquête (1760).

La maison urbaine à Montréal
À Montréal, les plus anciennes maisons datent des années 1780-1800. Elles remplacent les constructions antérieures, à un seul étage.

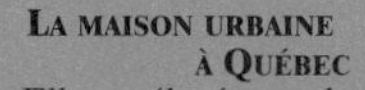

La maison urbaine à Québec
Elle est élevée sur des caves voûtées et ses cheminées, encastrées dans les murs mitoyens, dépassent des toits en guise de coupe-feu. Elle est coiffée d'un toit à deux versants que porte une charpente légère, amovible en cas d'incendie.

La maison rurale près de Montréal
À la fin du XVIIe siècle, elle compte deux pièces : la salle et la chambre. Cent ans plus tard, son corps de logis double de surface. Plus large, il abrite quatre pièces au rez-de-chaussée.

Évolution de la maison rurale

La maison rurale près de Québec
Construite en bois à l'origine, elle s'agrandit au fil des ans et opte pour la pierre. Au XVIIIe siècle, elle comprend une salle et une chambre.

Les plans d'églises en Nouvelle-France

Plan jésuite

Plan récollet

Plan Maillou

Une église rurale
La chapelle du Séminaire au Petit-Cap (1780) ▲ *282* conserve la sobriété typique des édifices religieux construits à cette époque.

La ville et le milieu rural
En 1743, l'église de la Sainte-Famille à l'île d'Orléans ▲ *277* (aujourd'hui disparue) transpose en milieu rural le modèle de l'église des jésuites, construite à Québec en 1666. La ville alimente ainsi l'univers formel des maîtres d'œuvre de la société traditionnelle (ci-dessous).

Un prototype du XVIIIe siècle
Au lendemain de l'incendie de 1726, le palais de l'intendant à Québec ▲ *259* est édifié conformément aux nouvelles ordonnances régissant la construction. Il propose aux ouvriers le modèle d'un savoir-faire adapté et agréé par l'État. Sa façade se lit en effet comme une série de maisons en rangée.

Lorsqu'ils s'établissent dans leur nouvelle colonie, les Britanniques implantent le style palladien et une nouvelle façon d'occuper l'espace. Des quartiers de maisons monofamiliales entourent désormais le centre institutionnel : les marchés cèdent la place aux rues marchandes qui relient la ville aux nouveaux faubourgs ; la périphérie se pare de somptueuses villas.

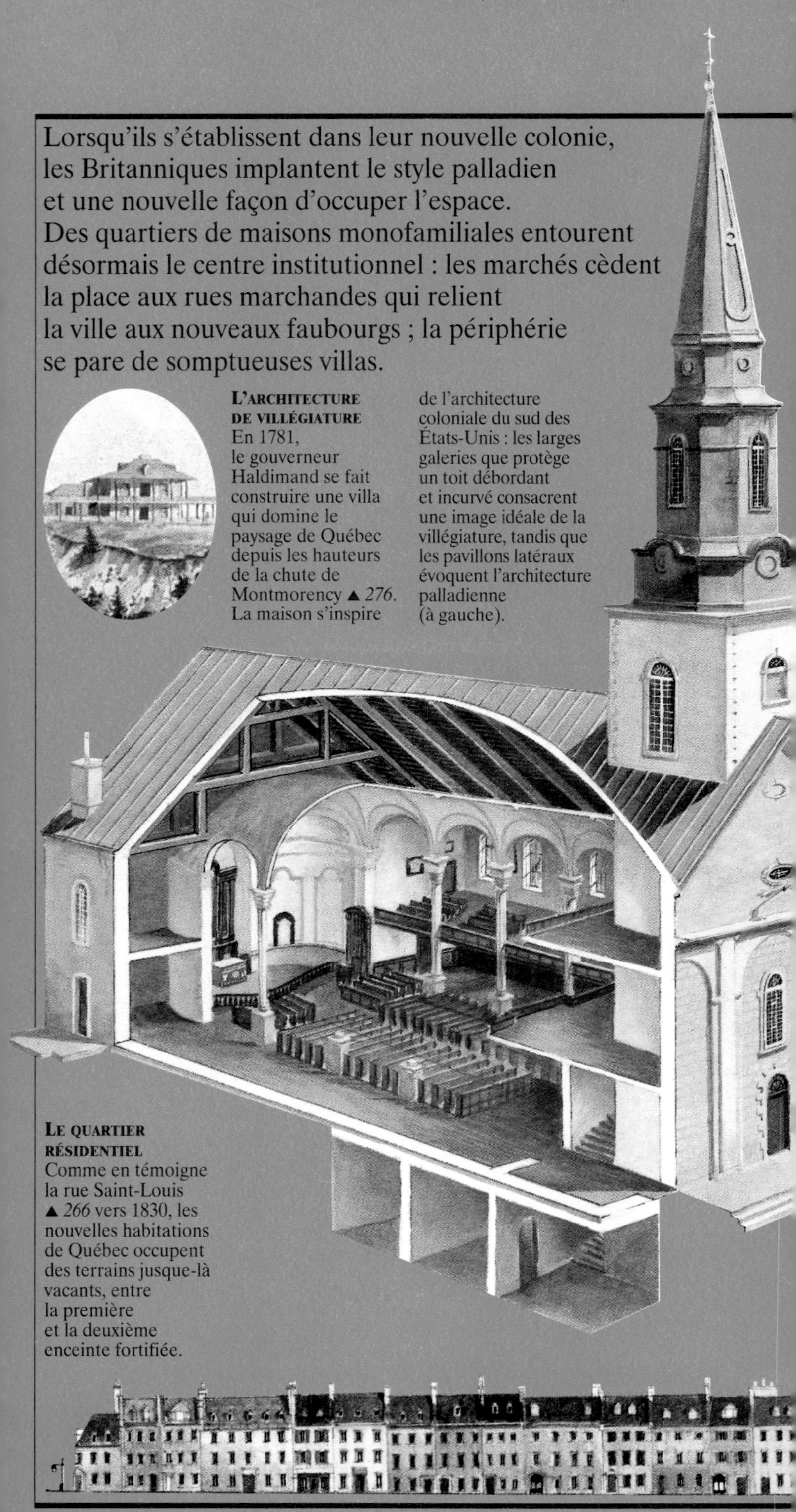

L'ARCHITECTURE DE VILLÉGIATURE
En 1781, le gouverneur Haldimand se fait construire une villa qui domine le paysage de Québec depuis les hauteurs de la chute de Montmorency ▲ *276*. La maison s'inspire de l'architecture coloniale du sud des États-Unis : les larges galeries que protège un toit débordant et incurvé consacrent une image idéale de la villégiature, tandis que les pavillons latéraux évoquent l'architecture palladienne (à gauche).

LE QUARTIER RÉSIDENTIEL
Comme en témoigne la rue Saint-Louis ▲ *266* vers 1830, les nouvelles habitations de Québec occupent des terrains jusque-là vacants, entre la première et la deuxième enceinte fortifiée.

Paroisse rurale
St. Stefen à Chambly ▲ *208* (1820) est l'une des premières églises anglicanes du Bas-Canada.

L'architecture classique anglaise
Construite en 1818 d'après les plans de François Baillairgé, l'ancienne prison de Trois-Rivières ▲ *239* expose bien les caractéristiques du palladianisme britannique, tel qu'il s'exprime au Bas-Canada : plan massé, c'est-à-dire avec dédoublement du corps de logis, trois étages, façade avec avancée centrale surmontée d'un fronton. L'édifice est érigé en moellons de carrière : ses chaînes d'angle en pierre de taille se découpent sur un crépi.

L'architecture religieuse
Pour s'imposer dans sa colonie, la nouvelle couronne assoit la présence de l'Église d'Angleterre en construisant une cathédrale caractéristique de l'architecture religieuse britannique, Holy Trinity, à Québec ▲ *261* : plan rectangulaire, haut clocher, trois nefs sous un comble, galeries latérales, deux étages de fenêtres sur les longs pans et bancs à portes en sont les traits principaux.

Maison large du Régime français

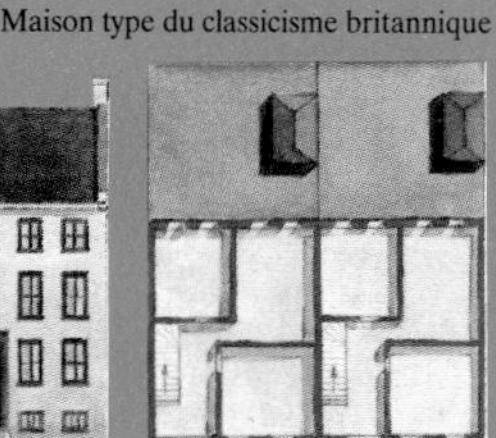

Maison type du classicisme britannique

Le plan palladien et un nouvel art d'habiter
La maison urbaine conserve sa silhouette traditionnelle mais devient monofamiliale. La vie s'y organise autour du hall central qui distribue symétriquement les pièces à tous les étages. L'implantation du bâtiment évolue aussi. La maison large du Régime français cède la place à des habitations plus profondes, ce qui complique l'accès aux cours et écuries, construites à l'arrière du lot.

Le centre institutionnel
Autour de la place d'Armes, à Québec ▲ *261*, les Britanniques construisent de nouveaux édifices : l'hôtel Union, la cathédrale anglicane, le palais de justice. Ils remodèlent aussi les édifices existants, comme le château Saint-Louis ▲ *260*, en imposant leur style.

S'inspirant des monuments de l'Antiquité, les architectes d'Angleterre et des États-Unis introduisent au Bas-Canada le néoclassicisme occidental ; l'ordre et la rigueur y justifient le statut de ces nouveaux professionnels, qui se soucient autant du bâtiment que de ses espaces intérieurs. Mais la théorie néoclassique se heurte ici à la résistance du milieu traditionnel. Se dégage alors une synthèse originale qui immortalisera l'héritage francophone au sein d'un renouveau à prétention universelle.

LES MONUMENTS COMMÉMORATIFS
Puisqu'il propose un retour aux sources, le néoclassicisme est aussi le style par excellence de la commémoration. La colonne triomphale du monument Nelson, dans la perspective de la place Jacques-Cartier à Montréal (1809) ▲ *171*, célèbre ainsi le vainqueur de Trafalgar (à gauche). Quant à l'obélisque, dont la forme s'inspire des temples égyptiens, il symbolise la mort : on le retrouve au monument Wolfe-Montcalm (1827) qui, à Québec ▲ *252*, rend hommage aux deux héros de la bataille des plaines d'Abraham, tués au combat (à droite).

LES ORDRES D'ARCHITECTURE
Le néoclassicisme élève l'architecture au rang de discipline savante. Ce n'est plus un simple métier de construction. L'art de l'architecture s'enseigne désormais à l'école et requiert des outils pédagogiques comme cette maquette des ordres (ci-dessus), utilisée au Séminaire de Nicolet ▲ *244* vers 1835.

Néoclassicisme et imitation
La maison Papineau de la rue Bonsecours ▲ *172*, à Montréal, a été mise au goût du jour en 1831 : le lambris de bois qu'on pose alors, de couleur grise et orné d'une sculpture de refend, imite la pierre de taille (ci-dessous).

Plan-maquette en papier
Ce projet de retable de l'église de l'Hôtel-Dieu de Québec que signe Thomas Baillairgé (1829) est une caractéristique du néoclassicisme : l'architecture est tout entière dans le projet, la construction n'étant qu'une imitation de l'architecture (ci-dessus).

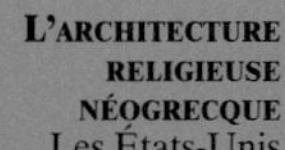

L'architecture religieuse néogrecque
Les États-Unis adoptent ce style qui s'abreuve à l'art sévère de l'Antiquité grecque. L'église Plymouth Trinity de Sherbrooke (1848) ▲ *214* en adopte les principales caractéristiques : colonnes doriques sans base et pilastres, portique *in antis*, sur la façade.

«Le premier architecte de tout le Bas-Canada»
Thomas Baillairgé (1791-1859) mérite ce titre pour avoir dressé les plans de la plupart des édifices religieux du pays construits entre 1825 et 1845.

Une architecture civique
À l'époque de sa construction, le marché Bonsecours (W. Footner, 1845) ▲ *172* est le plus vaste bâtiment de style néoclassique en Amérique du Nord. Son portique dorique et son dôme imposant dominent le Vieux-Montréal.

Le XIXe siècle recherche un style nouveau, qui serait sien tout en évoquant les grands monuments de l'histoire. Le poids des héritages, l'éventail des matériaux et des technologies, la diversité des besoins proposent aux architectes et aux clients une panoplie de solutions : l'éclectisme qui en résulte colore le paysage des choix de chacun.

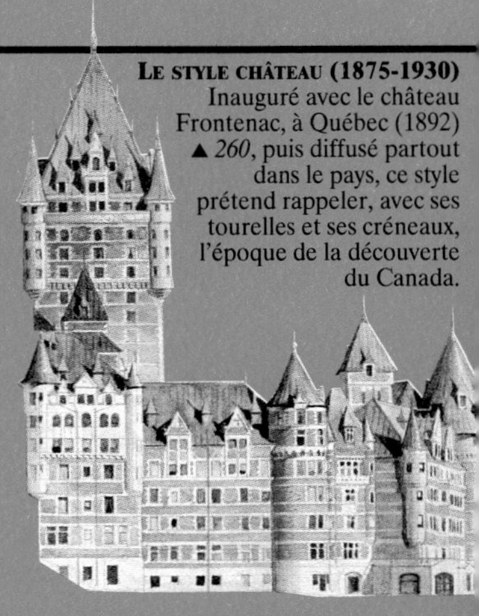

LE STYLE CHÂTEAU (1875-1930)
Inauguré avec le château Frontenac, à Québec (1892) ▲ *260*, puis diffusé partout dans le pays, ce style prétend rappeler, avec ses tourelles et ses créneaux, l'époque de la découverte du Canada.

L'ARCHITECTURE NÉOGOTHIQUE (1825-1880)
Né en Angleterre, le néogothique sied particulièrement aux églises, puisqu'il évoque la grandeur du Moyen Âge chrétien. L'architecte Victor Bourgeau l'adopte pour la cathédrale de Trois-Rivières (1858) ▲ *239*, ci-contre.

L'INFLUENCE DE LA VILLE LUMIÈRE
L'architecture Second Empire se fait le porte-parole de l'art de vivre «à la française». La maison Shaughnessy (ci-dessus) est une double villa suburbaine ainsi inspirée par le modèle parisien (1874, William Thomas) ▲ *185*.

L'ARCHITECTURE NÉO-RENAISSANCE ITALIENNE (1840-1880)
Initialement adoptée pour l'architecture commerciale, elle évoque les *palazzi* de la Renaissance florentine. Elle devient proto-rationaliste sur les façades du cours Le Royer (près de l'église Notre-Dame ▲ *168*), où sa modénature épurée fait place au rythme des baies et des travées.

L'éclectisme nord-américain
Les paysages urbains du Québec se sont nourris de la variété formelle que proposait la fin du XIXe siècle, comme l'illustrent ces maisons du faubourg Saint-Jean à Québec ▲ *270*.

Aux toits mansardés d'origine française de Québec, les Montréalais préfèrent les toits plats de l'architecture *boom town* (à droite, rue Clark ▲ *190*).

Plus cossues, typiques de la banlieue victorienne, les maisons en rangée de la rue Jeanne-Mance, à Montréal ▲ *190*, sont protégées par la loi sur les biens culturels (ci-dessus).

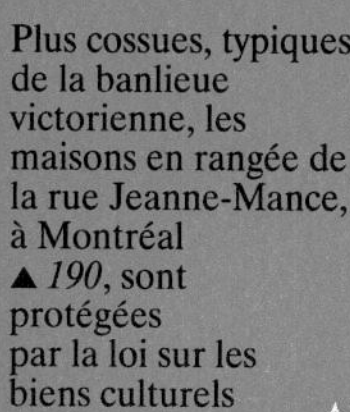

L'architecture Second Empire (1875-1914)
L'hôtel de ville de Montréal ▲ *170* (H.-M. Perreault, 1874) est le premier édifice de ce style au Québec. Avec sa symétrie axiale, ses fenêtres cintrées, son toit mansardé et ses dômes tronqués, le monument affiche son inspiration française.

Au lendemain de la Conquête, l'Église canadienne se fait gardienne des intérêts et de la culture de la population en majorité catholique et francophone. Prenant en charge l'enseignement, la santé et les autres institutions sociales, elle dote villes et villages d'une architecture monumentale qui témoigne de son engagement et de son omniprésence.

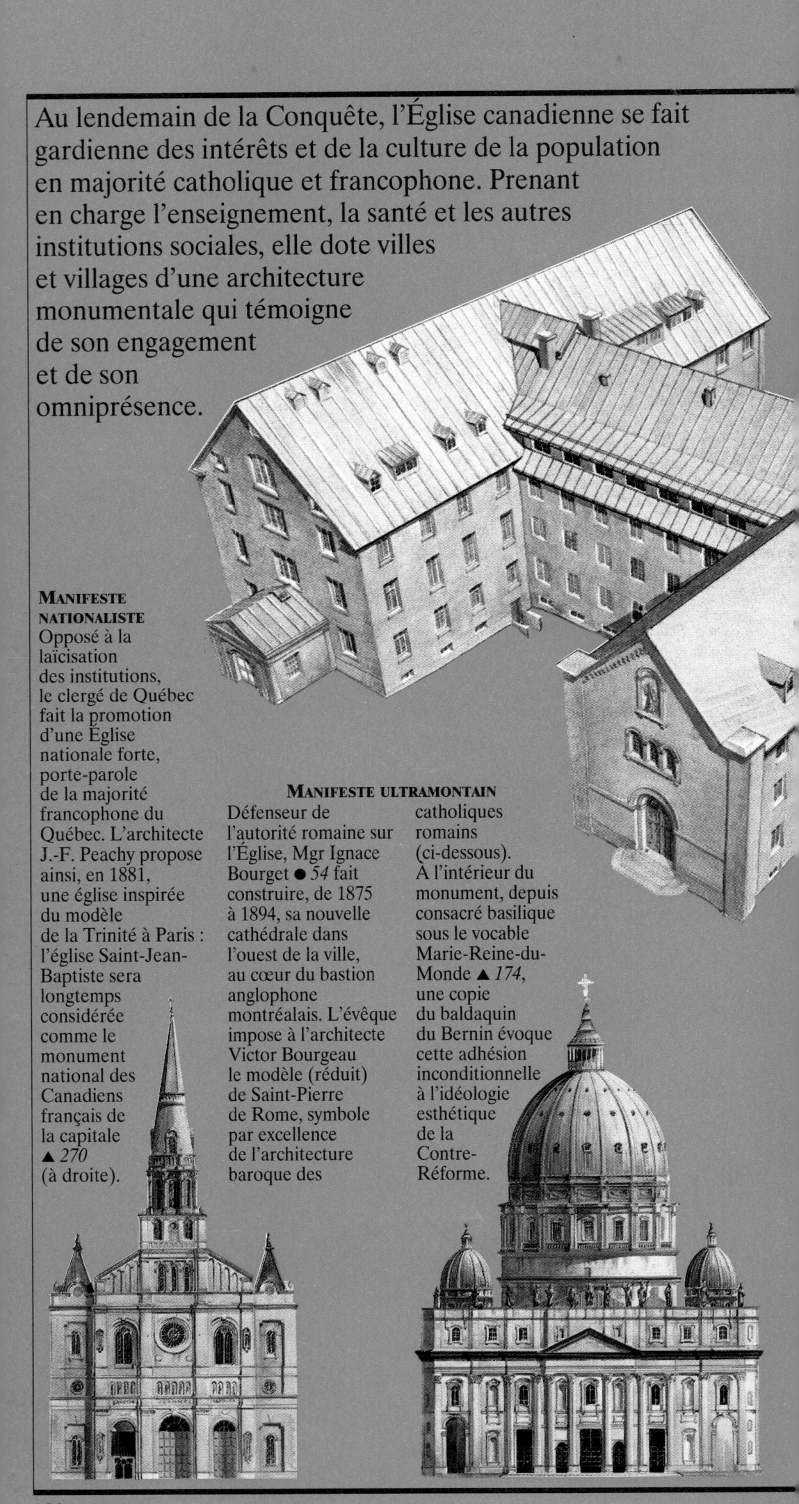

MANIFESTE NATIONALISTE
Opposé à la laïcisation des institutions, le clergé de Québec fait la promotion d'une Église nationale forte, porte-parole de la majorité francophone du Québec. L'architecte J.-F. Peachy propose ainsi, en 1881, une église inspirée du modèle de la Trinité à Paris : l'église Saint-Jean-Baptiste sera longtemps considérée comme le monument national des Canadiens français de la capitale ▲ *270* (à droite).

MANIFESTE ULTRAMONTAIN
Défenseur de l'autorité romaine sur l'Église, Mgr Ignace Bourget ● *54* fait construire, de 1875 à 1894, sa nouvelle cathédrale dans l'ouest de la ville, au cœur du bastion anglophone montréalais. L'évêque impose à l'architecte Victor Bourgeau le modèle (réduit) de Saint-Pierre de Rome, symbole par excellence de l'architecture baroque des catholiques romains (ci-dessous). À l'intérieur du monument, depuis consacré basilique sous le vocable Marie-Reine-du-Monde ▲ *174*, une copie du baldaquin du Bernin évoque cette adhésion inconditionnelle à l'idéologie esthétique de la Contre-Réforme.

À la recherche d'un style chrétien
Le style romano-byzantin prétend évoquer la préséance de l'Église canadienne en rappelant ses origines impériales. Ses formes monumentales se combinent en compositions variées, comme en témoigne Notre-Dame-du-Perpétuel-Secours à Holyoke (Massachussetts), de l'architecte Louis Caron fils.

Paysage de clochers
Faisant la synthèse de l'héritage français (tambour ajouré) et de l'apport britannique (abat-son), les clochers habillés de fer-blanc dessinent un paysage original.

Un couvent dans la ville
Églises, hospices, couvents et collèges rythment les paysages urbains. Construite de 1846 à 1893, toute de pierre grise, la maison du Bon-Pasteur à Montréal ▲ *195* (ci-dessus) est typique de cette architecture religieuse : des ailes prolongent le corps principal occupé, au centre, par la chapelle. Ces bâtiments sont agrandis selon les besoins, au fil des ans. Aujourd'hui reconverti, l'ensemble de Montréal abrite de nouvelles habitations et dans la chapelle réaménagée sont donnés des concerts de musique de chambre.

Des bâtisseurs d'églises
Avec l'appui du clergé, l'ouvrier habile peut devenir entrepreneur puis architecte : c'est ainsi que naissent des dynasties de bâtisseurs d'églises, comme les Giroux, qui attirent à Saint-Casimir (Portneuf) ▲ *250* (à gauche) les meilleurs artisans : ceux-ci travaillent sur des commandes provenant du Canada français et de la Nouvelle-Angleterre.

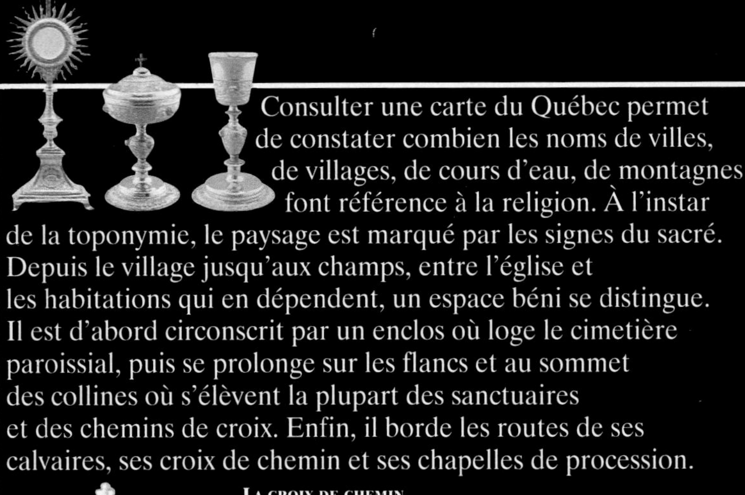

Consulter une carte du Québec permet de constater combien les noms de villes, de villages, de cours d'eau, de montagnes font référence à la religion. À l'instar de la toponymie, le paysage est marqué par les signes du sacré. Depuis le village jusqu'aux champs, entre l'église et les habitations qui en dépendent, un espace béni se distingue. Il est d'abord circonscrit par un enclos où loge le cimetière paroissial, puis se prolonge sur les flancs et au sommet des collines où s'élèvent la plupart des sanctuaires et des chemins de croix. Enfin, il borde les routes de ses calvaires, ses croix de chemin et ses chapelles de procession.

LA CROIX DE CHEMIN
À l'instar des découvreurs du Nouveau Monde ▲ *164, 303*, les colons la dressaient au moment de prendre possession d'une terre. Il en existe toujours 3 500 le long des routes. Certaines sont dépouillées, d'autres montrent les instruments de la Passion comme à Saint-Paul-d'Abbotsford en Montérégie.

LA CHAPELLE DE SAINTE-FAMILLE ▲ *276*
Comme souvent aux environs de Québec, cette petite église, érigée vers 1840, a été bâtie en même temps qu'une seconde chapelle processionnelle située à l'autre extrémité de la paroisse (démolie en 1890).

LA CHAPELLE DE PROCESSION
Cette église aux dimensions très modestes servait à exposer le saint-sacrement et à abriter le reposoir de la Fête-Dieu (fête de l'Eucharistie, en juin).

Laberge, L'Ange-Gardien (Charlevoix)

Saint-Joachim, Varennes (Montérégie)

Saint-Isidore, Île-aux-Coudres (Charlevoix)

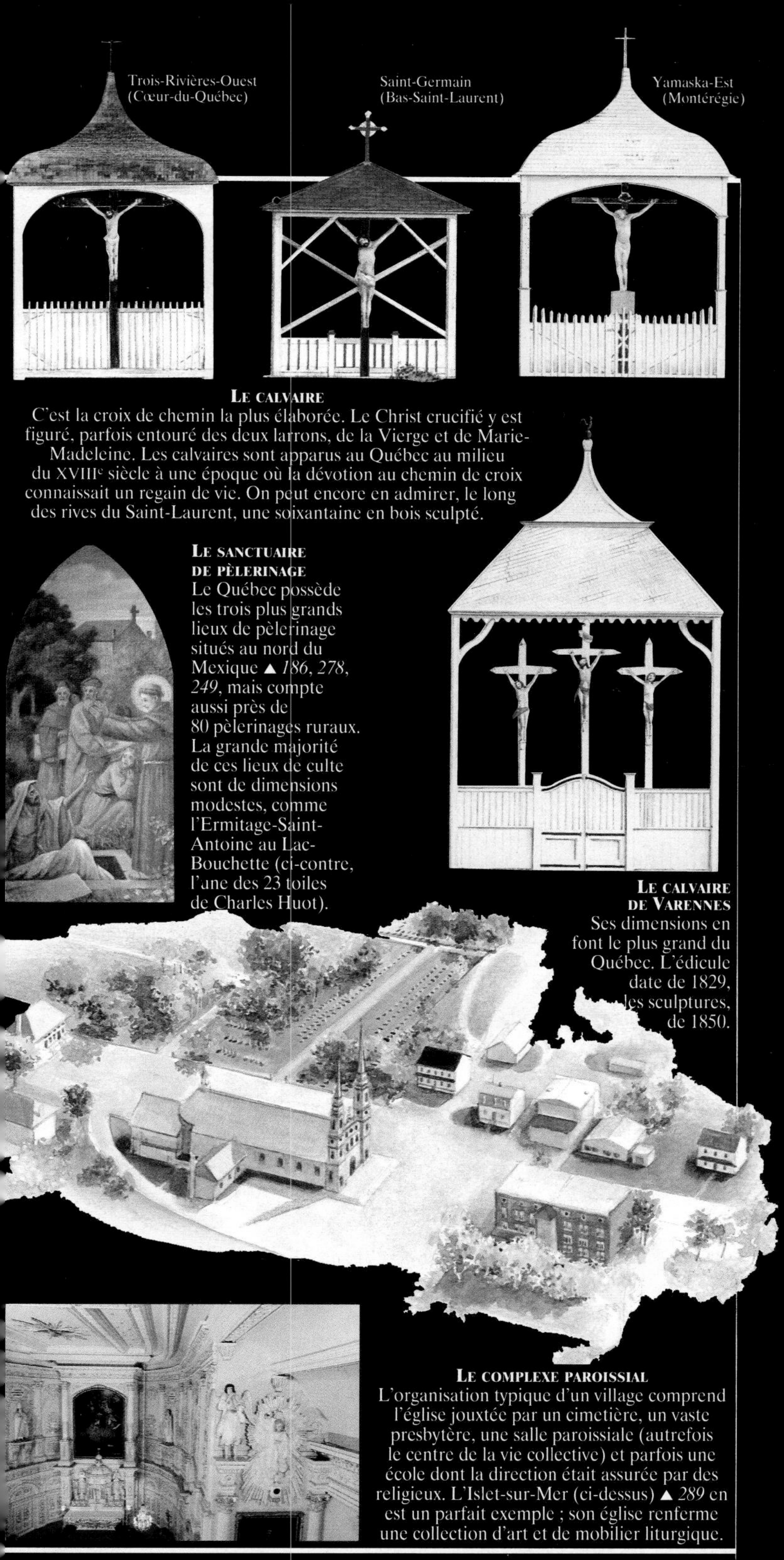

Le calvaire
C'est la croix de chemin la plus élaborée. Le Christ crucifié y est figuré, parfois entouré des deux larrons, de la Vierge et de Marie-Madeleine. Les calvaires sont apparus au Québec au milieu du XVIIIe siècle à une époque où la dévotion au chemin de croix connaissait un regain de vie. On peut encore en admirer, le long des rives du Saint-Laurent, une soixantaine en bois sculpté.

Le sanctuaire de pèlerinage
Le Québec possède les trois plus grands lieux de pèlerinage situés au nord du Mexique ▲ *186, 278, 249*, mais compte aussi près de 80 pèlerinages ruraux. La grande majorité de ces lieux de culte sont de dimensions modestes, comme l'Ermitage-Saint-Antoine au Lac-Bouchette (ci-contre, l'une des 23 toiles de Charles Huot).

Le calvaire de Varennes
Ses dimensions en font le plus grand du Québec. L'édicule date de 1829, les sculptures, de 1850.

Le complexe paroissial
L'organisation typique d'un village comprend l'église jouxtée par un cimetière, un vaste presbytère, une salle paroissiale (autrefois le centre de la vie collective) et parfois une école dont la direction était assurée par des religieux. L'Islet-sur-Mer (ci-dessus) ▲ *289* en est un parfait exemple ; son église renferme une collection d'art et de mobilier liturgique.

Au début du XXe siècle, le paysage construit revêt les couleurs modernes des nouvelles structures à ossature, de l'acier, du béton, des systèmes mécaniques et électriques. Au nom de l'identité, le nationalisme canadien entend cependant contrer la diffusion de ces styles dits internationaux que professent les écoles et les périodiques d'architecture.

LES ARTS DÉCO
L'université de Montréal ▲ *186* (Ernest Cormier, 1926) introduit au Québec le rationalisme classique des architectes français des années 1900-1920, tels Perret, Garnier, Roux-Spitz. En Amérique du Nord, leur influence s'enrichit toutefois du design nouveau des arts décoratifs et impose la figure du gratte-ciel, manifeste premier du capitalisme.

LA MAISON CONFORTABLE
Les styles anglais des XVIe et XVIIe siècles projettent une image de confort qui fait l'unanimité de l'architecture domestique jusqu'à la Seconde Guerre. Les boiseries, les cheminées et les pignons multiples de cette maison, dessinée à Québec par Harry Staveley, masquent, malgré la nostalgie dont ils sont empreints, un plan moderne.

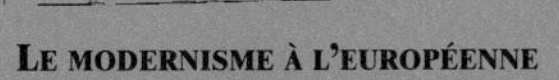

LE MODERNISME À L'EUROPÉENNE
En 1958, le baron Empain invite l'architecte belge A. Courtens à dessiner les bâtiments de l'Estérel, à Sainte-Marguerite-du-Lac-Masson ▲ *218.* L'architecture blanche de cette demeure de villégiature introduit au Québec le style international (ci-dessus).

LE RÉGIONALISME
Ancrée au lieu et à la mémoire du pays, l'architecture régionaliste s'enivre des modèles du terroir. À Jonquière ▲ *322*, le Manoir du Saguenay (1939) célèbre la Normandie de Jacques Cartier, le découvreur.

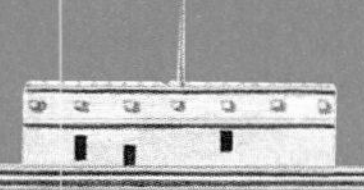

L'ARCHITECTURE BEAUX-ARTS
Enseignée dans les écoles des beaux-arts, elle prise surtout la composition architecturale. Les institutions culturelles et financières telle la *Sun Life* ▲ *178* (1913-1933) l'adoptent pour ennoblir des structures modernes.

DOM BELLOT ET LE «GOTHIQUE MODERNISÉ»
Après avoir connu le succès en France, le moine bénédictin et architecte Paul Bellot (1876-1944) introduit au Québec son architecture rationnelle ; celle-ci, faite de brique polychrome et d'arcs paraboliques (à droite), ou de béton en arcs polygonaux, séduit l'économie et la piété de l'Église canadienne. Le rayonnement de l'abbaye Saint-Benoît-du-Lac ▲ *213* (1939, ci-dessus) et l'œuvre des disciples de Dom Bellot ont ainsi tempéré la quête de modernité du pays.

L'ARCHITECTURE DE LA RÉVOLUTION TRANQUILLE (1950-1975)

Le Québec des années cinquante ébauche le projet d'une société progressiste et libérée de la tradition. Comme le reste de l'Amérique, qui, jusque-là, demeurait réfractaire aux idées du mouvement moderne, le Québec de la Révolution tranquille découvre les mérites du fonctionnalisme lorsque s'affirme l'expressionnisme formel, monumental ou technique, des maîtres de l'architecture occidentale.

DES BOÎTES À HABITER
Projet de fin d'études de Moshe Safdie, jeune architecte prometteur, Habitat'67 à Montréal (ci-dessus) explorait la forme et l'économie de modules cubiques de béton préfabriqués, habitables et empilables. L'assemblage expressif répliquait à la monotonie habituelle de l'architecture standardisée, à un coût qui s'est toutefois révélé prohibitif.

LA VILLE RÉINVENTÉE
La place Ville-Marie, conçue au début des années soixante par l'architecte I. M. Pei, marque le déplacement du centre-ville de Montréal vers l'ouest ▲ *178*. Avec sa tour à bureaux aux lignes novatrices, que singularisent à l'époque sa hauteur, son plan cruciforme et ses matériaux audacieux – mur-rideau de verre et d'aluminium –, la place s'érige en symbole d'une ville nord-américaine type, caractérisée par un *skyline* distinctif. Logeant des galeries marchandes en sous-sol, elle se veut également cité souterraine, miroir parfait de la ville à gratte-ciel.

LA MONUMENTALISATION DE LA TECHNIQUE
EXPO 67 a été un véritable laboratoire d'architecture. Le dôme géodésique de R. B. Fuller, abritant le pavillon des États-Unis, a fait date (Montréal ▲ *198*).

Un nouvel élan
Libérée du hiératisme qui marquait son architecture jusqu'au concile Vatican II, l'Église se prête à une exploration des formes monumentales qu'offrent les technologies nouvelles.
À Jonquière ▲ *322*, l'église Notre-Dame-de-Fatima (P.-M. Côté, 1963) domine le paysage avec ses deux grands demi-cônes de béton blanc, unis par des verrières.

Un manifeste fonctionnaliste
L'aérogare de Mirabel à Montréal (L.-J. Papineau, 1969) a été conçue comme une gare intermodale où avions, trains, autobus et automobiles transporteraient efficacement les passagers.
La sobriété et la qualité de l'édifice, tel un préau enveloppé d'un mur-rideau de verre, évoque avec force le *less in more* de Mies van der Rohe.

L'architecture postmoderne naît de la critique du fonctionnalisme jugé élitiste et réducteur des spécificités culturelles. Retournant à la valeur symbolique de l'histoire, et attachée au contexte local, la nouvelle esthétique investit le paysage d'une diversité rafraîchissante, de nature à séduire un public non initié.

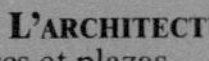

L'ARCHITECTURE-PAYSAGE
Entre parcs et plazas, Montréal s'enrichit d'un art public aussi architectonique qu'original : renvoyant à leur environnement bâti ou naturel, les sculptures de Melvin Charney, place Berri, se font l'écho du paysage et de la mémoire de la ville.

LE GRATTE-CIEL DÉCORÉ
Coiffé d'un couronnement triangulaire reconnaissable, le 1000, de La Gauchetière ▲ *177* (LeMay et associés, 1989) découpe dans le paysage montréalais sa silhouette élevée. La riche diversité des matériaux (verre, marbre, granit, aluminium…) et la géométrie maniérée des façades distinguent l'édifice du modernisme de l'époque précédente.

CARREFOUR SPECTACULAIRE
Le 1000, de La Gauchetière coiffe l'un des principaux carrefours du transport en commun de Montréal : 40 000 personnes y transitent chaque jour. Aussi son hall public se pare-t-il d'un décor séduisant qui met somptueusement en scène commerces, promenades, jardin d'hiver et patinoire.

L'ARCHITECTURE-MÉMOIRE
Fenêtre sur des vestiges archéologiques et sur le port, le sculptural musée de Pointe-à-Callière ▲ *173* (D. Hanganu, 1992) multiplie les clins d'œil à l'histoire de Montréal.

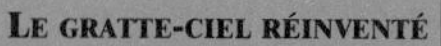

Un nouveau faubourg
L'aménagement soigné et l'architecture-symbole ont tiré de la tradition cette image de quartier : à Sainte-Foy (Québec), la rue du Campanile (Gauthier, Guité, Roy ; d'Anjou, Moisan, 1983) groupe marché public et maisons à pignon sur rue autour d'une tour d'horloge familière (à gauche).

Postmodernisme à l'européenne
Monument de perfection et d'équilibre (P. Rose, 1989), le Centre canadien d'architecture lie noblesse classique et design impeccable.

Vivre en ville
L'architecture fait ici face au triple défi de l'économie, du confort et du design. Aux habitations Georges-Vanier (R. de la Riva, 1993), la planification soignée de l'espace et une composition nourrie des façades urbaines typiques de Montréal favorisent le retour des familles au centre-ville (ci-dessus).

Le gratte-ciel réinventé
Au lieu des traditionnels parallélépipèdes, les architectes Kohn Pedersen Fox ont en quelque sorte réinventé le gratte-ciel pour le 1250, René-Lévesque Ouest (1992) à Montréal. Soigneusement calculée depuis l'échelle du piéton jusqu'à celle de la ville, la volumétrie plastique et l'ornementation pondérée de textures et de teintes ont fait de l'objet fonctionnel un monument à la technique, véritable joyau de l'architecture du siècle et nouveau personnage distinctif du ciel montréalais (à gauche).

Jardin d'hiver
L'édifice situé au 1250, René-Lévesque Ouest participe au quotidien de la vie montréalaise. Au lieu de mornes façades ou d'arides plazas, il offre à la rue un jardin public qui, abrité par la tour, prolonge les étés de la ville.

Conjoncture incertaine et réductions radicales des dépenses gouvernementales obligent architectes et promoteurs à limiter les réalisations architecturales : les projets doivent désormais être rentables et socialement pertinents.

Le nouveau Forum

Avec ses 21 500 sièges, le nouvel amphithéâtre des Canadiens, à Montréal (Lemay et Ass. Le Moyne, Lapointe, Magne architectes), inaugurera avec éclat la saison de hockey 1996. Il fédère un projet immobilier d'envergure à l'historique gare Windsor ; sa façade écran dominera une grande place, nouveau fond de scène de l'activité festivalière de la ville.

Le projet Faubourg-Québec

D'une friche industrielle à l'ouest du Vieux-Montréal ▲ *168* surgit un quartier qui, à terme, comptera 5 000 résidents. La Société d'habitation de Montréal a privilégié un aménagement «à la française», par îlots urbains, au lieu des modèles résidentiels nord-américains. Avec ses rues et son parc le long du fleuve, c'est la ville du XXIe siècle qui se construit à Montréal.

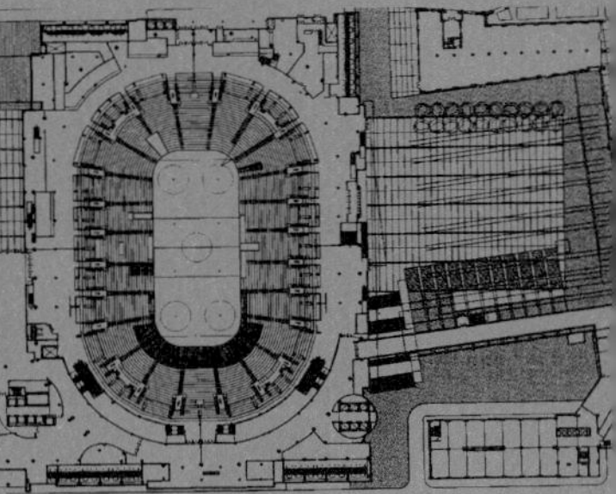

Le réaménagement de la colline parlementaire

À l'aube du cinquième centenaire de la capitale, l'histoire et le paysage reviennent au centre-ville grâce au plus important projet urbain de l'heure. À côté du Vieux-Québec ▲ *270*, remplaçant des autoroutes inachevées, les boulevards Dufferin-Montmorency et René-Lévesque (Gauthier, Guité, Roy coord.) allient ville historique et reliefs spectaculaires du décor naturel ; entre le séculaire hôtel du Parlement et les plus récents gratte-ciel, l'urbanisme végétal qu'ont privilégié les concepteurs mettra en scène la mémoire locale en des parcours qui rendront le quartier à ses promeneurs.

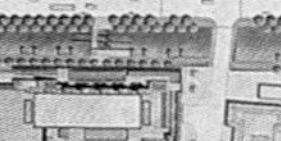

LE QUÉBEC VU PAR LES PEINTRES

FRANÇOIS-MARC GAGNON

«À FORCE D'ARRACHER LEUR VIE DE LA TERRE OU DU VENTRE DE LA MER, ILS AVAIENT FINI PAR PRENDRE LA COULEUR DE L'ENVIRONNEMENT AVEC QUELQUE CHOSE DE RUGUEUX SUR LA PEAU QUI TIENT DE L'ÉCORCE ET DE L'ÉCAILLE» NOËL AUDET

Comme le *Village de Baie-Saint-Paul en hiver* peint vers 1910 par Clarence Gagnon (1860-1942) ● *131*, *Percé* **(1)**, réalisé entre 1955 et 1960 par Lorne Bouchard (1913), est une vue dite «touristique» du Québec.
En insistant sur les vastes étendues de neige et sur l'âpreté du paysage, les deux œuvres correspondent à la vision du visiteur. Quelques touches de prémodernité percent toutefois dans le tableau de Bouchard avec la vieille barque et l'atelier en plein air.
Les Scieurs de bois **(2)**, créés en 1905 par Horatio Walker (1858-1938), et *Gare de campagne* **(3)**, peint vers 1970 par Jean-Paul Lemieux (1904-1990), proposent des vues plus intériorisées. Influencé par l'École de Barbizon, Walker s'est donné pour but, à l'instar du Français Jean-François Millet (1814-1875), de représenter tous les métiers qu'une rapide urbanisation risquait de faire disparaître.
Il travaillait seul dans son atelier de l'île d'Orléans ▲ *277* ; Clarence Gagnon a été l'un des rares peintres tolérés sur «son île».
Lemieux appartient à une autre génération : témoin de la Révolution tranquille ● *56*, il incarne les valeurs d'un Québec moins tourné vers le passé, plus affirmé, et toujours soucieux de se démarquer du reste du Canada.

1	2
3	

R PILOT

Longtemps directeur de l'école *Art Association of Montreal*, le futur musée des Beaux-Arts ▲ *184*, William Brymner (1855-1925), auteur du *Champ-de-Mars en hiver* **(1)**, peint en 1892, a formé plusieurs des plus grands artistes québécois, dont Clarence Gagnon, Edwin Holgate (1892-1977) et Robert Pilot (1897-1967), son beau-fils. Ce dernier est l'auteur d'innombrables vues de Québec. Comme le tableau précédent, *La Patinoire de la terrasse Dufferin, Québec* **(2)**, peinte vers 1960, présente une vue naturaliste de la ville. Le peintre préférera les sports d'hiver et les voitures à chevaux aux activités urbaines proprement dites. La vue magnifique qu'offre la terrasse Dufferin sur le fleuve Saint-Laurent est escamotée dans le tableau de Pilot. *Le Débit de tabac Hyman* **(3)**, réalisé en 1937 par Adrien Hébert (1890-1967), corrige ces vues idylliques de la ville et révèle une place animée, où domine une marque de cigarettes américaines très répandue avant la Seconde Guerre mondiale. La vue d'Hébert est prise à ras du sol et non à distance, comme celles de ses confrères. Hébert s'était fait le chantre de la ville moderne, rejetant le ruralisme des peintres régionalistes tels que Gagnon et Walker. Il s'enthousiasmait pour toutes les manifestations de l'architecture urbaine, y compris les silos à grains du port de Montréal ▲ *173*.

1	
2	3

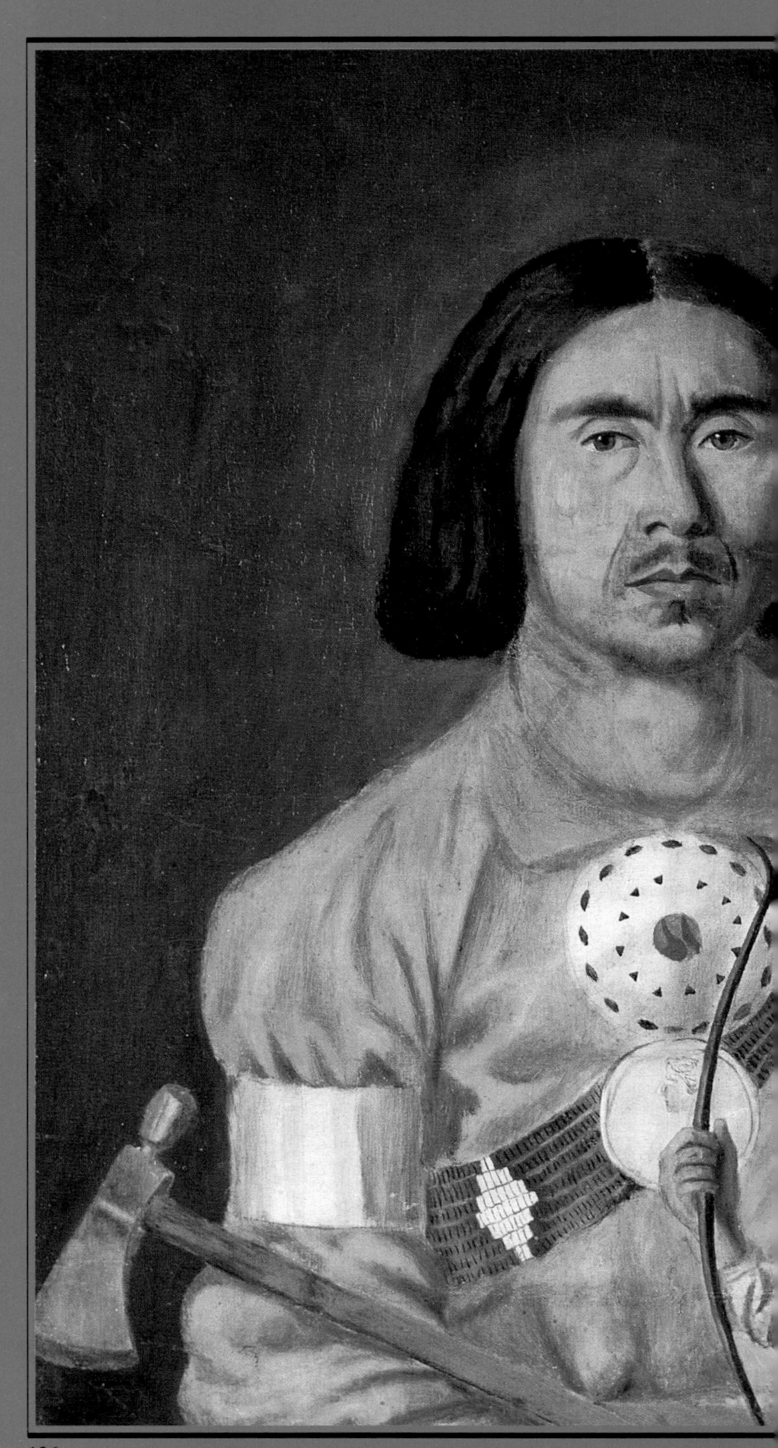

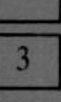

Zacharie Vincent, de son vrai nom Tehariolin (1812-1886), peintre d'origine huronne, a été l'élève de l'artiste canadien-français, Antoine Plamondon (1804-1895). Il s'est représenté vers 1845 dans cet *Autoportrait avec son fils Cyprien* **(1)**. Peut-être voulait-il ainsi faire mentir le titre d'un tableau de son maître qui l'avait représenté comme *Le Dernier des Hurons*. Marc-Aurèle de Foy Suzor-Coté (1869-1937) ● *139*, avec son *Portrait de François Taillon* **(2)** réalisé en 1921, évoque la figure d'un vieux défricheur. William von Moll Berczy (1748-1813), né à Wallerstein, en Saxe, et arrivé au Québec en 1798, a représenté *La Famille Woolsey* **(3)** dans cette *conversation piece* de 1809. John William Woolsey se tient debout à l'arrière-plan. Ce marchand anglophone de Québec avait épousé une Canadienne française, Julie Lemoine-Despins, elle-même fille d'un marchand de Montréal. Si la femme de Zacharie Vincent, Marie Falardeau, était aussi une Canadienne française, rien ne permet de dire si Taillon avait épousé une Indienne ou une anglophone !

À travers *Dégel, soir de mars, Arthabaska* **(3)**, peint en 1913 par Marc-Aurèle de Foy Suzor-Coté, se révèle un artiste influencé par l'impressionnisme de Claude Monet. Il recherche l'instant unique du jour et des saisons, comme le dégel au crépuscule dans les Bois-Francs, sa région natale ▲ *247*. On retrouvera le culte des grands arbres de Marc-Aurèle Fortin (1888-1970) dans *Grands ormes, Sainte-Rose* **(1)**, peint vers 1926. Cet artiste reste l'un des premiers peintres modernes du Québec. Si d'autres artistes de son époque s'en sont souvent éloignés, il a su célébrer la nature présente dans les banlieues des grandes villes, comme le quartier Ahuntsic à Montréal, ou dans son village de Sainte-Rose. Célèbre pour sa peinture vigoureuse et colorée, Arthur Lismer (1885-1969) est, avec Alexander Young Jackson (1882-1974), l'un des rares peintres du *Groupe des Sept* de Toronto à avoir représenté le Québec, notamment le Charlevoix ▲ *276*. Ce groupe de peintres paysagistes modernes, fondé en 1920, a expulsé les contraintes naturalistes du XIXe siècle. Cette vue de *Baie Saint-Paul, Québec* **(2)**, réalisée en 1931, rappelle celle de Clarence Gagnon présentée en ouverture.

1	2
3	

LE «REFUS GLOBAL»
Écrit en 1948 par un groupe d'artistes dont Borduas et Riopelle, le manifeste du *Refus global* dénonçait le conformisme québécois des années quarante. Dans le domaine de l'art, il s'élève contre tout académisme et choisit la spontanéité et l'expérimentation.

Si une certaine peinture abstraite cherche à évacuer toute réminiscence du monde extérieur, celle de Paul-Émile Borduas (1905-1960) et de Jean-Paul Riopelle (1923) invite au «dialogue avec le visible».
Dans *Légers vestiges d'automne* **(1)**, tableau peint en 1956, Borduas offre sa vision de l'hiver québécois.
Malgré le titre protestataire de l'œuvre de Riopelle, *Non, non, non, non ... non* (1961), qui tente de couper court à toute interprétation de ce genre, comment ne pas y reconnaître la forêt canadienne **(2)** ?

1

2

LE QUÉBEC VU PAR LES ÉCRIVAINS

JEAN-FRANÇOIS CHASSAY

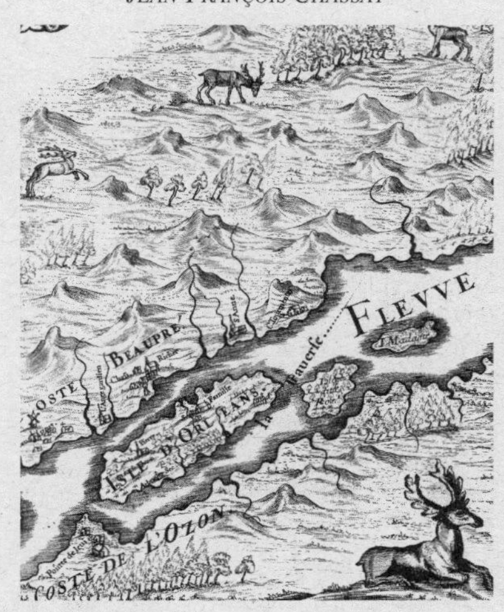

LA NOUVELLE-FRANCE

LE PREMIER EXPLORATEUR DANS LA VALLÉE DU SAINT-LAURENT

C'est en juillet 1534 que Jacques Cartier (1491-1557) prend possession du Canada en érigeant une croix à Gaspé. Lors de son second séjour (mai 1535-juillet 1536), le navigateur malouin découvre l'immense estuaire du fleuve Saint-Laurent, qu'il remonte. Lui et ses hommes doivent toutefois arrêter leur exploration à la hauteur de Montréal, car ils butent contre les rapides de Lachine ▲ 201*, dont le nom évoque l'incessante quête d'un Orient fabuleux. Concis, sobre, souvent énumératif, le texte évoque avec émerveillement certains paysages grandioses et trahit parfois l'angoisse devant l'inconnu.*

CE QU'ON VOIT SUR LES TERRES, EN DESCENDANT LE FLEUVE EN BATEAU (1536)

« Toute la terre des deulx coustez dudit fleuve jusques à Hochelaga et oultre est aussi belle et unye que jamays homme regarda. Il y a aucunes montaignes assez loing dudit fleuve que on veoyt par sus lesdictes terres desquelles descend plusieurs ripvieres qui entrent dedans ledict fleuve. Toute cestedite terre est couverte et plaine de boys de plusieurs sortes et force vignes excepté alentour des peuples laquelle ilz ont deserté pour faire leur demourance et labour. Il y a grand nombre de serfz dins hours et aultres bestes. Nous y avons veu les pas d'une beste qui n'a que deux piedz laquelle nous avons suyvie longuement pardessus le sable et vaze laquelle a les piedz en ceste façon et grandz d'une paulme et plus. Il y a force loeres byevres martres regnardz liepvres connyns escureilz ratz lesquelz sont gros à merveille et autres sauvaigines. Ilz se acoustrent des peaulx d'icelles bestes. Il y a aussi grand nombre d'oiseaulx savoyr gruez oultardes signes oayes sauvaiges blanches et grises cannes cannardz merles maulvys turtres ramyers chardonnereulx tarins serins linottes rossignolz passes solitaires et aultres oyseaulx comme en France. Aussi comme par davant es chappitres precedens est faicte mencion cedict fleuve est le plus habundant de toutes sortes de poissons qu'il soit memoire d'homme avoir jamays veu ny ouy. Car despuis le commencement jusques à la fin y trouverez selon les saisons la pluspart des sortes et espesses des poissons de la mer et eaue doulce. Vous trouverez jusques audict Canada force ballaines marsoings chevaulx de mer adhothuys qui est une sorte de poisson duquel jamays n'avyons veu ny ouy parler. Ilz sont blancs comme neige et grandz comme marsoins et ont le corps et la teste comme lepvryers lesquelz se tiennent entre la mer et l'eaue doulce qui commance entre la ripviere du Saguenay et Canada. »

JACQUES CARTIER, *RELATIONS* (1536), ÉDITION CRITIQUE DE MICHEL BIDEAUX, PRESSES DE L'UNIVERSITÉ DE MONTRÉAL, MONTRÉAL, 1986

UNE MISSION À VILLE-MARIE

Première mémorialiste née dans la colonie (à Québec), Marie Morin (1649-1730) est également la première Canadienne à prononcer des vœux lorsqu'elle entre dans la communauté des hospitalières de Ville-Marie, congrégation étroitement liée à l'origine de la ville. Ville-Marie a été fondée par des ecclésiastiques et des aristocrates, concrétisant un projet conçu dans la métropole. Aussi est-elle investie dès sa création d'un sens et d'une mission sacrés. Dans ses Annales, *Marie Morin raconte les débuts de l'Hôtel-Dieu et de Montréal.*

«Entre autres, il y a de très beaux cèdres et sapins [...] bons à faire mâts de navires de plus de trois cents tonneaux, et ne vîmes aucun lieu qui ne fût plein de ces bois» Jacques Cartier

“Madamoiselle Mance passa ainsy le temps de son hivernement à Kebec fort doucement et avec beaucoup de consolation, dans l’entretien de plusieurs servantes de N. S. et du R. Père Jérôme Lalemant, jésuite, homme d’un mérite rare et grand serviteur de Dieu, en qui elle prit confiance pour sa conduite particulière et qui a esté son directeur pendant qu’il a vescu. Monsieur de Chomedy ou Maisonneuve, qui avoit à peu près les mesmes inclinations que Mademoiselle Mance, fesoit les mesmes visites, cependant le temps luy ennuyait et paraissoit long à Kébec ; il désiroit beaucoup le printemps pour commencer cette grande œuvre et si attendue du ciel et de la terre, le commencement de cette colonie promise de Dieu à Monsieur de La Dauversière son serviteur, à Monsieur Ollier qu’on tient avoir eu les mesmes lumières à l’égard de l’isle de Ville-Marie qu’il a aimée et estimée comme un lieu ou Dieu devoit estre servy particulièrement [...]”

Marie Morin, *Annales de l’Hôtel-Dieu de Montréal* (1697-1725)

Une boutade bien candide

La fameuse phrase de Voltaire sur les «quelques arpents de neige», lancée dans un des plus célèbres contes de l’auteur, a fait couler beaucoup d’encre. Dans son ouvrage intitulé Monsieur de Voltaire *(Stanké, 1994), l’écrivain Victor-Lévy Beaulieu la replace dans son contexte : «À l’époque où Voltaire écrit* Candide, *les Anglais assiégeaient Louisbourg, dont la construction et l’entretien coûtaient à la France les yeux de la tête. L’endroit avait été mal choisi et était difficilement défendable. Pour parler net, ce n’était pas une forteresse pouvant protéger l’entrée du Canada, mais un scandaleux gouffre financier. C’est cela que Voltaire avait dans l’esprit en rédigeant son paragraphe de* Candide.»

“Ah, Pangloss ! Pangloss ! Ah, Martin ! Martin ! Ah, ma chère Cunégonde ! qu’est-ce que ce monde-ci ? disait Candide sur le vaisseau hollandais. – Quelque chose de bien fou et de bien abominable, répondait Martin. – Vous connaissez l’Angleterre ; y est-on aussi fou qu’en France ? – C’est une autre espèce de folie, dit Martin. Vous savez que ces deux nations sont en guerre pour quelques arpents de neige vers le Canada, et qu’elles dépensent pour cette belle guerre beaucoup plus que tout le Canada ne vaut. De vous dire précisément s’il y a plus de gens à lier dans un pays que dans un autre, c’est ce que mes faibles lumières ne me permettent pas. Je sais seulement qu’en général les gens que nous allons voir sont fort atrabilaires.”

Voltaire, *Candide ou l’Optimisme*, 1758

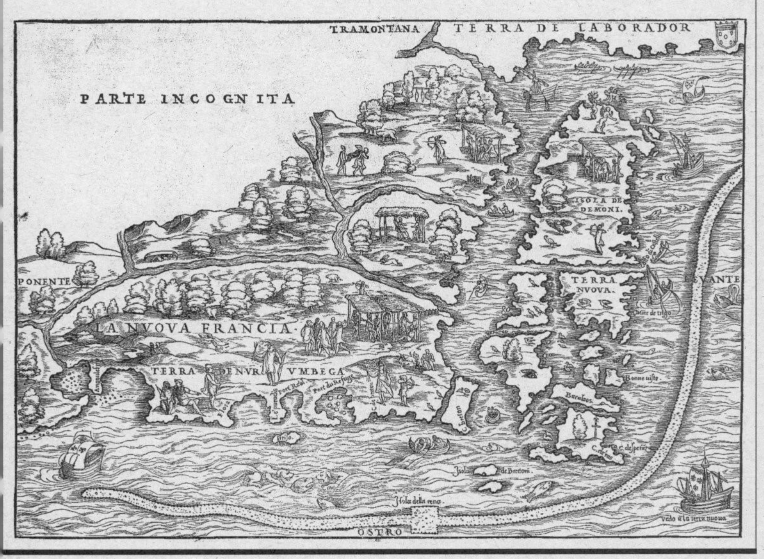

Les Amérindiens

Hiro-Koué, du son au nom

Chansonnier et poète né à Montréal en 1934, Leonard Cohen ● 53 a aussi publié quelques romans dans les années 1960. Dans Les Perdants magnifiques, *il s'intéresse au mythe de Catherine Tekakwitha, Iroquoise morte à vingt-quatre ans et considérée comme une sainte. Elle a été béatifiée en 1980.*

“ Alors, qu'on sache que ce furent les Français qui donnèrent ce nom d'Iroquois aux frères de Catherine Tekakwitha. Ils s'appelaient eux-mêmes *Hodenosaunee*, ce qui signifie les Gens de la Longue Maison. Ils avaient ajouté une nouvelle dimension à la conversation. Ils terminaient toutes leurs phrases par *hiro*, qui signifie : comme je viens de le dire. Ainsi chacun assumait la responsabilité de son intrusion dans le murmure inarticulé des sphères. À ce *hiro*, ils ajoutaient le mot *koué*, mot de joie ou de détresse, selon la façon dont il était chanté ou hurlé. Ils essayèrent ainsi de percer ce voile mystérieux qui sépare les interlocuteurs : à la fin de chaque phrase, en quelque sorte, quelqu'un se reculait pour essayer de traduire ses paroles à son auditeur, en s'efforçant de séduire l'esprit par le son d'une émotion vraie. Catherine Tekakwitha, parle-moi en *hiro-koué*. Je n'ai pas le droit de reprocher ce que les Jésuites disent aux esclaves, mais par cette froide nuit des Laurentides vers où je tends, quand nous serons dans notre fusée en écorce de bouleau, liés par les liens anciens, la chair à l'esprit, et que je te poserai encore la même question : après tout, les étoiles sont-elles minuscules, ô Catherine Tekakwitha, réponds-moi en *hiro-koué*. ”

Leonard Cohen, *Beautiful Losers*, trad. Michel Doury, *Les Perdants magnifiques*, UGE 10/18, Paris, 1972

Montagnaise, la vie d'autrefois

L'ouvrage de la Montagnaise An Antane Kapesh, née en 1926 près de Fort Chimo (Kuujjuaq), a d'abord été écrit dans sa langue maternelle. Publié pour la première fois en 1976, il est à la fois le témoignage, sans concession, d'une femme lucide, consciente du rôle et du peu de place offerts aux Amérindiens dans la société québécoise, et une réflexion sur l'histoire. Cet essai est important dans la mesure où An Antane Kapesh est l'une des premières à exprimer fermement les revendications autochtones. Dans le passage qui suit, elle s'intéresse au regard porté par les Blancs sur les Amérindiens.

“Aujourd'hui quand on montre l'Indien à la télévision, ce n'est pas sa véritable façon de vivre qu'on voit, c'est celle qu'il a depuis que le Blanc est venu le trouver et a changé sa culture. Et on ne montre que les jeunes, depuis qu'ils vont à l'école des Blancs. L'Indien ne se voit jamais au cinéma ni à la télévision du temps où il n'utilisait pas un seul objet de la culture des Blancs et où il ne vivait que de nourriture indienne. L'Indien ne se voit jamais utiliser un canot d'écorce qu'il a lui-même fabriqué, se construire une habitation avec de l'écorce ou de la peau de caribou et, après avoir tué un beau caribou, faire préparer par la femme indienne un *timitshipashikan*. C'était la meilleure nourriture indienne. Je ne vois jamais de *timitshipashikan* dans les films. L'Indien ne se voit jamais, en plein hiver, percer plusieurs trous à travers une glace épaisse comme la longueur de trois feuilles de tuyau de poêle, pour y installer son filet et il ne se voit jamais, au cœur de l'hiver lors d'un très grand froid, tenter d'agir sur le temps pour qu'il s'adoucisse. On utilisait alors l'homme ou la femme ou l'enfant nés au mois de juillet pour amener le beau temps. C'était une chose étonnante que faisait l'Indien.
L'Indien ne se voit jamais lui-même habillé uniquement de peau de caribou. Le jeune Indien non plus ne se voit jamais vêtu de ses vêtements d'enfant. Moi par exemple, je serais très fière aujourd'hui de me voir, enfant, portant le manteau d'hiver que m'avait fait ma mère dans une peau de jeune caribou dont elle n'avait pas enlevé le poil. L'enfant indien ne se voit jamais, après que n'importe lequel des animaux indiens ait été tué, manger sa partie préférée et il ne se voit jamais jouant à l'extérieur ou à l'intérieur de la tente. La petite Indienne ne se voit jamais elle-même du temps où on ne coupait jamais ses cheveux mais où on les lui arrangeait en tresses ou en toques sur les oreilles et le petit Indien, lui, ne se voit jamais commencer à faire la chasse. Moi je crois que si l'enfant indien voyait tout cela aujourd'hui, il serait plein de fierté. [...]
Je sais bien qu'aujourd'hui il est très difficile de me montrer ma vie d'Indienne parce que ma culture n'existe plus aujourd'hui. Quand j'y réfléchis, il n'y a que dans ma tête que je conserve ma vie d'autrefois.”

AN ANTANE KAPESH, *EUKUAN NIN MATS HIMANITU INNU-ISKUEU*, TRAD. J. MAILHOT, *JE SUIS UNE MAUDITE SAUVAGESSE*, LEMÉAC, MONTRÉAL, 1976

MIGRATION ET IMMIGRATION

DOULOUREUSE SÉPARATION

*Antoine Gérin-Lajoie (1824-1882) est l'auteur de l'un des plus célèbres romans du terroir du XIX*e *siècle,* Jean Rivard, le défricheur canadien *(1862). Il a également publié de nombreux écrits, allant du théâtre aux mémoires en passant par les livres d'histoire. La chanson* Un Canadien errant *a été composée en 1842 alors que l'auteur n'était âgé que de dix-huit ans. Parue en juin 1844 dans le* Charivari canadien, *cette complainte rend hommage aux cinquante-huit patriotes condamnés à la déportation après la rébellion de 1837-1838* ▲ *206*.

UN CANADIEN ERRANT

Un Canadien errant,
Banni de ses foyers,
Parcourait en pleurant
Des pays étrangers.

Un jour, triste et pensif,
Assis au bord des flots,
Au courant fugitif
Il adressait ces mots :

«Si tu vois mon pays,
Mon pays malheureux,
Va dire à mes amis
Que je me souviens d'eux.

Ô jours si plein d'appas,
Vous êtes disparus…
Et mon pays, hélas !
Je ne le verrai plus.

Plongé dans les malheurs,
Loin de mes chers parents,
Je passe dans les pleurs,
D'infortunés moments.

Pour jamais séparé
Des amis de mon cœur,
Hélas ! oui, je mourrai
Je mourrai de douleur.

Non ; mais en expirant,
Ô mon cher Canada,
Mon regard languissant
Vers toi se portera.»

ANTOINE GÉRIN-LAJOIE,
UN CANADIEN ERRANT, 1844

DES TERRES DU NORD AUX USINES DES U.S.A.

Né en Nouvelle-Angleterre de parents canadiens-français, Jack Kerouac (1922-1969) a été une figure de proue de la Beat generation. *L'auteur de* Sur la route *se remémore dans plusieurs de ses romans son enfance passée à Lowell, une communauté francophone des États-Unis. Dans* Visions de Gérard, *Jack Kerouac relate un événement très douloureux : le décès de son frère aîné. Il imagine aussi la jeunesse de son père au Québec et songe à ce qui l'a conduit à émigrer aux États-Unis.*

« Émile Alcide Duluoz, né en amont, à Saint-Hubert, Canada, en 1889 ; je puis me représenter la scène, lors de son baptême, dans une église catholique fouettée par le vent qui traverse le pays, avec son haut clocher hérissé de pointes de fer, et les paysans endimanchés, les fonts baptismaux (bruns ou jaunes, sans doute) où il est baptisé, qui s'harmonisent avec la couleur des vieilles dents, sur cette terre de loups – Solitaires, les plaines d'Abraham ; les vents apportent les poussières pesteuses de là-haut, de la baie Baffin, de l'Hudson, là où les routes finissent et où commence l'Arctique iroquois, ces lieux parfaitement désespérés où les Français sont venus quand ils sont arrivés dans le Nouveau Monde, la dureté des Indiens dont ils ont dû se concilier les bonnes grâces pour pouvoir s'installer dans le pays comme ils l'ont

fait et les inciter à conspirer, à se rebeller contre la puissante Angleterre hostile et hargneuse – [...]
Une histoire complète à elle seule, l'histoire d'Émile, ses frères et ses sœurs en colère, toute la troupe descendant de la ferme stérile, vers les usines des U.S.A. – Leurs débuts dans ce New Hampshire des commencements de l'Amérique, avec les bretelles roses, les blondes fraises, les quatuors des boutiques de barbiers, les baraques où l'on vend du «pop-corn» avec du beurre fondu dans une théière et les bagarres à coups de poing, dans les rues, le dimanche après-midi, entre les brutes et les héros qui lisaient Frank Merriwell –.»

JACK KEROUAC, *VISIONS OF GERARD*,
TRAD. JEAN AUTRET, *VISIONS DE GÉRARD*, GALLIMARD, PARIS, 1972

LES AILLEURS DE MONTRÉAL

Le critique d'art et poète français Robert Marteau connaît bien le Québec pour y avoir séjourné à plusieurs reprises. En 1979-1980, à l'occasion d'une visite prolongée, il décide de tenir un journal qu'il écrit en bonne partie sur le mont Royal. Ses notes portent notamment sur les transformations de la flore et du paysage montréalais au fil des saisons. Dans le passage qui suit, l'auteur descend de la montagne et s'intéresse aux gens qu'il croise sur le boulevard Saint-Laurent, grande artère commerciale et point de rencontre de nombreux immigrants vivant à Montréal.

«Par la montagne, et baigné du flot volatil que le soleil met dans l'air, dans l'herbe et le ligneux, je gagne l'est de la ville, ce quartier de la rue Saint-Laurent entre Duluth et Prince-Arthur, si beau, si multiple et multicolore, où toutes les langues bruissent, barguignant, marchandant, trafiquant des cuirs, des étoffes, des épices, des anguilles et des viandes fumées, où ça sent la vanille et le poivre, la cannelle, le gingembre, où c'est jaune safran, rouge sang, vert pomme, bleu de Prusse, où les gens viennent de Calabre et d'Argentine, d'Ukraine, d'Ohrid, de Skopje, de Salonique, Bucarest, Varsovie, Byzance, du mur des Lamentations, de Porto, de Badajoz et de la Manche. Il y a même quelqu'un de Chartres, chez qui j'ai acheté une icône grecque apportée de Lituanie par des marins avides de la convertir en alcool [...]. Quant au bottier grec que je vais saluer quand je passe, il me dit avoir appris sept langues dans le lit de sept femmes sans avoir jamais ouvert un livre.»

ROBERT MARTEAU, *MONT-ROYAL*,
GALLIMARD, PARIS, 1981

LE SAINT-LAURENT

UN FLEUVE AUX MILLE MESURES

En 1623 et 1624, le récollet Gabriel Sagard (1604-v. 1650) effectue un voyage en Nouvelle-France qui le conduit chez les Hurons, une nation amérindienne encore peu touchée à l'époque par la culture européenne. Rappelé à Paris, il doit interrompre son séjour ; il entreprend la rédaction de son Grand Voyage au pays des Hurons, *ouvrage qui paraît en 1632. Conquis par la culture huronne, Sagard ne peut masquer son admiration et sa sympathie pour ces autochtones, et porte un regard d'ethnologue sur le monde qui l'entoure. On le retrouve ici naviguant sur le fleuve Saint-Laurent entre l'île d'Anticosti et la péninsule de Gaspé, en direction de Québec.*

« Cette île [Anticosti], avec le cap de Gaspé, opposite, sont l'embouchure de cet admirable fleuve, que nous appelons de Saint-Laurent, admirable en ce qu'il est un des plus beaux fleuves du monde, comme m'ont avoué dans le pays des personnes même qui avaient fait le voyage des Moluques et Antipodes. Il a à son entrée, selon qu'on peut présumer et juger, près de vingt ou vingt-cinq lieues de large, plus de 200 brasses de profondeur et plus de 800 lieues de connaissance ; et au bout de 400 lieues il est encore aussi large que les plus grands fleuves que nous ayons remarqués, rempli (par endroits) d'îles et de rochers innumérables ; et pour moi je peux assurer que l'endroit le plus étroit que j'ai vu passe la largeur de trois et quatre fois la rivière de Seine, et je ne pense point me tromper ; et, ce qui est plus admirable, quelques-uns tiennent que cette rivière prend son origine de l'un des lacs qui se rencontrent au fil de son cours, si bien (la chose étant ainsi) qu'il faut qu'il ait deux cours : l'un en Orient vers la France, l'autre en Occident vers la mer du Sud ; et il me semble que le lac des Squéquanerorons a de même deux décharges opposites, produisant une grande rivière, qui se va rendre dans le grand lac des Hurons, et une autre petite tout à l'opposite, qui descend et prend son cours du côté de Québec et se perd dans un lac qu'elle rencontre à sept ou huit lieues de sa source ; ce fut le chemin par où mes sauvages me ramenèrent des Hurons, pour retrouver notre grand fleuve Saint-Laurent, qui conduit à Québec. »

GABRIEL SAGARD, *LE GRAND VOYAGE AU PAYS DES HURONS*, 1632,
TEXTE ÉTABLI PAR R. OUELLET ET J. WARWICK, FIDES / HURTUBISE HMH / LEMÉAC, MONTRÉAL, 1990

Un fleuve, deux solitudes

Figure marquante de la littérature canadienne, Hugh MacLennan (1907-1990) obtient un grand succès critique et populaire avec Deux solitudes, *paru en 1945. Dans ce roman, l'auteur traite des liens difficiles, souvent conflictuels, entre francophones et anglophones. L'expression «deux solitudes», empruntée à un vers de Rilke («L'amour, c'est/ deux solitudes qui se protègent/ qui s'éprouvent et s'accueillent l'une l'autre»), s'est rapidement imposée pour dépeindre ce qui sépare les deux principales communautés linguistiques du Canada. Dans l'extrait qui suit, MacLennan y va d'une description de la rivière Outaouais, «passage» entre l'Ontario et le Québec et qui vient se jeter dans le fleuve Saint-Laurent.*

“Au nord-ouest de Montréal, au cœur d'une vallée dominée par les basses montagnes du Bouclier laurentien, la rivière Outaouais abandonne la protestante Ontario pour pénétrer dans le catholique Québec. Abondante et couleur de bière, elle se jette dans le Saint-Laurent, ses deux bras embrassant la cuvette formée par l'île de Montréal, puis se perd dans le fleuve, et le courant principal s'écoule au nord-est vers la mer, à mille milles plus loin.
Jamais la nature ne s'est faite aussi prodigue qu'en ce lieu. Le Saint-Laurent serait capable à lui seul d'irriguer la moitié de l'Europe, mais il se précipite ici hors du continent pour se jeter dans la mer. Aucune eau, si abondante soit-elle, ne peut irriguer les pierres, et la province de Québec repose en grande partie sur le roc solide. Tout apparaît comme si des millions d'années auparavant, au cours des ères géologiques, une épée y fut plongée fendant le roc depuis l'Atlantique jusqu'aux Grands Lacs, épée qu'on aurait ensuite sauvagement retirée. Et maintenant, l'eau limpide de ce réservoir continental, eau pure mais presque d'aucune utilité pour les fermiers, s'écoule, fière et impassible.”

Hugh MacLennan, *Two Solitudes*, trad. Louise Gareau-des-Bois, *Deux solitudes*, SPES, Paris, 1963

Un fleuve, grandeur nature

Révélé par Gallimard en 1966, Réjean Ducharme (né à Saint-Félix-de-Valois en 1941) a séduit un large public avec son premier roman, L'Avalée des avalés. *Attaque contre le langage et la société, recherche de la pureté dans un univers corrompu, les écrits de ce mystérieux auteur (aussi invisible que David Salinger ou Thomas Pynchon) sont sans pitié. Le second roman de Réjean Ducharme, publié en 1967, met en scène deux adolescents refusant de sortir de leur enfance. Mille Milles et Chateaugué errent dans les rues de Montréal où ils se terrent. Ils ont fui les îles, situées au milieu du fleuve dans la région de Berthier* ▲ 221 *(où habitent encore leurs parents), mais éprouvent toujours pour le Saint-Laurent une admiration sans bornes.*

“Vous ne savez pas ce que vous manquez, ô hommes si vous n'aimez pas la vulgarité des hommes, l'avarice d'âme des hommes, la petite cruauté des hommes, la grossière sensualité des hommes, le grand ennui et l'ingrate solitude des hommes. Vous manquez tout, si vous n'aimez pas l'homme. Qu'y a-t-il ici, à part les hommes ? Où est le Saint-Laurent, mon fleuve ? Il est là. On ne l'entend pas. Il est comme le cheval qui vous attend à l'écurie. On ne le voit pas. Mais je sens qu'il est là, qu'il coule en faisant semblant de ne pas couler, qu'il embrasse la ville, qu'il porte mille cargos sur son dos comme si de rien n'était. Il porte mille bateaux pleins à craquer, comme je porte mon coupe-vent. On ne l'entend pas. Il ne dit rien. Il ne crie jamais, ne se plaint jamais. Il est toujours plus fort que ce qui lui arrive. Jamais je ne l'ai vu en colère. Jamais il ne déborde, jamais il ne cause d'inondation. Il n'arrache jamais de quais. Il ne déracine pas d'arbres. Il est si grand. Il s'en fiche. Si on s'assoit près de lui, on peut l'entendre siffler. Il siffle tout bas, toujours sur le même air. Mais pour l'entendre siffler, il faut se mettre les mains en cornet sur l'oreille et se fermer les yeux.”

Réjean Ducharme, *Le Nez qui voque*, Gallimard, Paris, 1967

PAYSAGES QUÉBÉCOIS

UN COLORISTE AUX ÎLES-DE-LA-MADELEINE

À la suite d'une invitation, Michel Tournier, célèbre auteur du Roi des Aulnes *(prix Goncourt 1970) et de* Vendredi ou les Limbes du Pacifique *(prix du roman de l'Académie française 1967), effectue en compagnie d'un photographe, au début des années quatre-vingt, un voyage qui le conduit à travers le Canada, depuis les provinces Maritimes jusqu'à la Colombie-Britannique. Lors de son passage au Québec, il s'arrête notamment aux Îles-de-la-Madeleine et décrit Cap-aux-Meules.*

« Les maisons sont en planches. Les murs recouverts de bardeaux de bois, les toits de bardeaux de papier goudronné. Couleurs d'une vivacité et d'une audace ahurissantes aussi bien des murs que des toitures. La pistache, le saumon, l'indigo et le sang de bœuf gueulent à l'unisson. Sur chaque maison, un couple de corneilles tranchent par leur noirceur sur les teintes métalliques et mènent grand raffut au coucher du soleil.

Nous sommes sur la plus grande île de l'archipel de la Madeleine situé dans le golfe du Saint-Laurent à proximité de Gaspé, de l'Île-du-Prince-Édouard – dont nous venons – du Cap-Breton et de l'île d'Anticosti. C'est ici que se trouve le véritable berceau du Canada puisque Jacques Cartier atteignit ces îles dès le 25 juin 1534. Le nom de l'archipel lui vient de Madeleine Fontaine, épouse de François Doublet, premier seigneur des Îles. »

MICHEL TOURNIER, *JOURNAL DE VOYAGE AU CANADA*, ROBERT LAFFONT, PARIS, 1984

IMAGES RÉALISTES DE LA CAMPAGNE

Née en 1916 à Sainte-Catherine-de-Fossambault au Québec, la poète et romancière Anne Hébert est depuis longtemps considérée comme l'une des figures les plus marquantes de la littérature québécoise. L'intensité de son écriture apparaît d'autant que le style n'est jamais inutilement emphatique ; ses images évocatrices puisent leur force dans les mythes et la religion. L'action de Kamouraska *(prix des Libraires de France 1970) se déroule au XIX*[e] *siècle. La ville éponyme de ce récit se dresse le long du fleuve Saint-Laurent, entre Saint-Jean-Port-Joli et Rivière-du-Loup. Il s'agit de l'un de ses ouvrages les plus importants, duquel Claude Jutras a tiré un film également célèbre.*

« Quinze jours de voyage. Longues routes désertes. Forêts traversées. Petites auberges de village. Le lard salé et la mélasse me donnent mal au cœur. Parfois, il y a des punaises dans le bois du lit. Toujours les draps sont rugueux.

La
chaleur est
insupportable. Il pleut à travers
la capote de la voiture.
Louiseville, Saint-Hyacinthe, Saint-Nicolas, Pointe-Lévis,
Saint-Michel, Montmagny, Berthier, L'Islet, Saint-Roch-des-Aulnaies,
Saint-Jean-Port-Joli...
Le bas du fleuve respiré à pleins poumons. Les soirées deviennent plus fraîches. L'odeur des grèves se lève, de plus en plus fort.
Antoine Tassy salue au passage une frontière invisible sur l'eau, là où le fleuve devient salé comme la mer. Élisabeth d'Aulnières songe à la douceur du Richelieu.
Sainte-Anne, Rivière-Ouelle, Kamouraska !
Les collines émergent des bas taillis. La blancheur abrupte, tachetée de noir, du gneiss piqué d'arbres nains, clairsemés. La forêt toute proche. Les prairies de grèves ! Joncs, rouches, herbes à bernaches et foins de mer livrés au vent. Comme une eau moutonnante, en bordure du fleuve. [...]
L'automne, Kamouraska, tout entier, est livré aux outardes, canards, sarcelles, bernaches, oies sauvages. Des milliers d'oiseaux sur des lieues de distance. Tout le long de la grève. Vous qui aimez tant la chasse, vous êtes comblée ? Il y a trop de vent ici. Non, je ne m'habituerai pas à ce vent. La nuit, le vent siffle tout autour de la maison, il secoue les volets. Le vent me fait mourir.»

Anne Hébert, *Kamouraska*, Seuil, Paris, 1970

Paisibles grands espaces du Nord

Les romans de Bernard Clavel accordent une large place au Québec. Romancier, critique d'art et journaliste, ce dernier s'intéresse aux vastes espaces nordiques ; il a ainsi construit plusieurs récits en s'inspirant des grandes fresques du «Royaume du Nord», pour reprendre un de ses titres. Harricana, *qui porte le nom d'une rivière québécoise, s'ouvre sur une description épique des paysages du nord du Témiscamingue.*

«Au nord du Témiscamingue, l'immensité du plateau s'incline et monte lentement vers la ligne de partage des eaux. Noire et dentelée, la crête porte sur son échine de roche et de terre maigre une forêt d'épinettes qui barre le pays du levant au couchant. Les rivières cherchent le sud. De bassins en rapides, elles poussent leurs eaux souvent boueuses vers l'ample vallée du Saint-Laurent. Certains lacs sont pareils à des mers avec leurs côtes découpées que le ciel écrase dans les lointains. Le vent y soulève des tempêtes, les aubes étirent des buées mauves où le soleil vient émietter son métal. D'autres à peine plus larges que des étangs s'enchâssent entre les bois et les prairies.
Un chemin traverse le pays d'est en ouest, presque parallèle à la ligne des hauteurs. Durant un moment un ru l'accompagne, coulant sans heurts entre les touffes de joncs et les saules nains accrochés à ses rives de leurs racines nues, enfoncées dans l'humus noir ou crispées sur les graviers qu'elles retiennent à pleins doigts.
À gauche du chemin, à peine en retrait de quatre pas, une maison de planches au toit de papier goudronné regarde vers le large d'un petit œil carré que les dernières lueurs animent d'un éclat pareil à celui de ruisseau.»

Bernard Clavel, *Harricana*, Albin Michel, Paris, 1983

QUÉBEC

LE «BEC» DE CAP DIAMANT

Figure de proue du mouvement transcendantaliste américain, disciple puis ami de Ralph Waldo Emerson, l'auteur de Walden, *Henri David Thoreau (1817-1862), a publié, outre ses essais, le récit de ses pérégrinations à travers les régions les plus sauvages de Nouvelle-Angleterre. Il entreprit un jour une escapade plus loin vers le Nord.* Un Yankee au Canada *est le récit d'un voyage au Québec, contrée qu'il parcourt en prenant des notes aussi bien sur la faune et la flore que sur l'histoire de la province. Dans l'extrait suivant, Thoreau arrive en vue de Québec.*

« On n'a pas trop parlé du paysage de Québec. Les fortifications du cap Diamant sont omniprésentes. Elles dominent d'un air menaçant la rivière et la campagne environnante. Vous faites dix, vingt, trente milles en amont ou en aval sur les rives du fleuve, vous allez à l'aventure jusqu'à quinze milles dans les montagnes des deux côtés, et puis, quand vous les avez oubliées depuis longtemps, peut-être même mis une nuit entre elles et vous, au détour d'une route ou en vous retournant, elles sont encore là, avec leur géométrie contre le ciel. L'enfant qui est né et a été élevé à trente milles de cette ville et n'y est jamais allé, lit l'histoire de son pays, voit les lignes équilibrées de la citadelle au milieu des citadelles formées par les nuages de l'horizon à l'ouest, et apprend que c'est Québec. Rien de surprenant à ce que le pilote de Jacques Cartier se soit exclamé en français normand : «Qué bec !» (Quel bec !) quand il vit ce cap, comme quelques-uns le supposent. Chaque voyageur, aujourd'hui, emploie la même expression. On dit que sa soudaine apparition, au tournant de la pointe de Lévis particulièrement, fait une impression mémorable sur celui qui arrive par voie fluviale. La vue du cap Diamant a été comparée par des voyageurs européens aux sites les plus remarquables du genre en Europe, tels que le Château d'Édimbourg, Gibraltar, Cintra et d'autres, et par plusieurs jugée plus belle. Un trait particulier ici, c'est que, en comparaison avec d'autres sites que j'ai vus, c'est des remparts d'une ville et non pas seulement d'un cap majestueux et solitaire surplombant une rivière qu'on obtient cette vue. »

HENRY DAVID THOREAU, *A YANKEE IN CANADA*,
TRAD. ADRIEN THÉRIO, *UN YANKEE AU CANADA*,
ÉDITIONS DE L'HOMME, MONTRÉAL, 1962

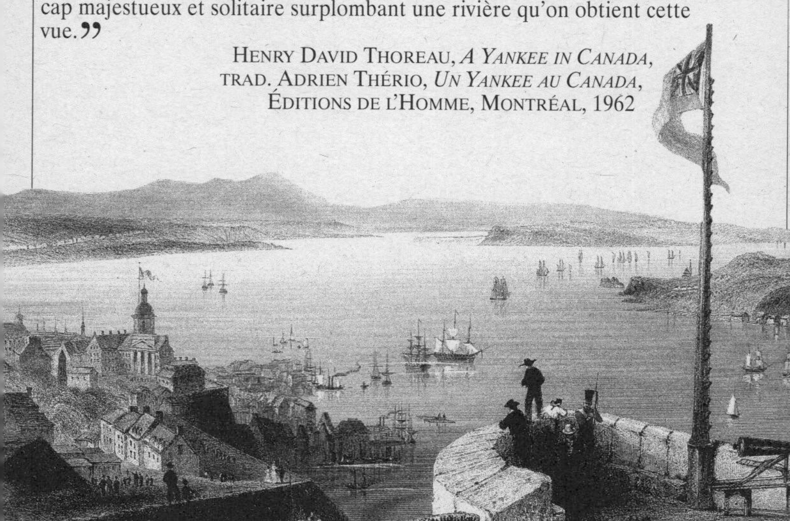

«MAIS D'OÙ VIENT L'IMPRESSION DE MYSTÉRIEUSE HARMONIE QUE DÉGAGE LE MÉLANGE DES INDIVIDUALITÉS ?»

PIERRE MORENCY

DE QUÉBEC À L'INFINI

Dans ces «histoires naturelles du Nouveau Monde», le poète Pierre Morency fait découvrir le Québec à ses lecteurs. Qualifié d'héritier de Buffon et d'Audubon par l'écrivain Yves Berger, l'auteur plonge parfois dans l'histoire du Québec et de l'Amérique du Nord tout en décrivant la faune et la flore du continent. Dans l'extrait présenté ici, les oiseaux tiennent le premier rôle. Le narrateur y décrit la ville de Québec, s'inspirant de la perspective qu'un survol de la capitale peut offrir.

« Nous avons tous, chacun de nous, quelques lieux privilégiés pour appréhender le monde, pour juger de notre position sur la planète, pour saisir la ligne de fusion du temps et de l'espace. L'un de mes points d'appui se trouve ici, à Québec, sur la première marche d'un escalier public menant de la rue Saint-Denis à la rue Dufferin. Assis sur cette marche, il m'est déjà arrivé de faire une expérience capitale : regarder mon propre regard en train de s'envoler. Aucune barrière ne l'arrête. Il survole tout en bas la terrasse Dufferin, il frôle le château Frontenac, saute le garde-fou de la promenade, survole la place Royale, le Vieux-Port et le voilà déjà au-dessus du fleuve ; il plane, il se déploie, il s'ouvre sur cette trouée prodigieuse que le Saint-Laurent pratique dans le paysage. Tout est offert : les Laurentides venant rejoindre le fleuve avec le cap Tourmente, l'anse de Beauport derrière le bassin Louise, la proue de l'île d'Orléans, la pointe de Lauzon et, entre les deux, l'ouverture sur l'estuaire, sur l'illimité.
Curieusement c'est au plus froid de l'hiver que j'ai appris à voler au-dessus de la ville. [...] En marchant sur la neige craquante, j'entendais des oiseaux à travers mes cache-oreilles. Une mésange sifflait : «Qui es-tu ?» Dans un sapin, des corps invisibles pépiaient faiblement. Trois canards filèrent au ras du courant, vers l'amont. Puis un vol véloce de pigeons vint tourner près de moi pour aller se fondre dans le brouillard. Avec eux je partis dans les airs. »

PIERRE MORENCY, *LUMIÈRE DES OISEAUX*, BORÉAL, MONTRÉAL, 1992

MONTRÉAL

LA VILLE VUE D'EN HAUT

Convaincu de l'avenir de l'aéronef, Jules Verne (1828-1905) défend la position de ceux qui se consacrent au développement de la navigation aérienne. Publié en 1886, Robur le Conquérant *souscrit à cette idée.* L'Albatros, *invention du personnage central, s'apparente à l'hélicoptère et permet de faire le tour du monde. Dans un passage du récit, l'écrivain nantais brosse une vision mythique de Montréal. Ayant rapidement parcouru la distance qui sépare Québec et Montréal, les protagonistes du roman aperçoivent du ciel une ville futuriste, à l'image des grandes métropoles en chantier aux États-Unis à la même époque.*

« Ah ! une autre ville ! dit Phil Evans.
— Pouvez-vous la reconnaître ?
— Oui! Il me semble bien que c'est Montréal.
— Montréal ?... Mais nous n'avons quitté Québec que depuis deux heures tout au plus !
— Cela prouve que cette machine se déplace avec une rapidité d'au moins vingt-cinq lieues à l'heure.»
En effet, c'était la vitesse de l'aéronef, et, si les passagers ne se sentaient pas incommodés, c'est qu'ils marchaient alors dans le sens du vent. Par un temps calme, cette vitesse les eût considérablement gênés, puisque c'est à peu près celle d'un express. Par vent contraire, il aurait été impossible de la supporter. Phil Evans ne se trompait pas. Au-dessous de l'*Albatros* apparaissait Montréal, très reconnaissable au Victoria Bridge, pont tubulaire jeté sur le Saint-Laurent comme le viaduc du railway sur la lagune de Venise. Puis, on distinguait ses larges rues, ses immenses magasins, les palais de ses banques, sa cathédrale, basilique récemment construite sur le modèle de Saint-Pierre de Rome, enfin le Mont-Royal, qui domine l'ensemble de la ville et dont on a fait un parc magnifique. »

JULES VERNE, *ROBUR LE CONQUÉRANT*, 1886

RUE SHERBROOKE, UNE RUE CAMÉLÉON

Née à Paris en 1939, historienne, linguiste et sociologue, Régine Robin enseigne à partir de 1982 la sociologie à l'université du Québec à Montréal. Un an plus tard, elle publie un roman dans lequel elle donne la parole à une étrangère découvrant la ville. La Québécoite *est un mot-valise qui fait référence à la condition d'immigrante de la narratrice : Québécoise, mais qui se tient coite, ne pouvant ou ne voulant prendre la parole dans un univers qui lui est encore étranger. Le regard qu'elle porte sur Montréal permet de parcourir l'espace urbain mais aussi celui de la mémoire, personnelle, familiale. Dans le passage suivant, elle prend le bus 24 qui parcourt de part en part Montréal en circulant sur la très longue rue Sherbrooke.*

« Prendre le 24 du début à la fin, le long de Sherbrooke cette rue-fleuve, cette rue caméléon, cette rue jungle. D'abord les boutiques de N.D.G., les magasins, les maisons basses avec des enseignes, il y a peu de temps encore tout en anglais, des devantures bazars. Les coupent perpendiculairement des rues coquettes, résidentielles aux pavillons de briques. Le mouvement s'anime vers l'est, après Décarie ; magasins plus cossus, maisons hautes, banques. C'est la rue Sherbrooke des fleuristes, de Murray, de Clément : ses homards et tartes aux pommes. Puis le Sherbrooke de Westmount, sur des kilomètres jusqu'à Atwater ; maisons spacieuses de pierres ou de briques, à encorbellement, à pignons, demeures victoriennes avec de grands jardins qu'on devine ; parcs, avenues proprettes, espaces riants pleins de joggeurs et d'enfants. La rue s'anime à nouveau vers Greene, se coupe à nouveau de parcs, de jardins, d'immeubles résidentiels victoriens ou édouardiens et vient mourir provisoirement à Côte-des-Neiges. La rue se transforme de Côte-des-Neiges à Saint-Laurent, se muant en centre-ville, en rue banque, en rue magasins de luxe, restaurant, grands hôtels, gratte-ciel, tours et galeries, un Sherbrooke opéra, un Sherbrooke Saint-Honoré tout à la fois. Celui des riches qui vont magasiner à Holt Renfrew, qui habitent «Le château», qui mangent au Ritz-Carlton, celui des «professionnels» qui déjeunent rue de la Montagne, celui des étudiants de McGill qui traversent le campus à la hauteur de McTavish. Un Sherbrooke Bourse, un Sherbrooke grands boulevards. S'effilochent ensuite les tours qui font place à des maisonnettes, à des restaurants plus snobs à l'approche de la rue Saint-Denis — le quartier latin d'ici — et de la rue Saint-Hubert. Plus loin vers l'est, le tissu se déchire. Le Sherbrooke des pauvres de la mélasse, du bas de la ville, du pétrole, des usines. Le Sherbrooke où l'on ne va jamais, où l'on ne parle que le français, le Sherbrooke triste, où la neige est grise même après la tempête, où les pensées sont grises comme la vie. Un Sherbrooke dépotoir, laissé-pour-compte, qui ne compte pas. La même rue sur près de soixante milles, deux ou trois univers où tu n'as pas de place. L'errance a mille visages où tu ne te reconnais pas. »

RÉGINE ROBIN, *LA QUÉBÉCOITE*, 1983, QUÉBEC/AMÉRIQUE, MONTRÉAL, 1993

Gabrielle Roy

Quartier Saint-Henri, les senteurs d'entrepôt

Gabrielle Roy (1909-1983) demeure l'une des romancières les plus lues du Québec. L'auteur de Bonheur d'occasion *(prix Fémina 1947) est née à Saint-Boniface au Manitoba. Ce livre met en scène une famille nouvellement arrivée en ville, depuis une génération à peine, et qui possède encore des racines terriennes. Considéré comme une œuvre fondatrice du roman urbain, il aura permis pour la première fois à la population montréalaise de se reconnaître dans un roman se passant à l'époque contemporaine (au tout début de la Seconde Guerre mondiale). L'action se déroule dans le quartier de Saint-Henri, situé au sud-ouest de Montréal.*

« Autrefois, c'étaient ici les confins du faubourg ; les dernières maisons de Saint-Henri apparaissaient là, face à des champs vagues ; un air presque limpide, presque agreste flottait autour de leurs pignons simples et de leurs jardinets. De ces bons temps, il n'est resté à la rue Saint-Ambroise que deux ou trois grands arbres poussant encore leurs racines sous le ciment du trottoir.
Les filatures, les élévateurs à blé, les entrepôts ont surgi devant les maisons de bois, leur dérobant la brise des espaces ouverts, les emmurant lentement, solidement. Elles sont toujours là avec leurs petits balcons de fer forgé, leurs façades paisibles, leur petite musique douce qui s'élève parfois le soir derrière les volets et coule dans le silence, comme la voix d'une autre époque : îlots perdus sur lesquels le vent rabat les odeurs de tous les continents. La nuit n'est jamais si froide qu'elle n'arrache à la cité des entrepôts des senteurs de blé moulé, de céréales pulvérisées, d'huile rance, de mélasse, de cacahuètes, de fourrures, de farine blanche et de pins résineux. »

Gabrielle Roy, *Bonheur d'occasion*,
1945, Beauchemin, Montréal, 1965

Le parc Lafontaine, flânerie printanière

En 1968, la présentation des Belles-sœurs *a l'effet d'une bombe : la pièce de théâtre était jouée par des comédiens s'exprimant en «joual»* ● 60*, c'est-à-dire en langue populaire. Ce faisant, Michel Tremblay (Montréal, 1942) provoquait de nombreux débats et polémiques. Vingt-cinq ans plus tard, ce dramaturge prolixe a également publié plusieurs romans qui en font l'un des écrivains québécois les plus respectés.* La grosse femme d'à côté est enceinte*, paru en 1978, se déroule en une journée de mai 1942 dans le quartier du Plateau Mont-Royal* ▲ 192 *à Montréal. Le parc Lafontaine, situé au cœur du quartier, est le théâtre de nombreux passages du roman.*

« Mercedes avait erré toute la journée, d'abord sur la rue Mont-Royal où elle avait visité systématiquement tous les magasins, des deux côtés de la rue, entre Papineau et De La Roche, pour passer le temps [...]. Mercedes savait que Béatrice ne viendrait pas la rejoindre avant deux heures et demie, ou même trois heures, aussi avait-elle décidé de faire un tour complet du parc Lafontaine en longeant les rues Papineau, Sherbrooke, du Parc-Lafontaine et Rachel, s'attardant devant l'hôpital Notre-Dame où elle était née et la bibliothèque municipale où elle n'était jamais allée et qu'elle ne croyait ouverte que l'été, pendant les vacances, les enfants n'ayant pas le temps de lire, l'hiver. Quant aux adultes... Elle ne connaissait personne qui avait eu le temps de lire depuis son adolescence... Cela lui avait pris exactement une heure et demie pour faire le tour du parc et à deux heures trente précises elle était revenue à son point de départ, à l'angle de Fabre et de Rachel. Elle se demandait si les trois soldats s'étaient réveillés et, si oui, ce qu'ils avaient fait. «J'espère qu'y se rappelleront pas de rien pis qu'y vont penser qu'y'ont pardu leu' z'argent ailleurs ! Mais, faut pas que j'compte là-dessus trop trop, j'pense...» C'était la première fois qu'elle volait des clients. Non pas qu'elle n'ait jamais eu envie de le faire auparavant mais la peur des représailles l'avait toujours empêchée d'aller jusqu'au bout. »

Michel Tremblay,
La grosse femme d'à côté est enceinte,
Leméac, Montréal, 1978

Le Montréal sonore

La vie du poète Abraham Klein (1902-1972) est marquée par l'apprentissage de plusieurs langues : le yiddish et l'hébreu, l'anglais appris à l'école et le français qu'il entendait autour de lui. Utilisant un riche vocabulaire, métamorphosant les mots dans une perspective qui n'est pas sans rappeler par moments James Joyce, l'œuvre de Klein reste une des plus importantes de l'histoire du Québec et du Canada. Ses textes portent souvent l'empreinte de Montréal, sa ville natale. Dans un poème qui la célèbre, il en présente les différentes facettes et raconte son histoire à travers ceux qui en ont été les témoins et les artisans, dans une langue volontairement cahoteuse qui reflète le mouvement et l'hétérogénéité du monde urbain.

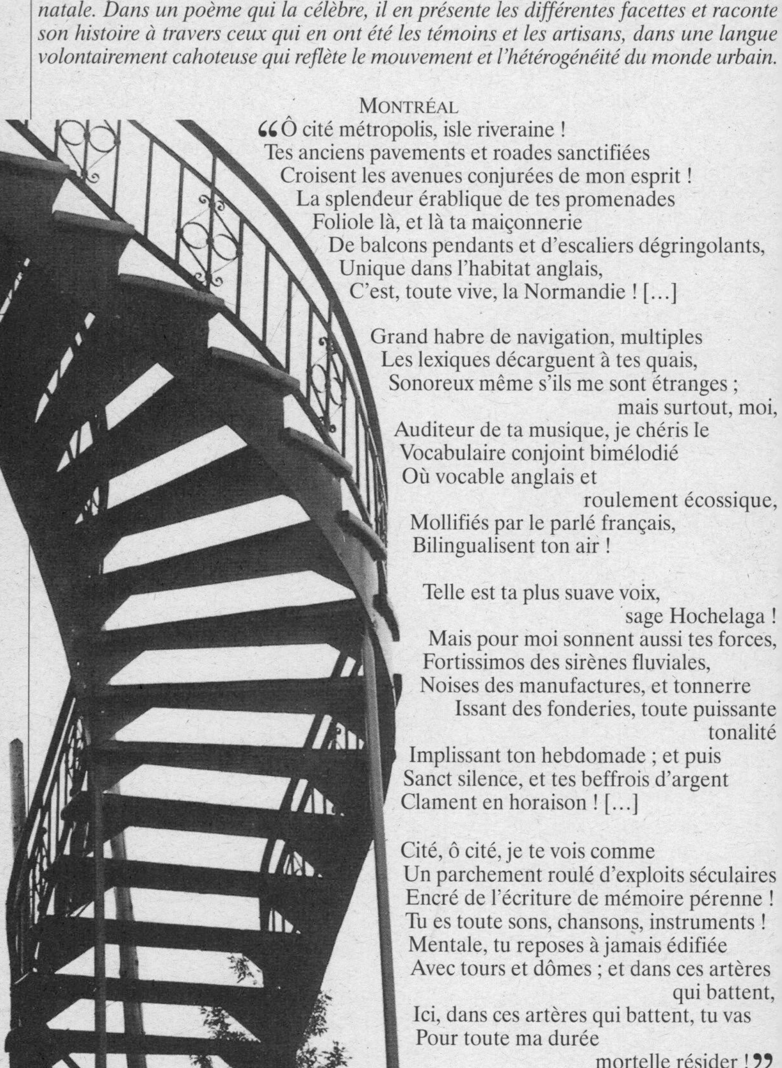

Montréal

« Ô cité métropolis, isle riveraine !
Tes anciens pavements et roades sanctifiées
Croisent les avenues conjurées de mon esprit !
La splendeur érablique de tes promenades
Foliole là, et là ta maiçonnerie
De balcons pendants et d'escaliers dégringolants,
Unique dans l'habitat anglais,
C'est, toute vive, la Normandie ! […]

Grand habre de navigation, multiples
Les lexiques décarguent à tes quais,
Sonoreux même s'ils me sont étranges ;
mais surtout, moi,
Auditeur de ta musique, je chéris le
Vocabulaire conjoint bimélodié
Où vocable anglais et
roulement écossique,
Mollifiés par le parlé français,
Bilingualisent ton air !

Telle est ta plus suave voix,
sage Hochelaga !
Mais pour moi sonnent aussi tes forces,
Fortissimos des sirènes fluviales,
Noises des manufactures, et tonnerre
Issant des fonderies, toute puissante
tonalité
Implissant ton hebdomade ; et puis
Sanct silence, et tes beffrois d'argent
Clament en horaison ! […]

Cité, ô cité, je te vois comme
Un parchement roulé d'exploits séculaires
Encré de l'écriture de mémoire pérenne !
Tu es toute sons, chansons, instruments !
Mentale, tu reposes à jamais édifiée
Avec tours et dômes ; et dans ces artères
qui battent,
Ici, dans ces artères qui battent, tu vas
Pour toute ma durée
mortelle résider ! »

Abraham M. Klein,
Montreal (*Montréal*),
trad. Charlotte et
Robert Melançon,
Ellipse, n° 37, 1987

ITINÉRAIRES AU QUÉBEC

▲ Glissade face au château Frontenac à Québec

▼ Rue Viger à Montréal

▼ La rue Sainte-Catherine à Montréal

▲ «Mon pays ce n'est pas un pays, c'est l'hiver» (Gilles Vigneault) ▼ Les monts Chic-Chocs

▲ Les Laurentides

▼ Le parc du Saguenay

▼ Les couleurs de l'automne

▲ Le producteur de citrouilles

▼ L'industrie foresti

▼ Une mine de silice

Montréal

Dinu Bumbaru
David B. Hanna
Serge Laurin
Paul-André Linteau
Christian Morissonneau
Louise Trottier
Bernard Vallée
Réal Viens
Odette Vincent

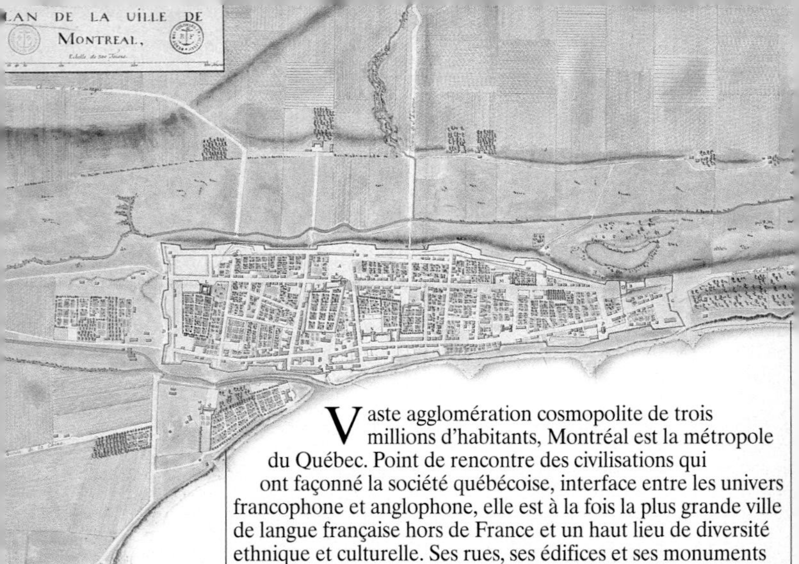

Vaste agglomération cosmopolite de trois millions d'habitants, Montréal est la métropole du Québec. Point de rencontre des civilisations qui ont façonné la société québécoise, interface entre les univers francophone et anglophone, elle est à la fois la plus grande ville de langue française hors de France et un haut lieu de diversité ethnique et culturelle. Ses rues, ses édifices et ses monuments témoignent des influences successives qui s'y sont manifestées.

LES FORTIFICATIONS Montréal était autrefois entourée d'une muraille de pierre érigée de 1717 à 1744. Démolie entre 1801 et 1817 pour permettre à la ville de s'agrandir, il en reste de beaux fragments au Champ-de-Mars ▲ *171*.

D'HOCHELAGA À VILLE-MARIE

En 1535, quand Jacques Cartier visite Hochelaga, la région est occupée depuis des siècles par les Iroquoiens du Saint-Laurent ● *44*. Situé aux abords du mont Royal, dans l'île de Montréal, ce village agricole compte environ 1 500 personnes. Hochelaga et ses habitants disparaissent cependant au XVIe siècle, avant que ne s'y établissent les Français. En 1642, Paul Chomedey de Maisonneuve fonde Montréal avec une quarantaine de personnes. Il s'agit d'abord d'une colonie missionnaire financée par un groupe de dévots français, d'où le nom de Ville-Marie. Malgré des débuts difficiles, marqués par la guerre avec les Iroquois, une petite ville naît au bord du fleuve.

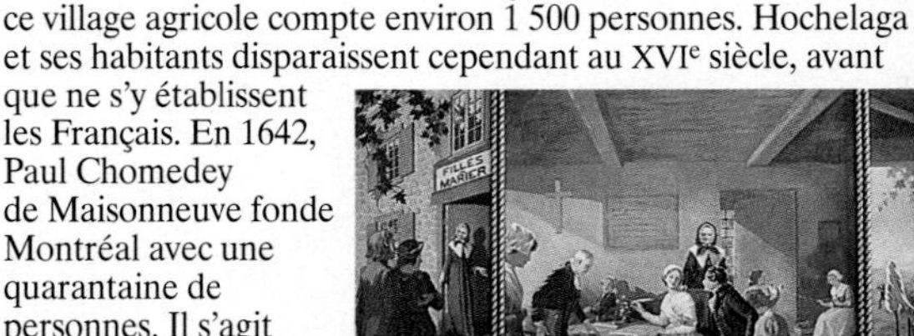

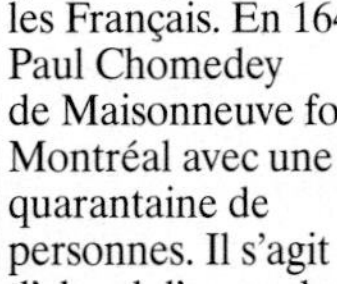

LA CAPITALE DE LA FOURRURE

L'idéal missionnaire cède bientôt le pas à l'attrait du commerce des fourrures. Située au confluent du Saint-Laurent et de l'Outaouais, Montréal est le lieu de passage des convois amérindiens apportant les pelleteries de l'Ouest. À partir de 1660, les marchands organisent des expéditions dans l'Ouest et y établissent des postes de traite. La ville se retrouve ainsi à la tête d'un vaste empire commercial couvrant le centre-ouest du continent. La population croît pourtant lentement et atteint environ 4 000 personnes vers 1760. Montréal ressemble alors à une petite ville française, avec ses murailles, ses maisons de marchands et d'artisans, ses couvents, son église, son hôtel-Dieu et son hôpital général. La population déborde déjà hors les murs et forme les premiers faubourgs.

LA VILLE COMMERCIALE ANGLAISE

Après la Conquête, de nouveaux marchands, pour la plupart écossais, prennent le contrôle du commerce des fourrures. Montréal conserve pendant plusieurs décennies son allure de petite ville française, mais la situation change rapidement au début du XIXe siècle. Le peuplement du territoire lui permet de devenir la métropole d'un vaste hinterland rural. Ses marchands gèrent les échanges croissants entre la Grande-Bretagne et ses colonies canadiennes ; ils instaurent un réseau de transport jusqu'aux campagnes éloignées et investissent dans la navigation et les premiers chemins de fer, mettant ainsi la ville au cœur des axes commerciaux du pays. Sa population s'accroît grâce à l'immigration de milliers d'Anglais, d'Écossais et surtout d'Irlandais. En 1831, elle compte 27 000 habitants et, pour la première fois, les Britanniques y sont majoritaires. Ils le resteront durant trente-cinq ans.
L'influence anglaise se fait sentir dans l'architecture, soumise aux canons de l'ère victorienne. La bourgeoisie anglophone domine l'économie et dote la cité de sa première université, McGill ▲ *179*, et de diverses autres institutions culturelles. L'anglais s'impose dans la vie publique et le monde des affaires. Marginalisée, la population francophone manifeste sa présence dans la ville notamment par ses institutions catholiques. Le réveil religieux des années 1840 ● *54* entraîne une multiplication des églises et des couvents qui impriment leur marque au paysage urbain. Progressivement, une polarisation spatiale se dessine : les francophones se concentrent dans l'est de la ville et les anglophones dans l'ouest.

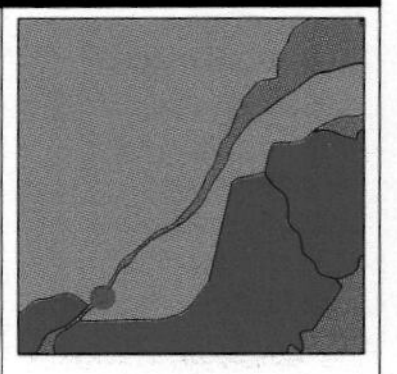

DEUX SYMBOLES RÉUNIS
En 1809, une colonne (ci-dessous) célébrant l'amiral Nelson ▲ *171* est installée sur un place que les autorités municipales baptiseront, en 1847, Jacques-Cartier ▲ *170*.

LE PORT
Il joue un rôle fondamental dans l'histoire de Montréal et dans les échanges entre le Canada et l'Europe. La berge se couvre de quais permanents à partir de 1830 tandis que des entrepôts sont érigés à proximité. Jusqu'aux années soixante, le port était fermé l'hiver, à cause des glaces. Chaque printemps, la reprise de la navigation constituait un évènement, la foule se pressait alors pour accueillir le premier navire de la saison dont le capitaine recevait une canne à pommeau d'or. De nos jours, le port est accessible toute l'année.

LA MÉTROPOLE DU CANADA

À partir du milieu du XIXe siècle, l'industrialisation transforme Montréal qui devient le centre manufacturier le plus important du Canada. Les besoins en main-d'œuvre sont d'abord comblés par l'exode rural en provenance du Québec, puis par l'immigration européenne, en hausse au début du XXe siècle.

L'INDUSTRIE AU XIXe SIÈCLE
Elle se spécialise dans la filature, la confection, le tabac, les produits de fer et d'acier, le matériel ferroviaire et l'alimentation. La chaussure reste toutefois l'une de ses plus grandes productions.

De 57 000 en 1851, la population de l'agglomération atteint 250 000 en 1891 et dépasse le demi-million à la veille de la Première Guerre mondiale. Les municipalités de banlieue, Saint-Henri, Maisonneuve, Rosemont, Côte-des-Neiges ou Ahuntsic, apparaissent, mais la plupart sont annexées avant la guerre. Chacune présente des caractéristiques sociales, ethniques et architecturales qui en font un microcosme distinct. Vers 1866, les francophones redeviennent majoritaires ; leurs élites se taillent une place croissante dans la politique et les affaires. Ils dotent la ville de sa première université de langue française, l'université Laval de Montréal ▲ *194*, future université de Montréal. La ville devient alors le principal foyer de la culture canadienne-française. L'anglais reste cependant la langue dominante de l'économie. La grande bourgeoisie anglophone de Montréal exerce une forte emprise sur le Canada. Ses banques, ses chemins de fer, ses entreprises commerciales et manufacturières rayonnent dans tout le pays et contribuent à la prospérité de la ville. L'immigration du début du siècle amène de nouveaux groupes, surtout des Juifs d'Europe de l'Est et des Italiens, mais aussi des Européens d'autres régions et des Chinois. Ces nouveaux arrivants ont tendance à se regrouper dans des zones distinctes. Ces quartiers ethniques confèrent à Montréal une allure cosmopolite jusqu'alors inconnue ● *52*. La croissance entraîne un réaménagement de l'espace urbain dont les traces sont encore visibles. Le Vieux-Montréal devient un centre-ville bourdonnant d'activité. Il se couvre d'entrepôts et de bureaux. Dans les quartiers périphériques, de vastes usines dominent le paysage. Les bourgeois quittent alors le Vieux-Montréal et se font construire de superbes résidences sur les flancs du mont Royal, dans un secteur nommé plus tard le *Golden Square Mile* ▲ *184*. En 1874, la municipalité transforme le sommet de la montagne en parc public. Dans les quartiers populaires, de nouveaux modèles architecturaux remplacent la petite maison à pignons héritée de l'époque française. Ces duplex et triplex permettent de loger une population ouvrière en expansion ▲ *193*.

LA BANQUE DE MONTRÉAL
Fondée en 1817, elle est la plus ancienne du Canada. Longtemps symbole de la puissance financière des hommes d'affaires anglophones de la ville ● *52*, elle possède toujours son siège social de 1848, place d'Armes ▲ *169*.

LE MONT ROYAL
Ses flancs accueillent de grandes demeures bourgeoises, deux vastes cimetières, un lac, l'université de Montréal et un parc, créé en 1873-1881 pour préserver son patrimoine naturel et en faire un site de récréation ▲ *182*.

«AUTOUR DE MOI IL Y A DES VOITURES, DES PIÉTONS INCONNUS, [...] DU BÉTON, DE L'ACIER EN MOUVEMENT. CELA GRONDE, ROULE, S'ÉCRASE, MONTE DANS LE CIEL EN PÉTALES GRISÂTRES»

ROGER FOURNIER

UNE GRANDE VILLE NORD-AMÉRICAINE

En 1914 commence une phase transitoire marquée par les deux guerres mondiales, la croissance des années 1920 et les effets dévastateurs de la crise des années 1930. L'agglomération compte un million d'habitants en 1931 et deux millions en 1961. L'influence britannique s'estompe devant celle des États-Unis. Les modèles architecturaux américains s'imposent et les premiers gratte-ciel font leur apparition au centre-ville ● *126*. La technologie urbaine, l'automobile, les médias, la consommation, tout concourt à faire de Montréal une grande ville nord-américaine.

LA VILLE MODERNE

À partir de 1960, les transformations s'accélèrent et modifient l'image de Montréal. Un nouveau centre-ville est aménagé, ainsi qu'une ville souterraine ● *126*, ▲ *176*. Il est desservi par le métro (1966) et par un réseau de grandes autoroutes qui favorisent le développement d'une nouvelle banlieue dépendante de l'automobile. Le déclin de l'industrie manufacturière bouleverse l'économie, désormais axée sur les services. Montréal cède alors à Toronto son titre de métropole du Canada, mais elle s'affirme comme la métropole économique et culturelle du Québec. Avec la Révolution tranquille ● *56*, le visage de Montréal est de plus en plus francophone. Les grandes entreprises francophones y ont presque toutes leur siège social. Les grands réseaux de télévision de langue française y sont concentrés, confirmant ainsi son statut de principal foyer de la culture québécoise. En outre, l'affichage anglais, autrefois prédominant, disparaît. Aux résidants de souche européenne établis depuis longtemps s'ajoutent des gens originaires de tous les coins du monde ; ensemble, ils forment le quart de la population. Montréal devient plus cosmopolite ; elle acquiert une notoriété internationale en organisant l'Exposition universelle de 1967 et les jeux Olympiques de 1976. Ses quatre universités contribuent à son rayonnement, de même que sa participation à la francophonie internationale.

LA GRANDE RÉGION DE MONTRÉAL
L'agglomération compte plus de cent trente municipalités. Outre Montréal, les plus importantes sont Laval (île Jésus) et Longueuil (rive sud).

Montréal 1976

LE STABILE DE CALDER
Cette œuvre du sculpteur américain Alexandre Calder (1898-1976) est érigée lors de l'exposition universelle «Terre des Hommes», qui a eu lieu en 1967 dans les îles Sainte-Hélène et Notre-Dame ▲ *198*.

Préservé grâce à la migration des affaires vers l'actuel centre-ville après 1945, le Vieux-Montréal reste, même pour les Montréalais, un quartier d'exception. Ses rues étroites et courbes sont l'héritage du Régime français et de l'administration des sulpiciens ● *50* qui en établirent le plan en 1672. L'architecture, essentiellement du XIXe siècle, y est remarquable : même les entrepôts, comme ceux des rues Sainte-Hélène, Notre-Dame, Saint-Pierre, Le Moyne ou Le Royer ● *118*, s'ornent de superbes façades sculptées. Ses musées et ses monuments en font le quartier historique de Montréal. Déclaré arrondissement

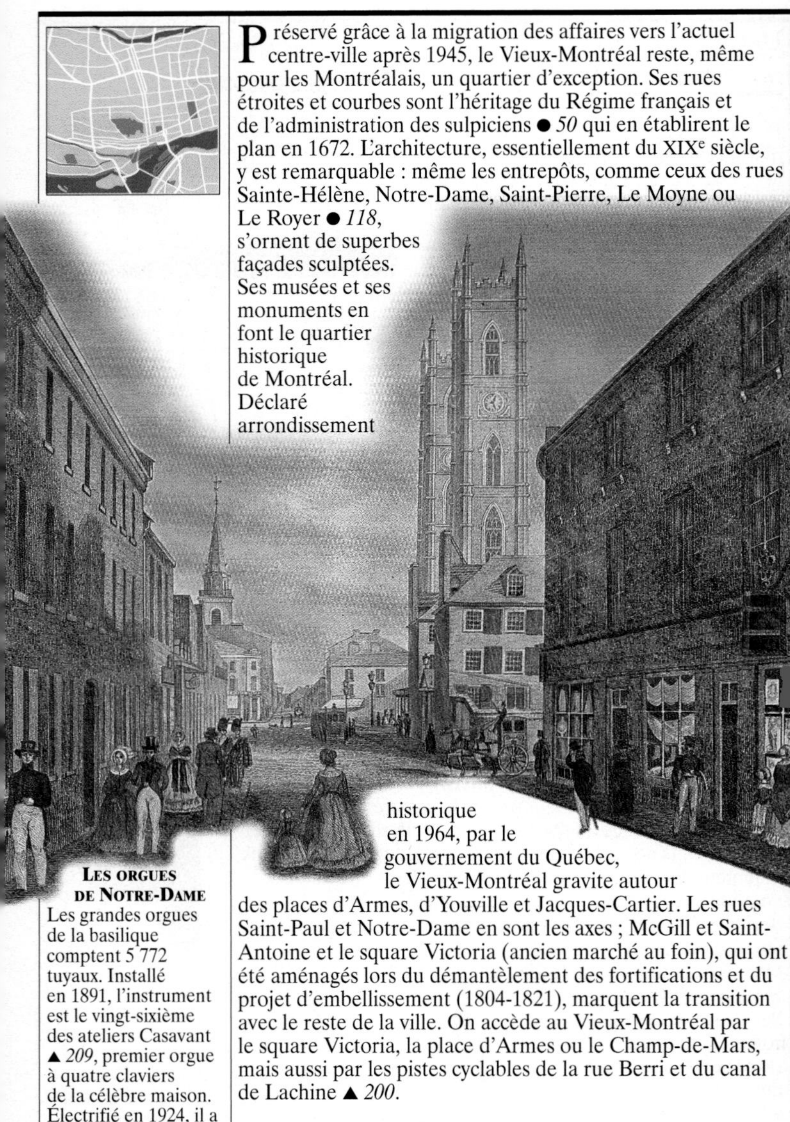

historique en 1964, par le gouvernement du Québec, le Vieux-Montréal gravite autour des places d'Armes, d'Youville et Jacques-Cartier. Les rues Saint-Paul et Notre-Dame en sont les axes ; McGill et Saint-Antoine et le square Victoria (ancien marché au foin), qui ont été aménagés lors du démantèlement des fortifications et du projet d'embellissement (1804-1821), marquent la transition avec le reste de la ville. On accède au Vieux-Montréal par le square Victoria, la place d'Armes ou le Champ-de-Mars, mais aussi par les pistes cyclables de la rue Berri et du canal de Lachine ▲ *200*.

LES ORGUES DE NOTRE-DAME

Les grandes orgues de la basilique comptent 5 772 tuyaux. Installé en 1891, l'instrument est le vingt-sixième des ateliers Casavant ▲ *209*, premier orgue à quatre claviers de la célèbre maison. Électrifié en 1924, il a été restauré en 1991.

BASILIQUE NOTRE-DAME ♥

L'histoire et l'architecture de cette église paroissiale en ont fait un véritable symbole religieux. Trop petite pour recevoir les fidèles de l'unique paroisse montréalaise de l'époque, la première église du XVIIe siècle, construite dans l'axe de la rue Notre-Dame, est remplacée par l'édifice actuel, achevé en 1829 (ses tours viendront en 1843). En optant pour une basilique grandiose, les sulpiciens souhaitent rivaliser avec l'évêché mais surtout avec les temples protestants. Œuvre d'un architecte protestant, James O'Donnell, Irlandais de New York, Notre-Dame – alors le plus grand bâtiment religieux d'Amérique du Nord –adopte le style néogothique, exceptionnel pour une église catholique. De 1874 à 1880, l'architecte autodidacte Victor Bourgeau réalise le décor intérieur en bois sculpté, doré et peint de couleurs vives ; il crée l'actuel maître-autel devant une ancienne verrière. Philippe Hébert a sculpté les prophètes Jérémie et Ézéchiel de la chaire.

«Chapelle des mariages». Construite en 1888-1891 derrière la basilique, la chapelle du Sacré-Cœur a pris le titre populaire de «chapelle des mariages». Richement ornée de peintures et de boiseries, elle brûlera en 1978 et sera restituée dans une architecture moderne ; quelques boiseries ont été restaurées.

Place d'Armes
Encaissée par les gratte-ciel, la place pivote autour de la statue commémorative de Maisonneuve ▲ *164*, exécutée par Philippe Hébert et érigée en 1895.

Vieux séminaire de Saint-Sulpice

Construit en 1682-1685 puis agrandi à plusieurs reprises par les sulpiciens qui l'occupent toujours, le vieux séminaire est le plus ancien édifice du quartier historique de Montréal ● *110*. En 1848, les religieux avaient entrepris sa reconstruction à partir des plans de John Ostell mais ils se bornèrent à l'aile est. On choisit alors la rue Sherbrooke pour la construction du Grand Séminaire, inauguré en 1857. À l'arrière, le vieux séminaire possède un jardin privé et un potager dont l'origine remonte au XVIIe siècle.

Les sulpiciens à Montréal
Fondée à Paris en 1641, la Compagnie des prêtres de Saint-Sulpice a joué un rôle majeur dans le développement social, culturel et économique de tout Montréal, depuis leur arrivée, en 1657, jusqu'à nos jours.

Place d'Armes ♥

Dans sa forme actuelle, la place résulte de la démolition, en 1830, de la première église Notre-Dame et de son clocher, en 1843. Elle flanquait auparavant le nord de l'église, servant de cimetière jusqu'en 1799 et de lieu d'exercice militaire. En 1773, un buste du roi Georges III d'Angleterre y fut installé avant d'être jeté dans un puits ; il est maintenant exposé au musée McCord ▲ *180*. Parmi les édifices, on notera du côté est le plus ancien gratte-ciel de Montréal (1888), élevé par les architectes new-yorkais Babcock, Willard & Cook pour la New York Life Insurance ● *125*, et son voisin, l'édifice Aldred (ci-contre), construit dans le style Arts déco en 1929 par Barrott et Blackader de Montréal.

RUE SAINT-JACQUES

La rue Saint-Jacques est considérée comme l'ancienne place financière du Canada. Son architecture, rehaussée de sculptures, évoque les cités marchandes écossaises d'où venaient plusieurs architectes montréalais du XIXe siècle. Aux heures d'affaires, plusieurs bâtiments peuvent se visiter comme, au n° 53, l'ancienne BANQUE DU PEUPLE (1873), qui était autrefois la seule institution francophone de la rue ; au n° 380, la BANQUE ROYALE (1928), au sommet de laquelle tournaient les phares installés maintenant place Ville-Marie ▲ *178*. À l'angle du square Victoria, le CENTRE DE COMMERCE MONDIAL possède une rue intérieure, aménagée sur l'ancienne ruelle des Fortifications.

LA «WALL STREET» DE MONTRÉAL
Venues avec la prospérité et l'activité portuaire du début du siècle, les banques puis les compagnies d'assurances britanniques, canadiennes ou américaines ont fait de la rue Saint-Jacques et de la place d'Armes le cœur financier du Canada.

BANQUE DE MONTRÉAL

Première banque canadienne, la Banque de Montréal est fondée en 1817. L'édifice actuel, réalisé par John Wells en 1848, reprend les formes du Panthéon de Rome et des villas palladiennes. Le fronton sculpté par sir John Steele comporte les armes de la banque et retrace l'épopée commerciale du Canada. En 1905, les New-Yorkais McKim, Mead & White l'agrandissent, rétablissant le dôme disparu en 1859 et créant la grande salle de banque, remarquable exemple d'architecture Beaux-Arts ● *125* inspiré des grandes basiliques romaines. La banque abrite une insolite exposition de tirelires.

LA BANQUE DE MONTRÉAL
La sobre façade aux chapiteaux en aluminium (remplaçant ceux d'origine, altérés par la pollution) garde secrète la richesse de son décor intérieur : colonnes en syénite verte, socles en marbre noir, chapiteaux en bronze doré, guichets et torchères en laiton et cénotaphe en marbre.

PALAIS DE JUSTICE

Trois palais de Justice, tous situés rue Notre-Dame, témoignent de l'enracinement de cette fonction dans le Vieux-Montréal. Au n° 155 se dresse le plus ancien, construit en 1856 par les architectes Ostell et Perreault. En 1894, il est doté d'un dôme et d'un grand escalier intérieur en fonte. En 1925, on y ajoute une annexe (n° 100), reliée au premier par un tunnel. Dans l'actuel édifice Cormier, du nom de son concepteur principal, Ernest Cormier ▲ *187*, siège le CONSERVATOIRE DE MUSIQUE où se produisent régulièrement élèves et professeurs. Ses portes mènent à un hall éclairé par des verrières et des torchères Arts déco, coulées à l'atelier d'Edgar Brandt à Paris. L'actuel palais de Justice date de 1971.

VIEUX PALAIS DE JUSTICE
Dominé par le dôme de cuivre étamé qui abritait la bibliothèque des juges et des avocats, le Vieux Palais de Justice était le siège du Comité organisateur des jeux Olympiques de 1976. Son décor intérieur fait de stucs, de boiseries, et de trompe-l'œil a été restauré.

PLACE JACQUES-CARTIER

La place Jacques-Cartier naît en 1804 à la suite de l'incendie de l'ancien château de Vaudreuil, dont les promoteurs rachètent les ruines et les jardins ; ils cèdent alors le site à l'administration de Montréal afin d'y établir un nouveau marché, complétant celui de l'actuelle place Royale. La place

«TOUS CES GENS SE CROISENT, S'ENTRECROISENT ET NE S'APERÇOIVENT QU'AVEC PEINE. UNE PENSÉE LES PRÉOCCUPE, IDENTIQUE : LES AFFAIRES. [...] C'EST LE CŒUR FINANCIER DE MONTRÉAL, LE CENTRE DE SES PULSATIONS...»

UBALD PAQUIN

conservera cette fonction jusqu'aux années soixante. **COLONNE NELSON** ● *116*. Ce monument, érigé en 1809 par souscription publique, est le premier, avant même celui de Londres, à marquer la bataille navale de Trafalgar (1805) et les succès de l'amiral Horatio Nelson (1758-1805). La statue originale n'a résisté ni à la pollution ni au vandalisme et a dû être remplacée par une réplique en fibre de verre. Infotouriste occupe l'ancien bâtiment Silver Dollar Saloon.

HÔTEL DE VILLE

1833 marque la naissance de la municipalité de Montréal dont Jacques Viger est le premier maire élu. Le Conseil municipal siège sous les citernes de la Compagnie des Eaux puis au marché Bonsecours, avant d'investir l'hôtel de ville, inauguré en 1878. En 1922, l'édifice est incendié puis rebâti quatre ans plus tard dans les murs d'origine et doté d'un étage supplémentaire ● *118*. La place Vauquelin permet d'accéder au CHAMP-DE-MARS, ancien lieu de parades militaires créé après le démantèlement des fortifications dont on exposera les fondations et le tracé lors du réaménagement de 1992.

CHÂTEAU DE RAMEZAY

Construit en 1706 par Claude de Ramezay, gouverneur de Montréal de 1703 à 1724, le château a été fréquemment reconstruit, agrandi et modifié. Il a abrité la Compagnie des Indes, mais aussi la faculté de Médecine, le palais de Justice ou encore les quartiers du général américain Montgomery, arrivé à Montréal en 1775 afin de rallier les Canadiens aux colonies américaines, alors en rébellion contre l'Angleterre. Depuis 1895, la Société d'archéologie et de numismatique de Montréal y tient un musée d'Histoire.

«CONCORDIA SALUS»
La devise de Montréal et son emblème sont créés en 1833 par Jacques Viger, dans un climat de tensions ethniques. Avant d'être supplanté par la fleur de lis, le castor représentait les Canadiens français. La rose symbolise les Anglais, le chardon, les Écossais et le trèfle, les Irlandais.

PLACE JACQUES-CARTIER
Cette ancienne place de marché est dominée par l'édifice de l'hôtel de ville. C'est depuis son balcon que, le 24 juillet 1967, Charles de Gaulle s'exclamait : «Vive Montréal ! Vive le Québec ! Vive le Québec libre !», reprenant ainsi le slogan des indépendantistes contre le gouvernement fédéral.

BONSECOURS

CHAPELLE NOTRE-DAME-DE-BONSECOURS. Consacré en 1773, cet édifice a remplacé une première chapelle en bois (1657), incendiée en 1754. Avec le temps, Notre-Dame-de-Bonsecours a subi de nombreuses modifications. Son surnom de «chapelle des marins» souligne sa relation avec le port ; les maquettes de bateaux suspendues en ex-voto dans la nef ainsi que la grande statue de cuivre de la Vierge, tournée vers le fleuve, en témoignent.

MAISON DU CALVET. Cette demeure, située face à la chapelle et non loin de la maison Papineau ● *117*, est un exemple rare d'habitation urbaine du XVIIIe siècle à Montréal. Pierre du Calvet, huguenot français venu s'installer à Montréal en 1766, avait été fait prisonnier par les Anglais en raison de ses sympathies pour les Américains.

MARCHÉ BONSECOURS ● *117*. Œuvre de William Footner, ce bâtiment reste l'un des symboles du Vieux-Montréal. Ouvert en 1847, l'ancien marché comprenait aussi les glacières, l'hôtel de ville, la prison et une salle de concerts avant de devenir le cœur d'un quartier commercial. Ses colonnes doriques sont en fonte et son dôme, incendié à deux reprises, a été restauré en 1978. Transformé en bureaux en 1964, il retrouve peu à peu une vocation publique depuis 1992.

NOTRE-DAME DE BONSECOURS
Située dans l'axe de la rue de Bonsecours, la chapelle rappelle la façon dont le plan de Ville-Marie mit les églises en évidence : la basilique Notre-Dame était alors dans l'axe de la rue du même nom.

VIEUX-PORT

S'il existait déjà des quais et des jetées sous le Régime français, il faut attendre le XIXe siècle pour que le port soit aménagé et transformé en pilier de la prospérité de Montréal. On construit alors de nouveaux quais le long de la rue de la Commune, puis des jetées incorporant l'îlot Normand. On crée aussi des palissades ainsi qu'une longue digue afin de

«PARTOUT DES FILINS TENDUS, DROITS, DE TRAVERS, RAIDES POUR LES ACROBATES, LIBRES POUR LES DANSEURS DE CORDE, DÉJÀ NOUÉS POUR LES PENDARDS. UNE VRAIE FORÊT VIERGE»

JEAN-JULES RICHARD

protéger le port et la ville des glaces qui s'amoncèlent pendant le dégel. Depuis vingt ans, l'activité portuaire migre vers l'est de l'île, de sorte que le site original n'abrite plus que la gare maritime et le dernier des grands silos, témoin de l'importance de Montréal dans le commerce du blé. Le Corbusier s'en est inspiré pour illustrer son recueil *Vers une architecture,* où il démontre les principes de fonctionnalité et de pureté de la forme. En déménageant, le port a libéré un vaste territoire. Le site du Vieux-Port est un lieu animé toute l'année avec sa patinoire, ses lieux d'exposition et de spectacles, mais aussi ses promenades, son bassin et ses panoramas sur la ville.

PLACE D'YOUVILLE. Cette place est créée en 1832, alors que la Petite Rivière est recouverte pour l'aménagement du marché Sainte-Anne. Le Parlement du Canada-Uni se réunira dans ce marché jusqu'en 1849, avant que des orangistes anglais n'y mettent le feu. Installé dans l'ancien quartier général des pompiers (1903), le CENTRE D'HISTOIRE présente Montréal, ses quartiers et sa population. Plus au sud apparaît une aile de l'ancien hôpital des Sœurs Grises, fondé par les frères Charon en 1693. La congrégation fut créée en 1755 par Marguerite d'Youville. Après leur emménagement, en 1871, dans le nouveau couvent de la rue Guy, les sœurs ont fait démolir la chapelle et l'aile est de l'hôpital, afin de prolonger la rue Saint-Pierre et de créer des entrepôts. Vers l'ouest et le faubourg des Récollets, la place mène à la rue McGill ▲ *179* et au siège du Grand-Tronc, compagnie ferroviaire fondée en 1852 ; on lui doit la construction du pont Victoria ▲ *199*, en 1859.

POINTE À CALLIÈRE. Côté est, la place d'Youville aboutit à la Pointe à Callière, où se trouve le MUSÉE D'ARCHÉOLOGIE. D'une architecture postmoderne ● *128*, le musée est inauguré en 1992, lors du 350e anniversaire de la fondation de Ville-Marie. Le musée est réparti comme suit : l'éperon moderne de l'architecte Dan Hanganu restitue le volume du Royal Insurance Building, incendié en 1953, et possède un spectacle multimédia, une salle d'exposition ainsi qu'un restaurant panoramique ; la crypte archéologique, sous l'ancienne place Royale, abrite les vestiges des fortifications ; enfin, l'ancienne douane est l'œuvre de John Ostell (1838).

Quartier du Vieux-Port

LES SŒURS GRISES
En 1671, Marguerite Bourgeoys fonde la Congrégation Notre-Dame ▲ *185*. En 1755, Marguerite d'Youville fonde à son tour les Sœurs de Charité, surnommées les «Sœurs Grises» pour la couleur de leur robe. On dit aussi qu'elles vendaient de l'alcool «grisant» aux Amérindiens... Administratrices rigoureuses, ces congrégations essaimèrent à travers l'Amérique du Nord.

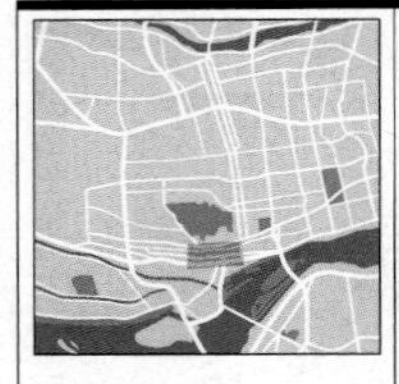

LE CHÂTEAU DE GLACE
Square Dorchester se déroulaient les carnavals d'hiver dont Montréal eut l'initiative en 1883. Dans la partie sud du square, on érigeait le château de glace dont la prise, malgré sa vaillante défense par les pompiers contre les attaques des clubs de raquetteurs, marquait d'un feu d'artifice la fin du carnaval.

Plus que d'un centre-ville, il faudrait parler à Montréal de plusieurs concentrations autour des squares et selon un axe est-ouest longeant les rues Sainte-Catherine, Sherbrooke et René-Lévesque, au pied du mont Royal. De plus, le concept de centre-ville reste lié à la relation entre les deux grandes communautés linguistiques française et anglaise, comme l'illustrent les efforts pour créer, autour de l'actuelle station de métro Berri-UQAM, un centre-ville dans l'est francophone qui réponde au centre des affaires, à l'ouest, traditionnellement associé à la communauté anglophone. Toutefois, le centre-ville conserve une population de plusieurs dizaines de milliers de résidants qui contribue, dans les quartiers anciens, à lui garder cette échelle humaine qui le distingue des autres métropoles nord-américaines. De nos jours, le centre-ville gravite autour du square Dorchester et le long de la rue Sainte-Catherine. Dans les faits et malgré la présence d'un cœur bourdonnant au Quartier Latin ▲ *194*, il s'étend, d'est en ouest, de la Place des Arts et du Complexe Desjardins, aux limites de Westmount ; du sud au nord, du domaine des sulpiciens avec le Grand Séminaire (1857) et le Collège de Montréal (1871) et ses tours du Fort de la Montagne (v. 1696), jusqu'à la rue de La Gauchetière.

SQUARE DORCHESTER

Devenu un lieu de détente et de promenade, le square Dorchester, autrefois appelé square Dominion, a remplacé l'ancien cimetière catholique Saint-Antoine, qui s'était établi au XVIIIe siècle au milieu des vergers. Plus tard, surpeuplé et jugé insalubre par la population victorienne qui habitait le quartier, le cimetière sera fermé et remplacé par l'actuel cimetière Notre-Dame-des-Neiges ▲ *186*, ouvert en 1855 sur la montagne. L'ancien cimetière Saint-Antoine demeurera longtemps à l'abandon. On décidera

DEUX VISAGES...
La cathédrale et l'ancienne YMCA (*Young' Men Christian Association*) dominaient le square Dorchester à la fin du XIXe siècle. Mark Twain disait alors qu'on ne pouvait y lancer une pierre sans briser un vitrail d'église...
La vue contemporaine révèle l'importance des grands arbres pour l'échelle du square aujourd'hui cerné par les gratte-ciel.

de transporter les dépouilles – notamment celles des victimes du choléra de 1832 – , ce qui soulèvera un grand émoi et entraînera la création du square en 1872. Lui-même traversé par le boulevard René-Lévesque, le square aura joué un rôle de premier plan dans les fonctions civiques montréalaises aux XIXe et XXe siècles. En témoignent les MONUMENTS, dont celui aux héros de la guerre des Boers (1899-1902), œuvre de George W. Hill et des architectes Maxwell, celui au premier Premier ministre du Canada (1895) – sir John A. MacDonald –, et celui à sir Wilfrid Laurier, réalisé par Émile Brunet en 1953. On notera les canons de la guerre de Crimée et le cénotaphe, élevé en 1924.

Cathédrale et église St. George's

Le square Dorchester est bordé de nobles constructions, où religion et finance se côtoient. De nombreuses églises, protestantes pour la plupart, ont longtemps entouré le cimetière puis le square ; ne subsistent aujourd'hui que la cathédrale catholique MARIE-REINE-DU-MONDE ● *120* et l'église anglicane St. George's.

Marie-Reine-du-Monde. En façade, les statues en bois recouvert de cuivre représentent les paroisses qui ont financé sa construction. Le gisant de Mgr Bourget, par Philippe Hébert (1903), évoque en bas relief ses réalisations principales, la construction de la cathédrale et les zouaves pontificaux. À l'intérieur, des tableaux évoquent l'histoire catholique de Montréal.

Église St. George's. Elle est construite en 1870 sur le site d'un ancien cimetière juif. D'allure modeste, elle possède un intérieur remarquable par sa charpente, ses boiseries de chêne et ses vitraux. La tour, érigée en 1894, a reçu son horloge à carillon en 1899.

La présence catholique face au protestantisme
Mgr Ignace Bourget, évêque de Montréal de 1840 à 1876, décide après le grand incendie de 1852, qui ravage sa cathédrale du Quartier Latin, d'en construire une nouvelle, réplique à demi-échelle de la basilique Saint-Pierre de Rome. L'emplacement est choisi pour asseoir la présence catholique au cœur de la ville, parmi les clochers protestants. Le chantier durera de 1870 à 1894.

Les Montréalais disposent d'un très vaste réseau souterrain. L'aménagement du sous-sol débute lors de la construction de la Place Ville-Marie (1954-1962), un ambitieux projet. Les architectes réalisent alors un immeuble dont la superficie de plancher sous terre est égale à celle de la tour. Autre trait original de l'édifice, l'espace est réparti de manière que bureaux, boutiques et restaurants se côtoient. Ce concept a été repris depuis, permettant la création d'un espace piétonnier séparé et redonnant vie au centre-ville de Montréal.

L'INTÉGRATION À LA SURFACE
L'accès au métro s'effectue par 154 points distincts. En raison des conditions climatiques hivernales, les issues donnant directement sur le trottoir ont été évitées au profit des grands halls des édifices voisins.

Le logo du métro (une flèche verticale encerclée) permet d'identifier les passages utilisables durant les heures de trafic ◆ *356*.
La réalisation de chaque station a été confiée à différents bureaux d'architectes, donnant à l'ensemble une diversité de formes.

MÉGASTRUCTURE URBAINE
La ville souterraine s'articule autour d'un réseau de 29 km de passages piétonniers et dessert près de 2 000 boutiques (soit environ 50 % des commerces du centre-ville), 10 stations de métro, 2 gares ferroviaires et plus de 10 000 places de stationnement. À cet entrelacs de couloirs se greffent 7 hôtels, les principaux équipements culturels et de congrès et 80 % des bureaux du centre-ville.

UNE EXTENSION DU DOMAINE PUBLIC
Maîtres d'œuvre du métro, les autorités municipales se sont assuré la collaboration d'entrepreneurs privés pour l'aménagement du Montréal souterrain. La plupart des couloirs ont ainsi été réalisés grâce à des intérêts privés plutôt que suivant un plan d'urbanisme. Il en résulte un vaste réseau de passages construits à différentes époques, d'où une difficile harmonisation de l'ensemble.

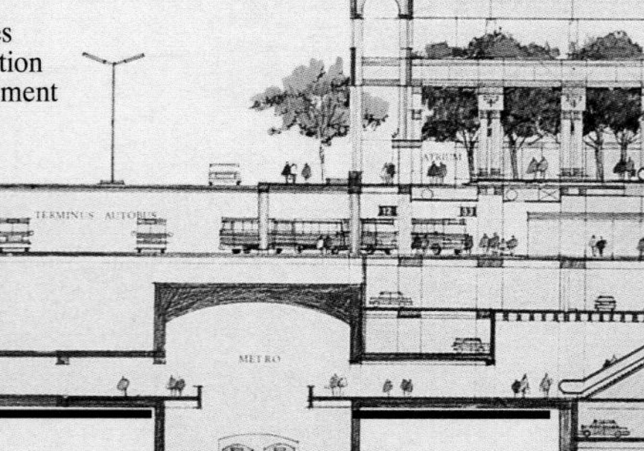

Dès 1966, l'ampleur et l'originalité du réseau souterrain de Montréal sont reconnues : une revue d'architecture américaine cite Montréal comme «la première parmi les villes nord-américaines ayant franchi le seuil du XXIe siècle».

UNE PROUESSE ARCHITECTURALE
Aménagées sous la cathédrale Christ Church, les Promenades de la Cathédrale (1988) sont un centre commercial totalement enfoui sous terre. Pour réaliser cet exploit, les ingénieurs ont soulevé l'édifice (ci-contre) et l'ont déposé sur pilotis. Sa flèche en pierre a été remplacée par une autre en aluminium.

LES DÉBUTS
Le Montréal souterrain a pris naissance autour de la Place Ville-Marie (ci-dessus) ● *126*. Les promoteurs ont mis à profit une excavation datant de 1918 (résultat de la percée d'un tunnel ferroviaire sous le mont Royal) pour aménager sous l'immeuble une galerie marchande, deux niveaux de stationnement et une gare de triage. Des couloirs souterrains relient le tout aux bâtiments adjacents.

LES SECTEURS
Le centre-ville compte trois grands axes souterrains : celui autour de la Place Ville-Marie, un autre entre la Place des Arts ▲ *181* et le palais des Congrès et un dernier reliant les grands magasins et immeubles de la rue Sainte-Catherine et du boulevard de Maisonneuve.

LES GRANDS MAGASINS
Devant l'engouement de la clientèle vers les centres commerciaux de la banlieue, les grands magasins du centre-ville ont investi dans la construction de passages les reliant directement au métro et aux grands édifices voisins.

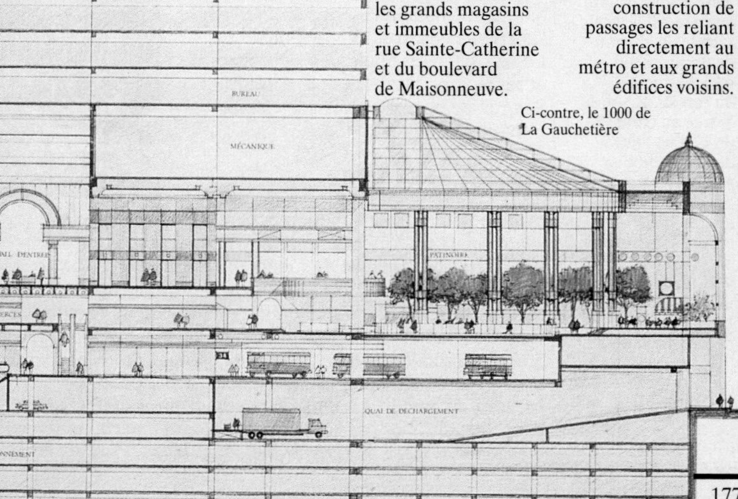

Ci-contre, le 1000 de La Gauchetière

HÔTEL WINDSOR

En 1878, la construction de l'hôtel Windsor par G. H. Worthington à l'angle des rues Peel et Dorchester (aujourd'hui René-Lévesque) modifie l'esprit du square en en faisant un lieu métropolitain. Incendié en 1953, le bâtiment a vu sa partie originale démolie et remplacée par la tour de la Banque canadienne impériale de commerce (1962), dont le hall abrite une œuvre de Henry Moore, et l'annexe de 1923, convertie en bureaux.

SUN LIFE

L'imposant édifice de la Sun Life domine le square de ses 50 000 tonnes de granit gris des Cantons de l'Est. À partir de 1914, la compagnie d'assurances quitte le Vieux-Montréal pour s'installer sur le square. Elle érige alors un premier bâtiment, correspondant à la colonnade sud, qu'elle agrandit en 1925 puis en 1931 tout en conservant son unité architecturale. À l'époque de son achèvement, cet édifice est le plus grand de l'Empire britannique, symbole de la puissance financière de Montréal. Pendant la Seconde Guerre mondiale, ses coffres abriteront les réserves en or de plusieurs pays européens dont la Grande-Bretagne. Le hall est remarquable.
Au nord du square, on notera le DOMINION SQUARE BUILDING, autre bâtiment commercial érigé en 1928 par les architectes Ross et MacDonald. Le vestibule, ses appliques en bronze et ses trompe-l'œil valent le détour. Son rez-de-chaussée abrite le Centre infotouristique de la ville.

PLACE VILLE-MARIE

Symbole du Montréal moderne, berceau de la ville souterraine ▲ *176*, Place Ville-Marie ● *128* est construite en 1962 sur la tranchée du tunnel ferroviaire percée entre 1912 et 1918 par le Canadian Northern Railway de Toronto afin d'accéder au centre-ville. Elle est l'œuvre de l'architecte I. M. Pei, l'auteur de la pyramide du Louvre à Paris. Son plan cruciforme lui a permis, à l'époque, de regrouper sous un seul toit la plus grande superficie d'espaces de bureaux au monde. La nuit, de puissants projecteurs giratoires installés par la Banque royale font de ce gratte-ciel un singulier phare du centre-ville.

LA GARE WINDSOR
En 1889, le Canadien Pacifique inaugure sa gare Windsor qui accentue la mutation du centre de Montréal. Œuvre du New-Yorkais Bruce Price – auteur du château Frontenac de Québec ▲ *260* – et agrandie à plusieurs reprises dans la même architecture néoromane, la gare marque l'élévation sociale du chemin de fer jusqu'alors relégué au bas du coteau, et son entrée au cœur de la ville. Sauvée de la destruction en 1971, restaurée depuis les années quatre-vingt, la gare est désormais enclavée par le Nouveau Forum du club de hockey Les Canadiens de Montréal ● *130*.

Avenue McGill-College

L'avenue est créée après 1840, lorsque l'université McGill subdivise la propriété léguée par James McGill. Elle offre, depuis Place Ville-Marie, une perspective remarquable vers l'université, l'hôpital Royal-Victoria (1893), la montagne et sa croix. Cet axe a motivé de nombreux projets dont celui de l'urbaniste Jacques Gréber (1935). En 1988, après une vive controverse, la rue a été élargie pour devenir cette avenue.

Campus de McGill

Fondée en 1821 grâce au legs de James McGill, la Royal Institution for the Advancement of Knowledge – plus connue sous le nom d'université McGill – est la plus ancienne des quatre universités de Montréal. Elle occupa d'abord Burnside, l'ancienne résidence de McGill, avant qu'on érige, en 1839, McGill College, l'actuel pavillon des Arts, de John Ostell. De 1855 à 1883, le recteur William Dawson en fera une institution de réputation mondiale.

«Foule illuminée» Au pied de l'édifice miroitant de la BNP, se trouve la *Foule illuminée* de Paul Raymon, installée avenue McGill-College en 1986.

«[…] je n'apprécie guère aujourd'hui que les pelouses du campus de McGill, les vieux ormes, variété américaine, sous lesquels on attend, les vieux hêtres, au pied desquels, l'été, croient se cacher les amoureux tandis que les vieux messieurs les observent […]»
Jean Basile, *La Jument des Mongols*

Le campus. Financé grâce aux dons des grandes familles anglophones de Montréal, le campus principal offre une collection d'architecture en pierre ornée de blasons ou de détails fantaisistes. Devant le pavillon central se dresse le monument à James McGill. Parmi ces édifices, le musée Redpath mérite une visite, tant pour ses collections d'histoire naturelle que pour son atmosphère et son architecture. Bâti en 1880-1882 pour abriter notamment la collection géologique de l'université, ce musée a été l'un des premiers bâtiments canadiens conçus et construits à cet effet. L'université McGill regroupe aujourd'hui 30 000 étudiants.

MUSÉE MCCORD

Face à l'université, le musée McCord d'histoire canadienne possède une imposante collection historique sur le Canada, les autochtones et leurs traditions. Installé dans l'ancienne Students' Union, il a été agrandi en 1992. Le musée abrite également les Archives Notman qui regroupent plus de 450 000 photographies anciennes dont la plupart proviennent du photographe montréalais d'origine écossaise William Notman.

Cette photographie d'un édifice incendié pendant l'hiver provient de la collection Notman.

SQUARE PHILLIPS

Dominé par la STATUE D'ÉDOUARD VII, œuvre de Philippe Hébert (1914), le square est créé dans les années 1840, lorsque Thomas Phillips, inspiré par les squares résidentiels de Londres, lotit l'ancienne propriété Frobisher. Dans les années 1880, alors que la rue Sainte-Catherine devient la principale artère commerciale de la ville, tout Montréal vient y faire ses emplettes.

MAGASINS. L'actuelle boutique LA BAIE, ancienne Colonial House de Henry Morgan et propriété de la Compagnie de la baie d'Hudson, est construite en 1889, quand Morgan relocalise son magasin du square Victoria. La bijouterie BIRKS (1894), due à Edward Maxwell en 1894, agrandie par la suite, occupe tout le côté ouest du square. Le côté est a abrité la galerie de la Montreal Art Association qui s'est ensuite établie rue Sherbrooke pour devenir le musée des Beaux-Arts ▲ *184*. Au sud, l'édifice du CANADA CEMENT est entièrement construit en béton.

RESTAURANT «LE 9e» La compagnie Eaton de Toronto, naguère réputée pour son service d'achat par catalogue, ouvrit son magasin de la rue Sainte-Catherine en 1927. En 1931, on le dota d'un magnifique restaurant Arts déco inspiré de la salle à manger du paquebot *Île-de-France*, une œuvre de Jacques Carlu, auteur du palais de Chaillot à Paris. Les peintures sont de Natacha Carlu.

DEUX ÉGLISES. De part et d'autre du square, deux églises témoignent des mutations qu'a connues le centre-ville. La cathédrale anglicane CHRIST CHURCH a été inaugurée en 1869. Le centre commercial, Les Pomenades de la Cathédrale ▲ *176*, aménagé sous l'édifice pour en alléger

les finances peut surprendre. De même, à l'est, l'Église méthodiste ST. JAMES UNITED (1888) choisit en 1928 de faire bâtir une rangée de commerces en façade pour couvrir les frais d'entretien de l'église et des services qu'elle dispense. Aujourd'hui installée au cœur du quartier de la fourrure, l'église conserve un remarquable intérieur.

Au début du siècle, le square Victoria était entouré de nombreux clochers, que l'on aperçoit aujourd'hui entre les gratte-ciel.

BASILIQUE ST. PATRICK

Arrivés au XIXe siècle, les Irlandais sont indissociables de Montréal ▲ *200* et la Saint-Patrick (17 mars) donne lieu à un gigantesque défilé rue Sainte-Catherine. Construite entre 1843 et 1847 sur un terrain cédé par les sulpiciens, et tournée vers le square Victoria, la basilique St. Patrick leur donna droit de cité. Son intérieur remarquable mérite le détour. Au sud, un jardin menait jadis à la rue de La Gauchetière et au quartier irlandais, devenu aujourd'hui le quartier chinois ▲ *188*. Le secteur possède un intéressant patrimoine industriel datant des années dix. Les bâtiments, autour de la basilique, logeaient essentiellement des imprimeurs, ce qui lui a valu le titre de «Paper Hill» (colline du Papier).

AXE NORD-SUD

S'efforçant de rapprocher le centre-ville de l'est francophone, cet axe regroupe une chaîne de projets immobiliers réalisés sur d'anciens terrains conventuels ou des quartiers expropriés pour l'occasion. Le COMPLEXE DESJARDINS (1977) et sa place intérieure en sont le point focal. L'axe nord-sud est amorcé dans les années soixante par la place des Arts où se trouve le MUSÉE D'ART CONTEMPORAIN. Fondé en 1964, il est le seul au Canada à se consacrer entièrement à l'art contemporain ; les collections couvrent les principaux courants de la scène québécoise depuis les années cinquante. Au nord s'élèvent l'ancienne école technique et l'ÉGLISE ST. JOHN THE EVANGELIST (1879).

CINÉMA IMPÉRIAL
Les «super-palaces» apparaissent vers 1915 lorsque l'industrie du cinéma entreprend d'attirer une clientèle plus aisée avec de vastes salles somptueusement décorées. Ouvert en 1916, l'Impérial comptait 2 400 places. Aujourd'hui restauré, il est le fleuron de l'architecture des cinémas montréalais.

Le mont Royal comprend trois sommets. L'un est occupé par Westmount, municipalité résidentielle habitée principalement par des anglophones ; le deuxième, par l'université de Montréal et deux cimetières, et le dernier par un parc de 101 hectares. Véritable fierté des Montréalais, celui-ci a été aménagé entre 1873 et 1881 par Frederick Law Olmsted (1822-1903), le paysagiste qui a dessiné Central Park à New York. Lieu de détente privilégié des citadins au cœur de la métropole, «la montagne» offre les plus beaux panoramas sur la ville, le Saint-Laurent et la rive sud.

NON AU TRAMWAY ! Le parc a été aménagé pour contenir l'étalement de la ville et préserver l'environnement du site. L'accès à la montagne provoque très tôt des tensions. Déjà, en 1896, des femmes s'opposent à la construction d'une ligne de tramway, de crainte que le bruit et la circulation ne les empêchent de «jouir de la nature».

LE CHALET DU MONT ROYAL Construit en 1932, le chalet abrite un centre d'animation et d'éducation. À l'intérieur des écureuils géants supportent la charpente et des tableaux marouflés relatent l'histoire de Montréal et du pays. Son immense parvis et sa balustrade baroque (ci-dessus) surplombent le centre-ville.

Les plus beaux panoramas sur Montréal

Le mont Royal compte trois belvédères offrant d'excellents points de vue sur différentes parties de la ville. Outre celui du chalet et de Westmount ▲ *185*, le belvédère Camillien-Houde est tourné vers le Plateau Mont-Royal ▲ *190*.

Les cimetières

En 1854, à la suite d'une épidémie de choléra, les autorités décident de reléguer les cimetières de la ville sur la montagne par mesure d'hygiène ▲ *174*. De nombreux attributs du cimetière catholique soulignent avec force le caractère religieux du site. Plusieurs personnalités artistiques et du monde des affaires y sont inhumées. Le cimetière protestant, créé par les églises anglicane, méthodiste, presbytérienne et baptiste, évoque les jardins anglais.

Pour s'y rendre

Les voies d'accès au mont Royal sont nombreuses. On peut s'y rendre à pied depuis un sentier partant de l'avenue des Pins ou de l'avenue du Parc ; en autobus par la ligne 11 (métro Mont-Royal) ou en voiture par la voie Camillien-Houde.

Les activités

Depuis la fin du XIXe siècle, le parc du Mont-Royal, avec ses 60 000 arbres, ses multiples espèces de plantes et ses innombrables écureuils, constitue un havre de repos et de détente pour les Montréalais. Il est sillonné de nombreux sentiers qui permettent de parcourir les bois, à pied ou en ski de fond. L'un d'eux conduit au pied d'une grande croix métallique (illuminée la nuit) construite en 1924. Elle rappelle une première croix en bois érigée en 1643 par le fondateur de Montréal, le sieur de Maisonneuve ▲ *164*. Le parc est également apprécié pour son lac des Castors, un plan d'eau aménagé en 1958 sur d'anciens marécages et qui se transforme en une agréable patinoire l'hiver venu. Depuis quelques étés, au pied de la montagne, des rassemblements de badauds ont lieu chaque dimanche autour de joueurs de tam-tam.

❝Ainsi des images
en costume devant
moi passent,
Hantant tes archives
architecturales :
le coureur de bois aux
postes où les peaux
étaient portagées ;
Le Seigneur dans son
manoir candélabré ;
l'Écossais
Déambulant dans
sa banque, vaste
et encolonnée.
[...] Tous présents
issus de ton passé.❞
A. M. Klein,
Montréal

Au début du XIXe siècle, la bourgeoisie montréalaise quitte la vieille ville ▲ *164* pour s'installer sur le flanc méridional du mont Royal, dans un secteur aujourd'hui délimité par l'avenue des Pins, le boulevard René-Lévesque, les rues Bleury et Côte-des-Neiges. Les grandes propriétés du coteau cèdent alors la place à de petits lots sur lesquels s'élèvent les somptueuses demeures des magnats du commerce et de l'industrie : on estime que les habitants de ce quartier détenaient 70 % de la richesse du Canada vers la fin du siècle. D'où l'expression «Mille carré doré» (*Golden Square Mile*) pour désigner ce périmètre huppé de Montréal. Après la Première Guerre mondiale, la pression qu'exerce le centre-ville conduit ces riches familles à migrer, notamment vers Westmount, une municipalité qui occupe l'un des trois sommets du mont Royal ▲ *182*. Malgré les démolitions et l'érection de tours d'habitation, le Mille carré abrite encore de belles maisons, surtout au nord de la rue Sherbrooke. Plus bas, la maison Shaughnessy (rattachée au Centre canadien d'architecture ● *128*, rue Baile) et le prestigieux Mount Stephen Club (rue Drummond) témoignent également de ce passé somptueux.

RUE SHERBROOKE.

MUSÉE DES BEAUX-ARTS ♥. Fondée en 1860, l'Art Association of Montreal doit sa croissance à la riche population du secteur qui l'alimente en collections privées et en dons. En 1879, un musée est inauguré square Phillips ▲ *180*. Depuis 1912, l'institution occupe un imposant édifice (nº 1380) de style Beaux-Arts ● *125* en marbre du Vermont qui a été agrandi à trois reprises. Le musée compte de riches collections, composées notamment de tableaux d'artistes canadiens et européens, de sculptures (ci-contre, un bronze de Robert Tait McKenzie), d'estampes, de dessins et d'arts décoratifs.

UN JEUNE DANDY
À la mort de James Ross, en 1913, son fils John Kenneth hérite de la demeure familiale. Il possède désormais deux maisons dans le secteur, en plus de ses propriétés de campagne et ses chevaux. Son luxueux train de vie le place bientôt dans l'embarras.
À la veille de la crise économique des années trente, il se verra dans l'obligation de vendre ses tableaux (des Rembrandt, Rubens, Millet ...), et devra se départir de ses propriétés.

MAISON FORGET. Louis-Joseph Forget (1853-1911) a été, avec son neveu Rodolphe ▲ *284*, l'un des rares francophones à percer le monde des affaires au XIXe siècle. En 1883, il se fait construire une villa (nº 1195) d'inspiration Second Empire. Elle est rachetée en 1927 par un club réservé aux anciens officers de la Première Guerre mondiale, qui l'occupe seul pendant quarante-cinq ans. La fondation de bienfaisance Macdonald-Stewart s'en porte acquéreur en 1962.

MAISON ROSS. Œuvre de l'architecte Bruce Price ▲ *260*, cette résidence, sise au nº 3644 de la rue Pell, a été construite en 1892 pour James Ross, ingénieur du Canadien Pacifique. La maison est agrandie en 1905 par les frères Maxwell, à qui l'on doit la réalisation de plusieurs demeures du secteur. Au début du XXe siècle, elle est au cœur du Montréal mondain.

Avenue des Pins

Ardvarna. Construite en 1894 par les frères Maxwell à l'intention du banquier Henry Meredith, cette demeure (nº 1110) surprend par ses murs de brique, matériau plutôt utilisé dans les quartiers populaires ou industriels.

Maison Cormier. En 1931, Ernest Cormier ▲ *187*, ingénieur et architecte de renom, se dessine une maison (nº 1418) en cascade qu'il occupera jusqu'en 1975. Cette demeure, l'une des plus belles réalisations Arts déco au Québec, est aujourd'hui la propriété de Pierre-Elliot Trudeau (ex-Premier ministre du Canada).

Westmount

Dominant le centre-ville depuis le flanc ouest du mont Royal, la municipalité de Westmount est fondée en 1874. Une promenade au hasard de ses rues permet d'admirer de belles résidences privées de pierre et de brique construites pour les riches anglophones venus s'y établir au début du XXe siècle. On y découvrira également quelques demeures rurales datant des XVIIIe et XIXe siècles (notamment du côté de la rue Côte-Saint-Antoine).

Villa Maria. Cette imposante demeure est située juste à l'extérieur de Westmount, sur le territoire de Montréal. Une grande allée bordée d'érables révèle de magnifiques édifices conventuels (école pour filles et grange) datant du milieu du XIXe siècle. Ils appartiennent aux Sœurs de la Congrégation Notre-Dame, la plus ancienne communauté religieuse de Montréal. Le bâtiment principal a été construit en 1803 pour James Monk, un important administrateur de la colonie britannique. Villa Maria constitue l'un des beaux monuments de Montréal.

Ravenscrag
En 1863, sir Hugh Allan, un armateur et financier écossais, se fait construire un petit château à l'architecture italianisante (1024, avenue des Pins). Depuis la tour de sa demeure, Allan se plaisait à observer ses navires amarrés au port. Symbole de l'architecture du Mille carré, Ravenscrag a été légué en 1944 à l'hôpital Royal Victoria (ci-dessus).

Vocation et éducation
En 1657, Marguerite Bourgeois inaugure une première école à Montréal. La fondatrice de la Congrégation Notre-Dame (1653) accepte alors de bonne grâce de s'installer dans une étable pour instruire les enfants. Cette communauté jouera un rôle important dans l'éducation des jeunes filles.

Ci-dessous, une maison de Westmount

Aujourd'hui, le versant nord du mont Royal se partage entre le quartier montréalais de Côte-des-Neiges et la ville d'Outremont. Si la période précédant l'arrivée des Français offre peu de certitude, on sait que la colonisation s'amorce en 1694 avec l'octroi de terres à la Côte-Sainte-Catherine, puis se poursuit en 1698, lorsque les sulpiciens confient à Gédéon de Catalogne le soin d'arpenter la future Côte-Notre-Dame-des-Neiges. Son nom tiendrait plus de quelque dévotion que d'une fine lecture du climat montréalais… Parcouru de ruisseaux, ce quartier devient rapidement un village de tanneurs. À Outremont, sur la pente douce et fertile, les maraîchers canadiens-français et écossais du XIXe siècle cultivaient principalement le melon de Montréal, fort apprécié dans les grands hôtels de Nouvelle-Angleterre mais disparu depuis. Au XIXe siècle, un tour de la montagne en calèche ou en tramway était très prisé, tant par les Montréalais que par les visiteurs qui se retrouvaient dans les auberges, les relais de raquetteurs ainsi que dans les clubs de golf ou de chasse du flanc nord. Avec son plateau et ses points de vue jusqu'aux Basses-Laurentides, le site a attiré des *gentlemen farmers* puis des institutions hospitalières et universitaires dont les tours forment toujours, sur fond de forêt, un panorama exceptionnel. Outremont, riche et verdoyant, de caractère francophone, et Côte-des-Neiges, quartier multi-ethnique aux racines anciennes, ont accueilli d'éminentes personnalités.

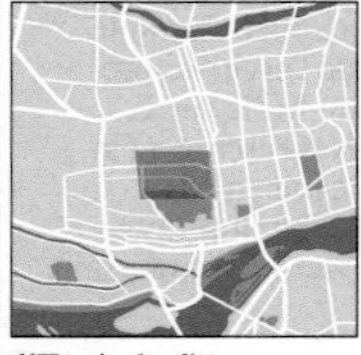

❝Et si, du flanc du mont Royal, on respire à son aise, si le bruit de la ville n'y est qu'une rumeur, si la civilisation y reste à la portée de la main, cet espace privilégié, cette altitude se payent cher aurait, je crois, dit Flaubert.❞
Jacques Godbout, *Liberté*

ORATOIRE SAINT-JOSEPH

L'HISTOIRE D'UNE BASILIQUE. L'oratoire Saint-Joseph est indissociable du Collège Notre-Dame qui lui fait face. En 1869, les pères de Sainte-Croix installent un collège dans une auberge avant d'élever, en 1881, un bâtiment de pierre qu'ils agrandiront à plusieurs reprises, empiétant d'autant sur leur jardin botanique. Le frère André, thaumaturge béatifié en 1982, occupait le poste de portier au collège avant de fonder l'oratoire Saint-Joseph. En 1904, il érige la petite chapelle en bois aujourd'hui située derrière la basilique. En 1916, est construite la crypte puis, de 1924 à 1955, la basilique dont le dôme en béton, réalisé par Dom Bellot ● *125*, figure parmi les plus grands au monde, après celui de Saint-Pierre de Rome. Le chemin de croix dans la montagne date de 1962. Réalisé par les architectes Viau, Venne, Parent, Cormier et Dom Bellot, l'oratoire Saint-Joseph, avec son belvédère, accueille chaque année des millions de visiteurs et de pèlerins.

Lieu de pèlerinage dont certains gravissent l'escalier à genoux, l'Oratoire fête la Saint-Joseph (19 mars), la béatification du Frère André (23 mai) ainsi que le jour de son anniversaire (9 août).

UNIVERSITÉ DE MONTRÉAL

Longtemps les Montréalais ont souhaité doter leur métropole d'une véritable université francophone qui remplacerait une succursale de l'université Laval de Québec. Ce n'est qu'en 1920 que la capitale provinciale leur accorde ce droit. Aujourd'hui, l'université de Montréal ● *124* figure parmi les plus importantes de langue française.

CÔTE-SAINTE-CATHERINE

Cette ancienne piste et route à péage possède une topographie, une histoire et une architecture intéressantes.
DES DEMEURES PRESTIGIEUSES. Au n° 543, l'actuel HÔTEL DE VILLE d'Outremont, construit en 1817 par les frères Bagg, a servi d'entrepôt à la Compagnie de la Baie d'Hudson. À l'angle de la rue MacDougall, la MAISON DE L'OUTRE-MONT, qui a donné son nom à la ville, a été construite avant 1838 pour Louis-Tancrède Bouthilier ; les Clercs de Saint-Viateur ont alors racheté sa ferme avant de la subdiviser au début du siècle et de créer ainsi les parcs Outremont et Saint-Viateur.
ÉGLISE SAINT-VIATEUR. Située à l'angle de Bloomfield et de Laurier, l'église est inaugurée en 1913. Son intérieur est décoré en 1921 par Guido Nincheri ▲ *196* qui a vécu à Montréal de 1914 à 1942.

THÉÂTRES RIALTO ET OUTREMONT
Le Rialto (1923) et l'Outremont (1928), ci-dessus, ont été classés monuments historiques afin d'éviter leur transformation en centres commerciaux. À l'origine, ces «palaces» de quartier accueillaient de nombreux films et vaudevilles. La décoration intérieure des deux théâtres est due à Emmanuel Briffa, un Montréalais d'origine maltaise qui a aménagé plus de 200 salles au Canada.

153, MAPLEWOOD
Cette résidence privée a été construite en 1935 pour Sévère Godin. Il était le secrétaire de Sir Herbert Holt, ancien président de la Banque royale du Canada.

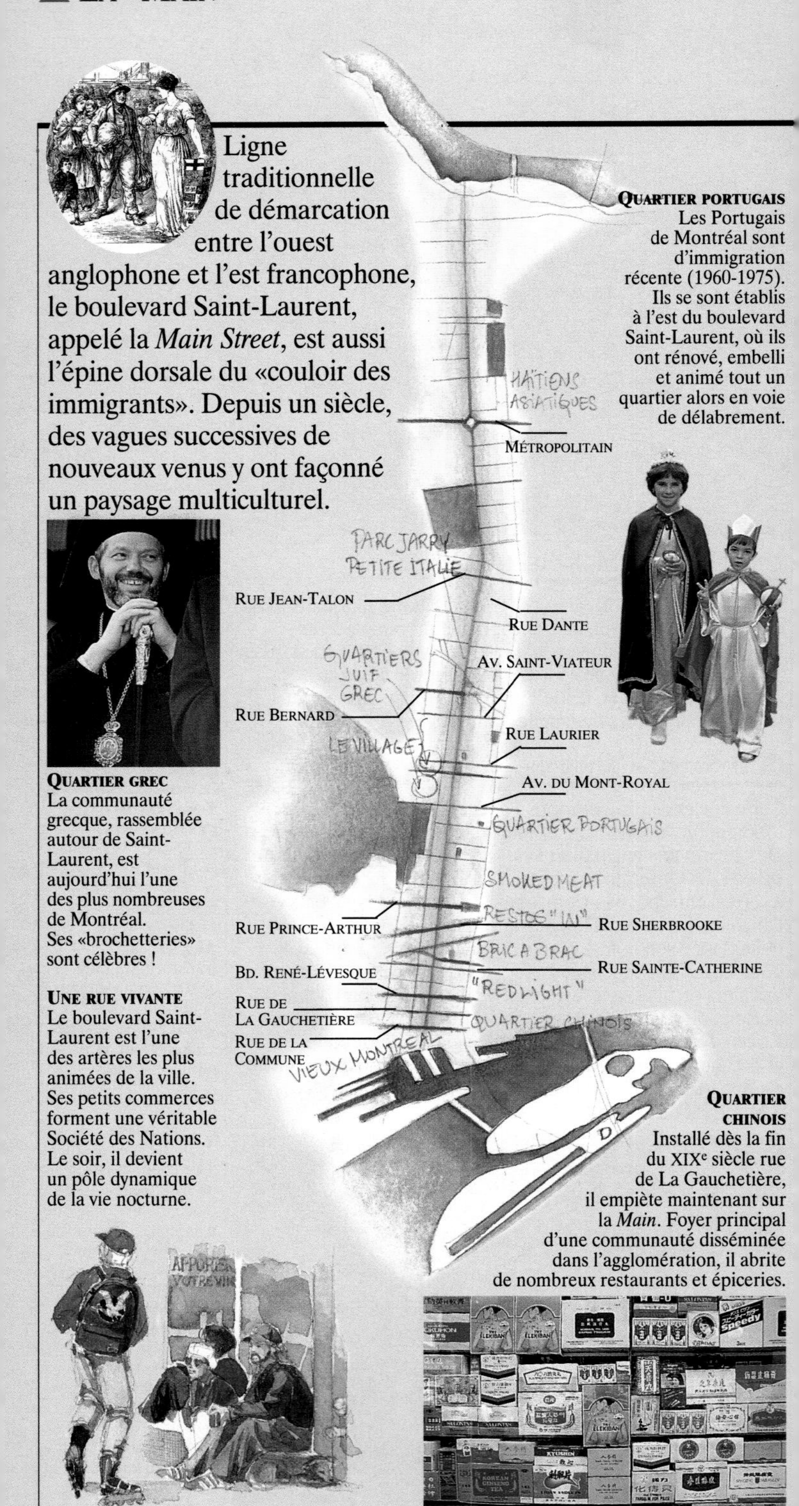

Ligne traditionnelle de démarcation entre l'ouest anglophone et l'est francophone, le boulevard Saint-Laurent, appelé la *Main Street*, est aussi l'épine dorsale du «couloir des immigrants». Depuis un siècle, des vagues successives de nouveaux venus y ont façonné un paysage multiculturel.

QUARTIER PORTUGAIS
Les Portugais de Montréal sont d'immigration récente (1960-1975). Ils se sont établis à l'est du boulevard Saint-Laurent, où ils ont rénové, embelli et animé tout un quartier alors en voie de délabrement.

QUARTIER GREC
La communauté grecque, rassemblée autour de Saint-Laurent, est aujourd'hui l'une des plus nombreuses de Montréal. Ses «brochetteries» sont célèbres !

UNE RUE VIVANTE
Le boulevard Saint-Laurent est l'une des artères les plus animées de la ville. Ses petits commerces forment une véritable Société des Nations. Le soir, il devient un pôle dynamique de la vie nocturne.

QUARTIER CHINOIS
Installé dès la fin du XIXe siècle rue de La Gauchetière, il empiète maintenant sur la *Main*. Foyer principal d'une communauté disséminée dans l'agglomération, il abrite de nombreux restaurants et épiceries.

Quartier «hot»
Ce Pigalle montréalais s'est assagi mais, avant les années quatre-vingt, Michel Tremblay ● *155* pouvait affirmer : «on était sur la *Main* au sud de [Lagauchetière] et on ne venait pas au Coconut Inn pour se faire chier à jouer les chics et les subtils ! On venait boire et rire.»

Quartier italien
Venus surtout de la Molise, les Italiens s'installent dès le début du siècle dans le nord de la ville. Ils se sont dispersés depuis, mais leurs cafés, leurs restaurants et leurs épiceries, la rue Dante ou le marché Jean-Talon témoignent encore de leur présence : le boulevard prend ici des allures de «Petite Italie».

Apports culinaires
Les Juifs ashkénazes ont enrichi la cuisine montréalaise du *smoked meat* (viande de bœuf fumée servie en sandwich avec du pain de seigle) et du *bagel* (petit pain en forme d'anneau légèrement sucré).

Quartier juif
Les Juifs ashkénazes venus d'Europe de l'Est forment depuis plus de cent ans l'une des principales communautés culturelles de Montréal. Les témoignages de leur présence abondent sur Saint-Laurent, qui fut longtemps leur principal foyer et le centre de leur vie collective.

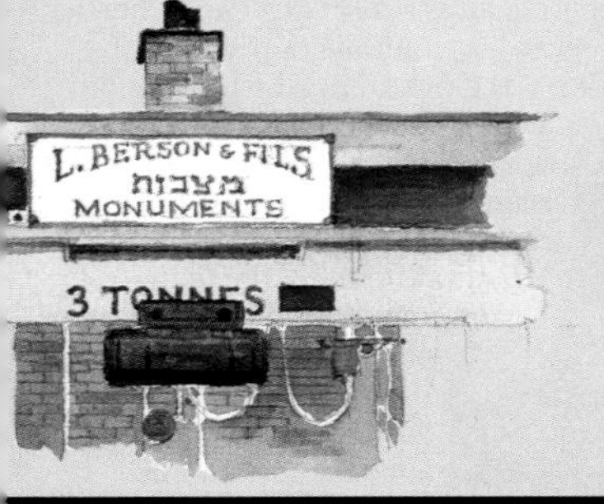

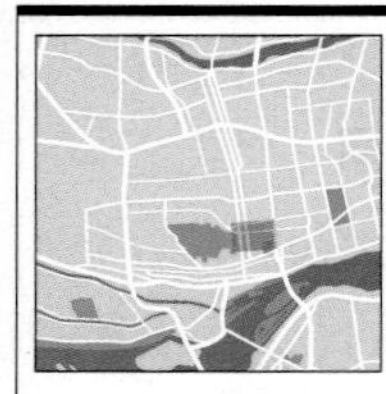

Le Plateau Mont-Royal doit son nom à sa situation : cette vaste terrasse surplombe le centre-ville, à l'est du mont Royal. Ce quartier s'inscrit dans la trame urbaine orthogonale de Montréal, qui se composait jusqu'au début du siècle de plusieurs villages autonomes. Ici vit une population très variée, séduite par une vie culturelle intense, ainsi que par une diversité ethnique ▲ *188* et une atmosphère villageoise qui ferait presque oublier le rythme trépidant du centre-ville, pourtant tout proche.

RUE DROLET
Ce secteur du Plateau offre encore des maisons du début de l'urbanisation, dont l'ensemble, au nord de la rue Roy (1873), arbore des couleurs éclatantes.

LE MILE-END

Coteau-Saint-Louis, le premier village du Plateau, s'établit au nord à partir de 1846, près des lieux d'extraction de la pierre calcaire grise utilisée dans la construction des édifices publics et des maisons bourgeoises de la ville. Près du boulevard Saint-Joseph, en descendant la rue Berri puis la rue Gilford, on emprunte, en fait, l'ancien chemin des carrières qui serpentait à travers champs et constituait le premier axe de peuplement.

ÉGLISE SAINT-MICHAEL-THE-ARCHANGEL. Cet édifice de style néobyzantin, avec son clocher en forme de minaret, est érigé en 1915 par l'architecte canadien-français Aristide Beaugrand-Champagne pour les catholiques irlandais ; on reconnaîtra l'emblème du trèfle dans certaines ouvertures. Guido Nincheri ▲ *187*, décorateur florentin prolifique, réalise les fresques de l'imposante coupole. Aujourd'hui, l'église dessert la communauté polonaise.

UNE POPULATION COMPOSITE. La succession des communautés culturelles et la diversité ethnique du Mile-End se traduisent, notamment rue Saint-Urbain, par la multiplicité des lieux de culte. À l'ÉGLISE SAINT-MICHAEL-THE-ARCHANGEL succède, plus au sud, l'église grecque SAINTE-MARKELA qui occupe l'ancienne synagogue Tifereth Israël, aménagée en 1947 dans une maison de 1905. Plus bas, la MONTREAL BOUDDHIST CHURCH côtoie une MIKVAH, consacrée aux bains rituels des juifs de stricte orthodoxie religieuse. Ces hassidims, originaires d'Europe centrale, se concentrent autour des rues Esplanade, Jeanne-Mance et Hutchison, au nord de la rue Fairmount.

AUTOUR DU PARC LAHAIE
Aux environs du parc Lahaie et de l'église Saint-Enfant-Jésus-du-Mile-End (ci-dessous) se concentre le cœur institutionnel de Saint-Louis-du-Mile-End, détaché de Coteau-Saint-Louis en 1878. Les maisons de notables, les banques, les couvents et l'ancien hôtel de ville, construit en 1905 par J.-Émile Vanier, témoignent de la croissance rapide de cet ancien village qui fut un temps la troisième ville du Québec.

SAINT-JEAN-BAPTISTE ET SAINT-LOUIS

Dès le milieu du XIXe siècle, au sud de l'actuelle avenue Mont-Royal, des promoteurs lotissent des terres sur les vastes fermes des grandes familles montréalaises (Courville, Guy, Cherrier, Viger, Papineau), attirant ouvriers et artisans.

UNE VILLE OUVRIÈRE. La population de Saint-Jean-Baptiste s'accroît rapidement grâce au développement manufacturier sur le boulevard Saint-Laurent et l'apparition du tramway. Classé «site du patrimoine», le centre est dominé par l'ÉGLISE SAINT-JEAN-BAPTISTE. Symbole de la foi des Canadiens français et de la puissance de

l'Église catholique en ce début du siècle, l'édifice actuel a été construit en 1915 par l'architecte Casimir Saint-Jean dans un style néobaroque italien. Son intérieur sert de décor à de nombreux concerts de musique profane et sacrée et ses grandes orgues de la maison Casavant ▲ *209* figurent parmi les plus puissantes de la ville.

LA COMMUNAUTÉ PORTUGAISE. De nombreux Portugais, venus des Açores à la fin des années soixante, ont amorcé le mouvement de revitalisation du quartier Saint-Jean-Baptiste, menacé par l'extension dévorante du centre-ville. Leurs maisons sont facilement reconnaissables aux carreaux de céramique pieux apposés près des portes, et aux vignes qui grimpent sur les façades colorées. La rue Rachel mène à la nouvelle ÉGLISE SANTA-CRUZ – à l'angle de Saint-Urbain – qui constitue le centre de la vie communautaire.

RUELLES MONTRÉALAISES
La petite rue Groll permet de découvrir l'animation des terrains de jeu des enfants, la luxuriance des jardinets presque méditerranéens où des immigrants nostalgiques font pousser vignes et figuiers au mépris du climat nordique.

«LUNDI ON LAVE TOUT»
Artiste d'origine japonaise, Miyuki Tanobe peint la vie des quartiers populaires.

LA COMMUNAUTÉ JUIVE. Les Juifs se sont établis dans le quartier Saint-Louis au cours de l'entre-deux-guerres. Si aujourd'hui la petite synagogue Beth Schloïme (ci-contre), à l'angle des rues Clark et Bagg, reste encore en activité, l'époque où le yiddish était la langue la plus parlée boulevard Saint-Laurent et dans les *sweat shops* (manufactures) de l'industrie de la «guenille» (confection) est bien révolue. Le quartier garde toutefois des traces de la grande vague migratoire des Juifs d'Europe centrale à la fin du XIXe et au début du XXe siècle. On se rappellera que cette communauté a donné à Montréal quelques-unes de ses personnalités, leaders syndicaux, écrivains ou poètes tels que Leonard Cohen ● *53*. Les boucheries kasher aux délicieuses viandes fumées et les boutiques de bagels parfumés nous entraînent vers l'avenue du Parc dont les restaurants de poisson arborent les couleurs helléniques.

LE CŒUR DU PLATEAU

À l'est de la rue Saint-Denis, que jalonnent d'élégantes maisons victoriennes, apparaissent les éléments les plus caractéristiques du patrimoine populaire de Montréal.

MONASTÈRE ET ÉGLISE NOTRE-DAME-DU-TRÈS-SAINT-SACREMENT. Les architectes Resther, père et fils, construisent, à la fin du XIXe siècle, le monastère des Pères-du-Très-Saint-Sacrement et le pensionnat Saint-Basile – actuellement siège d'une Maison de la culture – dont les clochetons dominent les toits plats des maisons du Plateau. L'ÉGLISE, classée monument historique, est enchâssée dans l'ensemble monumental du monastère. Sa haute nef au décor polychrome due à Toussaint-Xénophon Renaud et ses deux rangées de tribunes latérales – rarissimes dans les églises catholiques de Montréal – ont été restaurées après l'incendie de 1982.

AUTOUR DU PARC LAFONTAINE. Le cœur du Plateau Mont-Royal, qui s'étend à l'ouest, au nord et à l'est du parc Lafontaine, reprend la plupart des styles architecturaux résidentiels de Montréal : les petites maisons de bois de la rue Pontiac, témoins des débuts de l'urbanisation, côtoient celles à deux étages des rues Saint-André et Boyer, ou celles à tourelles de la rue Marie-Anne, au coin de la rue Boyer, sans oublier les fameux «triplex» typiques de Montréal. Parsemées d'églises et d'écoles paroissiales monumentales, les rues, qui s'étirent de part et d'autre de l'avenue du Mont-Royal, déroulent leurs façades rythmées par des escaliers extérieurs. Enneigées ou verglacées tout au long de l'hiver, leurs marches deviennent pendant les chaleurs de l'été les gradins du théâtre d'une vie de quartier que l'écrivain Michel Tremblay ● *155* a mise en scène dans ses célèbres *Chroniques du Plateau Mont-Royal*. Les rues SAINT-HUBERT, CHRISTOPHE-COLOMB, DE LANAUDIÈRE, GARNIER, FABRE, ainsi que les rues RACHEL et du PARC-LAFONTAINE offrent de charmantes promenades.

AU PARC LAFONTAINE
Le parc Lafontaine est l'îlot de verdure du Plateau Mont-Royal. On y flâne en toute saison et, en hiver, l'un de ses deux lacs se transforme en patinoire. Les allées et les arbres du parc regorgent d'écureuils aussi dociles que gourmands…

“Quand Marcel disparaissait pendant de longues journées […], cela signifiait qu'on l'avait littéralement enlevé pour l'amener au parc Lafontaine se faire brasser d'une façon ridicule sur une planche de bois posée entre deux cordes.”
Michel Tremblay

«CES ESCALIERS EXTÉRIEURS SONT UN CONTRESENS GÉOGRAPHIQUE ; ON LES ADMETTRAIT BIEN À GÊNES, ALGER OU GRENADE, ILS SEMBLENT UNE GAGEURE DANS UN PAYS OÙ LE VERGLAS LES REND EXTRÊMEMENT GLISSANTS ET DANGEREUX»

RAYMOND TANGHE

LE TRIPLEX MONTRÉALAIS

Les nouveaux secteurs urbains ouvriers, qui se développent de 1900 à 1930, voient apparaître la maison à trois étages (triplex), forme la plus fréquente de l'habitation montréalaise. Conservant certaines caractéristiques des maisons plus anciennes, le triplex correspond à l'usage systématique de la ruelle à l'arrière et de lots de dimension identique. Il est formé de trois à cinq logements superposés, en forme de L, comprenant six à huit pièces distribuées en enfilade jusqu'à la ruelle.
Les grands balcons ou galeries arrière forment un théâtre à l'italienne.
À l'avant, la façade est en retrait de la rue, permettant l'aménagement d'un jardinet. Les escaliers extérieurs, droits, en S ou en colimaçon libèrent l'espace intérieur et offrent à chaque famille un accès privé à son logement, recréant en ville l'autonomie de l'habitat rural.
Les façades, couronnées de frontons postiches souvent décorés de fleurons et parfois datés, sont rythmées de balcons supportés, dans les constructions tardives, par des piliers de bois et entourés de balustrades de fonte ou de fer forgé.

LE FESTIVAL INTERNATIONAL DE JAZZ DE MONTRÉAL
Avec son Festival de jazz ▲ *351*, Montréal et tout particulièrement les rues du Quartier latin accueillent chaque année, et depuis quinze ans, l'une des plus grandes manifestaions musicales du Canada. Ray Charles, B. B. King, Miles Davis, Cab Calloway, Charlie Haden ou encore le Montréalais Oscar Peterson ▲ *200* s'y sont succédé devant une foule chaque fois plus nombreuse. Cet événement estival réunit plus de deux mille musiciens venus de tous horizons et jusqu'à 1,5 million d'amateurs de bonne musique.

Ce quartier est né de la répartition naturelle effectuée entre les populations francophone et anglophone, lorsque, vers 1850, les élites quittent le Vieux-Montréal ▲ *168* pour des banlieues plus calmes. À la fin du XIXe siècle et au début du XXe siècle, la bourgeoisie francophone en fait un secteur dynamique du centre-ville. Enfin, avec l'urbanisation d'Outremont entre 1900 et 1920, le quartier devient plus commercial et populaire. Déjà très animé, il connaîtra un regain de vitalité avec la création de l'université du Québec en 1969 et l'installation de nombreux cafés ; ce dynamisme lui vaut parfois le nom de Quartier latin.

CARRÉ VIGER

HÔTEL VIGER. Cet ancien terminus de chemin de fer du Canadien Pacifique, conçu en 1897 par Bruce Price ▲ *322*, reste fidèle au style architectural des hôtels de la compagnie ferroviaire tels que le château Frontenac de Québec ▲ *260*. En 1935, l'établissement ferme ses portes et, en 1946, le gouvernement le transforme pour loger des vétérans de la Seconde Guerre mondiale avec leurs familles. Il abrite aujourd'hui des bureaux de la municipalité et porte toujours le nom de Jacques Viger (1787-1858) : cet officier de milice, fonctionnaire, homme politique, auteur et collectionneur, doit son implication dans la vie municipale d'avoir été élu premier maire de Montréal, en 1832.

RUE SAINTE-CATHERINE

ÉDIFICE ARCHAMBAULT. Construit en 1928, à l'angle de la rue Berri, il témoigne du dynamisme qu'a connu le quartier. Depuis 1928, il abrite la Maison Archambault, véritable symbole de l'esprit d'entreprise des francophones de Montréal. Fondée en 1896, elle se spécialise dans le commerce des instruments et des partitions de musique, puis dans la vente de disques.

Square du 350e. Inauguré en 1992, lors du 350e anniversaire de la fondation de la ville, ce parc se distingue par son aménagement moderne. En face, la chapelle Notre-Dame-de-Lourdes, construite dans le style byzantin par Napoléon Bourassa, le petit-fils de Louis-Joseph Papineau ▲ *224*, date de 1873.

Rue Saint-Denis

Université du Québec à Montréal. Née des revendications populaires de 1968, cette université a pris place parmi les grandes institutions du Québec. Ses bâtiments modernes, construits sur le site de l'église Saint-Jacques, intègrent la flèche néogothique, érigée en 1830, ainsi que son transept, datant de 1890. L'édifice situé face au clocher Saint-Jacques, en pierre calcaire de style Beaux-Arts ● *125*, est l'ancienne École polytechnique (1903) ; elle rappelle la présence de l'université Laval de Montréal il y a un siècle. Elle abrite aujourd'hui les locaux de l'UQAM.

Bibliothèque Saint-Sulpice. Au n° 1700 se dresse un monument de style Beaux-Arts, réalisé en 1912 par Eugène Payette à la suite d'un concours d'architecture. L'intérieur recèle de nombreux vitraux (ci-contre) et s'organise autour de mezzanines. On peut, en outre, y consulter de nombreux livres rares et profiter, parfois, d'expositions thématiques.

Rue Sherbrooke

Mont-Saint-Louis. Cet ancien collège, situé au n° 244, à l'ouest de la rue Saint-Denis, est érigé entre 1887 et 1909 dans le style Second Empire ● *118*. On y enseignait le commerce, la technologie et les sciences. Longtemps abandonné, l'édifice a été rénové et abrite aujourd'hui des appartements de luxe. Plus à l'ouest, au n° 104, se trouve le monastère du Bon-Pasteur ● *121*, construit de 1846 à 1888 pour les sœurs du Bon-Pasteur et de la Miséricorde.

Carré Saint-Louis ♥

Fermé, à l'est, par la rue Saint-Denis et par la rue Laval, à l'ouest, ce square est un havre de paix pour qui prendra le temps de s'y arrêter. Ses grands arbres et sa fontaine rafraîchissent les chauds étés montréalais, alors que l'hiver venu, les toits colorés des belles maisons bourgeoises qui l'entourent se couvrent de neige.

Émile Nelligan (1879- 1941)
Véritable symbole de la poésie romantique et de la bohème du début du siècle, Nelligan a marqué de son nom la rue Laval et le quartier Saint-Louis. Irlandais par son père et Canadien par sa mère, il incarne l'image du jeune poète maudit : délaissant les études pour se consacrer tout à son art, Nelligan est admis à l'âge de vingt ans à l'hôpital psychiatrique où il mourra quarante-deux ans plus tard. Dans sa préface du recueil de Nelligan (1904), Eugène Seers, alias Louis Dantin, écrit : «Émile Nelligan est mort. Peu importe que les yeux de notre ami ne soient pas éteints [...]. La Névrose, cette divinité farouche qui donne la mort avec le génie, a tout consumé, tout emporté. [...] Elle l'a broyé sans merci comme Maupassant, comme Baudelaire, [...] comme elle broiera tôt ou tard tous les rêveurs qui s'agenouillent à ses autels.»

Carré ou square...
Le carré Saint-Louis (les Québécois disent carré pour square) permet de rejoindre la rue piétonnière Prince-Arthur. Restaurants, boutiques et musiciens en font une des ruelles les plus animées du Quartier latin.

LE JARDIN BOTANIQUE ♥
En 1931, le frère Marie-Victorin ▲ *247* fonde le Jardin botanique de Montréal.
Avec une superficie de 73 ha, 30 000 espèces et variétés de végétaux, il figure parmi les plus grands au monde, après celui de Londres.
Il se compose de dix serres d'exposition et d'une trentaine de jardins extérieurs. Celui de Chine, avec ses kiosques et pavillons, reproduit un décor aquatique fidèle aux jardins classiques de la dynastie des Ming.
Un INSECTARIUM de près de 130 000 insectes, venus des quatre coins du monde, complète la visite. Les amateurs de papillons y admireront les plus beaux spécimens du Québec.

TOUR PANORAMIQUE
Le sommet du mât du stade olympique est accessible en funiculaire.
Il culmine à 175 m au-dessus de la ville et offre un panorama saisissant de l'île et de la plaine de Montréal.

Maisonneuve s'est développée à l'est de Montréal, à la fin du XIXe siècle, grâce à une poignée d'industriels et de grands propriétaires fonciers canadiens-français qui voulaient en faire la grande rivale de Montréal. La commune devient ainsi la deuxième ville industrielle du Québec, lorsque des constructions et des aménagements trop ambitieux la mettent au bord de la faillite : elle sera annexée en 1918 à la ville de Montréal. Aujourd'hui, si le vaste complexe sportif, réalisé à l'occasion des jeux Olympiques de 1976, constitue son attrait touristique majeur, il ne doit pas faire oublier sa richesse architecturale ni son intense vie communautaire.

CHÂTEAU DUFRESNE

Jadis propriété des frères Oscar et Marius Dufresne, cette résidence domine l'ancienne ville de Maisonneuve. En 1900, profitant des largesses de l'administration municipale, leur père Thomas y installe sa manufacture de chaussures. Très vite, Marius Dufresne, architecte et ingénieur municipal, se voit confier un vaste programme d'embellissement de la ville ; il réalise, entre 1915 et 1918, un hôtel particulier de quarante-quatre pièces à la mesure de la réussite sociale de ces maîtres de Maisonneuve. L'originalité de la maison Dufresne réside dans ses intérieurs (ci-dessus, le fumoir) et ses peintures murales réalisées par l'artiste florentin Guido Nincheri ▲ *187*. Transformé en collège en 1948, l'édifice est abandonné à partir de 1961. À la veille des jeux Olympiques de 1976, le mécène David M. Stewart entreprend de le restaurer et d'y réinstaller une grande partie du mobilier original. Depuis 1979, le château Dufresne abrite le MUSÉE DES ARTS DÉCORATIFS.

COMPLEXE OLYMPIQUE ♥

STADE OLYMPIQUE. Très controversé lors de sa réalisation, en raison de son gigantisme et de son coût, ce stade, dont la construction a duré quinze ans, marque une étape importante dans l'histoire de l'architecture moderne. Cette immense soucoupe renversée, concue par l'architecte français Roger Taillibert, est soutenue par trente-quatre consoles dont les porte-à-faux peuvent atteindre 60 m ; ils supportent presque tous les autres éléments, dont les gradins de 60 000 places. Le stade accueille aujourd'hui des concerts rock, des matchs de base-ball, des compétitions de motocross et des expositions.

BIODÔME. Sous la vaste coque de béton du vélodrome olympique, qui représente à elle seule une véritable performance technique, la ville de Montréal a aménagé en 1992 un musée de l'environnement baptisé «Biodôme». Il réunit quatre écosystèmes des Amériques (forêt tropicale et forêt laurentienne, Saint-Laurent marin et monde polaire), où vivent et se reproduisent des milliers de plantes et d'animaux sous atmosphères rigoureusement contrôlées. Le Biôdome est aussi un centre de recherche scientifique.

QUARTIER MAISONNEUVE

Parmi les grands projets urbanistiques des promoteurs, qui s'inspirent tour à tour des mouvements américain et anglais *City Beautiful* et *Garden City*, Maisonneuve a gardé quatre édifices publics : l'hôtel de ville, le marché, le bain public et le poste de pompiers. Maisonneuve est aussi un endroit privilégié pour découvrir le charme et l'originalité de l'architecture résidentielle ouvrière, encore bien préservée.

HÔTEL DE VILLE. Construit par l'architecte Cajetan Dufort dans le style Beaux-Arts ● *125* et inauguré en 1912, l'hôtel de ville présente une imposante façade rythmée d'une colonnade corinthienne. Il abrite actuellement la Maison de la culture.

ÉGLISE TRÈS-SAINT-NOM-DE-JÉSUS. Il s'agit de la première église de Maisonneuve, érigée entre 1903 et 1906 par l'architecte Charles-A. Reeves. Sa riche décoration intérieure est due à Toussaint-Xénophon Renaud. Elle abrite l'un des joyaux du facteur d'orgues Casavant ▲ *209*.

LE MARCHÉ. Le marché de Maisonneuve se dressse à l'extrémité du boulevard Morgan ; construit en 1914, il s'agit de l'édifice public le plus monumental du programme d'embellissement. Ce bâtiment de style Beaux-Arts, destiné à la vente des produits agricoles, deviendra un important marché de bestiaux.

BOULEVARD MORGAN. Sur cette artère, Marius Dufresne a édifié en 1915 le bâtiment de BAIN PUBLIC, ainsi qu'un gymnase ; sa façade de style Beaux-Arts s'inspire de la Grand Central Station de New York. Plus loin, au sud du boulevard Ville-Marie, se dresse le POSTE DE POMPIERS, œuvre de Marius Dufresne, directement inspirée du Unity Temple construit par Frank Lloyd Wright (1867-1959) en banlieue de Chigago. Actuellement à l'abandon, le poste attend une nouvelle vocation qui justifierait sa restauration.

SUR LA PLACE DU MARCHÉ
Avec son nouveau pavillon, récemment aménagé, le marché Maisonneuve semble retrouver son animation d'autrefois. Au centre de la place s'élève une des œuvres maîtresses du sculpteur Alfred Laliberté : *La Fermière*. Quatre sujets de bronze symbolisent les activités du marché.

“Hochelaga-Maisonneuve est un village-dans-la-ville. Les soirs d'été, quand je descends la côte Valois, les gens semblent se parler de bord en bord de la rue avec une telle intimité que je vois les deux palissades de logements mitoyens comme les murs d'un même couloir, et je me sens dans une grande Maison, entouré d'une Famille”
Robert-Guy Scully

LA CITÉ DU SPORT
Avec une superficie de 59 307 m², le stade olympique accueille de nombreux concerts, des opéras et des salons. Depuis les jeux Olympiques de 1976, il est aussi l'arène des plus grandes manifestations sportives du Québec. L'équipe montréalaise de base-ball, les Expos, s'y produit régulièrement.

▲ Montréal
Des ponts et des îles

Située au cœur d'un archipel, l'île de Montréal compte vingt-deux ponts routiers et ferroviaires. Avant le XIXe siècle et les premiers ponts en bois jetés sur la rivière des Prairies, au nord, on avait recours aux bacs passeurs et, en hiver, aux ponts de glace que même les trains empruntaient. Si les structures les plus anciennes et les plus spectaculaires apparaissent du côté sud de la ville, là où le fleuve s'élargit, d'autres offrent néanmoins d'agréables lieux d'excursion tout autour de l'île.

L'Expo 67
On doit cet événement international au maire Jean Drapeau, qui organisera les jeux Olympiques de 1976. L'Exposition universelle de 1967 s'installe sur «Terre des Hommes», l'île Sainte-Hélène et l'île Notre-Dame, née de la fusion d'autres îlots. De cette architecture futuriste subsistent, entre autres, le dôme géodésique ● *124*, pavillon des États-Unis transformé en musée de l'Eau en 1995, et le pavillon de la France (à gauche), dû à l'architecte Faugeron et devenu le Casino de Montréal.

Autour de Montréal
À l'ouest, le pont de Sainte-Anne-de-Bellevue rejoint l'île Perrot, alors qu'à l'est, le pont-tunnel mène aux îles de Boucherville. Au nord, le pont Papineau enjambe la rivière des Prairies là où s'élevait le village du Sault-au-Récollet, près de l'église la plus ancienne de l'île (1752) ; le boulevard Gouin et le parc de l'île de la Visitation longent le bassin du barrage.

Pont Jacques-Cartier
Si en 1874 les Commissaires du Port conçoivent un pont à deux étages entre Montréal et Longueuil, le pont actuel, long de 4 km, ne fut construit qu'à partir de 1925 et inauguré en 1930. Sa construction ne nécessita pas moins de 4 millions de rivets et 40 000 litres de peinture. L'ancien pont du Havre a été rebaptisé en 1934 pour célébrer le 400e anniversaire du premier voyage de Jacques Cartier.

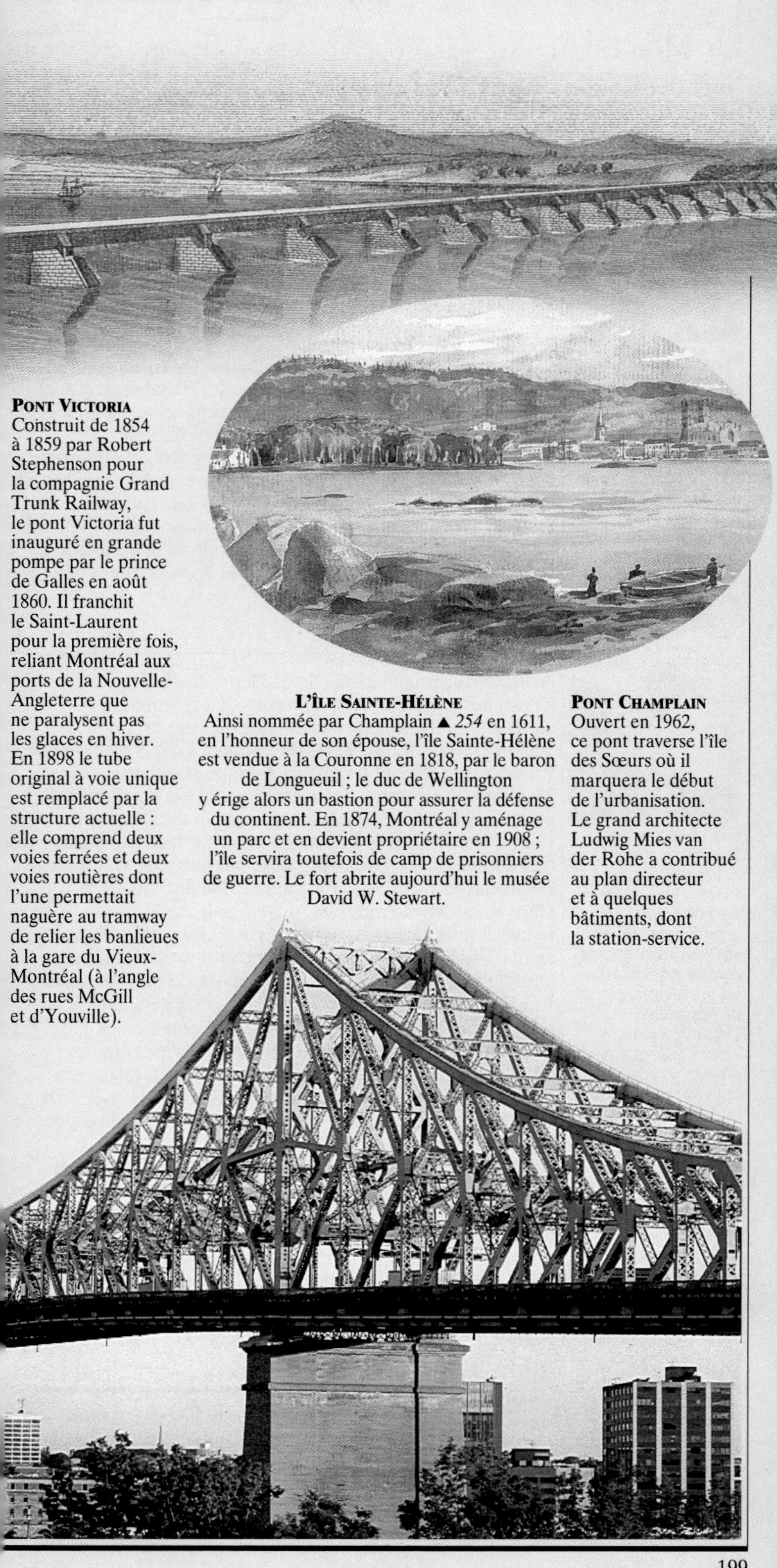

PONT VICTORIA
Construit de 1854 à 1859 par Robert Stephenson pour la compagnie Grand Trunk Railway, le pont Victoria fut inauguré en grande pompe par le prince de Galles en août 1860. Il franchit le Saint-Laurent pour la première fois, reliant Montréal aux ports de la Nouvelle-Angleterre que ne paralysent pas les glaces en hiver. En 1898 le tube original à voie unique est remplacé par la structure actuelle : elle comprend deux voies ferrées et deux voies routières dont l'une permettait naguère au tramway de relier les banlieues à la gare du Vieux-Montréal (à l'angle des rues McGill et d'Youville).

L'ÎLE SAINTE-HÉLÈNE
Ainsi nommée par Champlain ▲ *254* en 1611, en l'honneur de son épouse, l'île Sainte-Hélène est vendue à la Couronne en 1818, par le baron de Longueuil ; le duc de Wellington y érige alors un bastion pour assurer la défense du continent. En 1874, Montréal y aménage un parc et en devient propriétaire en 1908 ; l'île servira toutefois de camp de prisonniers de guerre. Le fort abrite aujourd'hui le musée David W. Stewart.

PONT CHAMPLAIN
Ouvert en 1962, ce pont traverse l'île des Sœurs où il marquera le début de l'urbanisation. Le grand architecte Ludwig Mies van der Rohe a contribué au plan directeur et à quelques bâtiments, dont la station-service.

▲ Montréal
Au bord du canal de Lachine

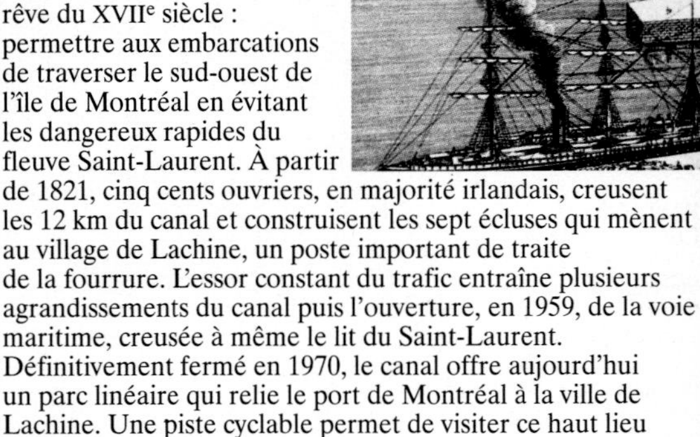

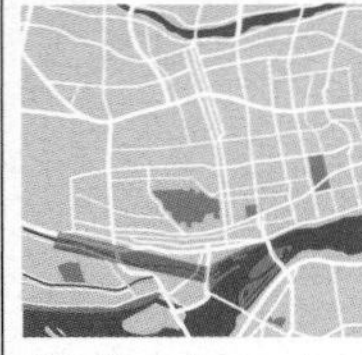

“Qu'ils étaient gais ces gamins de Saint-Henri ! […] Les produits exotiques de la terre, mélasse des Barbades, bananes de la Jamaïque, rhum des Antilles passaient sous leurs yeux en route vers les entrepôts qui dégorgaient des senteurs des Tropiques.”
Gabrielle Roy

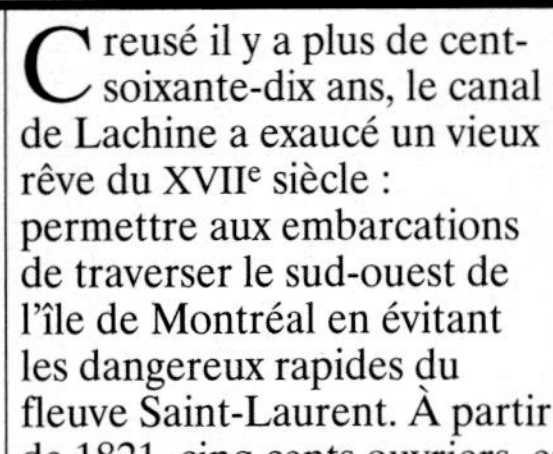

Creusé il y a plus de cent-soixante-dix ans, le canal de Lachine a exaucé un vieux rêve du XVIIe siècle : permettre aux embarcations de traverser le sud-ouest de l'île de Montréal en évitant les dangereux rapides du fleuve Saint-Laurent. À partir de 1821, cinq cents ouvriers, en majorité irlandais, creusent les 12 km du canal et construisent les sept écluses qui mènent au village de Lachine, un poste important de traite de la fourrure. L'essor constant du trafic entraîne plusieurs agrandissements du canal puis l'ouverture, en 1959, de la voie maritime, creusée à même le lit du Saint-Laurent. Définitivement fermé en 1970, le canal offre aujourd'hui un parc linéaire qui relie le port de Montréal à la ville de Lachine. Une piste cyclable permet de visiter ce haut lieu du patrimoine industriel.

Saint-Henri

Avec l'ouverture du canal, Saint-Henri-des-Tanneries, à l'origine un petit village d'artisans du cuir fondé au XVIIIe siècle, accède au rang des plus importantes agglomérations industrielles du Canada. Ce quartier ouvrier francophone recèle un riche patrimoine populaire.

Maisons d'ouvriers. Prise en étau entre la voie ferrée et la rue Saint-Augustin, la maison du menuisier John Clermont (1870) révèle, tout comme ses voisines, les vestiges de l'ancien village, Saint-Augustin, qui fusionna avec Saint-Henri-des-Tanneries pour former la ville de Saint-Henri. Dans la rue Saint-Ambroise, qui longe le canal et ses industries, les maisons de Louis Richard (1890) illustrent cette période de croissance où la main-d'œuvre s'entassait dans de pauvres maisons de bois. Autour du parc Georges-Étienne-Cartier, aménagé après l'annexion de Saint-Henri à Montréal, en 1905, s'alignent les triplex ouvriers ▲ *193*.

Marché Atwater. Construit en 1933 dans le cadre des travaux publics destinés à atténuer les effets dévastateurs de la Grande Dépression, le marché Atwater, de style Arts déco, a retrouvé depuis sa restauration une animation intense et attire de nombreux Montréalais.

La Petite-Bourgogne. Ce quartier a été profondément bouleversé à la fin des années soixante par une opération de rénovation urbaine qui a fait disparaître la majeure partie de son habitat du XIXe siècle. Demeurent toutefois l'église Sainte-Cunégonde de style Beaux-Arts ● *125*, construite par Jean-Omer Marchand en 1906, ainsi que la rue Coursol avec ses petites maisons à façades de pierre et toits mansardés.

Oscar Peterson
Dans le quartier de la Petite-Bourgogne s'est établie, dès la fin du XIXe siècle, une communauté de Noirs américains employés comme porteurs dans les grandes gares de Montréal. Oscar Peterson, un des grands noms du jazz, y est né ; il a fait son apprentissage musical dans plusieurs cabarets aujourd'hui disparus.

Pointe Saint-Charles

Maison Saint-Gabriel. Cet édifice figure parmi les plus anciens de Montréal. C'est une ancienne ferme que la Congrégation Notre-Dame, fondée par l'éducatrice

Marguerite Bourgeoys, avait acquise en 1668 pour y accueillir les Filles du Roy ▲ *164*. Remarquable exemple de l'architecture de la Nouvelle-France, la maison abrite l'un des plus riches musées évoquant la vie quotidienne du début de la colonie. Sur la RUE CENTRE, deux églises catholiques voisines, Saint-Gabriel et Saint-Charles, témoignent qu'Irlandais et Canadiens français se côtoient dans ce quartier ouvrier depuis le milieu du siècle dernier.

LACHINE

En 1667, les sulpiciens concèdent le territoire à Robert Cavelier de La Salle, aventurier et explorateur qui découvrira la Louisiane, et qui rêvait de trouver un passage vers la Chine. Par dérision, la seigneurie a pris le nom de «La Chine».

MUSÉE DE LA VILLE. Ancien relais pour le transport des marchandises, Lachine doit sa naisssance au commerce de la fourrure. À cette époque prospère, la maison de Jacques LeBer et Charles LeMoyne – construite entre 1669 et 1685 – servait de comptoir et de résidence. Le musée y est aujourd'hui installé.

CENTRE D'INTERPRÉTATION SUR LE COMMERCE DE LA FOURRURE. Lorsque Lachine devient un carrefour important, la Compagnie de la baie d'Hudson y installe ses quartiers généraux et son entrepôt (1826). Ce dernier abrite aujourd'hui un centre d'interprétation.

LE MUSÉE PLEIN-AIR. Affectée par la fermeture du canal qui a été son centre vital pendant plus de cent cinquante ans, Lachine connaît un nouvel essor avec la mise en valeur de son patrimoine et de son site, en bordure du lac Saint-Louis. Le musée Plein-Air, situé sur l'immense jetée du parc René-Lévesque et sur les rives du lac, expose à ciel ouvert trente-six sculptures monumentales d'artistes contemporains.

LE CANAL
Autour de cet axe de navigation, doublé plus tard par le chemin de fer, s'est développé ce qui a été, jusqu'à la Première Guerre mondiale, le plus grand centre industriel du Canada.

LES RAPIDES
C'est au cours de l'étiage estival que la puissance les rapides de Lachine est le plus apparente ; les amateurs de sensations fortes pourront les descendre dans une embarcation, à l'abri de tout danger mais pas des éclaboussures ! De nombreux oiseaux aquatiques y trouvent réfuge. Au début du XVIIe siècle, l'explorateur Samuel de Champlain mentionnait déjà une héronnière dans l'une des îles, située à la tête des rapides : elle est aujourd'hui appelée l'île aux Hérons et possède toujours des héronnières.

Un tanneur au travail dans son atelier

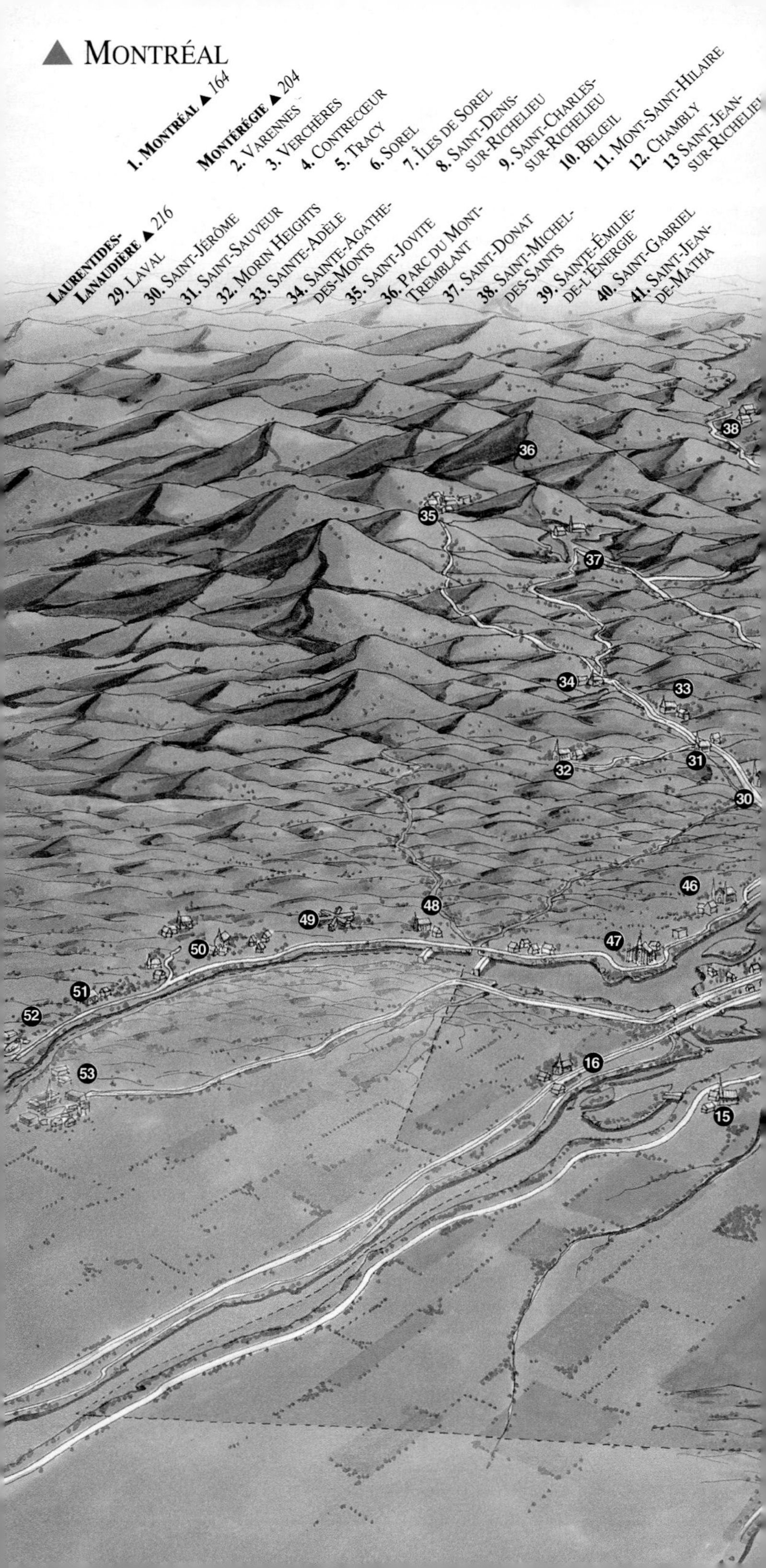
1. MONTRÉAL ▲ 164
MONTÉRÉGIE ▲ 204
2. VARENNES
3. VERCHÈRES
4. CONTRECŒUR
5. TRACY
6. SOREL
7. ÎLES DE SOREL
8. SAINT-DENIS-SUR-RICHELIEU
9. SAINT-CHARLES-SUR-RICHELIEU
10. BELŒIL
11. MONT-SAINT-HILAIRE
12. CHAMBLY
13 SAINT-JEAN-SUR-RICHELIEU
LAURENTIDES-LANAUDIÈRE ▲ 216
29. LAVAL
30. SAINT-JÉRÔME
31. SAINT-SAUVEUR
32. MORIN HEIGHTS
33. SAINTE-ADÈLE
34. SAINTE-AGATHE-DES-MONTS
35. SAINT-JOVITE
36. PARC DU MONT-TREMBLANT
37. SAINT-DONAT
38. SAINT-MICHEL-DES-SAINTS
39. SAINTE-ÉMILIE-DE-L'ÉNERGIE
40. SAINT-GABRIEL
41. SAINT-JEAN-DE-MATHA
38
36
35
37
34
33
32
31
30
46
48
49
50
47
51
52
53
16
15

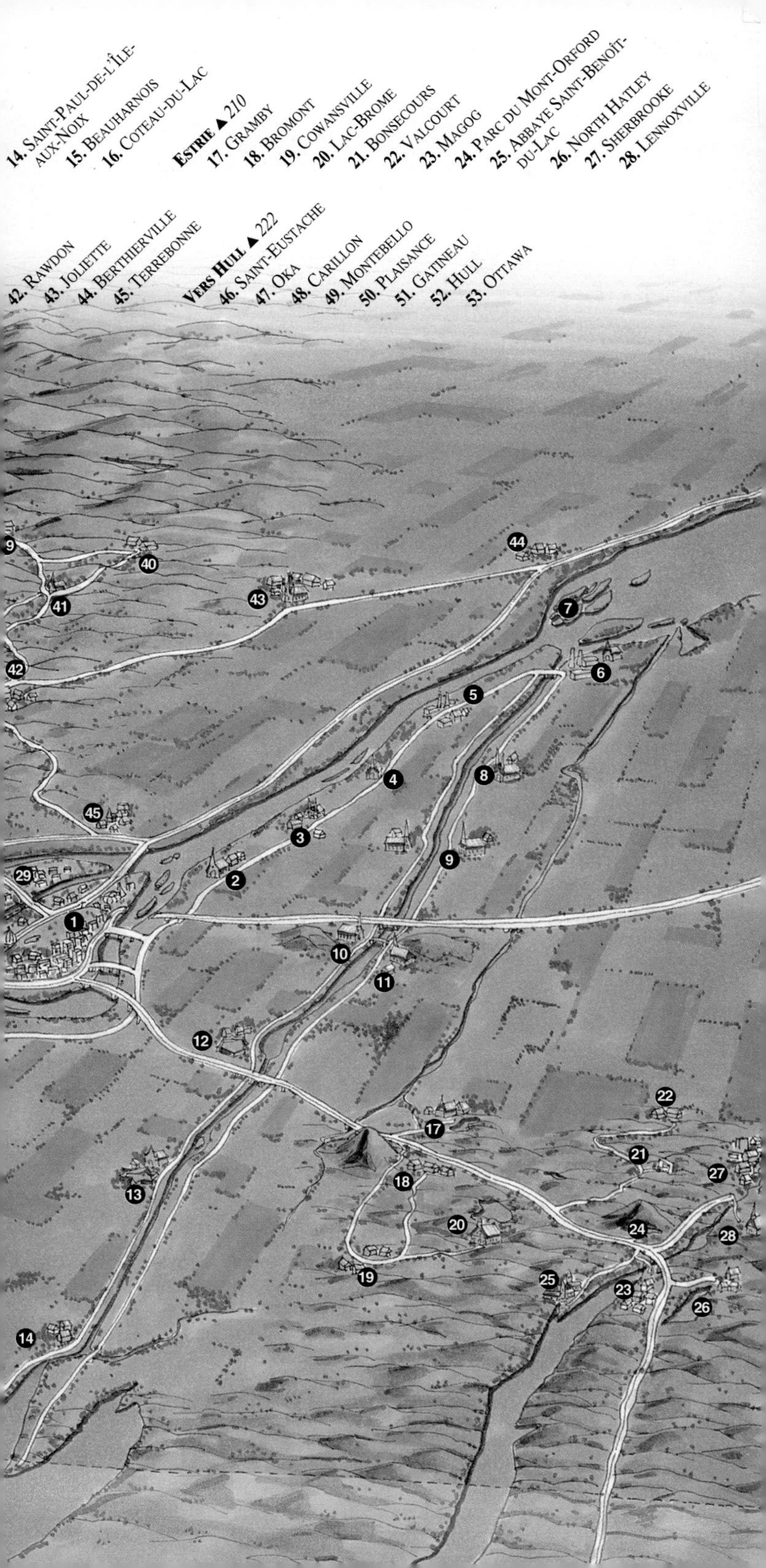
14. Saint-Paul-de-l'Île-aux-Noix
15. Beauharnois
16. Coteau-du-Lac
Estrie ▲ 210
17. Granby
18. Bromont
19. Cowansville
20. Lac-Brome
21. Bonsecours
22. Valcourt
23. Magog
24. Parc du Mont-Orford
25. Abbaye Saint-Benoît-du-Lac
26. North Hatley
27. Sherbrooke
28. Lennoxville
42. Rawdon
43. Joliette
44. Berthierville
45. Terrebonne
Vers Hull ▲ 222
46. Saint-Eustache
47. Oka
48. Carillon
49. Montebello
50. Plaisance
51. Gatineau
52. Hull
53. Ottawa

◷	2 jours
🚗	295 km

LES MONTÉRÉGIENNES
Contrairement à ce que véhicule la croyance populaire, ces collines ne sont pas d'anciens volcans. Formées lors du crétacé, il y a 124 millions d'années, elles sont nées de la solidification hâtive de magma et sont remontées jusqu'à 3 km de la surface de la terre. De nombreux cycles glaciaires ont érodé les basses terres qui les entouraient, les laissant apparaître. Elles sont au nombre de dix et, parmi elles, se trouve le mont Royal ▲ *182* dont elles tirent leur nom. Celles de la Montérégie sont les monts Saint-Bruno, Saint-Hilaire, Rougemont, Saint-Grégoire, Yamaska et Rigaud.

UNE JEUNE HÉROÏNE
En 1692, Madeleine de Verchères, âgée de 14 ans, défend un fort contre des Iroquois pendant huit jours, aidée de deux hommes seulement. Un bronze a été élevé à sa mémoire dans le village de Verchères, en 1927.

La Montérégie est une vaste plaine caractérisée par la présence de six des collines isolées qu'on appelle les Montérégiennes. Traversée par le cours paisible du Richelieu, la région dégage une atmosphère sereine ; elle a pourtant été le théâtre d'affrontements violents au cours des siècles ▲ *206*. L'agriculture, omniprésente depuis les débuts de la colonisation, côtoie désormais l'industrie et les technologies de pointe, telles que l'aéronautique et l'aérospatiale.

SOREL

De Longueuil à Sorel en passant par Varennes et Verchères, la Montérégie est bordée par une route panoramique qui longe le Saint-Laurent. Fondée en 1642, Sorel a longtemps

possédé un fort construit en 1665 et disparu depuis. La ville a été célèbre pour ses chantiers maritimes, aujourd'hui fermés. L'ÉGLISE SAINTE-ANNE-DE-SOREL compte onze toiles du peintre Marc-Aurèle de Foy Suzor-Côté (1869-1937). Elles représentent la vie de sainte Anne et de la Vierge.
ÎLES DE SOREL. L'île aux Fantômes, l'île de Grâce, l'île du Moine et d'autres encore sont autant d'îlots séduisants pour qui s'y rendra par bateau. Leurs maisons sont bâties sur pilotis pour se protéger de la crue des eaux printanières. Ces îles et le chenal du Moine qui les sépare de la rive de Sorel sont la toile de fond du roman *Le Survenant* de Germaine Guèvremont (1893-1968). L'île au Pé abrite le MUSÉE DE L'ÉCRITURE qui retrace l'histoire de la littérature québécoise et présente des expositions sur ses écrivains.

LE BAS-RICHELIEU

Appelé successivement rivière aux Iroquois, Saint-Louis et Chambly, le Richelieu prend sa source dans le lac Champlain, à la frontière des États-Unis, et se jette dans le

Saint-Laurent. Les trois forts situés sur ses rives attestent de son importance stratégique comme voie de communication et d'échanges. Canots, bateaux à vapeur et barges ont sillonné ses eaux avant de céder la place à la navigation de plaisance.

SAINT-DENIS. Sa situation sur la voie commerciale du Richelieu a favorisé le développement, au début du XIXe siècle, de nombreuses activités artisanales telles que la poterie ▲ *208* et la chapellerie spécialisée dans la confection de hauts-de-forme de castor. Quelques demeures anciennes témoignent encore de cette prospérité. En 1837, Saint-Denis est le théâtre de l'unique victoire des Patriotes sur les troupes britanniques lors des Rébellions ▲ *206*. La MAISON NATIONALE DES PATRIOTES rappelle ces événements marquants de l'histoire locale.

BELŒIL ♥. Depuis Saint-Denis, le chemin des Patriotes conduit à Saint-Charles, où un traversier permet de passer sur la rive gauche, à Saint-Marc. De là, la route mène à Belœil où l'on peut jouir du panorama sur Saint-Hilaire, sa montagne et son église.

MONT-SAINT-HILAIRE

Dieu de naissance d'Ozias Leduc (1864-1955) et de Paul-Émile Borduas (1905-1960) ● *140*, Mont-Saint-Hilaire est considérée comme un creuset de la peinture québécoise.

MANOIR ROUVILLE-CAMPBELL. Après avoir appartenu à la famille Hertel de Rouville pendant près de cent cinquante ans, la seigneurie est vendue en 1843 à Thomas Edmund Campbell qui y fait construire un manoir de style Tudor ● *124*. Le peintre et sculpteur Jordi Bonet (1932-1979), né à Barcelone et arrivé au Québec en 1954, restaure la demeure en 1969 pour en faire son atelier. Il est aujourd'hui un haut lieu de l'hôtellerie québécoise ◆ *373*.

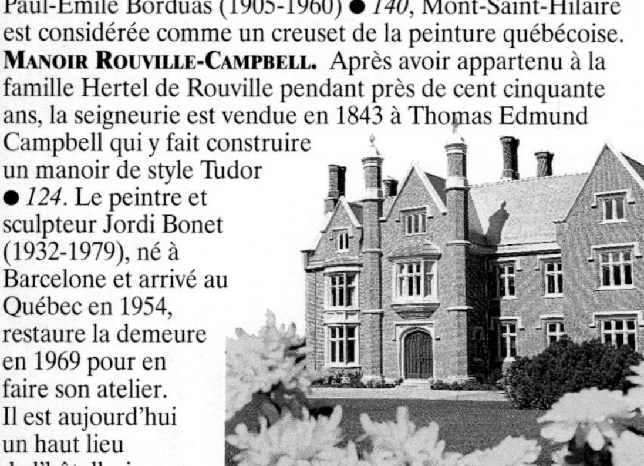

ÉGLISE SAINT-HILAIRE. Construite en 1837, elle abrite l'un des orgues les plus anciens de la maison Casavant Frères de Saint-Hyacinthe. L'église a été décorée en 1898 par Ozias Leduc qui, outre des ornementations au pochoir sur les murs et les voûtes, y a peint quinze toiles représentant les sacrements, les évangélistes, la nativité, l'ascension, l'assomption de la Vierge, et saint Hilaire de Poitiers.

LA MAISON CASAVANT
Joseph Casavant (1807-1874) est un forgeron reconnu quand il s'improvise facteur d'orgues en 1837. En 1879, ses fils Claver et Samuel fondent Casavant Frères à Saint-Hyacinthe. Réputée pour la qualité de ses instruments et pour des innovations telles que l'électrification des orgues, l'entreprise conserve toujours son dynamisme. Son chef-d'œuvre est l'orgue de la basilique Notre-Dame de Montréal ▲ *168*.

OZIAS LEDUC (1864-1955)
L'intimité de la région et le relief de Mont-Saint-Hilaire qui semble coincé entre le Richelieu et la montagne, ont influencé le peintre. Cet artiste amateur de grands paysages tant paisibles que tourmentés a aussi réalisé des fresques religieuses : elles ornent trente et une églises et chapelles du Québec, du Canada et de la Nouvelle-Angleterre.

En 1837 et 1838, la vallée du Richelieu est le théâtre de sérieux affrontements armés. Les causes et les enjeux du soulèvement sont multiples et s'enchevêtrent. Au Bas-Canada, l'allégeance à la Grande-Bretagne et la question de l'avenir de la colonie donnent lieu à des dissensions entre la majorité «canadienne» (francophone) et la minorité britannique. L'Assemblée législative, composée d'élus, se heurte aux membres des Conseils nommés par le gouverneur de la colonie. Le partage inégal des richesses et le problème de l'accession à la propriété terrienne exacerbent également les tensions. L'épisode des Rébellions s'inscrit enfin dans un contexte plus large, marqué par l'indépendance des colonies américaines, l'éveil des nationalités en Europe et le triomphe du libéralisme.

SOCIABILITÉ RURALE
Dans les villages, la cohabitation d'une population diversifiée favorise les échanges sociaux de même que l'éclosion de revendications politiques. Ci-contre, le village de Saint-Denis-sur-Richelieu.

Une sévère répression
Des centaines d'insurgés sont faits prisonniers. Certains sont enfermés à la prison du Pied-du-Courant de Montréal. Douze Patriotes seront pendus et cinquante-huit, déportés en Australie ● *145*.

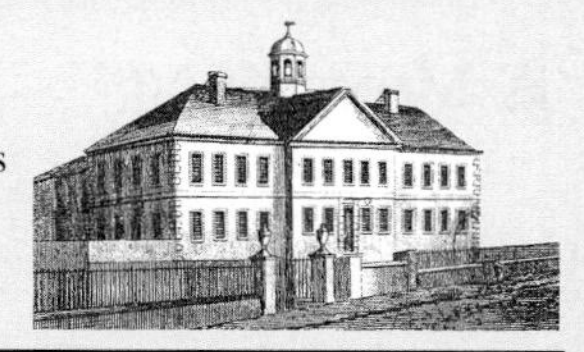

Des assemblées publiques
Face au refus persistant de la Couronne d'accéder à leurs revendications, les réformistes convoquent une série d'assemblées publiques en 1837. La plus importante se déroule à Saint-Charles, le 23 octobre. Les participants n'hésitent pas alors à défier les autorités : ils arborent le drapeau tricolore et certains portent un bonnet rouge. Le lendemain, un manifeste s'inspirant de la déclaration d'indépendance américaine est publié.

La presse patriote
La liberté de la presse, acquise sous le Régime britannique, permet la diffusion des revendications réformistes. *L'écho du pays* entend promouvoir l'éducation économique et l'idée de démocratie.

L'ECHO DU PAYS.
INDUSTRIE, PROSPERITE ET UNION.
ST. CHARLES VILLAGE DEBARTZCH.
VOL. I. | JEUDI, 6 JUIN 1833. | NO. 15.

Hebdomadaire publié à Saint-Charles

Les conflits armés
La tension monte au cours de l'été 1837. On se prépare à un affrontement. Début novembre, des mandats d'arrêt sont émis contre les chefs des Patriotes. Le conflit éclate : après un revers à Saint-Denis (le 23), l'armée est victorieuse à Saint-Charles (le 25) et prend le contrôle de la région. Elle peut alors se tourner contre les insurgés du «nord» de Montréal, notamment ceux de Saint-Eustache ▲ *222*.

Une seconde tentative en 1838
Après l'échec de leur mouvement, plusieurs Patriotes se réfugient aux États-Unis où ils s'emploient à organiser un nouveau soulèvement. La société secrète des Frères chasseurs est créée à cette fin en 1838. Ce second mouvement se caractérise par une radicalisation des sentiments antimonarchiques, anticléricaux et antiseigneuriaux. Il est toutefois rapidement maîtrisé. Des quelque 800 prisonniers, 108 seront accusés en cour martiale.

LA POMICULTURE
En 1620, Louis Hébert ▲ *269* plante les premiers pommiers en Nouvelle-France. Trois cents ans après, les sulpiciens dotent la région de Montréal de sa première pommeraie. Aujourd'hui, 90 % de la production de pommes du Québec provient de la Montérégie. Comme Mont-Saint-Hilaire, Rougemont est célèbre pour ses vergers. La pomme est au cœur de l'industrie de la ville et un centre d'interprétation y est consacré.

LA MONTAGNE DE SAINT-HILAIRE ♥. Dominant la plaine, elle est la Montérégienne la plus imposante. En son sommet se blottit le lac Hertel, né de la fonte des glaciers, et le pain de sucre d'où on peut admirer la région. Le massif est habité, entre autres, par quarante-cinq espèces de mammifères dont le chevreuil et par cent quatre-vingts espèces d'oiseaux, tels que le coloré geai bleu. La montagne est devenue en 1978 Réserve de la biosphère de l'Unesco. Le CENTRE DE CONSERVATION DE LA NATURE MONT-SAINT-HILARE est aménagé pour accueillir observateurs de la nature et amateurs d'activités de plein air.

CHAMBLY

Un fort, un bassin d'eau calme, des rapides et un canal font tout l'attrait de Chambly. En 1665, pour défendre le Canada contre les attaques iroquoises, les Français construisent le fort Saint-Louis, qui prendra le nom de fort Chambly en l'honneur de Jacques de Chambly, qui obtient la concession en 1672. Après la Conquête de 1760 ● *39*, les Britanniques l'occupent et y combattent les Américains pendant la guerre anglo-américaine de 1812 ▲ *245*. En 1843, un canal de neuf écluses est inauguré afin de faciliter la navigation. Au XIXe siècle, s'installent à Chambly de nombreux Britanniques et loyalistes américains pour qui l'on construit, en 1820, l'ÉGLISE ST. STEPHEN ● *115*. Bien que son allure extérieure rappelle celle des églises catholiques, son intérieur révèle la sobriété des temples protestants. Un musée et un centre d'interprétation, logés au FORT CHAMBLY, restauré en 1982, racontent l'histoire de la ville.

LA CÉRAMIQUE
Présente dans la vallée depuis deux siècles grâce au sol glaiseux, cette industrie naît à Saint-Denis ▲ *205* au début du XIXe siècle. Elle prend un essor nouveau à Saint-Jean à partir de 1840. La Stone Chinaware Co. a prêté ses collections pour les expositions internationales d'Anvers (1885) et de Londres (1886). D'autres compagnies poursuivent cette tradition, notamment dans le domaine des carreaux de faïence.

SAINT-JEAN-SUR-RICHELIEU

LE VIEUX-SAINT-JEAN. Dès le XVIIe siècle, Saint-Jean a été un centre de commerce et d'industrie dynamique. D'abord relais pour le commerce des fourrures, puis pour celui du bois, la ville accueille un chantier naval vers 1750. La construction, en 1836, du premier chemin de fer du Canada, reliant Laprairie à Saint-Jean, conforte cette vocation commerciale. Puis en 1840, la ville devient la capitale de la poterie : le MUSÉE RÉGIONAL DU HAUT-RICHELIEU retrace la vie de la région et l'histoire de la production de céramique. Le fort, érigé en 1666, abrite un musée d'histoire militaire.

L'Acadie. Situé tout près de Saint-Jean, le village est fondé en 1768 par des Acadiens revenant d'un exil de treize ans aux États-Unis. Le village historique Il était une fois... une petite colonie raconte leur histoire ▲ *308*.

Saint-Paul-de-l'Île-aux-Noix

Fort Lennox. L'île aux Noix a joué un rôle important dans l'histoire militaire du Canada. En 1759, les Français y construisent un fort qui ne pourra être achevé avant la Conquête de 1760 ● *39*. Lors de la guerre d'Indépendance américaine (1775-1783), l'île est prise par les Américains qui tentent d'envahir le Canada. En 1812, au cours de la guerre anglo-américaine, le fort est occupé par les Britanniques, et devient, en 1837, un des lieux d'emprisonnement de Patriotes ▲ *204*, avant d'être déserté en 1870. Le musée est consacré au fort et à la vie militaire d'autrefois. Le parc aménagé dans l'île invite à la détente.
Le blockhaus de Lacolle. Érigé en 1782, le bâtiment est le plus ancien du genre au Québec. Il abrite aujourd'hui un centre d'interprétation sur les événements marquants de l'histoire de la vallée du Richelieu.

Le sud-ouest de la Montérégie

Melocheville. Fréquentée pendant des millénaires par les Iroquoiens, la Pointe-du-Buisson recèle des objets témoignant de leur mode de vie tels que des flèches et des harpons. Le parc archéologique permet d'assister aux fouilles des anthropologues et de parcourir des sentiers pédestres.
Centrale hydroélectrique de Beauharnois. Aménagée de 1929 à 1961, cette centrale est l'une des plus importantes au monde. Située sur le Saint-Laurent, elle est alimentée par le puissant débit du fleuve. Un centre d'interprétation présente une exposition permanente qui raconte l'électrification de la région de Montréal ● *68*.
Coteau-du-Lac. Les Britanniques y construisent le premier canal à écluses d'Amérique en 1779. Le Haut-Canada l'utilise alors pour ses importations et des fortifications sont érigées en 1812 pour assurer la protection de la voie. On peut voir les fondations de ces structures et la reconstitution d'un blockhaus au Lieu historique de Coteau-du-Lac, qui présente des expositions thématiques.

L'épopée du chemin de fer au Canada
L'immensité du Canada a conféré une importance majeure au chemin de fer. On construit d'abord de courtes lignes, dont la plus ancienne (1836) reliait Laprairie à Saint-Jean dans l'axe Montréal-États-Unis. Après 1867, l'enjeu politique devient important : il faut alors unifier les territoires encore peu peuplés de la nouvelle confédération tout en favorisant le développement de l'Ouest. C'est l'objectif assigné au premier transcontinental, le Canadien Pacifique (1885). Au début du XXe siècle, de nouveaux transcontinentaux sont construits. Entre 1918 et 1922, toutes les grandes lignes, sauf celle du Canadien Pacifique, sont étatisées et forment le Canadien National. Le Musée ferroviaire canadien, à Saint-Constant (au sud de Montréal), rappelle cette épopée.

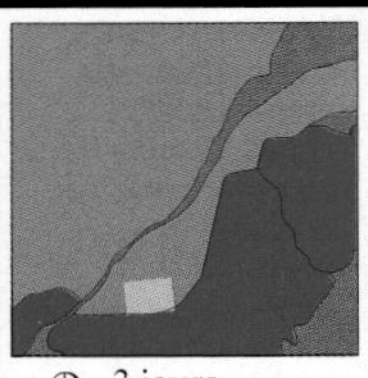

◷ 3 jours
env. 300 km

CANTONS DE L'EST OU ESTRIE ?
En 1858, l'écrivain Antoine Gérin-Lajoie ● *145* utilise l'expression «Cantons de l'Est» pour désigner la région sous un vocable français. Près d'un siècle plus tard (1946), Mgr O'Bready propose une nouvelle appellation : l'Estrie. C'est cette formule qui sera reconnue par le gouvernement. Or, par un des caprices de la toponymie québécoise ● *62*, qui veut se rendre en Estrie emprunte l'autoroute... des Cantons de l'Est !

ZOO DE GRANBY
La ville de Granby abrite l'un des plus importants jardins zoologiques du Canada où évoluent près de mille animaux appartenant à plus de deux cents espèces différentes (dont plusieurs en voie de disparition). Outre des mammifères africains et des oiseaux exotiques, le zoo possède une maison de reptiles où vivent en liberté tortues, iguanes et serpents.

La région située au sud-est de Montréal, entre la Montérégie ▲ *204* et les Appalaches, connaît une première vague de peuplement à la fin du XVIIIe siècle, à la suite de la Révolution américaine (1775-1782). Des colons quittent alors les États-Unis pour venir s'établir au Canada, à proximité de la frontière américaine. Leur fidélité à la couronne anglaise leur vaut d'ailleurs le nom de loyalistes. Ils s'installent d'abord en Ontario puis au Québec, sur des terres divisées en «cantons» (*townships*). Contrairement aux rangs (bandes étroites de terres), les lots se présentent sous forme rectangulaire, presque carrée ● *19*. Le Québec étant situé à l'est de l'Ontario, le territoire où s'implantent ces colons s'appellera *Eastern Townships*. Vers 1850, l'industrie du bois et la construction de chemins de fer attirent de nombreux Canadiens français à la recherche de travail, conférant à la région une dualité linguistique qui demeure perceptible.

GRANBY

VILLE DE FONTAINES. Cette ville doit son nom à John Manners (1721-1770), marquis de Granby (centre de l'Angleterre dans le Nottinghamshire) et commandant des troupes britanniques au Canada. En 1766, ce dernier se voit concéder par Georges III de vastes terres sur ce territoire. Ville relativement jeune (1859), Granby s'enorgueillit de sa collection de fontaines européennes. La plus impressionnante compte sept jets d'eau et se trouve au milieu du lac Boivin, non loin du centre-ville. En parcourant les rues Elgin, Dufferin et Mountain, on aperçoit de magnifiques résidences victoriennes tel le château Brownies, rue Elgin. Cette demeure a été construite par l'écrivain anglophone, natif de Granby, Palmer Cox (1840-1924), qui s'est rendu célèbre par ses contes de farfadets inspirés du folklore écossais.

BROMONT

Cette ville récente (1964) compte un parc industriel important et jouit d'un site naturel qui a favorisé son développement. Elle se dresse près d'une montagne dotée d'un centre de ski, d'un parc aquatique et de pistes réservées au vélo de montagne. Bromont est reconnue comme un centre équestre majeur : en juin, la ville est l'hôte d'un

Paysage champêtre près de Knowlton d'Albert Henry Robinson (1881-1956)

important concours hippique, l'International Bromont, où s'affrontent des cavaliers venus d'Europe et des Amériques.

COWANSVILLE

Petite ville industrielle (textile) située sur les berges du bras droit de la rivière Yamaska, Cowansville porte l'empreinte loyaliste. Elle se distingue par ses très belles demeures victoriennes de bois et de briques. Sur la rue Principale se dresse l'ancienne *Eastern Townships Bank*, aujourd'hui convertie en centre communautaire. Cette localité abrite aussi une petite église anglicane de style néogothique (1854).

DU LAC BROME À MAGOG

LAC-BROME. Cette ville regroupe sept villages entourant le lac du même nom et dont la toponymie témoigne de l'influence anglaise dans la région (Knowlton, Foster, Bondville...). La majorité des anglophones de l'Estrie se concentrent d'ailleurs entre le lac Brome et le lac Massawippi, situé plus au sud tout près de la frontière américaine. L'architecture de Lac-Brome se caractérise par de nombreuses maisons victoriennes, néogothiques et de type vernaculaire américain ● *118*. Le petit village de KNOWLTON abrite, outre des boutiques, des galeries d'art et des auberges agréables, le MUSÉE HISTORIQUE DU COMTÉ DE BROME ♥, qui occupe des édifices datant du XIXe siècle.

BONSECOURS. En 1989, une compagnie minière faisait l'acquisition d'un gisement de cristaux de quartz de haute qualité situé tout près du village de Bonsecours. Il s'agit de l'un des rares endroits au monde où ces cristaux sont suffisamment abondants pour en permettre l'extraction.

MUSÉE HISTORIQUE DU COMTÉ DE BROME
Ce musée est géré par une société d'histoire régionale créée il y a presque un siècle (1897). L'un des bâtiments abrite un musée militaire inauguré en 1921 par le Premier ministre du Canada, Sir Robert Borden. On peut y voir des collections militaires, dont un avion datant de la Première Guerre mondiale, le Fokker D VII (au centre). Le musée est en outre doté d'une cour de justice et d'un magasin général, bâtiments reconstitués tels qu'ils étaient au siècle dernier.

LA ROUTE DES VINS
Depuis 1979, la région de l'Estrie compte quelques producteurs de vin et de cidre, notamment à Dunham, au sud de Granby. Malgré les rigueurs de l'hiver, le Québec produit environ 220 000 bouteilles de vin par an, dont plus de la moitié proviennent de l'Estrie.

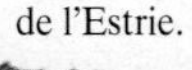

PREMIER ESSAI DE BOMBARDIER
En 1922, à l'âge de 15 ans, Joseph-Armand Bombardier fabrique un premier engin motorisé (ci-dessus) permettant de se déplacer sur la neige. Le prototype est propulsé par une hélice et un moteur quatre cylindres d'une vieille Ford de modèle T qu'il a reçue en cadeau de son père. Ce dernier, voyant le résultat, ordonne à son fils de détruire cet appareil qu'il juge trop dangereux.

La mine, que l'on peut visiter, est exploitée par la compagnie Mines Cristal Kébec. On y explique la géologie et l'historique de l'endroit tout en décrivant les techniques d'extraction et les applications technologiques et industrielles du quartz.

VALCOURT. Cette ville se targue d'être la capitale mondiale de la motoneige. C'est ici que Joseph-Armand Bombardier (1907-1964) a conçu et monté ses premières autoneiges. Il obtient un brevet de fabrication en 1937, inaugurant ce qui allait devenir un vaste complexe industriel. Les industries Bombardier constituent aujourd'hui une entreprise multinationale qui produit non seulement des motoneiges, mais également des avions, des locomotives et des wagons ainsi que différentes pièces mécaniques. Un musée présente des expositions sur cet inventeur, son premier atelier et l'histoire de la motoneige.

MAGOG-ORFORD

La station Magog-Orford est considérée, à juste titre, comme le cœur touristique de l'Estrie. Elle jouit d'une situation géographique privilégiée, encastrée entre le mont Orford et le lac Memphrémagog.

MAGOG. Son développement s'est appuyé sur l'industrie textile et la villégiature. Cette ville est sise sur les bords du lac Memphrémagog (mot d'origine amérindienne signifiant «grande étendue d'eau»). Ce plan d'eau majestueux s'étend sur 42 km jusque dans l'État américain du Vermont. Il serait, dit-on, habité par Memphré, un proche cousin du monstre du Loch Ness et tout aussi discret ! Plusieurs activités estivales gravitent autour du lac. Pendant les mois d'été, des croisières sont organisées sur le Memphrémagog, permettant de découvrir ses beautés, son histoire et son folklore. Magog est également le point d'arrivée de la TRAVERSÉE INTERNATIONALE DU LAC MEMPHRÉMAGOG, une compétition regroupant des nageurs de différents pays spécialisés dans les épreuves de longue distance. À ce marathon se greffent différentes activités sportives et culturelles qui se poursuivent avec un symposium de peinture au mois d'août. L'hiver venu, Magog voit affluer les skieurs montréalais et américains qui fréquentent en grand nombre les pentes et les sentiers de cette région.

LAC MEMPHRÉMAGOG
Entouré de montagnes et de paysages magnifiques, le lac Memphrémagog constitue un important pôle d'attraction touristique dans la région.

PARC DU MONT-ORFORD. Dominé par le mont Orford (876 m), ce parc provincial constitue l'un des beaux sites de villégiature de la région. De nombreuses activités sportives s'y pratiquent, tels le ski alpin, le ski de fond, la randonnée pédestre et le vélo de montagne.

Le parc abrite également le CENTRE D'ARTS ORFORD, une institution fondée en 1951 qui accueille chaque année dans un cadre enchanteur de jeunes musiciens qui y effectuent des stages sous la férule d'interprètes réputés venus participer au FESTIVAL ORFORD ◆ *351.* Une trentaine de récitals de musique classique et de concerts se déroulent alors sur le site. À la mi-septembre, le mont Orford devient le théâtre d'un autre festival, intitulé à juste titre «la Flambée des Couleurs». Profitant du merveilleux spectacle qu'offre le feuillage des arbres à cette époque de l'année, différentes activités y sont organisées (symposium des arts visuels, exposition de produits régionaux).

ABBAYE DE SAINT-BENOÎT-DU-LAC ♥.
Le lac Memphrémagog est entouré de paysages exceptionnels et de résidences de villégiature allant du plus modeste chalet à la somptueuse villa. L'abbaye de Saint-Benoît-du-Lac ● *125* se dresse tel un phare sur la rive ouest du lac. Au début du siècle, des bénédictins de l'abbaye Saint-Wandrille (Seine-Maritime) quittent la Normandie, et viennent s'installer sur ce site en 1913 pour y jeter les bases de leur monastère. L'abbaye a été construite entre 1939 et 1958 selon les plans d'un moine français, dom Paul Bellot (1876-1944), à qui l'on doit également le dôme de l'oratoire Saint-Joseph à Montréal ▲ *186* ainsi que l'abbaye de Solesme (Sarthe). De cet ensemble, auquel se sont ajoutés une hôtellerie et le magnifique clocher de l'église, se dégagent harmonie et sérénité. On y célèbre encore tous les jours des messes avec chants grégoriens. Les moines de l'abbaye continuent d'exploiter des vergers et ils ont une fromagerie. Il est possible de se procurer leurs produits sur place, dans une boutique.

SKIER EN ESTRIE
Le territoire de l'Estrie recoupe une partie des Appalaches, une chaîne de montagnes qui traverse le Québec et se prolonge aux États-Unis. La région est dotée de plusieurs stations de ski : en plus du mont Orford, les monts Sutton (972 m) et Owl's Head (751 m) sont parmi les plus fréquentés.

SIR JOHN COAPE SHERBROOKE
Avant d'être nommé gouverneur en chef de l'Amérique du Nord britannique (1816), Sir John Coape Sherbrooke se distingue à titre de commandant dans l'armée britannique. Pendant la guerre entre les États-Unis et la Grande-Bretagne (1812-1814), il réussit avec ses troupes à s'emparer de Castine

(Maine), permettant aux Anglais de contrôler une grande partie de cet État pendant toute la durée du conflit.

PLUS MALIN QUE LE DIABLE
La région de l'Estrie compte quelques granges de forme ronde. Selon une vieille superstition, les paysans les construisaient ainsi afin de se prémunir contre le diable, à qui ils attribuaient la fâcheuse habitude de se cacher dans les coins !

NORTH HATLEY ♥. Le village de North Hatley constitue un superbe lieu de villégiature. Il est situé à la pointe nord du lac Massawippi, là où la nature est généreuse et bienveillante. Dans la seconde moitié du XIXe siècle, ce site attire de riches estivants qui s'y font construire de magnifiques résidences. Le village est aujourd'hui doté de nombreux gîtes touristiques et de petites boutiques d'art. Il accueille en outre un Concours international d'art naïf qui se déroule aux mois d'octobre et de novembre.

SHERBROOKE

NAISSANCE D'UNE VILLE. Un comptoir servant à la traite des fourrures ● *48* avait été installé au confluent des rivières Saint-François et Magog sous le régime français. L'endroit est alors nommé les Grandes Fourches, en raison de sa topographie. Vers 1795, profitant du courant de la rivière Saint-François, Gilbert Hyatt, un Américain exilé après que ses biens eurent été confisqués par le gouvernement, fait construire un moulin à farine sur ce site, qui ne compte alors que trois familles. Le hameau prend le nom de Hyatt's Mill en hommage à ce dernier et à ses frères, auxquels le gouvernement a concédé plusieurs terres du canton. Dans le sillage de Hyatt, d'autres familles de loyalistes viennent s'y établir, si bien que le petit village compte bientôt une dizaine de scieries, des commerçants, des artisans et plusieurs cultivateurs. Vers 1817, les villageois décident de rebaptiser leur village en l'honneur de Sir John Coape Sherbrooke, gouverneur en chef des colonies britanniques d'Amérique du Nord. À partir de la seconde moitié du XIXe siècle, la ville de Sherbrooke attire des colons d'expression française et s'industrialise. Elle constitue aujourd'hui un centre important doté d'une université, de plusieurs entreprises et d'hôpitaux modernes. De nombreux festivals de musique animent la ville pendant l'été ◆ *351*. Devenue une capitale régionale, Sherbrooke est surnommée la «Reine des Cantons de l'Est». La région a préservé de précieux témoignages de son passé. Le quartier du Vieux-Nord compte ainsi de nombreuses demeures de l'époque victorienne et notamment des styles vernaculaires américains, Second Empire, reine Anne et néogothique ● *118*.

MUSÉE DU SÉMINAIRE DE SHERBROOKE. Ce musée, qu'abrite un bâtiment de briques rouges datant de 1898, compte deux salles d'exposition distinctes, la principale étant consacrée aux sciences naturelles (collection d'animaux naturalisés, de minéraux et de végétaux). On y présente également des meubles, des objets amérindiens et des œuvres d'art comprenant plusieurs gravures de Rodolphe Duguay

(1891-1973) et des aquarelles de William Henry Bartlett (1809-1854).

PLYMOUTH-TRINITY UNITED CHURCH. Cette église, située sur un promontoire à quelques pas de la rivière Magog, témoigne de l'influence de l'architecture coloniale de la Nouvelle-Angleterre. De style néoclassique, elle a été construite en 1855 à l'intention des quelques congrégationalistes de la région. Ce temple possède des vitraux célébrant le souvenir de personnalités locales ayant joué un rôle important dans le développement de la communauté.

MUSÉE DES BEAUX-ARTS. Logé dans l'ancien bâtiment qu'occupait naguère la faculté de droit de l'université de Sherbrooke, ce musée est doté d'une intéressante collection d'œuvres d'art québécoises. On peut ainsi y voir des tableaux d'artistes tels que Marc-Aurèle de Foy Suzor-Coté ▲ *247* et Robert Whale (1805-1887). L'art naïf y est particulièrement bien représenté : le musée possède notamment des tableaux d'Arthur Villeneuve ▲ *323*.

LENNOXVILLE. Cette petite ville au passé loyaliste, située à quelques kilomètres au sud de Sherbrooke, comporte une très vieille institution anglophone : l'université Bishop (ci-dessus). Elle est installée dans un magnifique édifice construit en 1843 dans le même style architectural que l'université d'Oxford en Angleterre. Les plans de la CHAPELLE ST.MARK, intégrée à l'université en 1853, ont d'ailleurs été dessinés en Angleterre. Cet édifice de style gothique est orné de sculptures de bois et de vitraux. En 1891, un incendie rase une partie du campus et de la chapelle mais des travaux de restauration redonnent aux bâtiments leur aspect original. Le MUSÉE UPLANDS est sis dans une belle maison de style palladien ● *118* construite en 1862. On y présente des expositions thématiques portant sur l'histoire de la région. Il comporte en outre une galerie d'art où exposent des artistes de l'Estrie.

UNE CHAPELLE COLLÉGIALE
L'histoire de la chapelle St-Mark reste intimement liée à celle de l'université Bishop. L'ensemble constitue une adaptation des *church-colleges* de l'Église d'Angleterre. Respectant la tradition collégiale, les bancs de la chapelle (1891), plutôt que d'être orientés en direction de l'autel, se font face de part et d'autre de l'allée centrale et sont disposés en gradins. La chapelle présente un intéressant décor : elle est notamment pourvue de huit anges agenouillés aux ailes repliées.

LA COLONISATION DES «PAYS D'EN HAUT» : UNE UTOPIE ?
Pour attirer des familles, les missionnaires-colonisateurs de la fin du XIXe siècle insistaient sur les mérites des terres, n'hésitant pas à dépeindre les Laurentides comme «la vraie Californie pour nos jeunes Canadiens». De nos jours, à peine 3 % des terres sont consacrées à l'agriculture ou aux pâturages.

Les limites des Laurentides peuvent porter à confusion. Dans les manuels de géographie, ce nom désigne le massif montagneux qui recouvre toute la partie québécoise du Bouclier canadien. L'histoire a pourtant voulu qu'au nord-ouest des îles de Montréal et de Laval naisse un territoire portant ce nom. Délimitée au sud par la rivière des Mille-Îles et celle des Outaouais, et au nord par la vallée de la Lièvre, la région des Laurentides regroupe deux entités distinctes : les Basses-Laurentides ▲ *222* et les Laurentides à proprement parler, «vaste labyrinthe de collines et de vallées» (Raoul Blanchard, 1947) recouvert de forêts. Cette région est aujourd'hui renommée pour ses centres de villégiature et de plein air.

LE PEUPLEMENT

Il y a plusieurs millénaires, des populations nomades de chasseurs-cueilleurs sillonnaient déjà la région. Au fil des siècles, ces derniers développent certaines habiletés, comme en témoignent les céramiques et des peintures rupestres découvertes sur le territoire de la Petite-Nation algonquine.
Au début du XVIIe siècle, Samuel de Champlain ▲ *254* entre en contact avec des Weskarinis, dont le territoire de chasse chevauche les Laurentides et la région de l'Outaouais. Ces derniers disparaissent entre 1650 et 1653, victimes des attaques répétées des Iroquois avec lesquels ils sont en guerre. Les seigneuries des Basses-Laurentides sont pratiquement toutes occupées dès le milieu du XIXe siècle par le trop-plein de colons de la vallée du Saint-Laurent. À compter de 1870, un mouvement de colonisation se lance à la conquête du «Nord». On assiste alors à une croisade visant à empêcher l'émigration des Canadiens français aux États-Unis ● *146*, pays d'expression anglaise et de foi protestante. Elle a pour chef de file le célèbre curé Labelle (ci-contre), qui occupe entre 1888 et 1890, parallèlement à son sacerdoce, le poste de sous-ministre à la colonisation.

SAINT-JÉRÔME

Le village de Saint-Jérôme naît en 1834 au moment où est officiellement créée la paroisse de Saint-Jérôme-de-la-Rivière-du-Nord. C'est dans cette agglomération, aujourd'hui considérée comme le berceau des Laurentides, que s'organise à partir de 1870 la colonisation des terres du «Nord».
Ce mouvement est encadré par le curé de la jeune paroisse, le père Antoine Labelle. Douze ans plus tard, l'implantation de la Compagnie de papier fin Rolland sur les rives de la rivière du Nord fait entrer la région dans

«ON CROYAIT AVOIR ATTEINT LA LIMITE DES TERRES CULTIVABLES ET LE NOM NORD SIGNIFIE QU'IL N'Y AVAIT PLUS, AU-DELÀ DE SAINT-JÉRÔME, QU'UN PRINTEMPS FUGITIF, QU'UN ÉTÉ ILLUSOIRE»
ARTHUR BUIES

l'ère industrielle. Connaissant une rapide croissance, la ville s'impose comme la capitale des Laurentides sur les plans administratif, politique et religieux.

AUTOUR DE LA CATHÉDRALE. Le centre-ville de Saint-Jérôme est doté d'une imposante église dont les formes évoquent le style néobyzantin ● *121*. Inaugurée en 1900, elle a été élevée au rang de cathédrale en 1951. Juste en face se dresse une statue de bronze, œuvre d'Alfred Laliberté (1878-1953), érigée en l'honneur du Roi du Nord, le curé Labelle. L'ancien palais de justice, un bâtiment de trois étages de style Beaux-Arts ● *125*, a été construit entre 1922 et 1924. Depuis 1978, l'édifice abrite le CENTRE D'EXPOSITION DU VIEUX-PALAIS qui joue un rôle important dans le développement culturel de la région. On y présente notamment des expositions d'art contemporain.

3 jours
env. 500 km

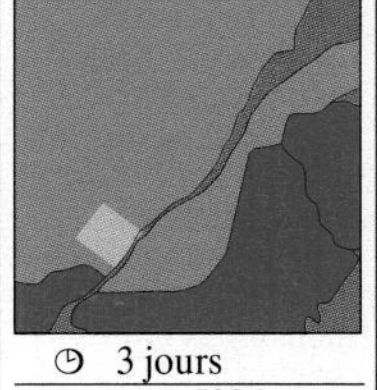

UNE BONNE AFFAIRE
En 1882, Jean-Baptiste Rolland (1815-1888) répond à l'offre du curé Labelle et installe une usine de papier à Saint-Jérôme. La municipalité lui accorde une prime de 10 000 $ et une exemption de taxes pendant vingt-cinq ans. Après des débuts difficiles, son entreprise connaît le succès et se taille une réputation internationale.

LES «PAYS D'EN HAUT»

Pendant longtemps, l'expression «Pays d'en Haut» a désigné les vastes territoires de l'Ouest canadien où les coureurs de bois ● *48* allaient quérir leurs fourrures. Sous l'influence de Claude-Henri Grignon, auteur de *Les Belles Histoires des Pays d'en-Haut*, un téléroman (feuilleton télévisé) populaire dans les années soixante et soixante-dix, la formule en vient progressivement à désigner les Laurentides où évoluent les personnages créés par le dramaturge. Devant l'échec du mouvement de colonisation, les «Pays d'en Haut» ont trouvé leur planche de salut dans le tourisme.

SPORTS D'HIVER. Dès 1930, le petit village de SHAWBRIDGE accueille le premier remonte-pente mécanique du continent. Par la suite, de nombreux centres de ski alpin voient le jour, permettant le développement d'une infrastructure appropriée. La région est maintenant bien nantie en auberges, théâtres d'été, galeries d'art, boutiques spécialisées et restaurants réputés.

UN HOMME ET SON PÉCHÉ
Jean-Pierre Masson (ci-dessus) incarnait un maire avare dans *Les Belles Histoires des Pays d'en Haut.*

CHALETS D'HIVER
La région de Saint-Jovite accueille ses premiers touristes entre 1890 et 1920. Des membres de la petite bourgeoisie canadienne-française viennent s'y construire des «camps» de bois ronds, chalets qui ont bien changé depuis...

CENTRES DE VILLÉGIATURE. SAINT-SAUVEUR abrite ainsi un intéressant MUSÉE DU SKI, tandis que celui de SAINTE-ADÈLE doit en partie sa notoriété au «Village de Séraphin», une reconstitution de bâtiments rappelant l'époque de la colonisation. SAINTE-AGATHE-DES-MONTS attire également de nombreux visiteurs, grâce entre autres à son lac des Sables. Les nombreuses demeures cossues qui cernent ce plan d'eau témoignent de l'attrait qu'exerçait le site au début du siècle auprès des riches familles de Montréal. Les «Pays d'en Haut» comptent également d'autres charmants petits villages comme SAINT-FAUSTIN, SAINTE-MARGUERITE ● *124*, VAL-DAVID et MORIN HEIGHTS.

RÉGION DU MONT-TREMBLANT

SAINT-JOVITE. Cette région constituait autrefois le territoire de prédilection du curé Labelle. Le village de Saint-Jovite (1875), naguère centre nerveux de l'industrie du bois, s'est progressivement transformé en centre de villégiature tout en préservant son cachet historique. Un peu plus au nord se profile la silhouette du mont Tremblant (935 m).
PARC DU MONT-TREMBLANT ♥. Cette ancienne réserve forestière constitue le premier parc créé par le gouvernement québécois en 1894. Appelé à l'origine «parc de la Montagne tremblante», il demeure, avec ses nombreux lacs et rivières, l'un des sites préférés des amateurs de plein air. On peut y pratiquer au fil des mois différentes activités : ski, raquette, motoneige, canot, voile, vélo...

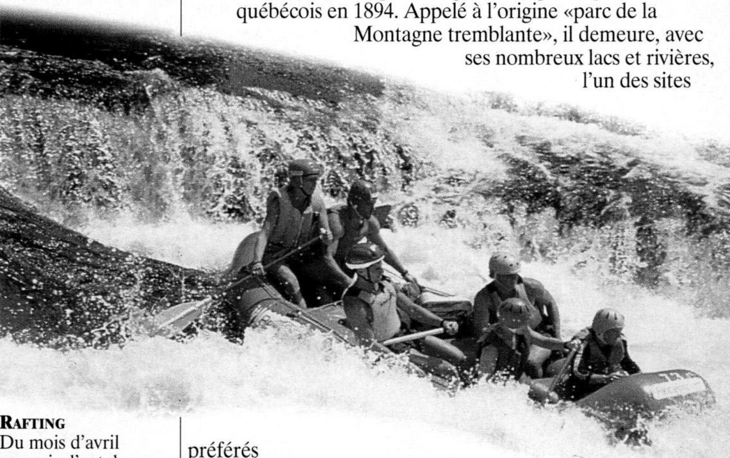

RAFTING
Du mois d'avril au mois d'octobre, des entreprises spécialisées ◆ *371* organisent des descentes en radeau pneumatique sur la rivière Rouge.

LA VALLÉE DE LA ROUGE

L'agriculture et l'industrie forestière ont permis le développement de cette partie des Laurentides. L'économie locale repose désormais sur quelques institutions publiques, une poignée de petites entreprises et le tourisme de plein air, notamment la chasse et la pêche. La toponymie ● *62* témoigne du rôle du clergé dans la colonisation de la région et de la présence amérindienne : villages de La Conception, L'Annonciation, L'Ascension, Sainte-Véronique et celui de La Macaza (du nom d'un Amérindien qui y aurait fait son campement) ; les lacs Saguay (de *Sagwa*, qui signifie «déboucher» en algonquin), Nominingue...

«Pontage» sur le chemin entre Saint-Zénon et Saint-Michel-des-Saints (1903)
L'absence de chemins pavés et les fréquentes pluies du printemps obligent les colons à unir leurs efforts pour garder les chemins ouverts.

La région de Lanaudière emprunte son nom à l'histoire. Il perpétue le souvenir de Charlotte de Lanaudière, fille du seigneur de Lavaltrie et épouse de l'homme d'affaires Barthélemy Joliette, descendant d'un célèbre explorateur ▲ *258* et fondateur de la capitale régionale (Joliette). Son surnom, «la région Verte», est à la fois un état et un symbole. Toutes les nuances du vert s'y expriment. Bien que très jeune, cette région est un microcosme. C'est tout le Québec qui s'y voit et s'y entend, avec ses paysages, ses activités et ses rêves. Lanaudière se divise, du nord au sud, en trois grandes zones : les hauts, le piedmont et la plaine. Elle représente l'héritage précieux d'une nature préservée, presque aux portes de Montréal. C'est ici que commence le Nord aux grands espaces sans limites !

Les hauts

Dans ce coin de Lanaudière, la nature est demeurée intacte. La région mise sur ses grands espaces, ses lacs et ses rivières pour développer des activités récréo-touristiques. Passé Saint-Côme et son centre de ski, la route surprend Sainte-Émélie-de-l'Énergie, un village niché au creux d'une vallée. «L'Énergie» n'est autre que celle déployée par les premiers habitants, arrivés en 1854. En remontant vers le nord, la route serpente d'une rive à l'autre de la rivière Noire, dans une vallée encaissée, creusée par les glaciers, avant de rejoindre le toit de Lanaudière.

Saint-Zénon. Cette bourgade, créée en 1866 par Théophile-Stanislas Provost, se targue d'être le village le plus élevé du Québec (700 m). Il s'agit d'un ancien centre forestier, serti dans un écrin de collines boisées et offrant alentour des panoramas impressionnants, notamment sur la vallée des Nymphes. Grâce à cette position géographique, le village et la région demeurent un secteur privilégié pour la pêche de la truite ● *86.* Le parc des Sept-Chutes, avec ses lacs, sa faune et ses sites exceptionnels, permet d'intéressantes randonnées pédestres, avec des points de vue saisissants sur la forêt profonde. Ici, les roches sont parmi les plus vieilles du monde.

Le rêve matawinien
Au début des années 1860, un jeune prêtre de la région, Théophile-Stanislas Provost, préoccupé par l'exode des Québécois vers les États-Unis et leurs usines, propose de coloniser les terres situées au nord de Montréal. Pour lui, ce territoire est une Terre promise et sa colonisation, une mission providentielle ! Le curé Provost est le premier leader et penseur du mouvement nordique, juste avant le célèbre curé Labelle ▲ *216.*

Saint-Donat
Situé au sud du parc du Mont-Tremblant, le village de Saint-Donat se dresse au bord du lac Archambault dans une région de belles montagnes boisées.

L'HOMME LE PLUS FORT DU MONDE ! Surnommé «l'Hercule du Canada», Louis Cyr (1863-1912) a vécu un temps à Saint-Jean-de-Matha. Ce colosse s'est confronté aux meilleurs haltérophiles de son temps, l'emportant à chaque fois.

LE CHEMIN DES ÉCOLIERS Pendant longtemps, les écoles de rang (ci-dessous) ont permis aux enfants des régions éloignées de fréquenter l'école primaire sans avoir à quitter leur paroisse ou à parcourir de longues distances.

Ci-dessous, le lac Taureau

SAINT-MICHEL-DES-SAINTS. Ce village doit sa création (1863) à un autre prêtre, le curé Brassard, gagné aux vues de l'abbé Provost. Tout près du village, le LAC TAUREAU constitue un immense réservoir artificiel (près de 700 km de circonférence) servant à réguler le débit des eaux de la rivière Saint-Maurice ▲ *240.* Plus au nord encore, dans le village de Manawan, vivent les Atikameks, une accueillante communauté autochtone. À travers cette âpre nature, de nombreux voyages d'initiation sont possibles. On peut sillonner cette région de lacs et de forêts d'épinettes en canot, en traîneau à chiens ou en motoneige.

LE PIEDMONT

Les collines et les villages du piedmont marient agréablement nature et culture. Cette région de Lanaudière est notamment dotée de nombreuses érablières qui, l'automne venu, se parent d'ors et d'écarlates.

ENTRE SAINT-GABRIEL-DE-BRANDON ET RAWDON. Sis au bord du lac Maskinongé, le village de SAINT-GABRIEL-DE-BRANDON était autrefois le lieu de villégiature le plus couru entre Montréal et Trois-Rivières. De ce passé, le village a su conserver les attraits, sinon la vie trépidante. SAINT-JEAN-DE-MATHA est considéré comme un des hauts lieux du ski de fond canadien en particulier, grâce à la station de la montagne Coupée et son réseau de 80 km de pistes. Ce village abrite en outre un centre d'interprétation consacré à Louis Cyr. Dans ce secteur, les ruptures de pente entre les collines et la plaine précipitent l'eau des rivières, créant de nombreux sites à découvrir comme les CHUTES MONTE-À-PEINE (en bas à droite), les gorges des DALLES et les CHUTES DORWIN.

RAWDON. Son peuplement débute dans les années 1810 lorsque des immigrants irlandais s'y installent. Dans leur sillage, des Écossais, des Acadiens et des Européens de l'Est viennent s'y établir, ce qui en fait l'une des villes les plus cosmopolites au Québec. Rawdon est d'ailleurs doté d'un centre qui rappelle l'histoire de ces différentes communautés. Le VILLAGE CANADIANA présente pour sa part la reconstitution d'un village du XIXe siècle. Plus d'une vingtaine de bâtiments, provenant de différentes régions du Canada, y ont été déménagés. On y découvre, entre autres, une école de rang datant de 1835 (ci-contre), un magasin général (1888), une auberge (1843) et d'autres maisons rurales.

LA PLAINE

Située sur les rives du Saint-Laurent, cette région est l'une des premières colonisées par les Français. Les plaines fertiles de ce secteur ont permis le développement d'une agriculture prospère. Entre Joliette et Lanoraie, notamment autour de Saint-Thomas, le paysage se caractérise par la présence de champs de tabac organisés en damier.

JOLIETTE. La capitale régionale de Lanaudière est dotée de magnifiques demeures de la fin du XIXe siècle. Elle abrite un musée reconnu pour sa collection d'art sacré. La devise de la ville, «Joliette, sol de musique», doit beaucoup

La ceinture fléchée
La fabrication de la ceinture fléchée ● *75* date du début du XIXe siècle dans la région de l'Assomption, au sud de Joliette. Le port de cette pièce vestimentaire devient très en vogue parmi les coureurs de bois canadiens-français ● *48*. Elle s'impose comme une marque de distinction à l'égard de leurs rivaux Écossais.

à la tradition et à son Festival international de Lanaudière ◆ *351*.
Berthierville. Cette ville, sise sur le territoire de la seigneurie d'Autray (1672), se dresse en face de l'archipel de Berthier, tout aussi mystérieux que les bayous de Louisiane. Véritable paradis aquatique, ces îles offrent un remarquable patrimoine naturel avec leur labyrinthe de chenaux d'où s'envolent des milliers d'oiseaux. Berthierville est la ville natale de Gilles Villeneuve, l'un des premiers Québécois à s'illustrer dans le domaine de la course automobile. Un musée célèbre le souvenir de cet ancien membre de l'écurie Ferrari, décédé en 1982 lors des essais du Grand Prix de Belgique. La chapelle Cuthbert, du nom de l'aide de camp du général Wolfe ▲ *252*, est le premier temple protestant du Québec (1786). Depuis près de vingt ans, ce bâtiment abrite un centre culturel.
Terrebonne. Cette ville, située sur la rive nord de la rivière des Mille-Îles, doit son peuplement (début XVIIIe siècle) à sa situation géographique et à ses terres fertiles (d'où son nom). Le «vieux» quartier regorge de beaux bâtiments de pierres et de bois dont le manoir Masson (1850). L'île des Moulins ● *66* rassemble d'impressionnantes bâtisses industrielles du XIXe siècle, récemment restaurées.

«La Chasse-galerie»
Des bûcherons, après un pacte avec le diable, partent fêter le nouvel an dans un canot volant. Transmis par la tradition orale et popularisé par Honoré Beaugrand, écrivain né à Lanoraie, ce conte témoigne bien du besoin de mouvement des Québécois.

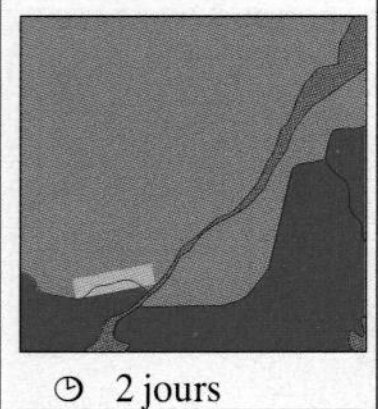

◷ 2 jours
🚗 250 km

JOS MONTFERRAND
Joseph Favre, ou Jos Montferrand, est né dans un quartier populaire de Montréal en 1802. Il devint charretier, mais sa gentillesse, sa prestance, son agilité et sa force herculéenne en ont fait un personnage légendaire du Québec. Après avoir fréquenté les tavernes de son quartier pour le plaisir de boxer, il part vers l'Outaouais en 1823 mener pendant trente ans la vie des hommes de chantiers de coupe. Bûcheron, draveur et guide de cage,

on se souvient de lui comme d'un géant qui défendait les Canadiens français lors des escarmouches contre les *rafstmen* irlandais. Gilles Vigneault en a fait une chanson : «"Jos dis-moé comment [...] t'es devenu un géant [...] Si tu veux faire un vrai géant, Va boire à même dans la rivière, Assieds-toi sur les montagnes, Puis lave-toi dans l'océan, Essuie-toi avec le vent, Éclaire-toi avec la lune... "».

Prenant sa source dans les Grands Lacs en Ontario, la rivière des Outaouais doit son nom à la tribu amérindienne des Outaouacs. Elle est la voie royale du commerce des fourrures jusqu'au début du XIXe siècle et devient plus tard celle du bois. La vallée de l'Outaouais ne voit arriver ses premiers colons qu'au XIXe siècle. La fréquence des toponymes anglais rappelle qu'elle est colonisée d'abord par des Anglais, des Irlandais et des Écossais : Buckingham, Templeton, Wakefield, Ripon, Masham, Aldfield, Hull... nomenclature toute britannique. L'Outaouais s'est développé selon le système des cantons (anglais) à l'exception de la seigneurie de la Petite-Nation, concédée dès 1674 à Mgr de Laval et qui sera rachetée par la famille Papineau.

SAINT-EUSTACHE

Longtemps reconnu pour l'excellence de son agriculture, le village s'est rapidement urbanisé au cours de la seconde moitié du XXe siècle et constitue aujourd'hui une banlieue résidentielle de Montréal.

ÉGLISE SAINT-EUSTACHE. Sa façade palladienne ● *114* porte toujours les traces des boulets de canon de l'armée anglaise. C'est ici que s'est déroulée la bataille des Patriotes du nord ▲ *206* le 14 décembre 1837.

MANOIR GLOBENSKY. Construite en 1862, cette résidence appartenait à la famille du même nom, qui avait hérité de la seigneurie de Saint-Eustache. Maximilien Globensky et sa sœur Hortense avaient pris parti contre les patriotes ▲ *206* en 1837. Plus tard, Louis-Joseph Papineau devint un ami intime de la jeune Marie-Louise Globensky. Le manoir fait aujourd'hui office d'hôtel de ville et de centre culturel.

«TRANSPORTONS-NOUS AU BORD DE L'OTTAWA FOUGUEUX,
DANS LES ÉTRANGLEMENTS DE SES ROCHERS RUGUEUX.
EN FLOTS ÉCHEVELÉS TORDANT SES LOURDES VAGUES.»

LOUIS FRÉCHETTE

MOULIN À FARINE LÉGARÉ. Construit en 1762, il présente un intérêt historique particulier puisqu'il n'a jamais cessé de fonctionner. On peut toujours s'y procurer des sacs de farine de blé et de sarrasin.

OKA

Oka signifie «poisson doré» en algonquin. Le village fait partie de la seigneurie des Deux-Montagnes, concédée aux sulpiciens par le roi de France en 1717 pour y établir une mission ● *54*. Vers 1740, les religieux érigent le CALVAIRE ● *122* constitué de sept chapelles dont les murs étaient ornés de toiles imitées d'œuvres françaises. Il ne reste que trois chapelles qui se dressent aujourd'hui dans le parc municipal d'Oka. En 1945, une partie des terres a été rétrocédée aux Amérindiens qui les occupent depuis le XVIIIe siècle. Les Iroquois ont nommé le village Kanesatake, qui signifie «au bas de la côte».

L'ABBAYE CISTERCIENNE. La Trappe d'Oka accueille ses premiers moines en 1881 et en 1890 les trappistes construisent leur monastère. Ils y créent le fromage d'Oka, célèbre partout en Amérique du Nord, et fabriqué selon la même recette que le port-salut français. Les moines exploitent aussi au XXe siècle une école d'agriculture, qui sera fermée en 1962.

SAINTE-SCHOLASTIQUE. Situé non loin au nord d'Oka, le village abrite le domaine et le manoir seigneurial sulpicien de Belle-Rivière ainsi qu'un petit temple protestant bâti par des catholiques, ces derniers ayant apostasié leur foi à la suite du refus des autorités diocésaines de Montréal d'accorder la sépulture religieuse aux Patriotes de 1837.

CARILLON. C'est à Carillon, appelé autrefois le Long-Sault, qu'Adam Dollard des Ormeaux périt en 1660 aux mains des Iroquois. Comme Grenville, situé plus à l'ouest, le village longe la rivière des Outaouais à la hauteur de dangereux rapides. On y a donc construit, à partir de 1834, des canaux reliant Ottawa et Montréal. Une ancienne caserne militaire abrite l'incontournable MUSÉE D'ARGENTEUIL, recelant des souvenirs militaires, des meubles et des costumes anciens, des œuvres d'art amérindiennes et des photographies anciennes.

DOLLARD DES ORMEAUX (1635-1660)
En 1660, la Nouvelle-France est en guerre avec les Anglais alliés aux Iroquois. Le militaire Adam Dollard des Ormeaux et ses hommes préparent une embuscade contre les Iroquois au Long-Sault avec l'aide de Hurons et d'Algonquins. Surpris, ils subissent un siège de plusieurs jours au cours duquel une explosion accidentelle tue plusieurs hommes. Les neuf survivants sont pris par les Iroquois qui les torturent avant de les tuer et de les manger. La légende veut que Dollard se soit sacrifié pour prévenir une attaque plus importante contre Montréal. Il est ainsi devenu un héros national.

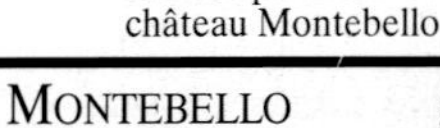

Un des pavillons du château Montebello

LOUIS-JOSEPH PAPINEAU (1786-1871)
Avocat et homme politique né à Montréal, il est élu à l'Assemblée législative en 1809 pour y représenter le Parti canadien (patriote). Les positions de ce libéral modéré se radicalisent dans les années 1830 : ses attaques contre le Conseil législatif non élu se font plus vigoureuses et il prône l'indépendance du Bas-Canada. En 1837, la population se soulève contre le refus de la Grande-Bretagne d'accéder à ses revendications. Papineau, recherché, s'exile aux États-Unis puis en France. Amnistié en 1845, il revient et s'établit à Montebello, où il meurt en 1871, après avoir effectué un bref retour en politique en 1854.

LE SAUVETAGE DE LADY ABERDEEN
Au printemps 1896, le carrosse de l'épouse du gouverneur général du Canada, Lord Aberdeen, tombe dans les eaux glacées de la rivière Outaouais. Des hommes de Pointe-Gatineau se portent à sa rescousse et réussissent à la sauver. En gage de reconnaissance, elle offre à la paroisse Saint-François-de-Sales une cloche gravée encore visible.

MONTEBELLO

Concédée en seigneurie au XVIIe siècle, avant l'arrivée des Britanniques, la Petite-Nation est le seul terroir d'allure française dans la région. Elle est acquise en 1801 par la famille Papineau.

MANOIR LOUIS-JOSEPH-PAPINEAU. Il a été construit par le chef des Rébellions de 1837-1838 ▲ *206*, à son retour d'exil, en automne 1845. Érigé sur le cap Bonsecours, il revêt un aspect sévère. Sa tour abrite la bibliothèque du chef patriote. À moins de 1 km se dresse une petite chapelle funéraire bâtie en pierres des champs où sont inhumés les membres de la famille Papineau.

Le domaine appartient maintenant à la compagnie ferroviaire Canadien Pacifique qui y a fait construire le CHÂTEAU MONTEBELLO, un immense hôtel en rondins, entre 1930 et 1933, en pleine crise économique. Il était alors destiné à l'usage du Seigniory Club, club sportif privé dont les membres se recrutaient parmi la bourgeoisie canadienne-anglaise et américaine.

VERS HULL

PLAISANCE. Les chutes et la construction de moulins à eau ● *66* au siècle dernier ont permis le développement du village. Mis au jour par les fouilles archéologiques, le site de North Nation Mills livre les secrets du village industriel d'antan. Aménagé dans l'ancien presbytère, le CENTRE D'INTERPRÉTATION DU PATRIMOINE en raconte l'histoire. La réserve faunique de Plaisance offre aux cyclistes et aux amateurs de randonnées pédestres des sentiers de découverte de la faune des marais. Fin avril-début mai, les outardes (oies sauvages) s'y donnent rendez-vous sur le chemin de leur long voyage vers le nord.

GATINEAU. Située au confluent des rivières Outaouais et Gatineau, la ville est fondée par la compagnie Canadian International Paper qui y établit une papeterie en 1926. L'architecture *modern style* des maisons, érigées près de l'usine à l'intention des employés cadres de la compagnie, illustre l'influence américaine qui caractérise l'architecture domestique de l'Outaouais frontalier. De l'ÉGLISE SAINT-FRANÇOIS-DE-SALES, près du quai des Artistes, l'œil embrasse d'un seul coup la capitale fédérale sise en face. De style néogothique ▲ *118*, l'église possède des vitraux datant de 1902. L'intérieur est orné de boiseries dorées à la feuille (1886).

Ottawa-Hull

Odette Vincent
Normand David

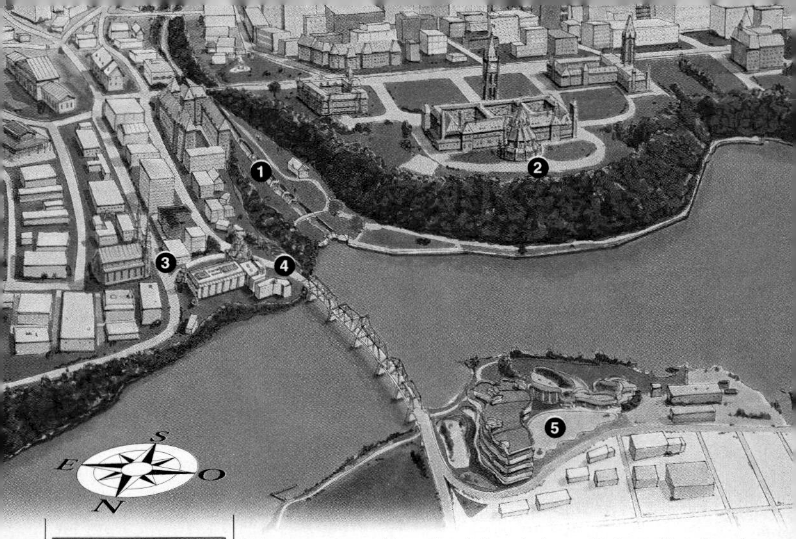

Philemon Wright
Venu du Massachusetts avec sa famille pour s'établir comme cultivateur, Wright comprend rapidement que le commerce du bois sera plus lucratif. En quelques années, il emploie de nombreux ouvriers : bûcherons, équarrisseurs, draveurs, meuniers, artisans, développant ainsi la première zone de peuplement de l'Outaouais. Ci-dessous, sa scierie et sa taverne vers 1820.

Souvent appelées «la région de la capitale nationale», les deux villes de Hull et Ottawa partagent un destin commun malgré la frontière Québec-Ontario qui les sépare et qui est symbolisée par la rivière des Outaouais. La grande région Hull-Ottawa compte environ un million d'habitants et forme la quatrième agglomération urbaine du Canada.

Historique

Les premiers établissements permanents autour des chutes des Chaudières datent du début du XIXe siècle. Hull, créée en 1800 par des loyalistes américains avec à leur tête Philemon Wright, et Bytown (Ottawa), fondée en 1827 par le lieutenant-colonel By, vont devenir ensemble un haut lieu de l'exploitation forestière. À partir de 1807, alors que l'on achemine le premier radeau de bois vers Québec, les deux villages vivent au rythme des chantiers : chaque hiver des hommes sont engagés pour l'abattage des grands pins blancs et rouges de l'Outaouais. C'est le pays des «cageux» ● *76* et des *raftsmen*, animé par les guerres des *shiners*, escarmouches légendaires entre draveurs canadiens-français et Irlandais, réputés pour leur rudesse. Devenue capitale du nouveau Canada-Uni en 1858, conformément au souhait de la reine Victoria, Bytown change de visage avec la construction des édifices du Parlement sur le promontoire de Barrack Hill.

«Ce village de bûcherons presque arctique transformé par décret royal en arène politique», selon le professeur Goldwin Smith de Toronto, est devenu une ville tranquille et pittoresque.

OTTAWA

Capitale du Canada, Ottawa est parsemée de parcs verdoyants et compte de nombreux musées. La ville vit au rythme de la vie parlementaire, de la fonction publique et de l'activité de la basse-ville et du canal Rideau.

CANAL RIDEAU ♥. Construit en 1826 à des fins militaires, il traverse Ottawa et relie le lac Ontario à la rivière des Outaouais sur 200 km de voie navigable réservée, en été, à la navigation de plaisance. En hiver, on peut y patiner sur une distance d'environ 7 km.

COLLINE PARLEMENTAIRE ♥. Juchés sur une falaise surplombant de près de 50 m la rivière des Outaouais se dressent les trois bâtiments d'inspiration néogothique du PARLEMENT CANADIEN. Construits en grès local, les édifices originaux, achevés en 1876, ont brûlé en 1916. Seule la bibliothèque, joyau architectural de forme polygonale, a résisté. Reconstruits en 1917, les édifices actuels sont plus austères.

BASSE-VILLE. L'ancien quartier populaire, situé sur la rive droite du canal Rideau, conserve le cachet d'un centre commercial animé du début du siècle. Le MARCHÉ BYWARD y tient depuis 1840 ses étals de fleurs, de fruits et de légumes. La CATHÉDRALE-BASILIQUE NOTRE-DAME (1846) abrite des boiseries d'acajou.

UNE VISITE ENTHOUSIASMANTE ! Le romancier britannique Anthony Trollope (1815-1882) découvre le Parlement d'Ottawa en 1880, quatre ans après son achèvement. Il traduit par ces mots son émerveillement : «Je n'ai aucune hésitation quant à la beauté de la silhouette, la noblesse et l'authenticité du détail. [...] À ma connaissance, nul gothique n'est aussi pur, aussi dépouillé d'ornements factices.»

CLOCHER DU PARLEMENT Ce carillon, qui rappelle ceux des villes hollandaises du XVIIe siècle, est l'un des plus anciens d'Amérique du Nord.

Ci-dessous, le canal Rideau en été

BAL DE NEIGE SUR LE CANAL RIDEAU
Ce festival annuel se déroule sur le canal Rideau. Dans un décor féerique de sculptures de glace, de givre et de neige, des activités variées font oublier le froid piquant. On peut y déguster une spécialité locale, la queue de castor. Très sucrée, cette pâtisserie, entre la crêpe et la gaufre, est garnie de cassonade et de cannelle.

RUE SUSSEX. Le long de la promenade Sussex s'étend le quartier historique, du Parlement à RIDEAU HALL, résidence du gouverneur général du Canada. À l'est de la rue, on peut admirer un paysage urbain typique du XIXe siècle. À l'ouest, un panorama exceptionnel s'ouvre sur la rivière des Outaouais et Hull. Enfin, à l'extrémité nord de la promenade, se trouve le MUSÉE DES BEAUX-ARTS DU CANADA. L'édifice de verre, inauguré en 1988, est l'œuvre de l'architecte montréalais Moshe Safdie. Spacieux, il abrite la plus riche collection d'art canadien qui comprend des œuvres du groupe des Sept ● *139*, d'Emily Carr ainsi qu'une collection d'art inuit ▲ *340*. C'est aussi le long de cette artère que se trouvent le site enchanteur des CHUTES RIDEAU et la résidence officielle du premier ministre canadien.
PATRIMOINE MUSÉAL. En tant que capitale, Ottawa est aussi dépositaire des collections conservées dans plusieurs musées. Les dinosaures et les spécimens de la faune canadienne sont au MUSÉE CANADIEN DE LA NATURE alors que la collection d'équipements technologiques et scientifiques se trouve au MUSÉE NATIONAL DES SCIENCES ET DE LA TECHNOLOGIE, qui possède le plus grand téléscope réfracteur du pays.

HULL

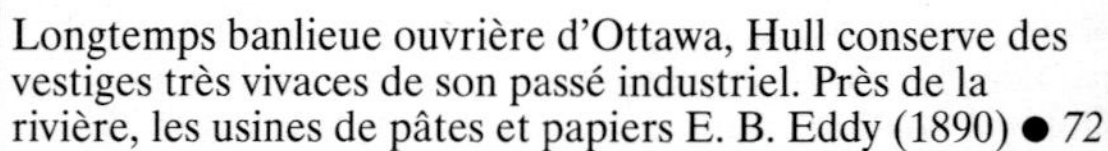

Longtemps banlieue ouvrière d'Ottawa, Hull conserve des vestiges très vivaces de son passé industriel. Près de la rivière, les usines de pâtes et papiers E. B. Eddy (1890) ● *72* et l'architecture domestique des petites maisons à pignons, avec leurs façades étroites et leurs appartements en longueur, rappellent le quartier ouvrier d'autrefois. Le long du ruisseau de la Brasserie, site des petites industries artisanales du siècle dernier, le bâtiment du THÉÂTRE DE L'ÎLE témoigne également de cette époque. Les constructions ultramodernes de la MAISON DU CITOYEN et des gratte-ciel, PLACE DU CENTRE, ont complètement modifié le centre-ville. Seuls les petits cafés de la place Aubry et de la rue principale rappellent des temps révolus.

LA CEINTURE DE VERDURE D'OTTAWA
De multiples jardins longent le canal Rideau et la rivière des Outaouais. La promenade Rockcliffe traverse le parc du même nom et offre de beaux points de vue sur la rivière. Le long du canal Rideau, les promenades de la Reine-Élisabeth et du Colonel-By sont bordées de parcs très colorés à la saison des tulipes : des milliers de bulbes sont offerts chaque année par la reine Juliana des Pays-Bas qui s'est réfugiée au Canada durant la Seconde Guerre mondiale.

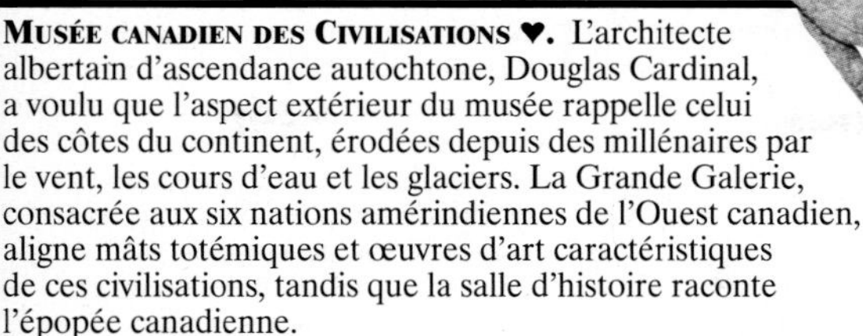

Musée canadien des Civilisations ♥. L'architecte albertain d'ascendance autochtone, Douglas Cardinal, a voulu que l'aspect extérieur du musée rappelle celui des côtes du continent, érodées depuis des millénaires par le vent, les cours d'eau et les glaciers. La Grande Galerie, consacrée aux six nations amérindiennes de l'Ouest canadien, aligne mâts totémiques et œuvres d'art caractéristiques de ces civilisations, tandis que la salle d'histoire raconte l'épopée canadienne.

Route des pionniers. Un sentier pédestre longe la rivière des Outaouais de Hull à Aylmer. Ce chemin était autrefois utilisé par les portageurs pour contourner les chutes impossibles à franchir en canot. Il traverse le parc Brébeuf, à Hull, où un monument rappelle l'époque des grands explorateurs comme Des Groseillers, Radisson et La Vérendrye. L'HÔTEL SYMMES, situé à l'extrémité ouest de la route, accueillait les voyageurs qui remontaient jadis l'Outaouais. De style néoclassique ● *118* aux accents *Regency*, l'édifice date de 1831. Sur la route Hull-Aylmer, on croise la luxueuse MAISON RIVERVIEW, construite en 1865 par Edward Skead, un prospère marchand de bois. Ce manoir de style anglais est devenu le Conservatoire de musique de Hull. Avec ses résidences patrimoniales, Aylmer reste un bel exemple de l'influence anglaise sur l'architecture locale.

Sac amérindien exposé au musée canadien des Civilisations.

La vallée de la Gatineau. La route panoramique qui longe la rivière Gatineau mène au parc de la Gatineau puis, 160 km plus au nord, à la réserve faunique du parc de La Vérendrye ▲ *230*. Arrière-pays de l'Outaouais, cette vallée s'est peuplée à mesure que progressait l'industrie du bois ● *76*. Depuis les berges de petits villages comme WAKEFIELD, fondé en 1830, on voit encore parfois flotter sur la rivière des billots de bois.

Le parc de la Gatineau
En 1938, sous l'administration du premier ministre William Lyon Mackenzie King (1874-1950), le gouvernement canadien entreprend l'acquisition des terrains dans le but d'assurer la protection des forêts. S'étant agrandi depuis, le parc de la Gatineau atteint aujourd'hui une superficie de 356 km^2. Lieu de conservation et d'interprétation de la nature, le parc abrite la résidence d'été de W. L. Mackenzie King, dont la grange a été transformée en salon de thé. On peut visiter le parc en toutes saisons. En automne, la symphonie des couleurs observée depuis le belvédère Champlain est saisissante.

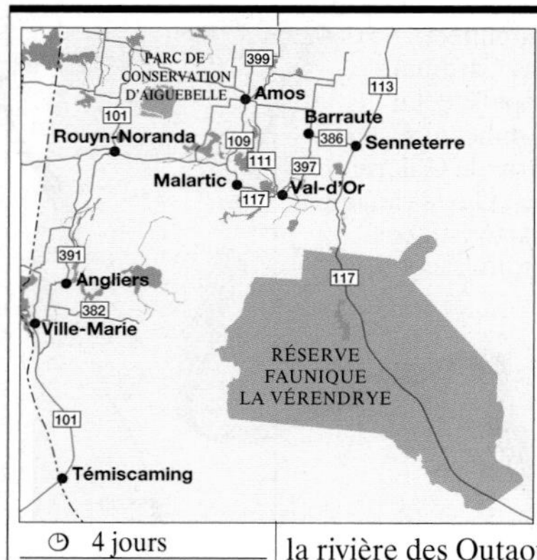

4 jours
env. 425 km

"J'entends la fonderie qui rush ; pour ceux qui l'savent pas, on y brûle la roche et des tonnes de bons gars. [...] Entendez-vous la rumeur, la loi de la compagnie ? «Il faudra que tu meures si tu veux vivre mon ami»."
Richard Desjardins
...Et j'ai couché dans mon char

MORT SUSPECTE
Si le prospecteur Stanley Siscoe a découvert en 1912 la mine qui porte son nom, près de Val-d'Or, on se souvient surtout des circonstances de sa mort. En mars 1935, alors qu'il revient de Montréal en avion, une forte tempête de neige oblige le pilote à atterrir d'urgence sur un lac. Attendant des secours deux jours durant, affamé, transi de froid, Siscoe décide de marcher vers le sud. On le retrouvera mort de froid, des billets de banque éparpillés autour de lui...

Isolée aux confins nord-ouest du Québec, l'Abitibi-Témiscamingue est une région riche en ressources naturelles aux espaces immenses et à la population clairsemée. La colonisation agricole, l'exploitation forestière et la ruée vers l'or ont dicté son développement : une histoire mouvementée, dominée par une nature omniprésente.

RÉSERVE FAUNIQUE DU PARC DE LA VÉRENDRYE

De Grand-Remous à Val-d'Or, la route traverse 300 km de forêts et de lacs. Ici, la rivière des Outaouais ▲ *222* prend sa source en d'innombrables points d'eau. Habitée par des espèces comme l'orignal, l'ours noir, le castor et le huard à collier, la réserve faunique est sillonnée de sentiers de randonnée et propose diverses activités sportives.

ABITIBI

C'est une région au sol rocheux et aux épinettes chétives. La découverte des richesses minérales de la faille de Cadillac, dans les années vingt, déclenche une ruée vers l'or ; en vingt-cinq ans, une cinquantaine de gisements sont découverts et exploités. Des millions de tonnes de minerai d'or, de cuivre et d'argent y sont traitées. Prospecteurs, mineurs et commerçants accourent, faisant surgir plusieurs *boom towns*.

VAL-D'OR. Comme les mines, la forêt a grandement contribué au développement de cette ville fondée en 1935. Quartier de Val-d'Or depuis 1965, le VILLAGE MINIER DE BOURLAMAQUE est créé en 1934 par une compagnie qui y construit des maisons en bois rond pour loger les familles de ses ouvriers. Une soixantaine d'entre elles sont toujours habitées, tandis qu'une autre, convertie en centre d'interprétation, permet de découvrir le patrimoine régional et l'histoire de la ville.

AMOS. Depuis Val-d'Or, la route 111, qui mène à la baie James ▲ *234*, passe par Amos. Traversée par la rivière Harricana, cette ville est la plus ancienne de l'Abitibi : l'épopée du peuplement de «l'Abitibi du chemin de fer» y débute en 1912. Ainsi, plusieurs villages agricoles, tels que Senneterre et Barraute, longent la voie ferrée qui relie cette région isolée au reste du Québec. Construite en 1922, la CATHÉDRALE SAINTE-THÉRÈSE-D'AVILA se distingue par son style romano-byzantin, sa forme circulaire, ses verrières et ses mosaïques. Non loin, le village algonquin de Pikogan (1954) possède une chapelle amérindienne en forme de tipi.

MALARTIC. La ville attire de nombreux chasseurs et pêcheurs. La rue principale offre des maisons aux façades postiches terminées en gradins de style western qui rappellent son passé minier. Le MUSÉE RÉGIONAL DES MINES, créé par des mineurs, est consacré à l'histoire de cette industrie et à l'étude des minéraux. Une reconstitution souterraine permet de vivre une descente dans une mine.

ROUYN-NORANDA. La ville est le point de départ de la ruée vers l'or de 1926. Une randonnée autour du lac Osisko permet de découvrir l'architecture de Noranda : d'une part les résidences des cadres des compagnies minières, et, d'autre part, les modestes maisons des employés. On constatera la désolation du paysage rocheux sur lequel sont bâties les maisons et sous lequel serpentent les galeries sousterraines des mines d'or et de cuivre. Une résidence et un magasin général de 1924 composent le site de la MAISON DUMULON, un centre d'interprétation sur l'histoire de la ville.

TÉMISCAMINGUE

Depuis Rouyn-Noranda, on rejoint le magnifique lac Témiscamingue. La région est essentiellement rurale et son paysage rappelle celui du Québec méridional avec ses douces collines verdoyantes.

ANGLIERS. Lieu de villégiature situé sur les rives du lac des Quinze, la ville compte un centre d'interprétation sur le flottage du bois ● *76*. Aménagé autour du remorqueur *T. E. Draper*, datant de 1929, le centre propose des visites du bateau et d'un entrepôt de bois des années quarante reconstitué.

VILLE-MARIE. Un poste de traite des fourrures est fondé au bord du lac Témiscamingue en 1606. Exploité deux cents ans durant, il sera fortifié en 1785. Ses vestiges sont visibles dans le parc du FORT TÉMISCAMINGUE. La MAISON DU COLON, datant de 1881, est la première maison privée de la ville. Après avoir accueilli temporairement plusieurs familles de colons, elle est transformée aujourd'hui en musée sur l'histoire du Témiscamingue.

TÉMISCAMING. Bâtie à flanc de montagne en 1917, Témiscaming est la seule ville industrielle de la région. On y retrouve une forte influence anglaise en raison de la proximité de l'Ontario.

"Môé j'viens
de l'Abitibi
Moi j'viens
de la bittt à Tibi
Moi j'viens d'un pays
qui a le ventre en or"
Raoul Duguay
La bittt à Tibi...

Statue en hommage aux mineurs de l'Abitibi, à Val-d'Or.

FESTIVAL DU CINÉMA INTERNATIONAL EN ABITIBI-TÉMISCAMINGUE

Né en 1982 sur l'initiative de trois cinéphiles de l'Abitibi-Témiscamingue, le festival se tient fin octobre, à Rouyn-Noranda. Il présente chaque année près de 80 films de 20 pays, dont une vingtaine d'exclusivités ◆ *349*. Des invités de marque y sont toujours présents. Malgré l'éloignement de la région, (Montréal est à 700 km), en douze ans, sa programmation a doublé et son assistance a triplé.

▲ Le caribou, ou «tuktu»

Le caribou joue un rôle essentiel dans la vie de tous les peuples de chasseurs nomades. Les Inuits et les Amérindiens se déplaçaient au gré des migrations des troupeaux de caribous dont ils dépendaient entièrement pour survivre. Omniprésent dans l'imaginaire des peuples nordiques, ce cervidé est au cœur des mythes, des contes, des chansons et des grands récits de chasse. De la préhistoire à nos jours, il a inspiré les artistes qui le sculptent dans la pierre ou le bois, le peignent, le filment et en parlent abondamment, toujours avec vénération.

Jeune caribou

Femelle caribou

Caribou adulte

Le caribou
La population des caribous du Nunavik est constituée de deux groupes distincts. Le troupeau de la rivière aux Feuilles, fort de 300 000 têtes, occupe la péninsule de l'Ungava. Celui de la rivière George, dont les effectifs s'élèvent à environ 600 000 individus, fréquente les terres situées un peu plus au sud. Les perpétuelles migrations du caribou sont réglées par ses besoins alimentaires. L'hiver, il se déplace vers le sud-ouest, en direction de la baie James ▲ *234*, où il trouvera sous la neige d'immenses étendues de lichen. L'été, il préfère la toundra arctique et ses arbustes, surtout dans les forêts incendiées. La mise bas a lieu en mai et juin dans des tourbières situées plus au nord, que les femelles rejoignent seules.

Le caribou au service de l'homme
Dans l'immensité désertique du Grand Nord, le caribou constitue traditionnellement une ressource inestimable pour l'homme. Sa chair, la moelle de ses os, sa graisse et les végétaux contenus dans sa panse fournissent un régime alimentaire équilibré. Sa peau souple et chaude sert à la confection de couvertures et de vêtements. Enfin, ses os, ses bois et sa corne sont transformés en outils ; ses tendons en fil à coudre ; son cuir en *babiche,* fil servant, entre autres, à tresser les raquettes.

«LA TERRE ÉTAIT LÀ AVANT LES HOMMES.
LES TOUT PREMIERS HOMMES SONT SORTIS DE LA TERRE.
DE LA TERRE, TOUT EST SORTI DE LA TERRE, MÊME LE CARIBOU»

CHANT DE LA TOUNDRA, POÈME INUIT

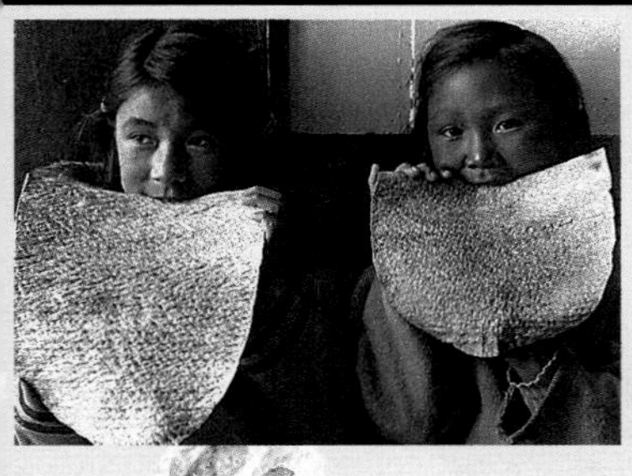

LA GARDE-ROBE AUTOCHTONE

Les artisanes amérindiennes et inuites ont inventé des techniques d'assemblage et des vêtements d'hiver dont se sont largement inspirés les fabricants contemporains. Avec la peau de caribou, elles confectionnaient des anoraks, des *kamik* (chaussures d'hiver), des mocassins et des moufles richement décorés et parfaitement adaptés à la vie nordique ▲ *338*. Sans eux l'homme n'aurait pu survivre aux rigueurs du désert glacial.

PRIÈRES AU GRAND ESPRIT CARIBOU

Le chaman ▲ *340* chante en s'accompagnant de son tambour rond. Les vibrations de sa voix et les ondes qui émanent de la peau de caribou tendue sur le cerceau sont des prières qui lui permettent de communiquer avec le monde spirituel. Il parle à Papakashtishkw, le grand esprit Caribou, le maître des caribous, qui lui indiquera où chasser sur son territoire.

L'HOMME CARIBOU : LA LÉGENDE

«Le plus grand chasseur innu de tous les temps abattait tellement de caribous qu'il finit par mettre en péril l'existence du troupeau. Un jour, il fit un rêve dans lequel il épousait une femelle caribou.
Le lendemain dans la toundra, il rencontra une superbe femelle à la tête des quelques bêtes restantes.
Comme dans son songe, elle lui offrit de la suivre.
Le chasseur accepta et devint l'Homme Caribou. C'est lui maintenant qui régit le troupeau et qui permet aux caribous de ne se laisser tuer que par les chasseurs qui le méritent.
Plusieurs disent avoir vu l'Homme Caribou et sa femelle courir dans la toundra.»

Légende montagnaise

EMBLÈME

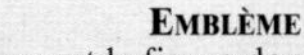

Le caribou est la figure dominante des riches armoiries des nations autochtones.
Le Canada le représente sur la pièce de 25 cents ◆ *357*.

LA NATION CRIE
Les Cris sont aujourd'hui plus de de 60 000 au Canada et parlent une langue d'origine algonquine. Ils occupent des régions dominées par la forêt boréale et par la toundra, autour de la baie James. Vivant de la chasse et de la pêche, ils commencent à troquer des fourrures et de la viande avec l'arrivée des Européens. Ils vivent alors en bandes. Les Cris croient aux esprits des animaux et aux esprits se manifestant dans les rêves.

UNE EXPÉDITION !
Avant de se lancer sur cette route, des précautions s'imposent. Il est prudent, été comme hiver, de rouler à bord d'un véhicule en bon état et de se munir d'une trousse de secours. Il n'existe qu'un poste de ravitaillement entre Matagami et Radisson.

AURORES BORÉALES
Visibles la nuit, elles se déploient tel un voile multicolore dans le ciel de hautes latitudes de l'hémisphère nord. Elles apparaissent à une altitude de 100 à 300 km, le long d'une bande allant de Yellowknife, au Yukon, à la baie James, près du pôle magnétique. Elles sont dues à d'intenses perturbations magnétiques.

ROUTE 109

Il est certes pratique d'aller à Radisson par avion de Montréal ou de Val-d'Or, mais on peut également s'y rendre par voie de terre, sur une route longue de 866 km depuis Val-d'Or ▲ *230*. À partir d'Amos, les zones habitées disparaissent pour faire place aux immenses régions boisées de la Radissonie. Ville nordique, MATAGAMI doit sa naissance aux ressources minières et forestières. En quittant Matagami, il faut s'inscrire au poste de contrôle, au kilomètre 6, où l'on obtiendra tous les renseignements désirés. Jusqu'à Radisson, la route traverse le territoire habité par les Cris. Ici s'étend la forêt boréale ■ *32*, domaine de l'épinette noire peuplé par le castor ▲ *242*, le mésangeai et... de redoutables insectes piqueurs. Des rivières fougueuses qui charrient des eaux brunâtres viennent briser la monotonie du relief. L'hiver, malgré des températures extrêmes, chutant à - 40 °C la nuit et ne montant qu'à - 20 °C le jour, le froid sec est facilement supportable pourvu qu'on soit bien vêtu. Quoique peu varié, le paysage est plus grandiose en hiver qu'en été : de chaque côté de la route se déploie un rideau vert foncé, festonné de neige givrée, saupoudrée ou moutonneuse, selon les caprices du vent. Chaque coup d'œil embrasse la forêt d'épinettes, et ici règne un silence, absolu, total.

RADISSON

En hiver, on peut apercevoir des caribous ▲ *232* aux abords de Radisson ; les lagopèdes viennent picorer les bourgeons de saules qui tapissent les fossés. Depuis le village, il est possible de se rendre au village cri de CHISSASIBI, sur la rive de la baie James, et de visiter, en été, la centrale LG-2 ● *70*, l'une des gigantesques installations hydroélectriques du complexe La Grande, du nom de la rivière harnachée. Construite à 137 m sous terre, la centrale a une puissance de plus de 7 500 MW. Le barrage de LG-2 atteint 162 m de haut et 2 835 m de large ; son réservoir contient 19,4 milliards de m^3 d'eau domestiqués par une trentaine de digues. Construit de 1972 à 1985, avec les deux autres grands barrages de la baie James, il alimente maintenant le marché de Montréal et de ses banlieues, ainsi que les régions qui longent les lignes de transport de l'électricité, telles l'Abitibi ▲ *230* et les Laurentides ▲ *216*.

Trois-Rivières

Paul-Louis Martin

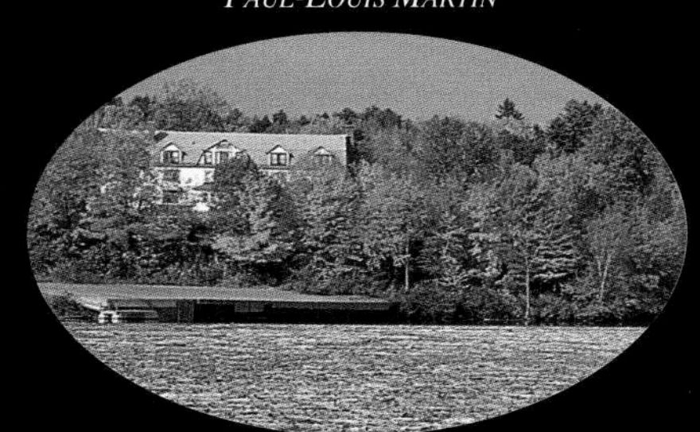

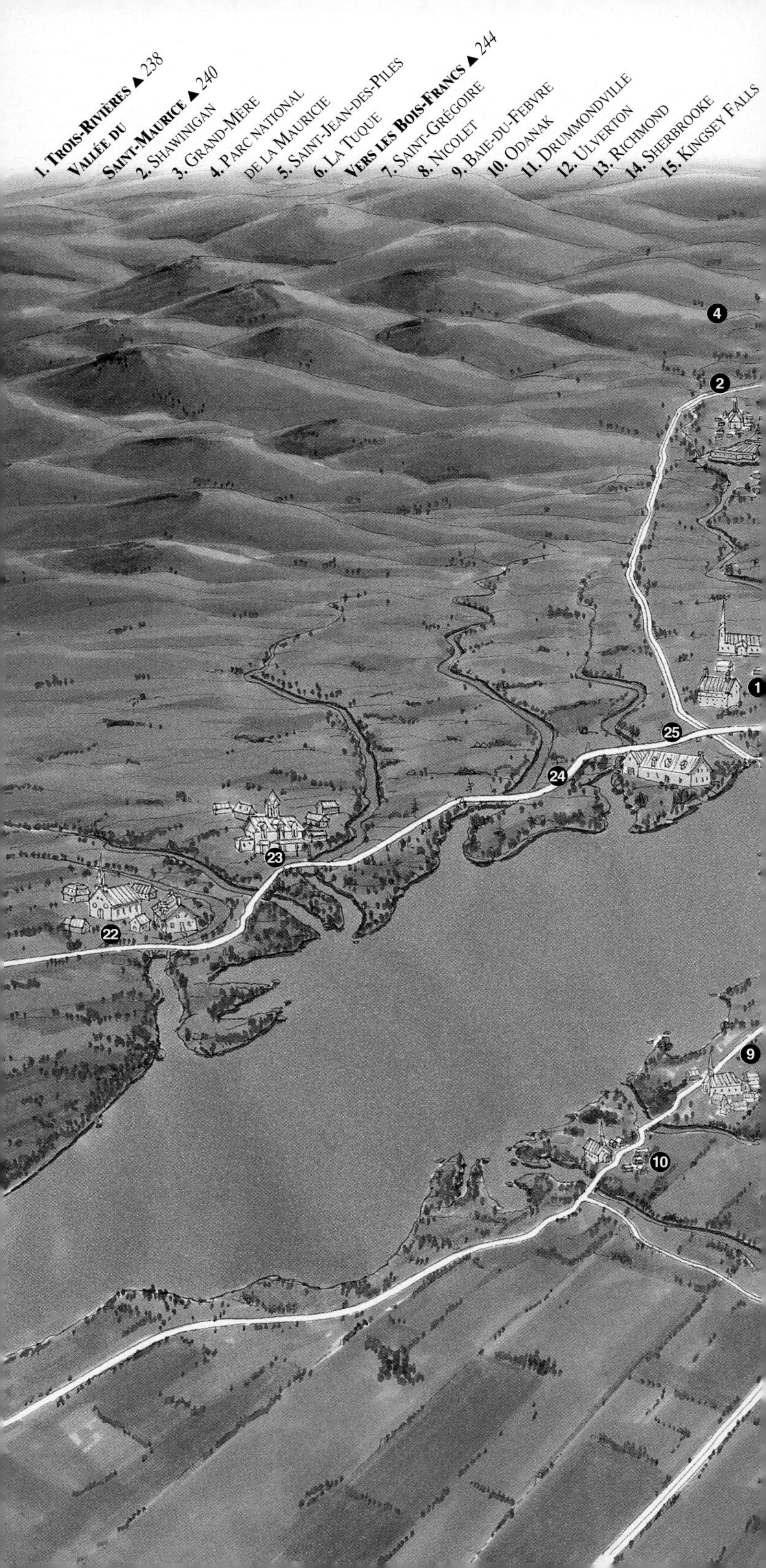

1. Trois-Rivières ▲ 238
Vallée du Saint-Maurice ▲ 240
2. Shawinigan
3. Grand-Mère
4. Parc national de la Mauricie
5. Saint-Jean-des-Piles
6. La Tuque
Vers les Bois-Francs ▲ 244
7. Saint-Grégoire
8. Nicolet
9. Baie-du-Febvre
10. Odanak
11. Drummondville
12. Ulverton
13. Richmond
14. Sherbrooke
15. Kingsey Falls

16. Warwick
17. Victoriaville
18. Plessisville
19. Inverness
20. Thetford Mines
21. Parc de Frontenac
Chemin du Roy ▲ 248
22. Maskinongé
23. Louiseville
24. Yamachiche
25. Pointe-du-Lac
26. Cap-de-la-Madeleine
27. Batiscan
28. Sainte-Anne-de-la-Pérade
29. Deschambault
30. Donnacona
31. Neuville
32. Pont-Rouge

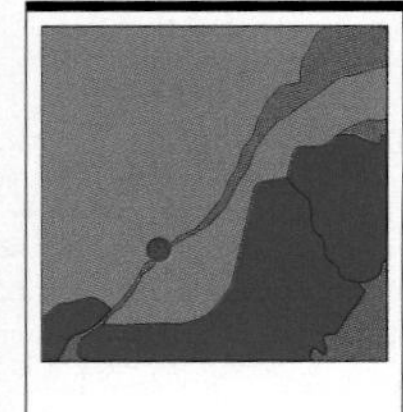

HISTOIRE DE LA VILLE

À mi-chemin entre Québec ▲ *252* et Montréal ▲ *164*, Trois-Rivières forme le deuxième plus ancien pôle de peuplement de la vallée du Saint-Laurent, puisque, dès 1634, le sieur de Laviolette y établit un poste de traite où viennent se ravitailler coureurs de bois et commerçants. Le choix du site n'était pas fortuit : Trois-Rivières est située au confluent du Saint-Laurent, au bout du lac Saint-Pierre, et de la rivière Saint-Maurice ▲ *240*. Sa position stratégique est renforcée par la proximité des rivières Bécancour, Nicolet et Saint-François sur la rive sud, autant de «chemins qui marchent», disaient les Amérindiens, autant de voies d'échanges et de circulation. La ville peut ainsi drainer les fourrures jusqu'à la fin du XVIIe siècle. Pourtant, pendant près d'un siècle, le peuplement de la colonie progresse lentement et la ville compte à peine six cents habitants au moment de la Conquête, en 1760. L'essor démographique, l'apport d'immigrants acadiens et l'ouverture des marchés du blé et du bois insufflent un dynamisme nouveau à la ville. Depuis le début du XIXe siècle, c'est une autre ressource naturelle qui alimente l'activité industrielle : bois équarri, bois de sciage, bois de pâte à papier empruntent à leur tour le réseau hydrographique. Le XXe siècle vient transformer en électricité cette énergie renouvelable.

LE CANOT D'ÉCORCE
Embarcation légère et maniable, le canot était parfaitement adapté au cours accidenté des rivières du Québec. De grandes feuilles d'écorce de bouleau étaient cousues à l'aide de racines d'épinettes (épicéas) sur une légère armature de cèdre (thuya). Des résines végétales étanchaient les joints. Au XVIIIe siècle, pour augmenter la capacité de charge en marchandises et en fourrures, on fabriqua, à Trois-Rivières et à Nicolet, de grands canots de 10 à 12 m de longueur appelés rabaskas ou maîtres-canots.

VIEUX-TROIS-RIVIÈRES

Établi sur une terrasse qui domine le fleuve, l'ancien bourg de Trois-Rivières a remplacé le premier fortin de bois de 1634. Son tracé régulier, parfaitement reconnaissable de nos jours, remonte à 1649 et comprend deux rues parallèles, Notre-Dame et Saint-Pierre, ainsi que quelques rues transversales. Une palissade de pieux ferme alors l'enceinte à l'intérieur de laquelle s'élèveront l'église paroissiale, disparue en 1908, le manoir de Tonnancour (1797), qui sert de presbytère de 1820 à 1903, le couvent et la chapelle des récollets. Ces derniers, bâtis en bois à la fin du XVIIe siècle, sont

«LA PITOUNE DE QUAT'PIEDS»
Les billes de bois constituent une image omniprésente dans l'imaginaire québécois. Ces billots étaient autrefois appelés «la pitoune» ou «la pitoune de quat'pieds» en raison de la taille réglementaire des billots.

remplacés par des édifices en pierre au milieu du XVIIIe siècle. Le monastère des ursulines, datant de 1697, a pour sa part subi plusieurs transformations jusqu'en 1897. La résidence du gouverneur ainsi qu'une trentaine d'habitations en pierre datant du XIXe siècle achèvent l'ensemble.
Le faubourg portuaire qui se dressait à l'ouest de l'enceinte, le long du Saint-Laurent et de la rue Notre-Dame, a disparu à la suite de deux conflagrations majeures en 1856 et en 1908.
Le quartier historique du Vieux-Trois-Rivières, protégé depuis 1964, comprend notamment des galeries d'art, des musées, un parc, une terrasse et des vues sur le fleuve.

MUSÉE DES URSULINES. Datant de 1697, il constitue le cœur du monastère actuel et regroupe de magnifiques collections de broderie, d'orfèvrerie, de sculpture et de meubles des XVIIe, XVIIIe et XIXe siècles.

MANOIR BOUCHER DE NIVERVILLE. Une partie du comble et des murs remonte à 1668, mais le manoir a acquis ses dimensions définitives en 1730. Le carré de maçonnerie est coiffé d'un toit à croupes recouvert de bardeaux de cèdre. On peut y voir une exposition de meubles tels que des tables, des coffres, des armoires, et des objets datant des XVIIIe et XIXe siècles comme un poêle des Forges du Saint-Maurice ▲ *240*.

PRISON DE TROIS-RIVIÈRES. À la limite nord du vieux noyau de la ville s'élève un bel édifice de style palladien ● *118*, d'aspect sévère : il s'agit de la prison de Trois-Rivières (1816), dont les plans ont été élaborés par le célèbre architecte de Québec, François Baillargé (1759-1830) ▲ *255*. Récemment désaffectée, la vieille prison sera prochainement intégrée au MUSÉE DES ARTS ET TRADITIONS POPULAIRES DU QUÉBEC, dont le nouvel édifice doit être érigé à l'angle nord-ouest du site.

CATHÉDRALE DE L'ASSOMPTION ● *118*. Construite en 1858 dans le style néogothique, elle possède des vitraux réalisés par Guido Nincheri, entre 1923 et 1934, qui viennent adoucir son intérieur un peu austère.

PARC PORTUAIRE. Il comprend des terrasses étagées donnant sur le fleuve. Le CENTRE D'EXPOSITION SUR L'INDUSTRIE DES PÂTES ET PAPIERS propose des objets, des produits de la transformation des fibres ligneuses, des maquettes et des films vidéo sur les procédés industriels qui ont transformé la ville en capitale mondiale du papier ● *72*.

PIERRE BOUCHER (1622-1717)
Arrivé en Nouvelle-France à treize ans, il devient interprète et soldat. Nommé gouverneur de Trois-Rivières, il se rend auprès de Louis XIV en 1661 pour le convaincre de reprendre le développement de la colonie. Son *Histoire véritable et naturelle des mœurs et productions du pays de la Nouvelle-France*, publiée en 1664, est l'une des meilleures chroniques de l'époque. Il a été anobli sous le nom de Boucher de Boucherville.

MAURICE DUPLESSIS (1890-1959)
Natif de Trois-Rivières, il devient Premier ministre du Québec de 1936 à 1939 et de 1944 à 1959 à la tête de l'Union nationale. Son gouvernement se caractérise par une exaltation de la vie rurale traditionnelle. Malgré quelques mesures à caractère social (loi sur le salaire minimum), son règne a été qualifié de grande noirceur et a donné une impulsion à la Révolution tranquille qui l'a suivi ● *56*.

▲ LA VALLÉE DU SAINT-MAURICE

LES FORGES DU SAINT-MAURICE
En activité de 1730 à 1883, la fonderie des Forges sera pendant cent ans la plus perfectionnée du pays. Employant près de 500 ouvriers, elles produisent du fer forgé, des poêles, des outils et des ustensiles de cuisine.

Le Saint-Maurice prend sa source à l'ouest du lac Saint-Jean ▲ *318* et coule sur 563 km. Même si plusieurs barrages hydroélectriques ont domestiqué son cours depuis le début du XXe siècle, cette rivière aux eaux sombres et puissantes n'est calme qu'en apparence et gronde encore avec force sur quelques accidents rocheux. Avant de devenir une voie de communication propice au transport des fourrures et du bois, le Saint-Maurice a charrié, il y a des milliers d'années, un minerai très recherché : le fer des marais.

FORGES DU SAINT-MAURICE ♥

À la fin du XVIIe siècle, les dépôts d'oxyde de fer, de limonite et d'ocres repérés entre Yamachiche ▲ *248* et Champlain pourtant connus ne sont toujours pas exploités. La colonie a cependant de plus en plus besoin de fer : poêles, haches, ustensiles de cuisine et clous sont importés de France à grands frais. Le premier établissement sidérurgique canadien, les Forges du Saint-Maurice, est fondé en 1730 sur la rive droite de la rivière, au nord de Trois-Rivières. Le LIEU HISTORIQUE NATIONAL DES FORGES DU SAINT-MAURICE met en valeur le site, les vestiges, les techniques et les produits de cette entreprise, active jusqu'en 1883, et rappelle les diverses facettes de la vie aux forges. C'est une halte inoubliable.

"D'une étoile à l'autre, ils doivent dégager les billes encavées dans la glace, courir sur le bois en mouvement, s'agripper aux branches, aux rochers de bordure quand l'eau débâcle et qu'elle veut tout emporter comme une bête en furie."
Félix-Antoine Savard
Menaud, maître-draveur

SHAWINIGAN

CENTRE D'INTERPRÉTATION DE L'INDUSTRIE DE SHAWINIGAN ♥. La fabrication de l'aluminium exigeant beaucoup d'électricité, le potentiel hydroélectrique du Saint-Maurice ● *68* a attiré les industriels américains au début du siècle. Les chutes de Shawinigan offrant la déclivité et la puissance recherchées, les promoteurs y aménagent, de 1899 à 1940, le plus important ensemble industriel de l'époque : trois centrales hydroélectriques, une aluminerie, une usine de pâtes et papiers, et une vingtaine d'autres entreprises à travers la ville. Shawinigan voit le jour, tracée par des ingénieurs désormais soucieux de rationalités nouvelles dont l'hygiène domestique et la création de parcs publics. Le centre d'interprétation offre une incursion fascinante dans l'histoire du XXe siècle. La visite du site industriel et de la centrale Shawinigan-2 s'impose.

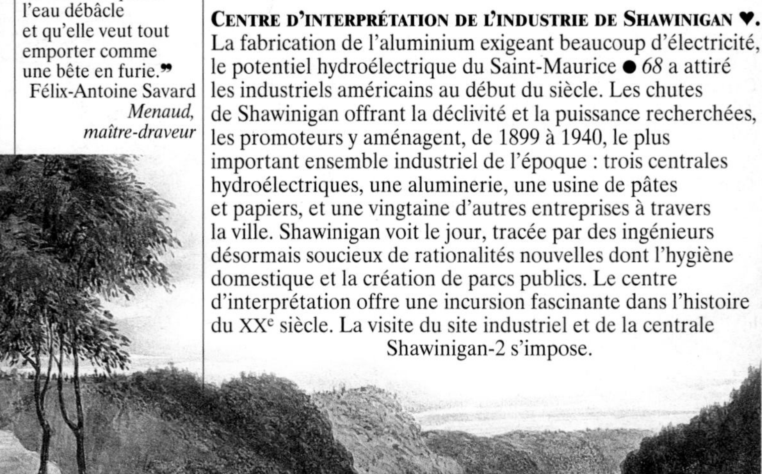

Le grand harle
Le grand harle, un type de canard essentiellement piscivore, hiverne souvent dans les cours d'eau où le courant rapide empêche la formation de la glace.

Église Notre-Dame-de-la-Présentation. On peut y admirer des fresques d'Ozias Leduc (1864-1955) ▲ *205* illustrant la vie ouvrière de la région. Ces toiles retracent l'histoire récente de l'industrie et décrivent les activités forestières ainsi que la vie des travailleurs.
Grand-Mère. Son nom lui vient d'un rocher dont la forme évoque la tête d'une vieille femme. Les Algonquins l'appelaient *kokomis* : «ta grand-mère». L'aménagement de centrales électriques au début du siècle a nécessité le déménagement du rocher dans un parc de la ville en 1948.

«Les fondeurs»
À travers cette peinture qui orne l'église de Shawinigan, Ozias Leduc illustre le salut de l'homme par le travail.

Parc national de la Mauricie ♥

Inhabité, parsemé de lacs et couvert d'une forêt aux essences nombreuses, ce vaste territoire est réputé pour ses panoramas spectaculaires. Sentiers de randonnée et activités d'interprétation de la nature conduisent le visiteur de découverte en découverte. Les amateurs d'aventures ne manqueront pas de faire l'une des excursions de canot-camping proposées. Le soir, près d'un feu de camp au bord d'un lac, et après avoir pagayé toute la journée, l'envoûtement est total lorsque le huard joint sa complainte à l'ululement du grand-duc.

Saint-Jean-des-Piles

Le centre d'accueil et d'interprétation de Saint-Jean-des-Piles explique les phénomènes géologiques et le rôle des glaciations dans la formation du territoire ; il illustre les écosystèmes des milieux d'eau douce (150 lacs), la nature du couvert forestier et la richesse de la faune. Un traversier mène à Grandes-Piles, où se trouve le Village du bûcheron ♥. Un «chantier» de coupe forestière ● *76* du début du siècle y a été reconstitué, avec le camp, la limerie (où étaient aiguisées les haches), la tour de guet et une vingtaine d'autres bâtiments dont la *cookerie* où on goûtera la cuisine des chantiers : fèves au lard, ragoûts, tourtières et crêpes au sirop d'érable.

Félix Leclerc (1914-1988)
Né à La Tuque, Félix Leclerc, romancier, dramaturge, poète et auteur, était aussi compositeur et interprète. Parmi les textes qui l'ont rendu célèbre, citons : *Bozo*, *Le Tour de l'île*, *Le P'tit Bonheur*, *L'Hymne au printemps*, et *Moi, mes souliers.*
Il a chanté le pays, rendant hommage aux gens et à la richesse de leur imaginaire.

La Tuque

Un rocher en forme de bonnet de laine, une «tuque» ● *74*, est à l'origine du nom de la ville. Une gamme diversifiée d'expéditions sportives en haute Mauricie y est offerte. Le parc des chutes de la petite rivière Bostonnais termine agréablement le parcours, offrant des sentiers de randonnée près d'une chute de 30 m de hauteur.

▲ Le castor

Sous le Régime français, la traite des fourrures, et principalement celle du castor, constitue le moteur de l'économie. Les efforts déployés pour s'assurer le contrôle de l'exportation de sa fourrure vers l'Europe attisent les rivalités franco-britanniques et entre les tribus amérindiennes. S'il constitue un enjeu économique, le castor fascine aussi les observateurs par son labeur incessant. Il érige des digues pour stabiliser le niveau des eaux et, à mesure que s'élargissent les étangs créés par son travail, apparaît une faune sans cesse renouvelée.

Premiers contacts
Dès le XVIIe siècle, les Européens manifestent un intérêt marqué pour le castor auquel ils prêtent des vertus médicinales. Ainsi, le jésuite Louis Nicolas note : «Les testicules de Castor que la Medecine appelle castoreum [...] sont excellens pour diverses maladies, les fammes qui sont travaillées du mal de Mere s'en trouvent fort bien quant on leur en brule au prés du nez...»

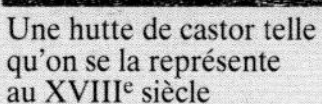
Une hutte de castor telle qu'on se la représente au XVIIIe siècle

Un objet de convoitise
Afin de répondre à la demande européenne, les peaux de castors sont particulièrement recherchées par les coureurs de bois ● *48* aux XVIIe et XVIIIe siècles. En outre, comme les échanges avec les Amérindiens n'impliquent aucun numéraire, les belles peaux (ou «pelus») servent d'étalons pour estimer la valeur des autres pièces.

Une rivière avant l'arrivée des castors

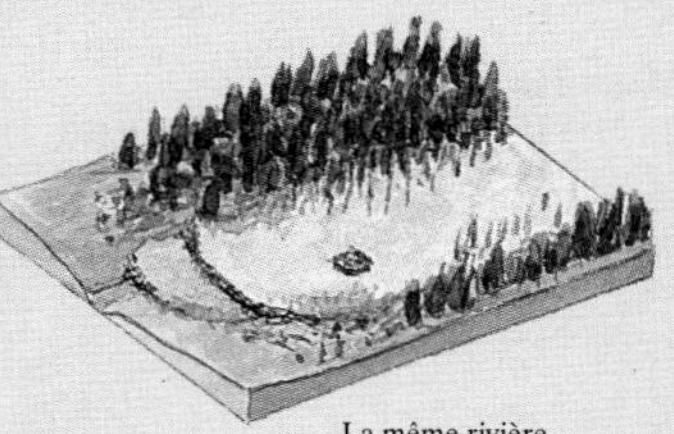

La même rivière après la construction de barrages par les castors

Un architecte ingénieux

Les castors sont monogames. Les deux membres d'un couple se partagent les tâches qu'exige l'établissement de leur domaine : abattage et transport des arbres, aménagement de la hutte, construction et entretien périodique du barrage. Haut de 2 m environ, cet ouvrage atteint généralement plusieurs dizaines de mètres de longueur. Les plus grands (jusqu'à 600 m !) sont l'œuvre de familles ayant successivement occupé le même emplacement.

La hutte du castor

De forme conique, la hutte d'une famille de castors s'élève en amont du barrage qui contrôle le niveau de l'eau. La partie visible est moins importante que celle immergée. La hutte (à gauche) se compose d'un amoncellement de troncs et de branches liés par de la boue. Contrairement à ce qu'on a longtemps cru, elle compte une seule chambre, le plancher étant situé au-dessus du niveau de l'eau. Le tunnel d'accès est creusé à travers les fondations et s'ouvre sous l'eau. Une cheminée permet en outre la ventilation de la hutte.

Le symbole national

La métaphore du castor industrieux est un thème récurrent. À l'image du coq gaulois, le castor canadien s'est imposé comme symbole national. Même la propagande militaire l'utilisera pour appuyer l'effort de guerre. Encore de nos jours, on retrouve ce rongeur sur les pièces de cinq cents ◆ *357*, gravé entre deux feuilles d'érable.

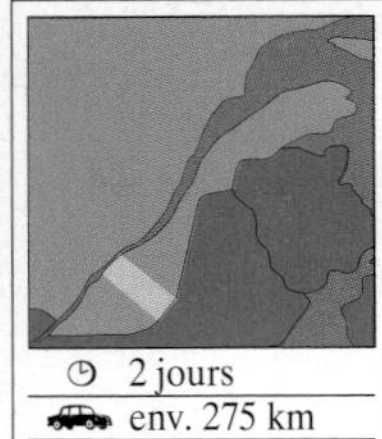

SÉMINAIRE DE NICOLET
Occupé depuis 1969 par l'Institut de police du Québec, le séminaire de Nicolet est l'œuvre de Jérôme Demers et de Thomas Baillairgé ▲ *267*. Il est l'un des plus anciens collèges classiques, après ceux de Québec et de Montréal. Sa construction remonte à 1827. Quatre ans plus tard, l'établissement accueille ses premiers étudiants. En faisant construire ce collège dans une région rurale, l'évêque de Québec, Mgr Plessis, souhaite contrer la stagnation du recrutement religieux dans les grandes villes. Au début des années soixante, la réforme de l'enseignement ● *56* entraîne la fermeture de l'établissement. En 1973, un incendie détruit une partie de la façade ainsi que les murs de l'une des ailes. Le séminaire de Nicolet attend toujours d'être restauré.

Cette vaste plaine sur la rive sud du fleuve Saint-Laurent, en face de Trois-Rivières, se prolonge jusqu'aux Appalaches. Elle doit son nom à la forêt mixte et aux grands feuillus, tels l'érable, le merisier et l'orme, qui y abondent. Les Bois-Francs ont connu un lent peuplement, en raison notamment des menaces d'agression amérindienne au XVIIe siècle. À partir de la seconde moitié du XVIIIe siècle, des Acadiens ▲ *308* puis des colons britanniques s'établissent sur le territoire. Le développement des activités forestières, agricoles et manufacturières donne naissance au XIXe siècle à un chapelet de petites villes dynamiques.

SUR LA RIVE DU SAINT-LAURENT

SAINT-GRÉGOIRE. En quittant le pont Laviolette reliant Trois-Rivières à la rive sud, on débouche sur un petit village fondé par des Acadiens en 1802. L'ÉGLISE SAINT-GRÉGOIRE, construite en 1806, sera d'abord modeste : les murs sont enduits de crépi et une fausse voûte de planches masque le plafond. Cinq ans plus tard, le frère Louis Demers, curé d'une paroisse voisine entre 1764 et 1767 et dernier récollet du couvent de Montréal, l'enrichit d'un véritable trésor appartenant à sa communauté : un tabernacle dû à Charles Chaboulié (1703) et un retable sculpté en 1713 par Jean-Jacques Bloem dit Leblond. La fabrique confie à Urbain Brien dit Desrochers le soin d'élaborer un décor à la hauteur avec le tombeau du maître-autel, l'entablement, les lambris et les autels latéraux. Si la nef, la façade principale et l'intérieur ont connu plusieurs remaniements, le chœur reste inchangé.

NICOLET. Centre religieux et administratif, cette petite ville demeure un pôle économique et culturel important de la région. Le SÉMINAIRE DE NICOLET (1826), palais de style néoclassique, atteste l'originalité et la maîtrise des architectes de l'époque ● *116*. Le MUSÉE DES RELIGIONS conserve des œuvres d'art, des documents et des archives et présente des expositions thématiques visant à rapprocher croyances et démarches spirituelles de toutes cultures.

BAIE-DU-FEBVRE. Un arrêt dans ce village permet de mieux comprendre l'écosystème bien particulier du lac Saint-Pierre ■ *22*. La vaste plaine inondable qui l'entoure sert de refuge à une faune aquatique très diversifiée. En avril et en octobre, outardes et bernaches du Canada, entre autres, y font halte. Un centre d'interprétation permet de les observer dans leur habitat ◆ *367*.

LES BERGES DE LA RIVIÈRE SAINT-FRANÇOIS

ODANAK. La nation abénaquise occupait autrefois un vaste territoire s'étendant de la rivière Saint-François aux provinces maritimes. Alliée des Français, elle trouva refuge sur la rive sud du Saint-Laurent, notamment dans ce petit village.
Des costumes ainsi que des objets rituels exposés au musée des Abénaquis évoquent leurs traditions. On propose également un circuit à l'intérieur du village permettant de mieux connaître cette culture amérindienne.
DRUMMONDVILLE. Fondée en 1815, cette ville prend le nom du gouverneur du Bas-Canada de l'époque, Lord Drummond. Le VILLAGE QUÉBÉCOIS D'ANTAN reconstitue l'histoire de la ville et de sa région. Une entreprise privée, la *British American Land*, s'occupe de la distribution des concessions au début du XIXe siècle et y établit des militaires démobilisés depuis la fin du conflit anglo-américain ▲ *262*. On met en place des moulins à scie actionnés par le courant de la rivière Saint-François ● *66*. Ils permettent de débiter les grands pins tombés sous la hache des colons.
La construction, au début du XXe siècle, de barrages hydroélectriques ● *68* attire plusieurs manufactures ainsi qu'une importante main-d'œuvre rurale.
Le MANOIR TRENT, dans le parc des Voltigeurs, du nom d'un régiment (ci-dessous) de volontaires formé en 1812, constitue un bel exemple de l'architecture des *Eastern Townships* ▲ *210*. Il a été érigé entre 1837 et 1848 par un officier de la marine anglaise à la retraite, George Norris Trent. Les murs, la charpente du toit et le décor intérieur sont d'origine. Cette demeure abrite depuis peu un centre de documentation sur les vins et les fromages. On peut y déguster des produits de plusieurs pays. En juillet, le Festival mondial de folklore accueille danseurs, chanteurs et porte-couleurs des quatre coins du monde ◆ *351*.

PARADIS DES ORNITHOLOGUES
La région du lac Saint-Pierre accueille chaque printemps au moins 125 espèces différentes d'oiseaux. Ce lac abrite des herbiers aquatiques dans lesquels ces oiseaux peuvent se mettre à l'abri. À partir du poste d'observation situé à Baie-du-Febvre, on peut admirer à loisir, outre des bernaches du Canada et des outardes, des plongeons huarts (ci-contre), des bécasseaux, des cygnes siffleurs, etc.

LES VOLTIGEURS CANADIENS
Le 4 juin 1812, Washington déclare la guerre à la Grande-Bretagne. Dans le but d'assister l'armée, un corps de 500 volontaires est mis sur pied. On les appellera les Voltigeurs canadiens. Ces hommes sont essentiellement chargés de faire des patrouilles de reconnaissance et de monter la garde. Ils n'ont été impliqués que dans quelques affrontements.

UNE FAMILLE D'ARCHITECTES
Le 25 novembre 1848 naissait Louis Caron, le premier d'une dynastie d'architectes très actifs dans la région de Nicolet et de Victoriaville. À lui seul, Louis Caron a dessiné 19 églises et plusieurs belles demeures, telles que la maison Poisson (ci-dessous) et la demeure de sir Wilfrid Laurier.

MOULIN D'ULVERTON. Ce bâtiment, situé à une vingtaine de kilomètres au sud-est de Drummondville, a été construit vers 1849. Il a été réaménagé de manière à reproduire le mode de fonctionnement d'une industrie textile de la seconde moitié du XIXe siècle. Le moulin sert à carder, filer et tisser la laine des éleveurs des environs. Son comble est conçu de manière à dégager le maximum d'espace ; le fenêtrage laisse abondamment passer la lumière.

VERS VICTORIAVILLE

La route conduisant à Victoriaville est bordée de petits villages, comme RICHMOND et WARWICK qui ont conservé de beaux exemples d'architecture rurale et de résidences cossues du XIXe siècle.

ALFRED LALIBERTÉ (1878-1953)
Natif des Bois-Francs, Alfred Laliberté demeure l'un des sculpteurs les plus prolifiques de son époque. Son œuvre comporte 925 sculptures ▲ *197* dont plusieurs évoquent les coutumes et les métiers d'autrefois. Il a également réalisé de nombreux bustes (tel celui de Wilfrid Laurier, ci-dessous) et des monuments.

KINGSEY FALLS. Dès les années 1800, les premiers colons ont érigé sur les rives de la rivière Ulverton, à proximité de ses chutes, un moulin à farine, une scierie puis un moulin à papier. La ville est aujourd'hui le siège de Cascades Inc., une entreprise spécialisée dans le recyclage de papier. Un parc horticole de 9 ha, divisé en jardins thématiques, rend hommage au frère Marie-Victorin, célèbre botaniste natif de l'endroit. Les différents jardins témoignent de la diversité et de la richesse des milieux naturels québécois ■ *20*.

VICTORIAVILLE. Cette ville doit son nom à Victoria Ire, reine de Grande-Bretagne et d'Irlande au moment de sa création (1861). Victoriaville a longtemps été le pôle économique de la région comme en témoigne son riche patrimoine architectural composé de résidences privées de l'époque victorienne (ci-dessus). Réunie à la ville voisine d'Arthabaska, cette municipalité constitue la porte d'entrée des Bois-Francs. Pour embrasser d'un seul coup d'œil la région, rien ne vaut une ascension du mont Saint-Michel en arrivant dans les quartiers de l'ancienne Arthabaska ! En 1929, le MUSÉE LAURIER ♥ s'installait dans la splendide résidence de l'ancien Premier ministre du Canada, sir Wilfrid Laurier (1841-1919). Construite en 1876 par Louis Caron, cette maison possède les caractéristiques d'une villa à l'italienne abondamment décorée. Elle exprime la réussite sociale de Laurier, né à Saint-Lin (Laurentides) mais qui, dès 1869, réside à Arthabaska où il exerce la profession d'avocat. Il est élu député à Québec deux ans plus tard avant de prendre le chemin d'Ottawa, en 1874. Ce libéral et tribun adulé

Ci-contre, extraits de *La Flore laurentienne,* (1935) du Frère Marie-Victorin.

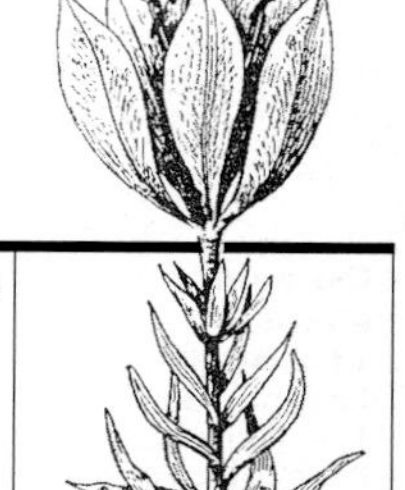

devient en 1896 le premier francophone à accéder au poste de Premier ministre, fonction qu'il conserve jusqu'en 1911. Le musée permet d'admirer le décor et le mobilier d'origine (de style victorien) ainsi que des œuvres d'art, notamment une collection de tableaux du peintre-sculpteur Marc-Aurèle De Foy Suzor-Côté (1869-1937) ● *137* et des sculptures d'Alfred Laliberté (1878-1953) et de Philippe Hébert (1850-1917). Le CENTRE DE CRÉATION THÉÂTRALE PARMINOU, sis non-loin du centre de Victoriaville, ouvre ses ateliers de décors et de costumes aux visiteurs.

PLESSISVILLE. Cette municipalité, située dans une région d'érablières, se targue d'être la capitale mondiale des produits de l'érable, ces douceurs typiquement nord-américaines. En avril, le «temps des sucres» ● *82* donne lieu au Festival de l'érable et avec lui, à la fête dans les cabanes ◆ *351*.

INVERNESS ♥. Ce village, fondé en 1845 par des immigrants écossais, abrite L'ÉCONOMUSÉE DU BRONZE. Il fait revivre un art peu répandu, celui des fondeurs de cloches des siècles passés, qui coulaient leurs œuvres d'airain dans le sable, au pied des églises.

THETFORD MINES. L'exploitation de la fibre d'amiante, commencée à la fin du siècle dernier, a produit un paysage industriel bien particulier : villes ouvrières, carrières à ciel ouvert et amoncellements de rejets, les terrils, qui attendent encore un recyclage. Le MUSÉE MINÉRALOGIQUE ET MINIER DE LA RÉGION DE L'AMIANTE, situé à Thetford Mines, offre des expositions sur l'évolution des procédés d'exploitation et explique les dangers et les propriétés de l'amiante.

PARC DE FRONTENAC. Ce parc présente la particularité d'être un microcosme des principaux paysages naturels du Québec. Il recèle une immense tourbière (dans le secteur nord-est), la plus méridionale de son type, entourée par une parcelle de forêt boréale que domine l'épinette noire ■ *33*. Seul le nord des Laurentides ▲ *216* permet de retrouver ces deux grands biotopes. La plus grande partie du parc est couverte de forêts à feuillage caduc, séparées par de nombreux lacs où résonnent les étranges complaintes mais ô combien attachantes du plongeon huart.

croceum

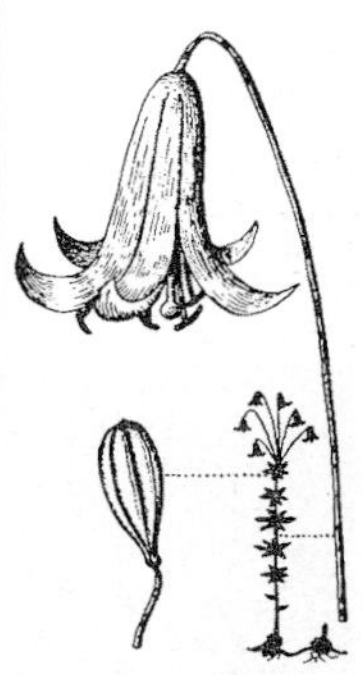

canadense

FRÈRE MARIE-VICTORIN
Conrad Kirouac (1885-1944) prend le nom de Marie-Victorin en entrant dans l'ordre des Frères des Écoles chrétiennes. Professeur de botanique à l'université de Montréal ▲ *187*, il fonde l'Institut botanique en 1922 et participe à la mise sur pied du Jardin botanique ▲ *196* de Montréal en 1931. Ses travaux lui ont valu une renommée internationale.

GRÈVE DE L'AMIANTE
Les travailleurs d'Asbestos (près de Thedford Mines) déclenchent une grève en 1949. Ils réclament notamment de meilleurs salaires et soulèvent le problème de la poussière d'amiante. Ce conflit, qui fait l'objet d'une sévère répression, déclenche un vaste mouvement de solidarité à travers le Québec.

UNE FAMILLE D'ARTISTES À LOUISEVILLE
La famille du notaire J.-A. Ferron de Louiseville a donné au Québec trois artistes renommés : Jacques (1921-1985) et Madeleine (1922), écrivains, et Marcelle (1924), peintre et artiste verrier. Ils ont tous trois mené une carrière originale caractérisée par l'amour des arts et des lettres, mais, surtout, par la libre pensée.

La route qui longe la rive gauche du Saint-Laurent suit le tracé du premier chemin carrossable reliant Québec à Montréal. Cette artère stratégique a été réalisée à l'instigation des autorités coloniales au nom du roi et a été inaugurée en 1737. Un service régulier de transport par diligence y est établi à la fin du XVIIIe siècle. On mettait alors trois jours pour aller de Québec à Montréal !

SUR LA RIVE DU LAC SAINT-PIERRE

À partir de Berthier, on pénètre dans la plaine inondable de la rive nord du lac Saint-Pierre ■ *22*, un des élargissements du Saint-Laurent. Long de 75 km et large de 16, le lac n'est profond que de 3 m. À son entrée ouest, il compte une centaine d'îles et îlots. Ses eaux poissonneuses (maskinongé, grand brochet…) et herbeuses attirent aussi plusieurs espèces d'oiseaux dont le canard huppé, la sarcelle et la bernache.

MASKINONGÉ. Si les terres basses et fertiles de la rive du lac Saint-Pierre ont attiré les colons, ces derniers ont vite compris qu'il valait mieux s'installer loin des berges pour éviter les crues du fleuve. Ainsi le premier noyau paroissial de Maskinongé, fondé en 1785, se dressait sur le coteau – le village actuel se trouve plus à l'ouest. Situé au n° 167 du chemin du Pied-de-la-Côte, le vieux presbytère, devenu résidence privée, est le dernier vestige du premier hameau. Le long de ce chemin apparaissent la maison Doucet (n° 184) achevée en 1794 puis un ensemble de trois magasins généraux (n° 192) construit en 1827, 1870 et 1916.

LOUISEVILLE. De belles demeures s'élèvent autour de la place de l'église, comme celle du médecin Léandre Hamelin, à l'angle des rues Notre-Dame et Saint-Laurent (ci-dessus, à droite). Bâtie en 1898, cette maison de brique d'inspiration néo-*Queen Ann* possède une ornementation originale et un décor de bois très élaboré. La profusion d'éléments décoratifs emprunte à l'esthétique de l'école *Arts and Crafts* ● *124*, qui rejetait la standardisation et la simplification du décor architectural manufacturé.

YAMACHICHE. Au siècle dernier, Yamachiche était célèbre dans toute la région pour le savoir-faire de ses menuisiers, briquetiers et maçons. Les Héroux, famille d'artisans et d'entrepreneurs, ont laissé la marque de leur habileté dans le village et plusieurs résidences de la rue principale en témoignent : sur leurs façades, les nuances de la brique soulignent l'élégance du bois (en haut).

DU LUXE POUR LE CURÉ DE YAMACHICHE
Près du presbytère, construit au début du XIXe siècle, s'élève une glacière en maçonnerie de pierre. À la fin de l'hiver, on remplissait le soubassement de blocs de glace prélevés sur un lac ou une rivière ● *103*. Interstices et parois étaient bouchés avec de la neige. Une trappe ménagée dans le plancher permettait de contrôler la quantité d'air froid nécessaire aux aliments pendant la saison chaude.

Pointe-du-Lac. Construit peu après 1775, le moulin seigneurial de Tonnancour, transformé en galerie d'art, a gardé une partie de son mécanisme ancien. Visite commentée et sentiers de randonnée en font une halte agréable.

De Trois-Rivières vers Québec

Cap-de-la-Madeleine. L'occupation de cette terre remonte à 1649, lorsque les jésuites y créent une mission. L'église aux lignes simples, située près du fleuve et entourée d'un parc ombragé, date de 1717. Le sanctuaire Notre-Dame-du-Cap (1950) dont on remarquera les vitraux et l'orgue Casavant ▲ *205* accueille le troisième pèlerinage de la province ▲ *186*, *278*. Ces grands rassemblements de fidèles à Notre-Dame-du-Rosaire remontent à 1883, date à laquelle une procession était partie de Trois-Rivières.

Batiscan. Avant d'arriver au village, une visite au vieux presbytère, construit en 1816, permet d'en admirer le mobilier, le décor et les lambris. Cette imposante habitation de pierre faisait partie du hameau jusqu'à ce que les inondations trop fréquentes poussent ses habitants à s'installer plus haut.

Sainte-Anne-de-La-Pérade. Le village porte le nom de la rivière qui l'arrose et des descendants de Thomas de Lanouguère, qui avait obtenu la concession en 1672. Son fils, Pierre-Thomas Tarieu de La Pérade, épousa Madeleine de Verchères ▲ *204* en 1706. Des vestiges du manoir où ils vécurent jusqu'en 1747 subsistent.

La pêche des «p'tits poissons des ch'naux» ● *86*
Vers la mi-décembre, l'effervescence est à son comble ; on descend régulièrement sonder la glace de la rivière, en attendant la froidure. Le signal donné, tracteurs, camions, perceuses et tronçonneuses s'engagent sur la glace. En quelques jours, des centaines de cabanes multicolores s'alignent sur la rivière. On ouvre la trappe du plancher au-dessus du trou découpé dans la glace avant d'allumer le poêle et d'accrocher la ligne. Jusqu'à la mi-février, des dizaines de milliers de poissons, poulamons ou petites morues, gèlent à l'extérieur des cabanes. Au menu du soir : gibelotte (poissons, pommes de terre, oignons, lard doux, sel et poivre) ; galette aux œufs de petits poissons, un caviar blanc comme neige. Cette tradition a consacré Sainte-Anne-de-la-Pérade capitale de la pêche d'hiver.

Les presbytères de Deschambault
Le premier presbytère de Deschambault a été construit de 1730 à 1735. Ses fondations sont toujours visibles près de celui qui l'a remplacé en 1815 (ci-dessus). Ce dernier s'est transformé tour à tour en résidence privée, en école de village puis en centre culturel, après qu'un troisième presbytère eut été construit, en 1871.

Prenant leur source dans les hauts plateaux laurentiens, les eaux vives et froides de la rivière Sainte-Anne regorgeaient autrefois de saumons. Ils ont disparu au milieu du XIXe siècle, à cause de l'exploitation forestière ● *76*, mais le poulamon remonte toujours de la mer pour frayer dans la rivière.

De Grondines à Cap-Santé. La plupart de ces terres ont été défrichées entre 1660 et 1680. Plusieurs villages, notamment Portneuf ● *121*, comptent encore des églises, des moulins et des résidences datant du Régime français. Deschambault, autrefois appelé Cap-Lauzon, abrite une église érigée entre 1834 et 1837, un ancien presbytère bâti en 1815 (ci-contre) et un couvent datant de 1860. Entourée par un presbytère (1849), une sacristie et un cimetière, l'église de Cap-Santé (1754), située sur un étroit plateau au pied d'un talus, surplombe le fleuve.

Donnacona. Née dans le plateau laurentien derrière Québec, la rivière Jacques-Cartier, «l'une des plus enchanteresses qui soient au monde» (Frederic Tolfrey, officier britannique, 1845), entame le substrat rocheux des basses terrasses entre Donnacona et Pont-Rouge avant de se jeter dans le fleuve. Le saumon y abondait depuis des siècles avant que l'industrie ne l'en chasse, vers 1915. Depuis 1977, à la faveur de mouvements écologiques, on peut à nouveau l'observer à la passe migratoire de Donnacona à travers la fascinante section vitrée des bassins de repos.

Pont-Rouge. Plus haut dans l'arrière-pays, une maison de péager bâtie en 1804 rappelle que le chemin du Roy enjambait à cette hauteur la gorge spectaculaire où coule la rivière Jacques-Cartier. On peut la visiter. Les escaliers et le pont donnent accès au panorama.

Neuville. Des maisons de pierre se dressent sur plusieurs niveaux le long d'une étroite terrasse. L'Église Saint-François-de-Sales, agrandie et remaniée plusieurs fois, conserve un magnifique baldaquin à six colonnes torses offert à la paroisse par l'évêque de Québec en 1717, en échange de blé pour les pauvres de sa ville. Commandé en 1695 pour orner la chapelle du palais épiscopal de Québec, il reste un spécimen remarquable de la sculpture ornementale du Québec ● *111*.
Le maître-autel de François Baillairgé (1802) ● *113*, le décor du chœur, réalisé par des artistes trifluviens (1826), et une vingtaine de toiles peintes par Antoine Plamondon (1804-1895), originaire de Neuville, complètent le sanctuaire.

Ci-dessous, le baldaquin de Neuville, autrefois recouvert de dorures

Québec

Yves Beauregard
Éric Fournier
Fernand Harvey
Jean-Marie Lebel
Paul-Louis Martin

1. Place Royale 2. Musée de la Civilisation 3. Église Notre-Dame-des-Victoires 4. Funiculaire 5. Château Frontenac 6. Terrasse Dufferin 7. Place d'Armes 8. Holy Trinity 9. Hôtel de ville 10. Église St. Andrew 11. Hôtel Clarendon 12. Édifice Price 13. Basilique-cathédrale Notre-Dame 14. Vieux Séminaire 15. Parc Cavalier du Moulin

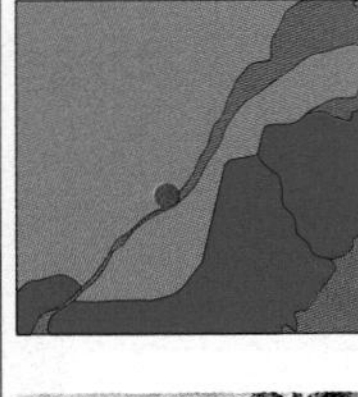

DEUX SOLITUDES, UN MONUMENT
Le plus vieux monument commémoratif de Québec se dresse dans le parc des Gouverneurs, près du château Frontenac ▲ *260*. L'obélisque (1827-1828) est dédié à James Wolfe et au marquis de Montcalm, tués lors de la bataille des plaines d'Abraham, et porte cette inscription : «*Mortem virtus communem. Famam historia. Monumentum posteritas dedit*.» (Leur courage leur a valu le même sort ; l'histoire la même réputation ; la postérité le même monument.)

Le charme de Québec est inépuisable. Cette ville, «perchée sur un roc comme un nid d'aigle» (Xavier Marmier, 1808-1892), se dresse au confluent de la rivière Saint-Charles et du fleuve Saint-Laurent. Avec sa citadelle qui couronne la cime du cap Diamant, la capitale québécoise constitue la seule ville fortifiée en Amérique du Nord ▲ *262.* Elle est le berceau de la civilisation française sur le continent américain. Ici, «tout a un arôme de vétusté, tout parle à l'imaginaire», notait l'historien James MacPherson LeMoine (1825-1912). La ville séduit également l'écrivain américain Henry David Thoreau ● *152*, qui y séjourne en 1850. Les ruelles et les fortifications le laissent pantois : «Tout cela rappelait autant le Moyen Âge que les romans de Scott.»

UNE SITUATION PRIVILÉGIÉE

En langue algonquine, *Kebec* signifierait «là où le fleuve se rétrécit». Cette situation attire l'attention de Jacques Cartier en 1535-1536 et de Samuel de Champlain, qui y établit un poste de traite de fourrures en 1608 ● *48*. L'aventure des francophones d'Amérique débute véritablement ici. Avec ses fortifications, sa résidence du gouverneur général, son palais de l'intendant et ses monastères, Québec s'affirme comme la capitale de la Nouvelle-France aux XVIIe et XVIIIe siècles. C'est de là que partent les explorateurs, les missionnaires et les «coureurs de bois» ● *48*. En 1759, le destin de la colonie se joue dans cette ville. La France et l'Angleterre sont alors en guerre depuis trois ans. À Québec, les hommes du marquis de Montcalm résistent tout l'été aux assauts des troupes anglaises. Le brigadier général James Wolfe, redoutant l'hiver, lance une ultime attaque : dans la nuit du 12 au 13 septembre, lui et ses hommes s'emparent

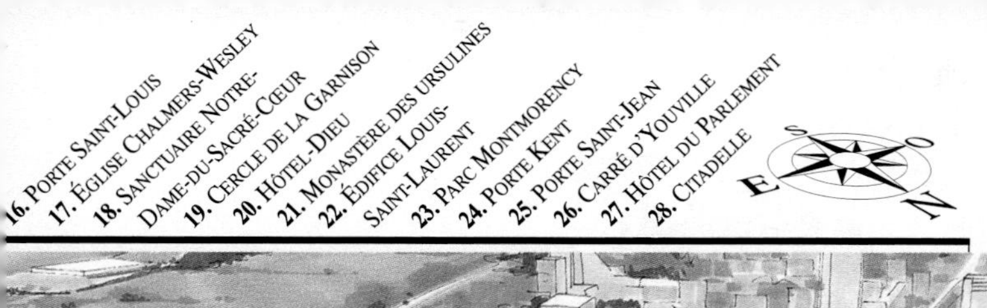

d'un sentier menant au sommet des falaises à l'ouest de la ville. Au petit matin, l'armée anglaise occupe les plaines d'Abraham, obligeant Montcalm à s'engager dans une bataille rangée. Ce sera son chant du cygne ! La ville passe aux mains des Anglais trois jours plus tard. Sous le régime britannique, Québec s'impose comme un important centre de construction navale et d'exportation de bois vers l'Angleterre et reste, jusqu'à la Grande Crise des années 1930, la capitale de la chaussure et de la corseterie. Résolument françaises, l'architecture et la toponymie de Québec reflètent pourtant l'apport important de l'immigration anglaise, écossaise et irlandaise des XVIIIe et XIXe siècles. De nos jours, la fonction publique et le tourisme sont les deux piliers de l'économie de la capitale.

La fin d'une époque
En septembre 1759, les 8 000 hommes de Wolfe réussissent à s'emparer de la ville et à vaincre l'armée de Montcalm qui compte 2 200 soldats réguliers et les troupes de la marine (1 500 hommes).

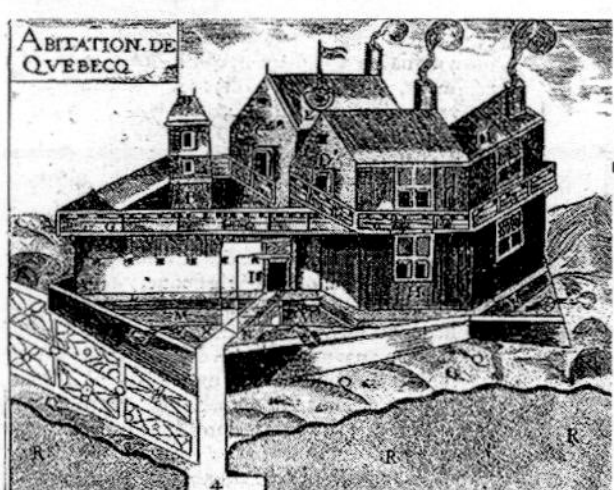

«L'ABITATION DE QUEBECQ»
Le 3 juillet 1608, Samuel de Champlain (v. 1567-1635), ci-contre, arrive à Québec. Il notera : «j'employay une partie de nos ouvriers à les abattre [les arbres] pour y faire nostre habitation». Québec était née !

En 1608, Champlain érige son «abitation» sur une étroite bande de terre entre le fleuve et le promontoire. Dès le milieu du XVIIe siècle, les communautés religieuses et les autorités s'établissent au sommet du cap alors que les négociants et les importateurs occupent la basse-ville, à proximité du fleuve. Au XIXe siècle, des travaux permettent d'élargir ce secteur en empiétant sur le fleuve. À partir de 1860, le déclin des activités portuaires pousse de nombreux établissements commerciaux et financiers de la place Royale à migrer vers d'autres quartiers.

AUTOUR DE LA PLACE ROYALE

UN CENTRE DE NÉGOCE. C'est sur cette place que prend forme la colonie française. Dès le début du XVIIe siècle, les grands négociants et les marchands se regroupent autour de l'habitation construite par Champlain. Après la Conquête, la vocation commerciale du site s'affirme, la place Royale accueillant un grand marché public dans la première moitié du XIXe siècle. Restaurées, les demeures de quelques grands négociants d'autrefois évoquent l'architecture du régime français ● *110* et celle du XIXe siècle. Les maisons Bruneau, Drapeau et Rageot abritent ainsi une exposition sur le commerce en Nouvelle-France. On y a reconstitué une boutique du XVIIIe siècle.

MAISON FORNEL. En 1723, un important négociant de la capitale, Louis Fornel, se voit offrir

ANSE-DES-MÈRES
Le Blocus continental (1806-1808) imposé par Napoléon aux Anglais favorise l'essor de l'exploitation forestière au Canada. Les anses situées près de Québec constituaient des sites propices pour rassembler les pièces de bois avant leur départ pour l'Angleterre. Au moment où Maurice Cullen réalise ce tableau (1904), l'activité portuaire s'est déplacée, de nouveaux quais ayant été construits à l'est et à l'ouest.

Ci-contre, portrait présumé de Thomas Baillairgé, 1816 ▲ *117*.

par son père une demeure construite en 1658 sur la place Royale. La maison Fornel connaît une intense activité : son propriétaire s'occupe d'un poste de traite pour la pêche de la morue et la chasse du phoque sur la côte du Labrador. Après son décès, en 1745, la veuve Fornel prend en main la succession, exploitant, entre autres, un poste de traite à Tadoussac ▲ *328*. Détruite par un incendie en 1960, la demeure est reconstruite deux ans plus tard selon une maquette datant de 1810. Les travaux ont permis de mettre au jour un puits du XVIIe siècle, ainsi que de magnifiques caves voûtées (1735) qui s'étendent sous la place Royale. Cette maison abrite aujourd'hui un centre d'interprétation sur le développement urbain de la basse-ville.

Maison Chevalier ● *112*. Près de la place Royale se dresse un ensemble architectural de quatre corps de logis érigés à différentes époques. Jean-Baptiste Chevalier (v. 1715-1763) arrive à Québec en 1740. Douze ans plus tard, ce Français natif de Moulins, riche négociant et armateur, achète un terrain et quelques «murs en ruine». Il retient les services de Pierre Renaud, dit Canard, pour diriger la construction d'une grande maison de pierre reposant sur deux vastes caves voûtées. Si la maison Chevalier est l'une des rares demeures à résister aux tirs des Anglais en 1759, elle n'échappe pas à un incendie. Un grand propriétaire immobilier, George Pozer, achètera l'immeuble en 1807 pour le transformer en auberge (la London Coffee House). En 1956, le gouvernement du Québec se porte acquéreur de la maison ainsi que des édifices voisins pour y effectuer des travaux de restauration. L'ensemble est aujourd'hui administré par le Musée de la Civilisation ▲ *256* qui y présente une exposition sur l'habitat aux XVIIe et XVIIIe siècles.

Les Baillairgé
En 1741, l'architecte Jean Baillairgé (1726-1805) émigre en Nouvelle-France. Il est le premier d'une dynastie d'architectes, de sculpteurs et de peintres. Son fils, François (1759-1830), étudie en France et son petit-fils, Thomas (1791-1859), s'illustre à Québec au milieu du XIXe siècle. Charles Baillairgé (1826-1906), architecte, mathématicien et ingénieur, est de la quatrième génération.

«Le Brézé»
Une maquette du *Brézé* est suspendue à la voûte de l'église de Notre-Dame-des-Victoires. C'est sur ce navire qu'ont été envoyés, en 1665, le marquis de Tracy et le régiment de Carignan-Salières pour défendre la colonie contre les attaques iroquoises. Une fois la paix rétablie, plusieurs des soldats et officiers s'installent au pays.

Église Notre-Dame-des-Victoires

La construction de cette petite église, à l'emplacement même où se trouvait l'«abitation» de Champlain, débute en 1687 sous la direction de l'architecte Claude Baillif (v. 1635-v. 1698). Comme la plupart des édifices du quartier, elle est détruite en 1759 lors du siège de Québec. Elle est rebâtie trois ans plus tard par l'architecte Jean Baillairgé (1726-1805) et a fait l'objet de plusieurs restaurations depuis. Le nom de l'église et les fresques de son chœur célèbrent la victoire des troupes françaises sur l'amiral William Phipps en 1690 ▲ *262* et le naufrage de la flotte de l'amiral Hovenden Walker dans l'estuaire du Saint-Laurent en 1711. Ce naufrage a été considéré par la population de Québec comme une seconde victoire due à l'intervention divine. L'impressionnant maître-autel de bois peint et doré renferme une relique de saint Laurent, en l'honneur de qui Jacques Cartier a baptisé le fleuve ▲ *294* où il s'est engagé. La chapelle latérale est dédiée à sainte Geneviève, la patronne de Paris ; ainsi, le 3 janvier, des «petits pains» y sont distribués. À l'origine, ils étaient censés éloigner la disette.

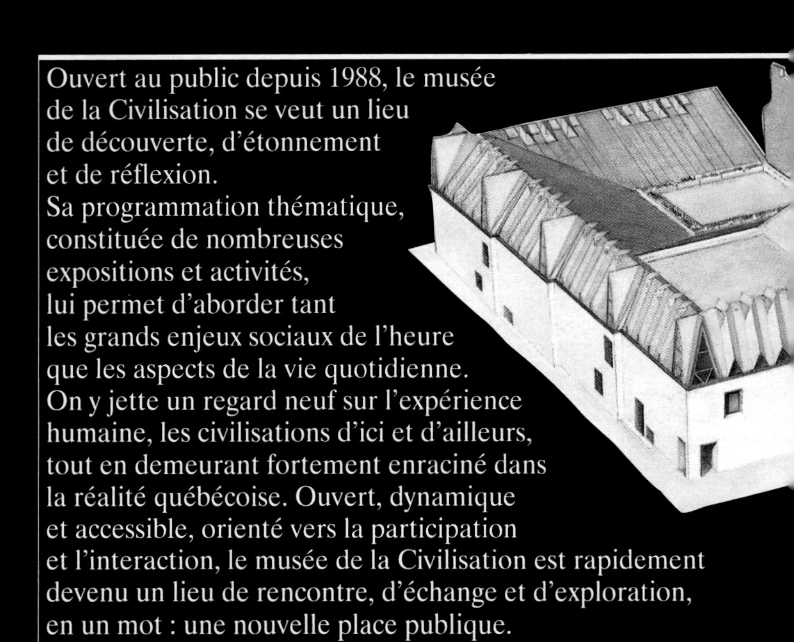

Ouvert au public depuis 1988, le musée de la Civilisation se veut un lieu de découverte, d'étonnement et de réflexion.
Sa programmation thématique, constituée de nombreuses expositions et activités, lui permet d'aborder tant les grands enjeux sociaux de l'heure que les aspects de la vie quotidienne. On y jette un regard neuf sur l'expérience humaine, les civilisations d'ici et d'ailleurs, tout en demeurant fortement enraciné dans la réalité québécoise. Ouvert, dynamique et accessible, orienté vers la participation et l'interaction, le musée de la Civilisation est rapidement devenu un lieu de rencontre, d'échange et d'exploration, en un mot : une nouvelle place publique.

LES EXPOSITIONS THÉMATIQUES

La grande diversité des thèmes présentés permet au musée de satisfaire les attentes du plus grand nombre. À travers ses expositions, permanentes et temporaires, il propose de nouvelles façons de percevoir le monde et met en valeur le dynamisme et la capacité d'adaptation des sociétés passées et présentes. Les sujets traités s'articulent principalement autour de l'aventure humaine (le corps, la matière, la société, le langage et la pensée). Ils font l'objet d'une approche multidisciplinaire où se combinent scénographie spectaculaire, multi-images, environnements sonores et éléments interactifs. Une visite représente une expérience globale où l'émotion, les sens, l'intuition et l'intelligence sont sans cesse sollicités.

Trésor ethnologique
Constituée à partir des années vingt, la collection du musée compte aujourd'hui plus de 60 000 pièces appartenant à des sphères aussi variées que la mode, les costumes, les métiers, la vie domestique, le mobilier, le verre, la céramique, les jeux et l'art populaire. Cet ensemble témoigne de l'apport toujours vivace des Amérindiens et des Inuits, et raconte l'évolution de la société québécoise.

L'architecture
Bel exemple d'intégration à la trame urbaine du Vieux-Québec, l'architecture du musée de la Civilisation lie des formes résolument modernes au caractère architectural typique de la plus vieille ville française d'Amérique. Le bâtiment englobe deux constructions anciennes, la maison Estèbe (1752) et l'édifice de la Banque de Québec (1865). Les lucarnes, le campanile et le choix des matériaux (pierre, cuivre et verre) contribuent également à établir le trait d'union entre passé et présent. Les toitures formées de terrasses et d'escaliers permettent au promeneur de passer, en été, d'une rue à l'autre et de découvrir le vaste fleuve.

Les activités
Chaque thème abordé par une exposition est traité de façon complémentaire par des activités à caractère éducatif et culturel. Les visiteurs peuvent ainsi explorer un sujet sous plusieurs facettes, en approfondir certains aspects ou débattre des questions qui leur tiennent à cœur. Visites commentées, ateliers spécialisés, colloques, spectacles, démonstrations pratiques, semaines thématiques, cinéma et musique sont mis à profit autour d'une approche plurielle.

LOUIS JOLLIET
Né à Québec en 1645, Louis Jolliet s'est rendu célèbre pour avoir découvert le Mississippi en 1673 en compagnie du jésuite Jacques Marquette. Il a également exploré les côtes du Labrador.

LE PETIT-CHAMPLAIN

Autrefois, Québec avait une grande et une petite rue Champlain. Cette dernière a changé une première fois de nom au XIXe siècle pour devenir la *Little Champlain Street* avant d'être rebaptisée vers 1874 «Petit-Champlain». Par un effet pervers de la traduction, on est donc passé d'une petite rue à un petit Champlain ! Cette artère est bordée de boutiques tenues par des artistes et des artisans. Entre les maisons, de pittoresques petits escaliers débouchent sur le boulevard Champlain et ses cafés-terrasses. Elle est également le point de départ d'un FUNICULAIRE (ci-contre) qui permet de rejoindre la haute-ville sans avoir à emprunter l'escalier Casse-Cou ou faire un détour par la côte de la Montagne. L'entrée du funiculaire se trouve dans la maison Louis-Jolliet, l'une des plus vieilles du secteur, construite quelques mois seulement après qu'un terrible incendie (1682) eut ravagé la basse-ville. Elle doit son nom à l'explorateur Louis Jolliet (1645-1700), qui y a vécu. Une ancienne caserne de pompiers de style Beaux-Arts ● *125*, inaugurée en 1912, se dresse sur la rue Dalhousie. Elle abrite le centre de création des arts de la scène de la compagnie Ex Machina, dont la direction artistique est assumée par le célèbre dramaturge Robert Lepage ● *94*.

ESCALIER CASSE-COU
Le pittoresque escalier Casse-Cou s'est vu attribuer ce nom au XIXe siècle, à une époque où il était vacillant.

LE VIEUX-PORT

Les quais de Québec ont constitué pour des milliers d'immigrants la porte d'entrée du Nouveau Monde. Éclipsé par celui de Montréal ▲ *173* à partir de la seconde moitié du XIXe siècle, le port de Québec perd progressivement de son importance et ses installations deviennent vétustes. Le site actuel du Vieux-Port a fait l'objet d'importantes rénovations dans les années 1980. Il comprend une marina ainsi qu'un vaste amphithéâtre à ciel ouvert, l'AGORA. On y remarque un monument honorant le «premier pilote du Roy», Abraham-Martin (vers 1620), et rappelant les nombreuses embûches que comporte la navigation sur le fleuve Saint-Laurent ● *80*. Depuis le XIXe siècle, les compagnies d'assurances obligent d'ailleurs les propriétaires de navires à utiliser les services d'un pilote pour naviguer sur le fleuve.

BASSIN LOUISE. Une jetée est construite en 1880-1883 dans l'estuaire de la rivière Saint-Charles afin de protéger les goélettes des marées. C'est ainsi qu'est créé le bassin Louise, en l'honneur de la fille de la reine Victoria, épouse du marquis de Lorne, gouverneur général du Canada (1878-1883). Aujourd'hui, la marina du Vieux-Port accueille des centaines d'embarcations de plaisance.

CARNAVAL DE QUÉBEC
En février, Québec est l'hôte d'un carnaval d'hiver ◆ *351*. La traversée du Saint-Laurent en canot est l'une des activités les plus populaires. Pendant les onze jours que durent les festivités, le «caribou» ● *100*, un mélange de vin rouge et d'alcool, est fort apprécié.

«Dans les rues de Québec,
Par temps gris par temps sec,
J'aime aller nez au vent,
Cœur joyeux en rêvant»

Charles Trenet

Un centre d'interprétation rappelle aux visiteurs le rôle que jouait le port de Québec dans le commerce du bois, la construction navale et l'accueil des immigrants. Un peu en retrait, la rue Saint-Paul, où habitaient autrefois des marchands de grains et des «épiciers en gros», est désormais occupée par des antiquaires et des galeries d'art.

Îlot des Palais

Sous le régime français, l'intendant est le puissant bras droit du gouverneur. Il lui appartient d'administrer les finances, la police et la justice. Au XVIIe siècle, ce haut fonctionnaire se voit attribuer un palais sur les berges de la rivière Saint-Charles. La première demeure de l'intendant est aménagée dans l'ancienne brasserie créée par Talon et rachetée par Louis XIV en 1686. Le Conseil souverain, qui deviendra la plus haute cour de justice, s'y réunit. Le 6 janvier 1713, l'édifice est ravagé par les flammes. Deux ans plus tard, une seconde demeure s'élève non loin du premier site. La construction de ce palais marque un tournant dans l'histoire de l'architecture en sol canadien ● *111*. Ayant échappé aux bombardements de 1759, l'édifice essuie le tir de la garnison de Québec en 1775 qui cherche alors à déloger les Américains qui s'y étaient réfugiés lors du siège de Québec. Près d'un siècle plus tard (1870), une nouvelle brasserie est construite à cet endroit. De nos jours, l'emplacement du premier palais est devenu un lieu d'interprétation archéologique tandis que les voûtes du second abritent l'exposition «Québec, cité d'archéologie». La gare du Palais, complexe s'inspirant du style Château ● *118*, a été inaugurée en 1916. Une verrière représentant l'hémisphère occidental surplombe le hall d'entrée.

La navigation sur le fleuve
L'activité portuaire, jadis prospère à Québec, a connu un fort ralentissement au XXe siècle avec le déplacement de l'activité industrielle vers Montréal et l'ouverture de la voie maritime permettant même aux paquebots de rejoindre les Grands Lacs.

L'intendant
Sous le régime français, le gouverneur est le représentant direct du roi. Toutes les délibérations touchant à l'administration courante ont toutefois lieu dans le palais de l'intendant (ci-dessous), dont l'influence s'étend à toute la colonie par l'entremise de ses commis.

LOUIS DE BUADE, COMTE DE FRONTENAC
Né vers 1620 à Saint-Germain-en-Laye, Frontenac occupe le poste de gouverneur de la Nouvelle-France de 1672 à 1682 puis de 1689 à 1698. Pendant toutes ces années, il dirige la colonie d'une main ferme et se rend célèbre par sa superbe et son sens de la réplique théâtrale ▲ *262*.

Détails (vitraux et décoration) du château Frontenac

La haute-ville est entourée de murs ▲ *256*. Les portes Prescott, Saint-Louis, Kent et Saint-Jean s'ouvrent sur un ensemble architectural fort impressionnant. Les ursulines, les augustines et les prêtres du Séminaire y résident depuis le XVIIe siècle. De nos jours, la trame urbaine fait encore place à une concentration de bâtiments en pierres, entrecoupés de parcs et de places. Entre la rue de la Fabrique et les remparts se croisent les étroites rues du Quartier Latin, formant un secteur qui a peu changé depuis le XIXe siècle.

CHÂTEAU FRONTENAC

La majestueuse silhouette de cet hôtel, baptisé ainsi en l'honneur de Louis de Buade, comte de Frontenac, demeure l'incontournable emblème de Québec. Cet édifice se dresse sur le promontoire du cap Diamant, à proximité de l'endroit choisi en 1620 par Samuel de Champlain pour y construire son fort Saint-Louis. Agrandi en 1629, l'ouvrage troque son nom pour celui de château Saint-Louis. En 1692, de nouveaux travaux sont entrepris et le château, à la demande de Frontenac, devient la résidence des gouverneurs. Détruit lors de la Conquête, le nouveau bâtiment qui le remplace est rasé par un incendie en 1834. Le château Frontenac, dessiné par l'architecte américain Bruce Price, est inauguré en 1893. Il constitue un imposant bâtiment de style Château ● *118*, caractère que renforcent les agrandissements effectués entre 1897 et 1899 et l'impressionnante tour centrale de dix-huit étages achevée en 1924. L'entreprise ferroviaire, le Canadien Pacifique ▲ *209*, réussit très tôt (1897) à racheter l'ensemble des actions pour devenir le seul propriétaire de l'hôtel. L'auguste bâtiment devient à la fois l'image de marque de l'entreprise et un emblème national, convergence d'autant plus symbolique que la naissance de la Confération canadienne (1867) s'explique en partie par la nécessité d'unifier le pays par un réseau ferroviaire.

TERRASSE DUFFERIN ♥. Une longue promenade, située devant le château Frontenac, se déploie vers le cap Diamant depuis une statue dédiée à Champlain ▲ *254*. La terrasse Dufferin, inaugurée en 1879, offre une vue impressionnante sur le fleuve et les environs, et débouche sur la promenade des Gouverneurs, devant la Citadelle ▲ *262*. Comme le notait le poète Alain Grandbois en 1950 : «De ce vaste promontoire, on y découvrait, on y découvre un des plus beaux paysages de la planète Terre.»

AUTOUR DE LA PLACE D'ARMES

Ancien champ de défilés militaires, cette place est devenue un square animé par des musiciens et des amuseurs publics. Au centre, le monument de la Foi (1916) honore les premiers récollets. Le MUSÉE DU FORT, situé à proximité de cette place, présente une reconstitution en son et lumière des grands faits de l'histoire civile et militaire de la ville. Le MUSÉE GRÉVIN, avec ses illustres personnages de cire (Christophe Colomb, Montcalm, George Washington, René Lévesque...), a élu résidence dans l'ancienne maison Vallée (1732), située rue Sainte-Anne, où vécut Pierre-J.-O. Chauveau, Premier ministre du Québec de 1867 à 1873.

HOLY TRINITY

La cathédrale épiscopalienne de la Sainte-Trinité ● *114* se dresse là où s'élevaient autrefois le couvent et la chapelle des récollets, incendiés en 1796. Elle a été construite entre 1799 et 1804, les maîtres d'œuvre (W. Robe et W. Hall) s'inspirant de l'église St. Martin in the Fields de Londres. Le chœur renferme un buste en marbre de Jacob Mountain, premier évêque du diocèse anglican, créé en 1793. Dans la cathédrale Holy Trinity, un îlot britannique au cœur de Québec, le temps semble s'être arrêté. Sur les murs, des dizaines de plaques célèbrent le nom de familles anglaises du XIXe siècle. Les objets de culte ainsi que le bois utilisé pour fabriquer les bancs – chêne provenant de la forêt du château de Windsor – ont été offerts par le roi George III (1738-1820). Dans la tribune du côté nord, un banc orné des armoiries royales anglaises est réservé au gouverneur général ou aux membres de la famille souveraine. Le trône épiscopal est fait du bois d'un vieil orme sous lequel, selon la légende, Champlain aurait fumé le calumet de la paix avec les Amérindiens.

CADRE DE GRANDES RENCONTRES
En 1943 et 1944, les dirigeants de pays alliés se rencontrent au château Frontenac pour arrêter, entre autres, les détails du débarquement de Normandie. Winston Churchill et Franklin D. Roosevelt (ci-dessus) sont présents. Un an plus tard, l'Organisation des Nations unies pour l'alimentation et l'agriculture (FAO) y est créée. Le site attire également Alfred Hitchcock qui, en 1951, vient y tourner des scènes de son film *I Confess*.

LES RÉCOLLETS
Les premiers prêtres envoyés en Nouvelle-France sont des récollets. Reconnus pour leur vie simple, ils contribuent au développement de la colonie à l'ombre des autres communautés plus influentes. Ils œuvrent comme desservants dans les paroisses, comme maîtres d'école, comme chapelains dans l'armée et comme missionnaires.

Élevées sur un promontoire qui domine le fleuve Saint-Laurent, les fortifications de Québec encerclent la haute-ville sur près de cinq kilomètres. En 1690, le siège de la ville par la flotte anglaise de l'amiral Phipps donne le coup d'envoi à la construction d'une série d'ouvrages militaires. Près de cinquante ans plus tard, l'ingénieur Chaussegros de Léry entreprend l'édification de l'enceinte. Ce n'est toutefois qu'au XIXe siècle que la place forte prend définitivement forme, avec la mise en chantier de la Citadelle selon un plan en étoile caractéristique des fortifications à la Vauban. Nantie de cet ensemble, Québec demeure la seule ville fortifiée du continent.

L'ENCEINTE DE 1745
En 1745, les Anglais prennent Louisbourg, ville située sur l'actuel territoire de la Nouvelle-Écosse. À Québec, l'événement provoque un climat de panique et suscite la construction d'une nouvelle enceinte selon les plans de Gaspard-Joseph Chaussegros de Léry (ci-dessus). Elle protège un temps la ville, lors du long siège de 1759 ▲ *252*.

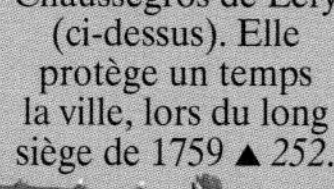

VESTIGES D'UNE PREMIÈRE LIGNE DE DÉFENSE (1690-1713)
En 1690, l'amiral Phips assiège Québec. Frontenac et ses hommes opposent une solide résistance, obligeant les Anglais à se retirer. Plusieurs ouvrages de défense, tels que la redoute du Cap, le cavalier du Moulin ▲ *266* et la batterie Royale (basse-ville), sont érigés dans les années suivantes.

«Je n'ai point de réponse à faire à votre général que par la bouche de mes canons et à coups de fusil»

Frontenac (1690)

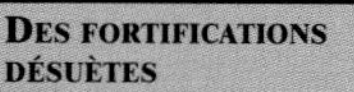

Des fortifications désuètes
En 1871, le départ de la garnison britannique rend les fortifications obsolètes. La population réclame leur démolition, arguant de ce qu'elles nuisent au développement urbain. Elles sont préservées grâce à une intervention du gouverneur général du Canada, Lord Dufferin.

La Citadelle du cap Diamant (1819-1831)
Devant la menace d'une invasion américaine, l'administration coloniale procède à la construction de la Citadelle de Québec (en bas). Conçue par l'ingénieur britannique Elias Walker Durnford, elle affecte la forme d'un pentagone irrégulier dont deux côtés sont situés face au fleuve, deux vis-à-vis de la haute-ville et un dernier tourné vers l'ouest. Toute la garnison pourrait s'y réfugier en cas de siège ou de soulèvement des habitants. La porte Dalhousie (ci-dessus) constitue son entrée principale.

Ci-desssus, une des entrées de l'enceinte, la porte Saint-Louis (1878)

La Grande Batterie (début XIXe siècle)
Les guerres napoléoniennes cautionnent la construction de nouveaux ouvrages de défense à Québec. La Grande Batterie (ci-dessus), avec sa puissante artillerie à âme lisse, constitue la principale défense contre d'éventuels assaillants installés sur la rive opposée du Saint-Laurent.

Site consacré
En 1985, l'Unesco consacre le Vieux-Québec site du Patrimoine mondial. La capitale de la province devient ainsi la première ville nord-américaine à se voir conférer un tel honneur.

▲ QUÉBEC
LA HAUTE-VILLE INTRA-MUROS

UNE VILLE EXCEPTIONNELLE
Depuis longtemps, Québec sait séduire les visiteurs, peintres et photographes, romanciers et poètes. Déjà au XIXe siècle, on se plaisait à parler du «Gibraltar de l'Amérique», n'hésitant pas à comparer la ville à Naples ou Édimbourg ● *152*.

UNE DYNASTIE DE PHOTOGRAPHES
La maison située à l'intersection des rues Saint-Jean, Garneau et Couillard a abrité, entre 1889 et 1977, une grande lignée de photographes, les Livernois. Cette famille a laissé de nombreux documents (ci-contre) témoignant du passé de la capitale.

AUTOUR DE L'HÔTEL DE VILLE

Inauguré en 1896, l'hôtel de ville se dresse sur un emplacement jadis occupé par le Collège et l'église des jésuites, communauté frappée d'interdit après la Conquête. Devant cet édifice, une pierre rappelle la vocation première du site.

ÉGLISE PRESBYTÉRIENNE ST. ANDREW. En 1759, l'armée anglaise compte de nombreux Écossais dans ses rangs. Les hostilités terminées, certains d'entre eux s'établissent à Québec. L'église presbytérienne St. Andrew, coiffée d'un clocher palladien, est construite en 1810 à l'angle des rues Cook et Sainte-Anne. Elle constitue le plus ancien temple presbytérien au Canada.

HÔTEL CLARENDON ♥. Ce magnifique bâtiment, situé rue Sainte-Anne (no 57), constitue le plus vieil hôtel de la capitale (1875). Il occupe un édifice construit en 1858 d'après les plans de Charles Baillairgé ▲ *255*, et où logeait à l'origine un imprimeur. L'entrée principale est de style Arts déco.

L'ÉDIFICE PRICE. Réalisé en 1930, ce bâtiment est le premier gratte-ciel (17 étages) érigé dans la capitale. Il a été construit pour le compte de la Price Brothers, une importante entreprise forestière du Saguenay ▲ *322*. Marqué par le mouvement Arts déco, l'édifice Price est très étroit : il s'élève telle une pyramide avec des retraits successifs. À l'instar de nombreux édifices de Québec, il est coiffé d'un toit en cuivre.

«CES MURS, AUX YEUX D'UN AMÉRICAIN, SONT BIEN LE SIGNE DE LA PRIMAUTÉ DE QUÉBEC ; VOUS ÔTEZ VOTRE CHAPEAU POUR LES SALUER»

HENRY JAMES

BASILIQUE-CATHÉDRALE NOTRE-DAME

Avec sa façade néoclassique, la basilique Notre-Dame constitue l'une des plus vénérables églises d'Amérique. En 1629, après la prise de Québec par les frères Kirke, Samuel de Champlain doit quitter Québec. Il aurait alors fait le vœu d'élever une église si la colonie revenait dans le giron français. De fait, à son retour à Québec en 1633, Champlain entreprend l'érection d'une chapelle. Reconstruite après l'incendie de 1640, elle est détruite lors du siège de 1759. Depuis, l'église a fait l'objet de maints travaux impliquant successivement Jean Baillairgé, son fils François, son petit-fils Thomas ainsi que Charles Baillairgé, cousin du précédent ▲ *255*. En 1922, un incendie endommage gravement l'intérieur. La restauration s'effectue selon des plans et des illustrations du XVIIIe siècle. Le décor, où se mêlent bois, plâtre et dorures, présente un ensemble au style composite. Dans le chœur, le baldaquin du sculpteur André Vermare couronne le maître-autel et un tableau représentant l'Immaculée Conception. Les vitraux, de lourds piliers et l'orgue Casavant ▲ *209*, avec ses 5 239 tuyaux, donnent à la basilique-cathédrale un air de pérennité.

BASILIQUE DE QUÉBEC
Élevé au rang de basilique mineure en 1874, ce temple devient l'église primatiale du Canada en 1956. Plus de 900 personnes, dont Frontenac et trois autres gouverneurs de la Nouvelle-France, ont été inhumées dans la crypte. Les funérailles de Québécois éminents (de Champlain à René Lévesque) s'y sont déroulées.

LE VIEUX SÉMINAIRE ♥

Les murs blanchis des anciens édifices du séminaire de Québec se profilent à l'ombre de Notre-Dame. Fondée en 1663 par Mgr de Laval qui souhaite y former les futurs prêtres, c'est la plus ancienne institution d'enseignement au Canada. À la suite de la fermeture du Collège des jésuites, après la Conquête, elle accueille tous les jeunes gens désireux de faire des études. Le Vieux Séminaire est le résultat de plusieurs chantiers successifs. Les ailes de la Procure (1678-1681), de la Congrégation (1823) et des Parloirs (1823), encadrant une cour intérieure, constituent un ensemble typique de l'architecture monastique française des XVIe et XVIIe siècles. Depuis 1773, la devise latine du cadran solaire sur le mur de l'aile de la Procure souligne que «les jours fuient comme les ombres». Elle comporte un oratoire construit en 1780 et décoré de branches d'olivier sculptées en 1785 par Pierre Émond en l'honneur de l'évêque de Québec, Mgr Jean-Olivier Briand (1715-1794). Il est possible de visiter la chapelle extérieure (inaugurée en 1900), dont les murs sont garnis de reliquaires. La chapelle de Mgr Briand est également accessible. Les riches collections amassées par les prêtres du Séminaire occupent cinq étages du MUSÉE DE L'AMÉRIQUE FRANÇAISE. Les archives et le «fonds ancien» de la Bibliothèque comptent plusieurs documents datant du régime français ainsi que des incunables canadiens et européens.

LE PREMIER ÉVÊQUE DE NOUVELLE-FRANCE
François de Laval (ci-dessous) devient en 1674 le premier évêque de Nouvelle-France. Son diocèse s'étend jusqu'en Louisiane. La ville lui doit la création du Séminaire (1663) et du Petit Séminaire de Québec (1668).

RUE SAINT-LOUIS

L'ANCIEN PALAIS DE JUSTICE. La rue Saint-Louis était autrefois l'artère de la magistrature. Juges et avocats y avaient leurs résidences ● *119*. Un premier palais de justice y avait été érigé entre 1799 et 1804 mais cet édifice est ravagé par les flammes le 2 février 1873. La construction d'un nouveau palais de justice, près de la place d'Armes, débute en 1883. Pour concevoir le nouvel édifice, le gouvernement retient les services de l'architecte Eugène-Étienne Taché (1836-1912), qui sera également l'auteur des plans de l'hôtel du Parlement ▲ *270*. Inauguré en 1887, le palais de justice s'inspire de l'architecture française du XVIe siècle. La décoration intérieure (notamment les boiseries) rappelle la Renaissance française alors que certains éléments (comme les bancs des juges) s'apparentent au «style Forteresse» que l'on tente d'implanter à Québec à cette époque. En 1979, le palais de justice déménage, l'édifice de la rue Saint-Louis devenant l'hôte du ministère des Finances.

«AUX ANCIENS CANADIENS»
À l'angle des rues Saint-Louis et des Jardins, la petite maison Jacquet à la toiture rouge fut construite en 1675-1676. On la dit la plus vieille de Québec. Le restaurant *Aux Anciens Canadiens* reprend le nom du célèbre roman de Philippe Aubert de Gaspé ▲ *289* qui y vécut de 1815 à 1824.

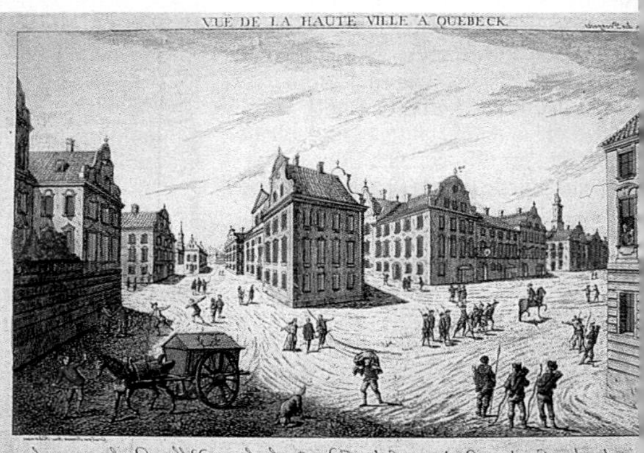

LE PARC CAVALIER-DU-MOULIN
Au bout de la rue Mont-Carmel se dissimule l'un des secrets les mieux gardés du Vieux-Québec, le parc Cavalier-du-Moulin (ci-dessous). Un moulin à vent s'y dressait dès 1663 et des fortifications y furent érigées trente ans plus tard ▲ *262*. En arrière-plan se dressent les clochers de l'église Chalmers-Wesley et du sanctuaire Notre-Dame-du-Sacré-Cœur.

VERS LA PORTE SAINT-LOUIS. La rue Saint-Louis compte aujourd'hui certains des restaurants les plus réputés de Québec et comporte de belles demeures. Le CONSULAT GÉNÉRAL DE FRANCE occupe ainsi la maison dite du duc de Kent, père de la reine Victoria. Ce dernier y aurait vécu de 1792 à 1794 alors qu'il était en garnison à Québec. Sise au n° 59, la MAISON PÉAN aurait été témoin de nombreux rendez-vous galants : c'est ici qu'habitait autrefois la belle madame de Péan, née Angélique de Méloizes, à qui on a attribué plusieurs intrigues amoureuses impliquant, entre autres, le dernier intendant de la Nouvelle-France, François Bigot (1703-1778). Près de cette demeure, un arbre attire l'attention par la présence d'un boulet de canon entre ses racines. Ce dernier serait tombé à cet endroit lors de la Conquête pour finalement réapparaître avec la croissance de l'arbre !

ÉGLISE CHALMERS-WESLEY. Cette église, située sur la rue Sainte-Ursule, a été construite en 1852-1853 et constitue, avec son clocher élancé, un bel exemple d'architecture néogothique. À peine achevée, elle devient le théâtre d'une émeute : l'apostat Alessandro Gavazzi, venu prêcher à Québec, soulève par ses propos l'ire des Irlandais catholiques. Juste en face, le SANCTUAIRE NOTRE-DAME-DU-SACRÉ-CŒUR, érigé en 1909-1910 sous la direction de l'architecte François-Xavier Berlinguet (1830-1916), constitue une réplique de la chapelle d'Issoudun en France. Également de style néogothique, le sanctuaire possède de belles verrières et les murs sont couverts d'ex-voto.

CERCLE DE LA GARNISON. Au coin de la côte qui conduit à la citadelle, le Cercle de la Garnison, fondé en 1879, est le plus ancien club militaire canadien. On y accueille les civils depuis 1895… et les femmes depuis 1977.

LA PRISON DE QUÉBEC

Jadis, une inscription ornait la facade d'un édifice situé au sommet de la rue Saint-Stanislas : «Puisse cette prison venger les bons des méchants !» Ce bâtiment abritait la prison commune de Québec, érigée entre 1809 et 1814 sous la direction de François Baillairgé ▲ *255*. Les plans s'inspirent du vent de réforme qui souffle alors sur le système pénitentiaire en Occident. La détention acquiert une fonction différente. Il ne s'agit plus simplement d'isoler les prévenus afin de les punir, mais de créer les conditions permettant leur réhabilitation. Baillairgé conçoit un bâtiment de style palladien formé de quatre blocs cellulaires de trois étages, chaque bloc étant aménagé autour d'une salle commune. La distribution des prisonniers s'effectue selon la gravité des peines, leur âge et leur sexe. Vers 1860, cette institution déménage dans un nouveau bâtiment construit sur les plaines d'Abraham. L'édifice change alors de vocation et accueille en 1867 le *Morrin College*, qui est affilié à l'université McGill de Montréal ▲ *179*. Les cours sont toutefois suspendus en 1902, faute de candidats. Le deuxième étage de l'édifice abrite aujourd'hui la bibliothèque de la *Quebec Literary and Historical Society*, la plus ancienne société savante du Québec, fondée en 1824.

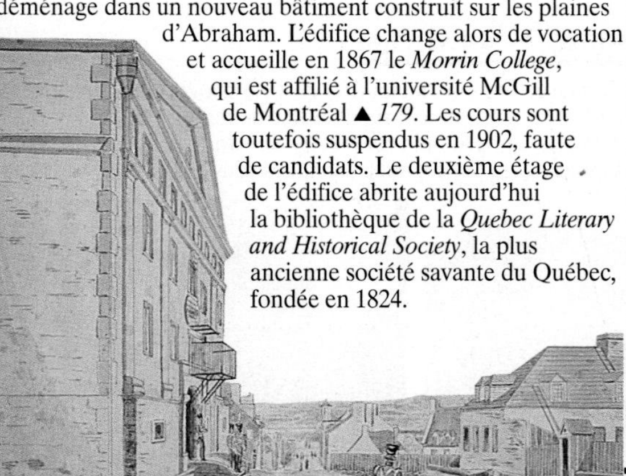

LES IRLANDAIS EN COLÈRE
En 1853, Alessandro Gavazzi (1808-1889) est de passage en Amérique pour récolter les fonds destinés à lutter contre l'absolutisme du pouvoir pontifical. Sa tournée le mène d'abord aux États-Unis où ses discours anti-papistes reçoivent un bon accueil chez les protestants. Le 9 juin 1853, il prononce une allocution à l'église Chalmers de Québec. Il compare les actions de la papauté et des prêtres catholiques aux méthodes de l'Inquisition. Mal lui en prit...

CONTRE LES TAXES
La construction de la prison de Québec provoque, en 1805, une querelle entre députés francophones et anglophones. Ces derniers refusent qu'elle soit financée par la perception de droits additionnels sur les marchandises importées (thé, vins...).

CATHERINE DE SAINT-AUGUSTIN (1632-1668)
La bienheureuse Marie-Catherine de Simon de Longpré entre chez les hospitalières de Bayeux en 1644. Quatre ans plus tard, elle s'embarque pour la Nouvelle-France où elle se dévoue aux malades. Morte en 1668, elle est considérée comme l'une des figures importantes de l'Église canadienne.

LES URSULINES
Les religieuses ursulines arrivent dans la colonie en 1639 avant de prendre, trois ans plus tard, possession de leur demeure. C'est «la plus belle et la plus grande qui soit en Canada pour la façon d'y bâtir», écrit la fondatrice des ursulines, mère Marie de l'Incarnation, béatifiée en 1980.

HÔTEL-DIEU DE QUÉBEC

La jeune colonie française se voit doter d'un premier hôpital en 1637. L'Hôtel-Dieu de Québec est créé sous les auspices de la duchesse d'Aiguillon, nièce du cardinal de Richelieu. Les autorités coloniales font appel aux hospitalières de l'Hôtel-Dieu de Dieppe pour diriger l'établissement. Les trois premières augustines débarquent à Québec le 1er août 1639. Comme dans les hôtels-Dieu de la métropole, celui de Québec accueille les malades trop pauvres pour se faire soigner à la maison et les enfants abandonnés. Les religieuses s'efforcent également de convertir les Amérindiens. Aujourd'hui, l'hôpital est administré par des laïcs, mais les augustines habitent toujours leur monastère. La chapelle de l'hôpital, conçue en 1800, est ornée d'un retable et d'autres œuvres du sculpteur Thomas Baillairgé ▲ 255. Elle compte également plusieurs peintures provenant d'églises parisiennes, récupérées par l'abbé Philippe-Jean-Louis Desjardins lors de la Révolution française avant d'être envoyées à Québec en 1817.

MUSÉE DES AUGUSTINES. Ce musée, qui jouxte l'hôpital, possède une intéressante collection d'instruments de chirurgie et de pharmacie utilisés depuis le XVIIe siècle ainsi que de beaux tableaux datant du régime français. Distinct du musée, le CENTRE CATHERINE-DE-SAINT-AUGUSTIN commémore le souvenir de cette religieuse béatifiée en 1989 et dont les reliques sont conservées dans une châsse sculptée en 1717 par Jean-Noël Levasseur (1690-1770).

MUSÉE BON-PASTEUR

Ce musée occupe une maison de style néogothique construite en 1887 qui faisait à l'origine office de maternité. On y présente aujourd'hui l'œuvre des Servantes du Cœur Immaculé de Marie, mieux connues sous le nom de Sœurs

«À QUÉBEC, INTRA MUROS, CHAQUE HABITATION, CHAQUE RUE A SON CARACTÈRE PROPRE, CHACUNE A SA FORME, SA COULEUR, SON DESSIN»

PIERRE MORENCY

du Bon-Pasteur. Cette communauté, fondée en 1850 par Marie Fitzbach, venait en aide aux femmes en difficulté, prenait en charge les enfants abandonnés et s'occupait de missions dans le monde.

LE VIEUX MONASTÈRE DES URSULINES

Plus de trois siècles et demi après sa création, la communauté des ursulines poursuit toujours son œuvre d'éducation auprès des jeunes filles. Les plus vieilles ailes de son monastère ont été érigées entre 1685 et 1715. La chapelle, reconstruite en 1902, a conservé des éléments du décor intérieur du XVIIIe siècle. Les impressionnants retables et autels ont été réalisés par Pierre-Noël Levasseur entre 1726 et 1736. Le musée des Ursulines et le centre Marie-de-l'Incarnation accueillent les visiteurs. De nombreux objets relatifs aux activités de la communauté y sont présentés. On peut également y voir le crâne du marquis de Montcalm, inhumé dans la chapelle des Ursulines en 1759.

AUTOUR DU PARC MONTMORENCY

LE BUREAU DE POSTE. L'édifice Louis-Saint-Laurent, avec sa façade ornée de décorations de style Beaux-Arts ● *125*, a été construit en 1873 pour accueillir le principal bureau de poste de la capitale. De nos jours, il abrite entre autres un comptoir philatélique. Juste en face se dresse un des plus imposants monuments de la ville, dédié à François de Laval, premier évêque de la Nouvelle-France ▲ *265*. Réalisée par le sculpteur Louis-Philippe Hébert (1850-1917), cette statue a été inaugurée en 1908 à l'occasion du bicentenaire du décès du prélat. Elle s'élève d'ailleurs en face d'un parc qui rappelle aussi la contribution de cet évêque.

PARC MONTMORENCY. Sis au sommet de la côte de la Montagne, ce parc était autrefois occupé par le premier palais épiscopal de Québec. C'est dans la chapelle de ce palais, construit entre 1691 et 1696 pour Mgr de Saint-Vallier, que se sont réunis les membres de la première Chambre d'assemblée du Bas-Canada, en 1792. Différents édifices parlementaires se succèdent à cet endroit, avant que ne soit construit, à la fin du XIXe siècle, l'hôtel du Parlement ▲ *270*. Installé à l'origine près de l'hôtel de ville, le monument Louis-Hébert se dresse aujourd'hui dans ce parc. Apothicaire de formation, Louis Hébert (1575-1627) s'installe à Québec en 1617 où il devient le premier agriculteur et le premier seigneur de la Nouvelle-France. Sa propriété comprenait alors l'actuel parc Montmorency.

PIERRE-NOËL LEVASSEUR
L'auteur du décor de la chapelle des Ursulines est issu d'une nombreuse famille d'artistes québécois. Dans la première moitié du XVIIIe siècle, pas moins de onze Levasseur ont œuvré à titre de menuisiers ou de sculpteurs. Au centre, *le Père éternel*, un sculpture de Pierre-Noël Levasseur.

LE CHIEN DU BUREAU DE POSTE
Au-dessus de l'entrée du bureau de poste se trouve un bas-relief sculpté prélevé sur une auberge située autrefois à cet endroit.

On y voit un chien avec cette inscription qui demeure énigmatique : «Je suis un chien qui ronge l'os. En le rongeant je prends mon repos. Un temps viendra qui n'est pas venu que je morderay qui m'aura mordu.» Cette pierre inspira l'écrivain William Kirby, auteur d'un roman dont l'action se passe à Québec : *The Golden Dog* (1877).

L'édifice Louis Saint-Laurent (ci-contre), siège du bureau de poste.

À L'EXTÉRIEUR DE L'ENCEINTE

CARRÉ D'YOUVILLE. Ce carrefour, sis à l'entrée de la porte Saint-Jean, demeure par sa position géographique le cœur de la ville. Entre 1876 et 1930, cette place abritait un marché. La halle est démolie en 1932 pour faire place au Palais Montcalm, une prestigieuse salle de spectacles. Les pelouses qui longent les remparts près de la porte Saint-Louis accueillent de nombreuses activités : en février, on y construit le palais de glace du Carnaval ; en juillet et en août s'y dresse la scène principale du Festival international d'été et les chapiteaux de la foire des métiers d'art ◆ *350*.

FAUBOURG SAINT-JEAN. Ce quartier était jadis habité par des artisans de la construction. De longues rues, bordées de maisons mitoyennes à toits plats ou mansardées, sont liées entre elles par des côtes escarpées. L'ÉPICERIE J. A. MOISAN a pignon sur la rue Saint-Jean, la grande artère commerciale du faubourg. Cette boutique, fondée en 1871, a conservé son atmosphère d'antan et constitue un véritable musée de l'épicerie. Ce quartier compte en outre l'une des plus belles églises de la capitale, l'ÉGLISE SAINT-JEAN-BAPTISTE ● *120*. Érigé entre 1882 et 1884, ce temple de style néogothique comporte une façade rappelant l'église de la Trinité de Paris. Avec ses allures de cathédrale, Saint-Jean-Baptiste est considérée comme le chef-d'œuvre de l'architecte Peachy (1830-1903).

Le faubourg Saint-Jean

LE CAPITOLE
Depuis 1903, la façade courbée du théâtre Capitole se dresse à côté de la porte Saint-Jean. L'architecte américain Walter S. Painter réussit à composer avec l'étroitesse de l'emplacement et réalise un bel édifice s'inspirant du style Beaux-Arts ● *125*.

LA COLLINE PARLEMENTAIRE. L'HÔTEL DU PARLEMENT, un imposant édifice s'inspirant du classicisme français, a été érigé entre 1877 et 1886, selon les plans de l'architecte Eugène-Étienne Taché (1836-1912). Les députés, membres de l'Assemblée nationale, siègent au Salon bleu selon les règles du parlementarisme britannique : comme à la Chambre des communes de Londres, les membres de l'opposition font face aux députés du parti au pouvoir. La colline parlementaire s'est enrichie de nouveaux bâtiments entre 1965 et 1974, pour accueillir les employés de la fonction publique. On y entreprend de nouveaux travaux d'aménagement ● *130*.

LE PARLEMENT
Eugène-Étienne Taché s'est inspiré des ailes et des pavillons du Louvre pour réaliser ses plans de l'hôtel du Parlement.

LE MUSÉE DU QUÉBEC. Ce musée, inauguré en 1933, se dresse aux abords du parc des Champs-de-Bataille, là où les hommes de Wolfe ont eu raison des troupes françaises. Devant le musée, une colonne surmontée d'un casque et d'une épée indique l'endroit où est décédé le général Wolfe ▲ *252*. La collection du musée comprend plus de 22 000 œuvres (peinture, sculpture, dessins, orfèvrerie) appartenant pour la plupart au patrimoine québécois. Le pavillon central, surmonté d'un lanterneau, relie le pavillon Gérard-Morisset au pavillon Baillairgé, une ancienne prison construite entre 1861 et 1871.

BANLIEUES DE QUÉBEC

Les quartiers Montcalm et Saint-Sacrement s'étendent sur un vaste plateau dominant le Saint-Laurent et la vallée de la Saint-Charles. Au siècle dernier, on pouvait y voir de grands domaines, aujourd'hui disparus pour faire place à des résidences bourgeoises. Pour leur part, les familles ouvrières se sont installées dans la basse-ville, un territoire qui s'agrandit pour déborder de la lisière habitée près du fleuve et inclure les quartiers Saint-Roch, Saint-Sauveur et Limoilou.

LA VIEILLE MAISON DES JÉSUITES. Cette demeure, située à Sillery, paisible banlieue de la capitale, occupe le site d'une ancienne mission jésuite, construite en 1637 pour sédentariser et évangéliser les Algonquins et les Montagnais. Elle comportait une maison, une chapelle ainsi qu'un mur de fortification avec quatre tourelles. L'ensemble a été détruit par un incendie en 1657. La Vieille Maison des jésuites, construite au début du XVIIIe siècle, présente des expositions sur la culture amérindienne, les arts et les traditions populaires.

WENDAKE. Des Hurons (Wendat), chassés de leur territoire (Ontario) par des guerres tribales, viennent s'établir en 1673 à l'Ancienne-Lorette, sur un terrain appartenant aux jésuites qui y fondent une mission. En 1697, les Amérindiens quittent cette mission pour s'installer sur de nouvelles terres situées non loin. Leur village, WENDAKE, comporte de nombreuses maisons et musées rappelant le mode de vie ancestral des Amérindiens. On y fabrique des raquettes, mocassins, bottes d'hiver et canots.

Saint Michel terrassant le dragon (1705), conservé au musée du Québec.

UNE VILLE MAINTES FOIS DÉVASTÉE
Au cours de son histoire, Québec a été victime de nombreux incendies et de bombardements (notamment lors du siège de 1759 ▲ *252*). En 1845, le faubourg Saint-Jean (au centre) est à son tour la proie des flammes.

LES HURONS
Dès le XVIIe siècle, le jeu des alliances conduit les Hurons (ci-dessous) à lutter aux côtés des Français.

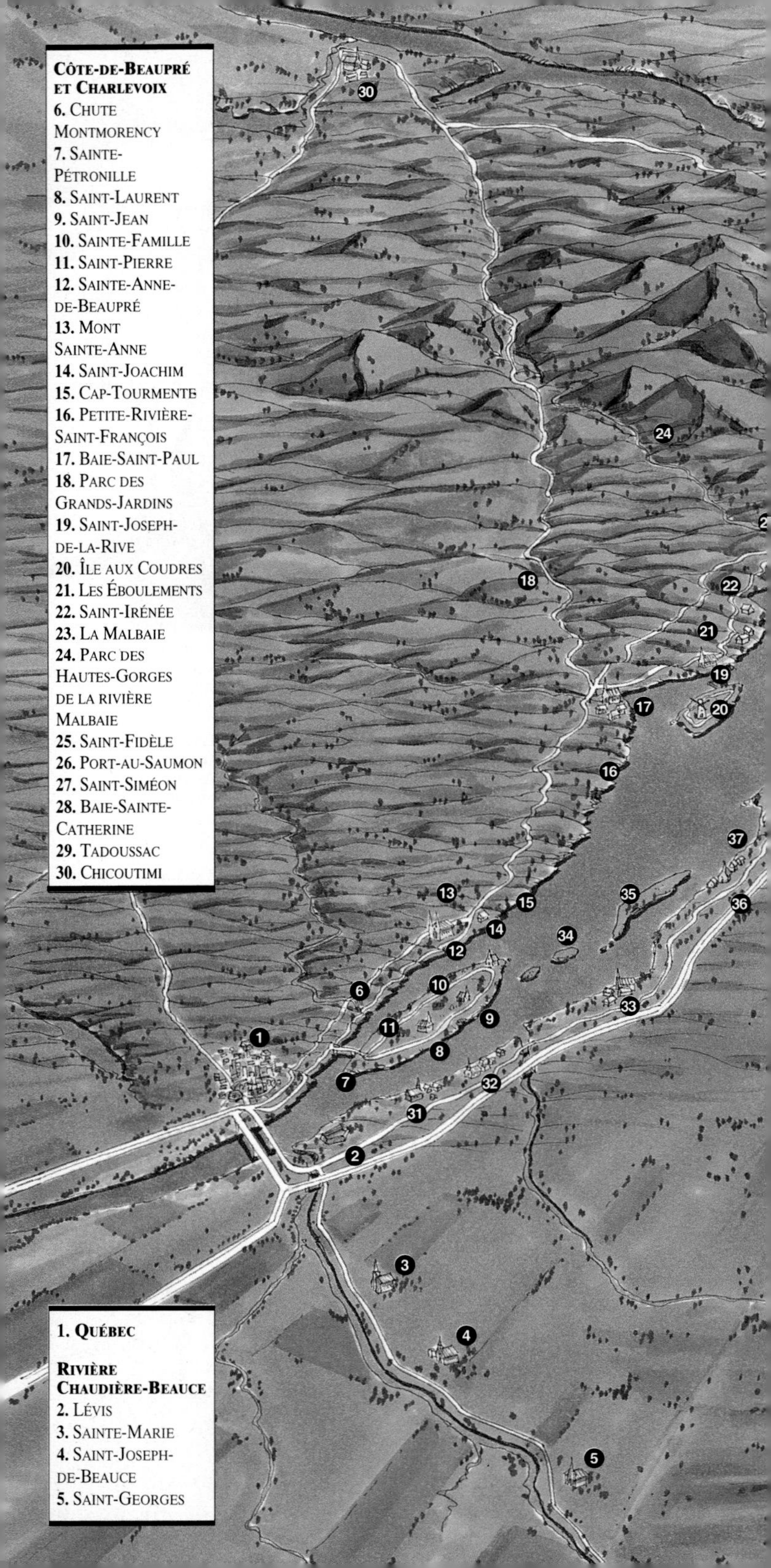
Côte-de-Beaupré et Charlevoix
6. Chute Montmorency
7. Sainte-Pétronille
8. Saint-Laurent
9. Saint-Jean
10. Sainte-Famille
11. Saint-Pierre
12. Sainte-Anne-de-Beaupré
13. Mont Sainte-Anne
14. Saint-Joachim
15. Cap-Tourmente
16. Petite-Rivière-Saint-François
17. Baie-Saint-Paul
18. Parc des Grands-Jardins
19. Saint-Joseph-de-la-Rive
20. Île aux Coudres
21. Les Éboulements
22. Saint-Irénée
23. La Malbaie
24. Parc des Hautes-Gorges de la rivière Malbaie
25. Saint-Fidèle
26. Port-au-Saumon
27. Saint-Siméon
28. Baie-Sainte-Catherine
29. Tadoussac
30. Chicoutimi
1. Québec
Rivière Chaudière-Beauce
2. Lévis
3. Sainte-Marie
4. Saint-Joseph-de-Beauce
5. Saint-Georges

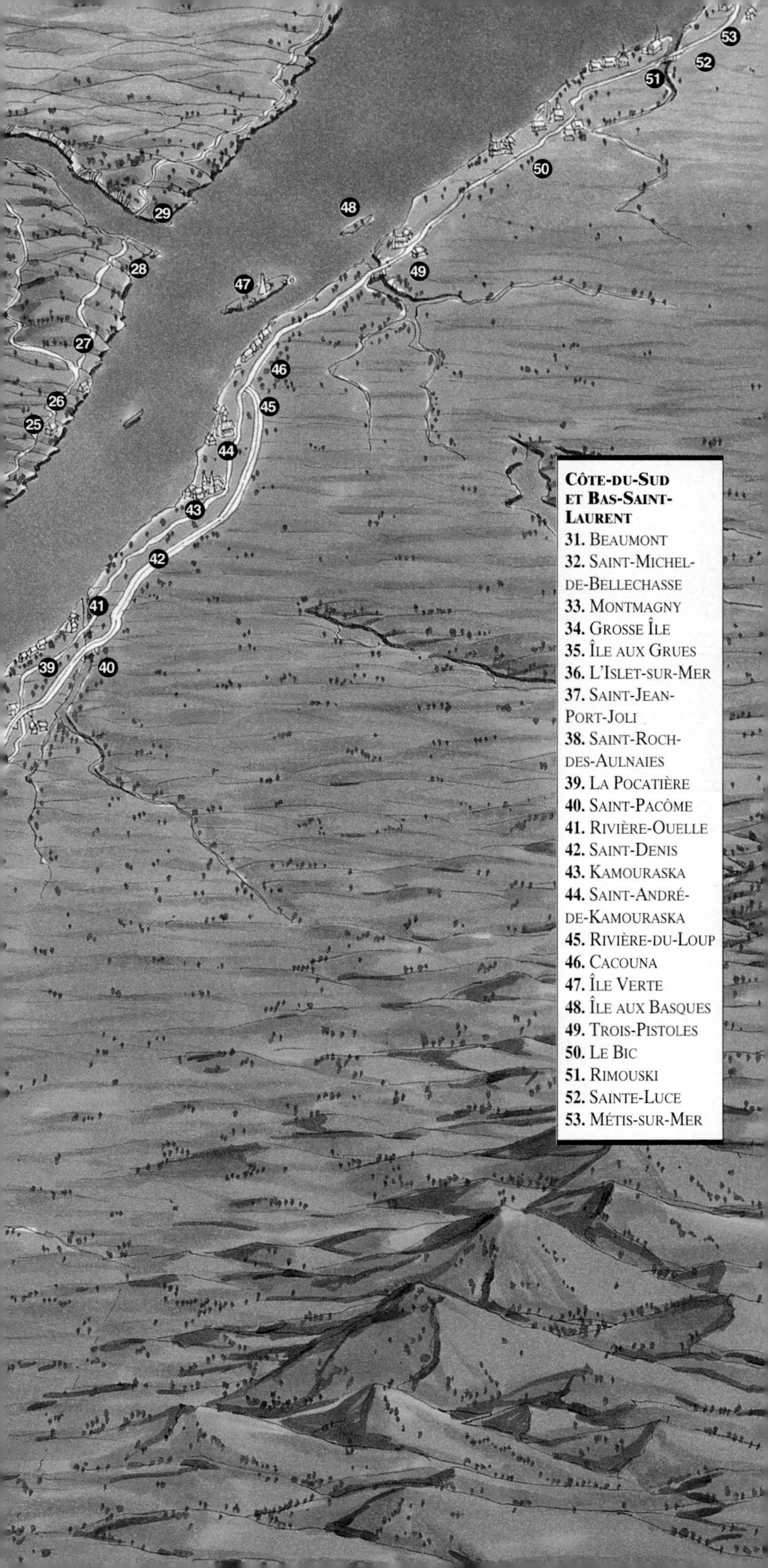

53
52
51
50
48
29
28
47
49
27
46
26
45
25
44
43
42
41
39
40
Côte-du-Sud
et Bas-Saint-
Laurent
31. Beaumont
32. Saint-Michel-
de-Bellechasse
33. Montmagny
34. Grosse Île
35. Île aux Grues
36. L'Islet-sur-Mer
37. Saint-Jean-
Port-Joli
38. Saint-Roch-
des-Aulnaies
39. La Pocatière
40. Saint-Pacôme
41. Rivière-Ouelle
42. Saint-Denis
43. Kamouraska
44. Saint-André-
de-Kamouraska
45. Rivière-du-Loup
46. Cacouna
47. Île Verte
48. Île aux Basques
49. Trois-Pistoles
50. Le Bic
51. Rimouski
52. Sainte-Luce
53. Métis-sur-Mer

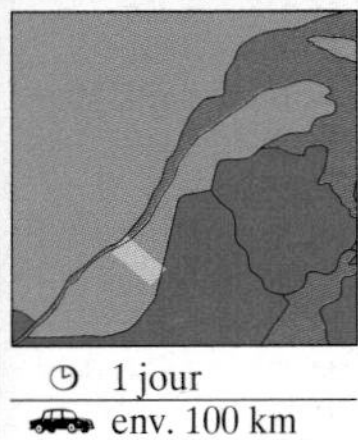

1 jour
env. 100 km

La Beauce recouvre une vaste plaine arrosée par la rivière Chaudière, qui prend sa source dans le lac Mégantic, près de la frontière américaine. Même si elle devient montagneuse vers le sud, elle est une région de terres fertiles comme son homologue française. L'économie régionale, d'abord strictement agricole, s'est toutefois diversifiée grâce à l'exploitation forestière et à l'industrie manufacturière. La Beauce est aujourd'hui reconnue pour ses érablières, son folklore et l'esprit d'entreprise de ses habitants.

LÉVIS

PONT DE GLACE
Au cours des siècles, la traversée entre les deux rives du Saint-Laurent s'est effectuée de différentes façons (par canot, bac halé par un cheval, bac à vapeur). L'hiver venu, on assistait souvent à la formation d'un «pont de glace». Un maître de chemin balisait le trajet à l'aide d'arbrisseaux et surveillait régulièrement l'état de la glace.

UNE POSITION STRATÉGIQUE. Cette localité, sise en face de Québec, doit son nom au chevalier François-Gaston de Lévis (1719-1787), commandant en second du marquis de Montcalm ▲ *252*. Le FORT Nº 1 (de style Vauban ▲ *262*), construit en 1865 pour protéger la ville de Québec contre une éventuelle attaque américaine, et celui de la MARTINIÈRE (1907) témoignent encore de l'importance du site et de ses positions élevées dominant le fleuve.

MAISON DESJARDINS. Ce cottage néogothique (1882) fait de madriers empilés et revêtus de clins repose sur une fondation de pierres de taille bosselées. Le fondateur (en haut à droite) des Caisses populaires Desjardins, un vaste réseau de coopératives d'épargne et de crédit, y a vécu pendant près de quarante ans. On y présente des expositions sur l'histoire du mouvement, qui compte aujourd'hui plus de mille deux cents caisses regroupant plus de quatre millions d'adhérents.

SAINTE-MARIE

UNE DYNASTIE. La ville de Sainte-Marie (ci-dessus) s'étend sur les deux rives de la rivière Chaudière. Ce territoire faisait partie de la seigneurie attribuée en 1736 à Thomas-Jacques Taschereau, le premier représentant d'une longue lignée d'hommes influents. Son fils Jean-Thomas (1778-1832) a été l'un des cofondateurs du journal *Le Canadien* (1806), reconnu pour ses prises de position patriotiques. En 1820, ce dernier donne naissance au premier cardinal d'origine canadienne, Elzéar-Alexandre Taschereau. Cette famille compte également un Premier ministre, Louis-Alexandre Taschereau (1867-1952), qui a dirigé la province entre 1920 et 1936. Encore aujourd'hui, la MAISON TASCHEREAU, imposante demeure privée d'allure néoclassique, se dresse à Sainte-Marie.

SAINT-JOSEPH-DE-BEAUCE

UN RICHE PASSÉ INSTITUTIONNEL. Le village de Saint-Joseph-de-Beauce comporte cinq bâtiments, construits entre 1865 et 1947, voués au culte et à l'éducation. Ces édifices forment l'ensemble institutionnel classé de Saint-Joseph. L'ÉGLISE (1867), orientée vers la rivière Chaudière, présente une étroite façade de style néoclassique comprenant une tour en saillie couronnée d'un clocher élancé. LE PRESBYTÈRE (1892), avec son toit à terrasse faîtière et son parement de briques rouges, constitue une imposante demeure dotée de deux faces identiques, l'une donnant sur la rivière et l'autre sur la rue principale. L'ancien ORPHELINAT (1908) reprend plus modestement le parti formel du COUVENT, un bâtiment de style Second Empire coiffé d'une haute toiture ornée d'une tourelle de forme pyramidale (1889). Le couvent abrite aujourd'hui le MUSÉE MARIUS-BARBEAU où sont présentées des expositions portant sur l'histoire, les traditions et la culture de la région. L'ÉCOLE LAMBERT (1911, agrandie en 1947), avec son décor simple et dépouillé, très en vogue au début du siècle, complète l'ensemble. Dominant la ville, l'ancien PALAIS DE JUSTICE (1857-1866), de style néoclassique, rappelle que Saint-Joseph était jadis un chef-lieu du district judiciaire de Beauce.

SAINT-GEORGES

L'ouverture, en 1830, du chemin Kennebec entre Québec et Boston a favorisé l'expansion économique de Saint-Georges. De plan basilical, l'église de la paroisse (1902) surplombe la rive ouest de la Chaudière. Elle est couronnée de trois flèches dont l'une s'élève à 75 m, donnant à l'ensemble des allures de cathédrale. La polychromie du décor et l'abondance de la dorure ajoutent à la somptuosité de l'intérieur. Devant l'entrée se dresse la copie d'un groupe équestre du sculpteur Louis Jobin (1845-1928) représentant saint Georges terrassant le dragon. L'original (1912) de cette œuvre en bois sculpté recouvert de cuivre doré, la première statue équestre conçue par un Québécois, est exposé à la bibliothèque municipale.

UN VISIONNAIRE
Né à Lévis en 1854, Alphonse Desjardins a d'abord été militaire, puis journaliste et fonctionnaire à la Chambre des communes à Ottawa. Sensible aux ravages des prêts usuraires et à la situation des travailleurs à revenus modestes, il inaugure dans la cuisine de sa demeure une première caisse (coopérative d'épargne et de crédit) en 1901. À son décès, en 1920, son mouvement compte plus de 200 caisses réparties au Québec, en Ontario et en Nouvelle-Angleterre.

LES GÂTEAUX VACHON
L'ancienne résidence familiale de J.-A. Vachon, à Sainte-Marie, abrite aujourd'hui un centre d'interprétation consacré aux débuts de la pâtisserie Vachon, une entreprise célèbre pour ses «petits gâteaux» (ci-dessous) distribués au Québec et à l'étranger.

La région de Charlevoix, ainsi baptisée en l'honneur du jésuite François-Xavier Charlevoix (1682-1761), premier historien de la Nouvelle-France, constitue, avec la Côte-de-Beaupré, l'une des premières zones de peuplement du Québec. L'absence de routes et l'interruption de la navigation en hiver ont longtemps isolé la région. Le cabotage, la construction navale et la pêche demeurent jusqu'au XIXe siècle les principales activités. De nos jours, le travail forestier continue de marquer l'économie de Charlevoix. Ses rives escarpées, sa campagne accidentée et ses grands parcs ▲ 286 en font une région des plus spectaculaires.

3 jours
env. 260 km

CHUTE MONTMORENCY

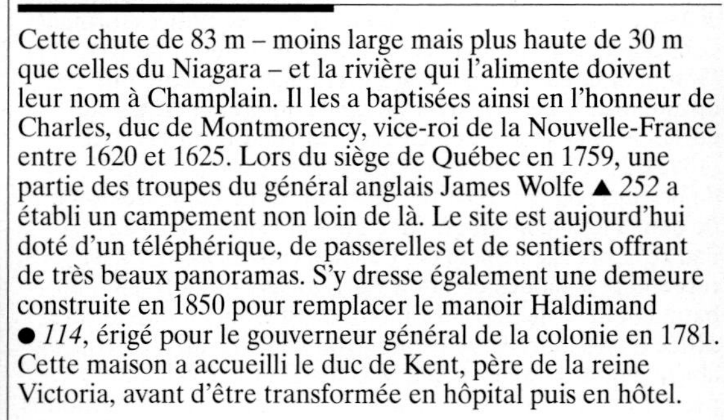

Cette chute de 83 m – moins large mais plus haute de 30 m que celles du Niagara – et la rivière qui l'alimente doivent leur nom à Champlain. Il les a baptisées ainsi en l'honneur de Charles, duc de Montmorency, vice-roi de la Nouvelle-France entre 1620 et 1625. Lors du siège de Québec en 1759, une partie des troupes du général anglais James Wolfe ▲ *252* a établi un campement non loin de là. Le site est aujourd'hui doté d'un téléphérique, de passerelles et de sentiers offrant de très beaux panoramas. S'y dresse également une demeure construite en 1850 pour remplacer le manoir Haldimand ● *114*, érigé pour le gouverneur général de la colonie en 1781. Cette maison a accueilli le duc de Kent, père de la reine Victoria, avant d'être transformée en hôpital puis en hôtel.

L'ÎLE D'ORLÉANS

En 1635, Jacques Cartier découvre une île qu'il nomme «Îsle de Bacchus» en raison de la vigne sauvage qui y pousse. Un an plus tard, elle est rebaptisée en l'honneur du duc d'Orléans, second fils de François Ier. Cette mince bande de terre, dentelée d'anses et de pointes, s'étire sur 32 km. Dès 1648, des colons s'établissent aux extrémités de l'île, mais un raid iroquois les en déloge en 1656. Les survivants décident

LA DAME BLANCHE
En 1759, lors du siège de Québec ▲ *252*, une jeune femme de Beauport découvre que son fiancé, un militaire, est tombé sur le

champ de bataille. Désespérée, elle se serait jetée dans la chute Montmorency (ci-dessus). On raconte que les soirs de pleine lune, dans l'écume des chutes, apparaît le fantôme de la Dame Blanche.

«L'île c'est comme Chartres
c'est haut et propre
avec des nefs
avec des arcs des corridors
et des falaises.
En février
la neige est rose
comme chair de femme
et en juillet
le fleuve est tiède
sur les battures.»

Félix Leclerc,
Le Tour de l'île

alors de s'établir à Sainte-Famille, plus près de la côte. Sous l'impulsion de Mgr de Laval ▲ *265*, les villages de Saint-Laurent et de Saint-Jean se développent entre 1665 et 1675. L'île d'Orléans passe ensuite aux mains de différents seigneurs et de nouvelles paroisses sont créées.

SAINTE-PÉTRONILLE ♥. À partir de la fin du XIXe siècle, plusieurs familles de la bourgoisie de Québec s'installent à Sainte-Pétronille (ci-dessous), paroisse sise à l'extrémité sud de l'île. Le village et ses environs sont ainsi émaillés de nombreuses villas cossues. Le célèbre peintre Horatio Walker ● *133* (1858-1938) y a aménagé son atelier et y a passé de longues années (une rue porte d'ailleurs son nom). Le quai, datant de 1855, offre une vue imprenable sur Québec.

SAINT-LAURENT ET SAINT-JEAN. L'histoire de ces deux communautés rurales rappelle l'étroite association des villageois d'autrefois avec la vie maritime. Vers 1830, Saint-Laurent compte une vingtaine de constructeurs de chaloupes. Érigée sur le site des chantiers maritimes Saint-Laurent (1905-1967), la CHALOUPERIE GODBOUT abrite un musée rappelant le métier de ces artisans ● *80*. En plus d'une belle église (1732), le village de Saint-Jean est doté d'une succession de maisons de pilotes datant du XIXe siècle. Le MANOIR MAUVIDE-GENEST, une élégante maison du XVIIIe siècle, perpétue le souvenir de deux grandes familles. Né à Tours en 1701, Jean Mauvide s'installe dans l'île d'Orléans en 1726 à titre de chirurgien. Huit ans plus tard, il épouse Marie-Anne Genest et entreprend la construction d'une maison de pierre sur un terrain qu'il reçoit de son beau-père, demeure qu'il agrandit au fil des ans.

SAINTE-FAMILLE. La plus ancienne paroisse de l'île possède une église en pierre construite entre 1743 et 1748. Elle se distingue par sa façade exceptionnelle et ses trois clochers. Elle constitue l'une des plus belles réussites de l'architecture religieuse rurale traditionnelle ● *113*. Le décor intérieur comporte de nombreux tableaux, dont cinq toiles peintes par François Baillairgé ▲ *255* entre 1801 et 1805.

SAINT-PIERRE. L'église de Saint-Pierre, construite entre 1717 et 1719, est la plus ancienne de l'île. Depuis 1955, elle est la propriété du gouvernement qui veille à préserver ce joyau de l'architecture paroissiale du Régime français. C'est dans ce village que le poète et chansonnier Félix Leclerc ▲ *241* a vécu les dernières années de sa vie.

LE FROMAGE DE L'ÎLE D'ORLÉANS
Jusque dans la première moitié du XXe siècle, les habitants de l'île d'Orléans vivaient de l'agriculture. Ils fabriquaient

un fromage selon une technique traditionnelle. Sous l'action de la présure, ils faisaient d'abord cailler le lait. Le fromage était ensuite mis à sécher sur une paillasse de joncs. Les galettes, recouvertes d'une toile de lin, étaient finalement déposées dans un coffre de bois pour affinage.

Ci-dessus, *Le lait du matin*, de Horatio Walker (1925)

Sainte-Anne-de-Beaupré accueille des pèlerins dès la deuxième moitié du XVIIe siècle : des marins, des paroissiens, des Amérindiens, puis, au XIXe siècle, des Américains. Tous sont attirés par les «merveilles» attribuées à sainte Anne et attestées par de nombreux ex-voto. Commencé en 1927 pour remplacer le sanctuaire incendié en 1922, le chantier de l'actuelle basilique prévoit une construction grandiose, aussi imposante que les cathédrales d'Europe : vastes nefs, mélange de styles néoroman et néogothique, décors somptueux, pour recevoir plus d'un million de pèlerins par an.

La dévotion à sainte Anne
En 1680, Mgr de Laval ▲ *265* évoque «la dévotion spéciale que portent à sainte Anne tous les habitants de ce pays, dévotion qui, nous l'assurons avec certitude, les distingue de tous les autres peuples». Les premiers colons français donnent le nom de la sainte à de nombreux lieux et associations : églises, paroisses, fort Sainte-Anne, confréries des Menuisiers de Madame Saincte-Anne. À Sainte-Anne-du-Petit-Cap (premier nom de Sainte-Anne-de-Beaupré), on vénère, depuis 1661-1662, une statue, en bois doré, apportée de France.

La sainte Anne des Amérindiens
Dès le début de leur évangélisation, les Indiens vouent un culte particulier à sainte Anne. Ayant un grand respect pour les Anciens, ils la considèrent comme une aïeule qui les initie à la foi chrétienne. Les Micmacs et les Montagnais ont placé plusieurs de leurs agglomérations sous sa protection.

L'intérieur de la basilique
Sa décoration somptueuse est due au travail d'artistes québécois et étrangers de renom. Ils ont utilisé des matériaux rares pour créer des formes éloquentes inspirées des thèmes bibliques et historiques.

LES «MERVEILLES»

Le curé Thomas Morel rédige le *Récit des merveilles arrivées en l'église de sainte Anne du Petit-Cap, Coste de Beaupray, en la Nouvelle-France*, reproduit dans la *Relation des jésuites* de 1667. Il complète son récit trois ans plus tard par vingt-cinq autres «merveilles». Ces faveurs assurent la popularité des pèlerinages. Elles sont commémorées par de nombreux ex-voto d'une grande valeur symbolique, certains datant des XVIIe et XVIIIe siècles.

LE PÈLERINAGE

La Grande Neuvaine, qui prépare à la Sainte-Anne (26 juillet), rassemble, avec le jour de la fête, les foules les plus nombreuses. Ces cérémonies prennent une nouvelle ampleur à partir de 1930, grâce à l'amélioration des moyens de transport. Les pèlerins viennent de toute l'Amérique du Nord demander à sainte Anne des faveurs temporelles (guérisons), spirituelles (conversions), ou simplement «faire leurs dévotions». Les Amérindiens campent alors aux abords de la basilique.

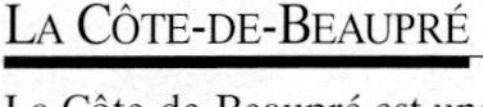

À L'ABRI DES CANONS
En 1759, alors qu'ils sont en route pour Québec, les hommes du général Wolfe ▲ *252* réduisent en cendres bon nombre des villages qu'ils croisent. Se dressant alors sur la rive du Saint-Laurent, Saint-Joachim n'y échappe pas. Quelques années plus tard, les habitants du village décident de s'installer plus à l'intérieur des terres (ci-dessous), hors d'atteinte d'éventuels bombardements.

LE SKI DANS LA RÉGION DE CHARLEVOIX
Le Massif (ci-dessous) constitue l'un des centres de ski les plus réputés au Québec. En dévalant les pistes, les skieurs jouissent d'une vue spectaculaire sur le Saint-Laurent

et ses glaces flottantes. Le parc du mont Sainte-Anne, situé derrière la ville de Beaupré, abrite un centre de ski renommé, inscrit sur le circuit de la Coupe du monde de ski alpin.

LA CÔTE-DE-BEAUPRÉ

La Côte-de-Beaupré est une étroite bande de terre agricole formée de terrasses successives et peuplée dès le début du XVIIe siècle. Très rapidement, les terres cultivables des premières paroisses sont occupées, obligeant les nouveaux colons à s'établir dans l'arrière-pays (Saint-Féréol-les-Neiges et Saint-Tite-des-Caps) et dans la région voisine de Charlevoix.

CHÂTEAU-RICHER. Ce village occupait jadis une position stratégique au centre de la seigneurie de Beaupré. À l'entrée du village, le VIEUX MOULIN DU PETIT-PRÉ (1695) abrite un centre d'interprétation sur le développement économique et social de la Côte-de-Beaupré. Entre L'Ange-Gardien et Sainte-Anne-de-Beaupré – célèbre pour sa basilique ▲ *278* –, le pittoresque chemin Royal serpente à travers le vieux terroir. On y découvre de nombreux exemples de maisons rurales québécoises traditionnelles, de bâtiments de ferme, de chapelles de procession ● *122* et de caveaux à légumes.

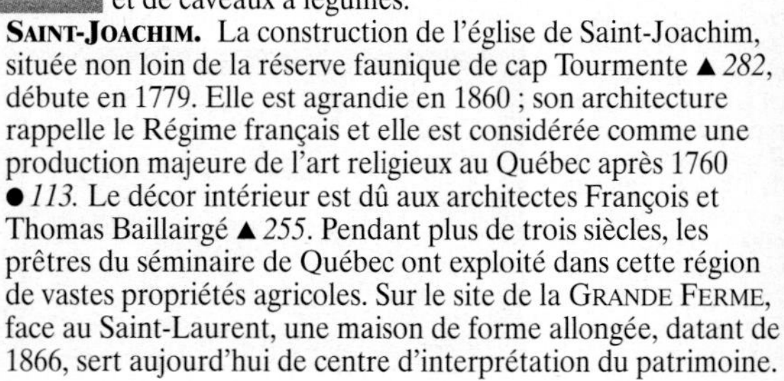

SAINT-JOACHIM. La construction de l'église de Saint-Joachim, située non loin de la réserve faunique de cap Tourmente ▲ *282*, débute en 1779. Elle est agrandie en 1860 ; son architecture rappelle le Régime français et elle est considérée comme une production majeure de l'art religieux au Québec après 1760 ● *113.* Le décor intérieur est dû aux architectes François et Thomas Baillairgé ▲ *255.* Pendant plus de trois siècles, les prêtres du séminaire de Québec ont exploité dans cette région de vastes propriétés agricoles. Sur le site de la GRANDE FERME, face au Saint-Laurent, une maison de forme allongée, datant de 1866, sert aujourd'hui de centre d'interprétation du patrimoine.

PETITE-RIVIÈRE-SAINT-FRANÇOIS

LA MER À LA MONTAGNE, LA MONTAGNE À LA MER. Dès 1675, un premier peuplement s'enracine en Charlevoix, sur la côte à Petite-Rivière-Saint-François et Baie-Saint-Paul. Ce joli village, coincé entre la montagne et le fleuve, a séduit la romancière Gabrielle Roy ● *155* qui y séjournait l'été pour écrire. Située à l'écart de la route principale, la station de ski Le Massif bénéficie du plus haut dénivelé à l'est des Rocheuses canadiennes (770 m).

BAIE-SAINT-PAUL

Cette petite ville, entourée d'imposants promontoires, constitue un véritable joyau naturel. Blottie au fond de la vallée de la rivière du Gouffre, elle offre un paysage hors du commun. Le peintre Clarence Gagnon (1882-1942) ● *131* a été l'un des premiers à célébrer les beautés du site. Il a été suivi de plusieurs autres artistes canadiens célèbres : Marc-Aurèle Fortin, Alexander Young Jackson, Jean-Paul Lemieux ● *132*... De part et d'autre de l'église, les rues Saint-Jean-Baptiste et

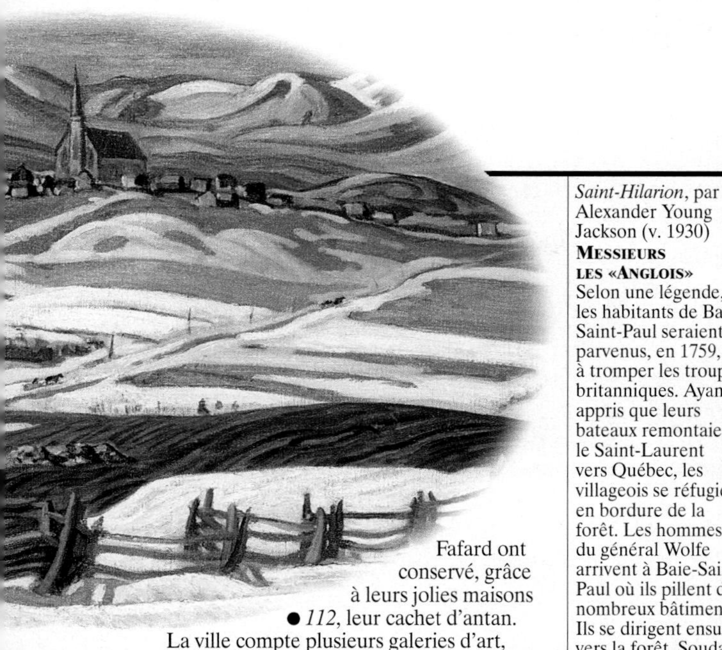

Fafard ont conservé, grâce à leurs jolies maisons ● *112*, leur cachet d'antan. La ville compte plusieurs galeries d'art, des boutiques et deux centres d'exposition.

SAINT-JOSEPH-DE-LA-RIVE ♥

Le coquet village de Saint-Joseph-de-la-Rive, accessible depuis la spectaculaire route 362, s'étire le long du fleuve Saint-Laurent. Le chemin (fortement accidenté) qui conduit au village offre un point de vue saisissant sur l'île aux Coudres et le Saint-Laurent. Quelques goélettes échouées sur la rive témoignent du passé maritime de la région. La PAPETERIE SAINT-GILLES, fondée par Mgr Félix-Antoine Savard, fabrique, selon une technique artisanale, un papier chiné de luxe unique au Canada. Depuis Saint-Joseph-de-la-Rive, un traversier ◆ *355* assure la liaison avec l'île aux Coudres.

L'ÎLE AUX COUDRES

Jetant l'ancre au sud-ouest de cette île en septembre 1535, Jacques Cartier lui donne ce nom en raison des nombreux coudriers (noisetiers) qui y poussent. Dès 1720 s'amorce le peuplement de l'île. Ses habitants y développent l'agriculture, la construction de chaloupes et de goélettes, la pêche et l'artisanat domestique. Se dressant près d'un ruisseau, les MOULINS DE L'ÎLE AUX COUDRES permettent d'appréhender le mode de vie des meuniers d'autrefois. On peut y visiter un moulin à eau (1825) et un moulin à vent (1836), tous deux en état de fonctionnement ● *66*. Le musée LES VOITURES D'EAU, aménagé sur une goélette, présente des expositions qui évoquent la navigation sur le Saint-Laurent ● *80*.

Saint-Hilarion, par Alexander Young Jackson (v. 1930)

MESSIEURS LES «ANGLOIS»
Selon une légende, les habitants de Baie-Saint-Paul seraient parvenus, en 1759, à tromper les troupes britanniques. Ayant appris que leurs bateaux remontaient le Saint-Laurent vers Québec, les villageois se réfugient en bordure de la forêt. Les hommes du général Wolfe arrivent à Baie-Saint-Paul où ils pillent de nombreux bâtiments. Ils se dirigent ensuite vers la forêt. Soudain, au beau milieu d'une clairière, une clameur s'élève de toutes parts, semblable aux cris que lancent les Montagnais au moment de fondre sur l'ennemi. Stupéfaits, les Anglais sont loin d'imaginer que ces hurlements proviennent en fait d'une bande d'oies maltraitées par les femmes, les vieillards et les enfants. Quelques décharges de mousquet suffisent alors à chasser l'ennemi hors du lieu !

LES GOÉLETTES DANS CHARLEVOIX
Autrefois, les villages côtiers de Charlevoix possédaient presque tous leur chantier naval. La construction des goélettes débutait généralement à la fin de l'automne pour ne se terminer qu'avec le dégel. Le beau temps revenu, elles étaient mises à l'eau après une traditionnelle cérémonie de bénédiction réunissant tous les paroissiens.

Chaque printemps et chaque automne, les estrans vaseux qui s'étendent au pied du cap Tourmente accueillent la population entière de la sous-espèce *atlanticus* de l'oie des neiges. Les oies y font halte pour s'y nourrir pendant quelques semaines, interrompant leur vol migratoire entre les terres arctiques, où elles nichent, et les marais de la côte est des États-Unis, où elles hivernent. Réduite à quelque 2 000 oiseaux au début du siècle, cette population approchait les 70 000 individus au début des années soixante-dix. Grâce à diverses mesures de protection (restriction de la chasse, conservation des zones d'alimentation), on en dénombre aujourd'hui plus de 700 000.

VOL D'OIES À L'AUTOMNE
En raison de l'augmentation récente de leurs effectifs, les oies fréquentent maintenant plusieurs haltes sur la rive sud du Saint-Laurent, du lac Saint-Pierre à Rimouski.

VOL D'OIES AU PRINTEMPS
Lorsque la marée haute empêche les oies d'atteindre les rhizomes des scirpes, il n'est pas rare de les voir brouter des pousses tendres dans les terres cultivées.

Scirpe d'Amérique
Il constitue ici la seule végétation intertidale. Les oies s'alimentent de leurs rhizomes, en enfonçant le bec dans la vase.

Les oies sont visibles au cap de mi-avril à fin mai, et de fin septembre à début novembre.

Trajet migratoire
Les oies effectuent souvent leur vol d'un seul trait, depuis l'Arctique à l'automne et la côte Atlantique au printemps.

Certaines années, lorsqu'il y a trop de neige au sol, il arrive que les oies, ne pouvant pas faire leur nid, ne se reproduisent pas.

Oie des neiges
On distingue deux espèces d'oies des neiges : la blanche et la bleue. Le plumage de la première est immaculé, sauf les rémiges, qui sont noires (ci-dessus) ; l'oie bleue, plus rare, a le dos et le ventre ardoisés. La tête prend une teinte rousse au contact de l'oxyde de fer contenu dans les substrats où les oiseaux fouillent pour glaner leur nourriture. Le phénomène s'observe plus souvent à l'automne qu'au printemps.

Des paysages à couper le souffle
Entre Baie-Saint-Paul et La Malbaie, la route 362 longe le fleuve Saint-Laurent et offre de magnifiques panoramas. Déjà au XIXe siècle, des touristes fortunés fréquentaient cette région, attirés par les spectaculaires paysages côtiers et l'abondance du poisson.

Les Éboulements

Ce petit village s'étire sur un plateau dominant le Saint-Laurent. Le site a jadis été le théâtre d'un gigantesque glissement de terrain à la suite d'un tremblement de terre (1663). À l'entrée du village, le manoir de Sales-Laterrière, avec ses dépendances et son moulin banal, permet d'appréhender ce qu'était la vie rurale sous le régime seigneurial.

Saint-Irénée ♥

Accroché à la montagne, le village de Saint-Irénée a été fondé au début du XIXe siècle. L'endroit a servi de microcosme pour l'étude de la famille paysanne traditionnelle. Deux enquêtes célèbres y ont été réalisées. La première est celle de Charles Gauldrée-Boilleau, consul de France à Québec et disciple de Frédéric Le Play (1861), alors que la seconde est celle de Léon Gérin, premier sociologue canadien (1921).
Le domaine Forget, jadis propriété de sir Rodolphe Forget (1861-1919), un des premiers millionnaires canadiens-français, abrite maintenant une école de musique et de danse. Des spectacles et un Festival international de musique classique y sont présentés chaque été. Saint-Irénée est en outre doté d'une belle plage qui attire les vacanciers malgré la température de l'eau, rarement invitante.

Ci-dessus, Les Éboulements

Rodolphe Forget
Un grand financier de Montréal, Rodolphe Forget ▲ *184* (ci-dessous), visite régulièrement la région où il possède une demeure (le Gil'Mont). Élu député fédéral de Charlevoix en 1904, il réussit à doter la région d'une ligne de chemin de fer reliant La Malbaie et Québec.

Pointe-au-Pic

Berceau de la villégiature au Canada, Pointe-au-Pic accueille des visiteurs depuis près de deux cents ans. Certains séjournaient au Manoir Richelieu, un luxueux hôtel construit en 1899 pour la Richelieu and Ontario Navigation Company. D'autres, tel William Taft, s'y sont fait construire d'élégantes villas avec vue sur la mer. Aujourd'hui comme autrefois, on y vient pratiquer le golf, le tennis, la pêche sportive, l'équitation et le ski (mont Grand Fonds). Un casino est maintenant exploité au Manoir

Richelieu. Le village de Pointe-au-Pic abrite aussi le MUSÉE DE CHARLEVOIX, consacré à l'histoire, à l'ethnologie et à l'art populaire de la région.

LE MANOIR RICHELIEU
Le 12 septembre 1928, un incendie détruit le premier manoir. Dès le lendemain, on annonce la construction d'un nouvel hôtel encore plus spacieux. On confie à l'architecte John S. Archibald le soin de concevoir un bâtiment (ci-dessus) de style château ● *118*, très en vogue à cette époque.

LA MALBAIE

Cette ville doit son nom à Champlain qui, s'étant échoué en 1608 parce que la baie ne fournissait pas un ancrage suffisant pour son navire, se serait écrié : «la malle baye !» Après la Conquête, l'emplacement est connu sous le nom de Murray Bay : en 1761, John Nairne et Malcom Fraser, deux officiers écossais de l'armée britannique, obtiennent du gouverneur James Murray une seigneurie de part et d'autre de la rivière Malbaie. Dès 1849, la région attire de nombreux touristes voyageant sur les bateaux à vapeur qui partent de Québec. Plusieurs peintres canadiens viennent y puiser leur inspiration. C'est ici qu'est née et a vécu Laure Conan (1845-1924), première romancière québécoise.

L'ARRIÈRE-PAYS. Entre Baie-Saint-Paul et La Malbaie, la route 138 permet de découvrir un pays de plateaux et de collines parsemé de quelques villages. Vers le nord se dresse la spectaculaire muraille boisée des Laurentides. La papeterie de Clermont est d'ailleurs la seule industrie majeure de la région. L'arrière-pays de Charlevoix abrite également les réserves écologiques du parc des Grands-Jardins et celle du parc des Hautes-Gorges-de-la-Rivière-Malbaie ▲ *286*, située au nord de Saint-Aimé-des-Lacs.

VERS TADOUSSAC

Une fois passé le pittoresque site de villégiature de Cap-à-l'Aigle (à l'est de La Malbaie), le paysage, quoique d'une grande beauté, devient plus âpre. On n'y trouve d'ailleurs que très peu de villages.

SAINT-FIDÈLE. Ce petit hameau, dominant le Saint-Laurent depuis un plateau, est surtout connu pour ses bons fromages – que l'on peut acheter sur place – et pour la station écologique de Port-au-Saumon ▲ *287*.

SAINT-SIMÉON. Point de départ d'un traversier reliant Rivière-du-Loup ▲ *292*, sur la rive sud du Saint-Laurent, ce petit village constitue un carrefour important. Les voyageurs peuvent en effet emprunter la route menant à Chicoutimi ▲ *322* ou encore poursuivre leur chemin vers Tadoussac et la Côte-Nord ▲ *327*.

DES VISITEURS DE MARQUE
À la fin du XIXe et au début du XXe siècle, Charlevoix séduit et attire de nombreux touristes américains. Des bateaux à vapeur longent la côte depuis Québec, déversant chaque été leur contingent de touristes. Certains visiteurs, à l'exemple de William Howard Taft (1857-1930), président des États-Unis entre 1909 et 1913 (ci-dessus avec ses 10 petits enfants), viennent y passer leurs vacances avec leur famille.

DE GRANDES ENVOLÉES
Chaque année, lors des grandes migrations (d'abord en mai puis en août et en septembre), la région de Charlevoix est témoin du passage des canards de mer et de plus de vingt-deux espèces limicoles, dont le courlis corlieu et la barge hudsonienne. Pendant la saison froide, goéland arctique, goéland bourgmestre, guillemot à miroir ▲ *304* et garrot d'Islande peuvent être observés, notamment depuis les berges de l'île-aux-Coudres ▲ *281*.

BRUANT FAUVE
À partir de fin avril, on entend souvent, dans le parc des Grands-Jardins et celui des Hautes-Gorges-de-la-rivière-Malbaie, à la tombée du jour, un chant composé de sifflements particulièrement mélodieux : c'est celui du bruant fauve (ci-contre).

Ce passereau de la famille des fringillidés passe l'hiver aux États-Unis et niche dans la forêt boréale.

La région de Charlevoix, appréciée pour ses paysages champêtres, sa vie artistique et ses auberges accueillantes, s'avère également riche en sites naturels de toute beauté. Ses nombreux parcs séduiront les amateurs d'écologie comme de géologie. Quant aux ornithologues, ils bénéficient d'un environnement propice à l'observation de la faune ailée, que ce soit au cap Tourmente (Côte-de-Beaupré) ▲ *282*, sur la plage de Saint-Irénée ou sur les rivages de l'île-aux-Coudres.

LES GRANDS-JARDINS

UN ÉCOSYSTÈME PARTICULIER. Le parc de conservation des Grands-Jardins, situé au nord de Baie-Saint-Paul ▲ *280*, est pourvu d'une végétation unique à cette latitude. Ce phénomène s'explique par la hauteur des montagnes (jusqu'à 1 000 m) qui constituent le cœur du vieux massif des Laurentides ▲ *216*. La végétation nordique propre à la taïga ■ *32* domine le paysage même si dans les vallées elle est remplacée par une impénétrable forêt de sapins et d'épinettes. Une faune particulière habite la taïga : la paruline rayée, le geai du Canada et la grive de Bicknell – un turdiné récemment élevé au rang d'espèce et à aire de dispersion restreinte. Le parc abrite un troupeau de caribous introduit il y a près de trente ans ; l'abondance du lichen a permis son adaptation ▲ *232*. Au sommet du mont du Lac-des-Cygnes, le panorama sur la vallée de la rivière du Gouffre et le massif des Éboulements est à couper le souffle. Il permet d'apprécier le relief créé par l'impact d'une météorite tombée il y a 350 millions d'années. Le parc des Grands-Jardins est doté d'infrastructures permettant de faire des excursions en compagnie d'un guide-naturaliste ou de pratiquer de multiples activités : canot, camping et escalade ◆ *372*.

LES GORGES DE LA RIVIÈRE MALBAIE ♥

UN RELIEF ACCIDENTÉ. Le parc des Hautes-Gorges-de-la-rivière-Malbaie abrite l'une des vallées glaciaires les plus spectaculaires de l'est du continent (ci-dessus). Cet immense parc (233 km^2), situé non loin de La Malbaie ▲ *285*, demeure difficile d'accès. Pour s'y rendre, il faut emprunter une route non pavée et sinueuse. Le site comporte de spectaculaires escarpements de 800 m d'altitude encadrant une superbe vallée en auge (ci-dessus). Il est

possible de remonter une partie de la rivière à bord d'un bateau-mouche. Les Hautes-Gorges se distinguent par une végétation diversifiée, depuis les immenses ormes de la vallée jusqu'à la flore arctique-alpine des sommets. Cet étagement de végétation accueille une faune avienne variée : la paruline bleue à gorge noire et le grand pic nichent dans les érablières de la vallée, alors que le bruant fauve et le pipit d'Amérique habitent les hauts plateaux. L'ascension des flancs de la vallée par des sentiers étroits est récompensée par des panoramas grandioses. Le parc attire des adeptes de l'escalade, du canot et du vélo de montagne.

PORT-AU-SAUMON

UN CENTRE ÉCOLOGIQUE. Niché sur le flanc de la baie de Port-au-Saumon, le site s'étend sur 95 ha de forêts et de rivières. Le centre, situé à 20 km à l'est de La Malbaie ▲ *285*, offre au visiteur de Charlevoix un premier contact avec l'estuaire. Il s'enorgueillit de sa politique de conservation : la cueillette y est interdite, de même que la marche hors des sentiers. Les promeneurs sont accompagnés d'un guide qui leur fait découvrir la nature et la végétation le long de pistes aménagées. La visite débute dans un petit canyon et se termine près d'un bassin situé au fond d'une anse : ici sont regroupés des organismes marins tels des oursins et des étoiles de mer. Au détour d'un sentier, un regard vers le large permet parfois d'apercevoir des alcidés (pingouins, marmettes), des eiders et des plongeons (huart), un phoque ou quelques bélugas.

LES PALISSADES

UN CENTRE FORESTIER. Situé à 9 km au nord de Saint-Siméon ▲ *285*, le centre éducatif Les Palissades ◆ *373* est dominé par un escarpement de près de 300 m, délimitant une large vallée glaciaire. Passé le pont des Soupirs, l'un des sentiers débouche sur le sommet de la falaise. Tout en bas, une masse de glace perdure toute l'année, retardant le développement de la végétation. Des oiseaux comme la mésange à tête brune, la paruline à collier et le grand pic fréquentent ce milieu forestier composé de peupliers, de pins, de sapins et de bouleaux.

ORIGNAL
Ce grand mammifère ● *84* est particulièrement bien adapté à la forêt québécoise. Ses longues pattes et ses larges sabots lui permettent de se déplacer aisément dans la neige comme dans les marécages. L'hiver, un fin duvet pousse sous ses longs poils, tandis que ses bois tombent, facilitant sa quête de jeunes pousses et de branches.

PARULINE RAYÉE
Au printemps, lorsque la paruline rayée revient de sa longue migration qui l'a menée jusqu'en Amérique du Sud, son «tit tit tit» aigu fait à nouveau vibrer la forêt boréale, dans le parc des Grands-Jardins et dans celui des Hautes-Gorges.

UNE VALLÉE GLACIAIRE
Les Hautes-Gorges-de-la-rivière-Malbaie offre le spectacle d'une vallée glaciaire en auge profonde. Dans cette région, l'action des glaciers a laissé plusieurs phénomènes géomorphologiques, parfois spectaculaires, tels des cirques et des vallées suspendues.

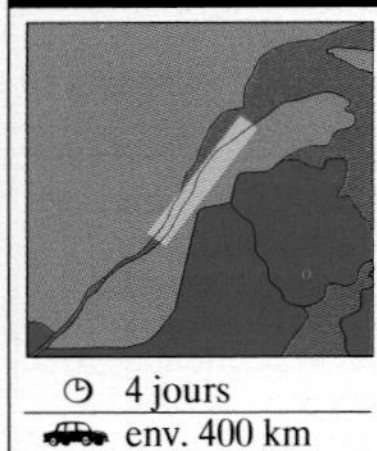

4 jours
env. 400 km

LA STATION DE QUARANTAINE DE LA GROSSE-ÎLE
En 1832, lorsque se précise la menace du choléra, les autorités prennent des mesures

sanitaires telles que l'installation d'une quarantaine sur la Grosse-Île dans le Saint-Laurent. Des centaines de milliers d'immigrants, venus surtout des îles Britanniques, y seront accueillis et soignés, mais des dizaines de milliers d'autres y perdront la vie. Ainsi dans la seule année 1847, 106 000 immigrants, en majorité des Irlandais fuyant la famine, arrivent amaigris et affaiblis, entassés dans les navires ; 8 000 d'entre eux ne verront du Nouveau Monde que la Grosse-Île.

Les Amérindiens nomades fréquentaient déjà la Côte-du-Sud depuis des millénaires lorsque débutent les concessions des seigneuries, en 1630. Le paysage agricole n'apparaît qu'après 1672 et il faudra un siècle pour que se remplisse l'ensemble de la plaine littorale, jusqu'à Kamouraska. Le peuplement intensif du Bas-Saint-Laurent, plus tardif, commence au début du XIXe siècle avec l'exploitation forestière. La douceur des paysages et l'accessibilité des rivages maritimes ont vite favorisé la villégiature dans les pays de Bellechasse, Kamouraska, Cacouna et Métis. Le Bas-du-Fleuve offre le charme discret et l'assurance tranquille d'un grand paysage maritime qui fascine.

LA CÔTE-DU-SUD

Rouler ou marcher au cœur des vieux villages, les uns nichés dans des anses ou des replis de la côte, les autres sur des caps, permet de découvrir une vie rurale active et un paysage plein d'intérêt.
BEAUMONT. Une fois passé l'ancien noyau villageois surgit le MOULIN SEIGNEURIAL DE LA CHUTE À MAILLOU. Construit en 1821 pour carder la laine, il se vit ajouter des meules et une scie. Il produit encore de la farine pour le plaisir des visiteurs qui peuvent savourer du pain et des brioches cuits au four à bois.
SAINT-MICHEL-DE-BELLECHASSE. Avec sa rue principale bordée de grands arbres, son réseau de rues étroites, son groupement de petites et anciennes demeures de navigateurs et la place de l'église encadrée de beaux spécimens architecturaux, Saint-Michel (ci-dessous) se découvre à pied. On y appréciera l'harmonie des maisons et la diversité des décors de bois finement ciselés. Sensible partout, la relation au fleuve se découvre jusque dans les girouettes et les modèles réduits de bateaux et de phares ornant les jardins.
MONTMAGNY. Cette ville prend son essor au début du XXe siècle : scieries, fonderies, machineries agricoles et autres manufactures ont tissé une trame solide qui domine encore le paysage. En automne, des centaines de milliers d'oiseaux font halte sur les battures ■ *22* et les champs des environs. Le THÉÂTRE ÉDUCATIF DES MIGRATIONS renseigne sur la grande oie blanche et d'autres espèces

«Mais nous voici arrivés à la rivière Port-Joli [...] avec ses bords si riants couverts de rosiers sauvages, ses bosquets de sapins et d'épinettes, et ses talles d'aulnes»
Philippe Aubert de Gaspé, 1864

d'oiseaux migrateurs tels que les malards et les sarcelles. La Grosse-Île étant visible de la côte, le Théâtre présente aussi un montage audiovisuel sur l'organisation de sa station de quarantaine. Le Manoir de l'Accordéon, logé dans le manoir Couillard-Dupuis dont une partie remonte à 1764, est à la fois un musée d'instruments de musique, un centre de documentation et un lieu de fabrication qui honore une tradition artisanale ● *91*.

L'Îsle-aux-Grues. Accessible depuis Montmagny, elle laisse découvrir le magnifique paysage insulaire de la seule île de l'archipel qui ait été habitée en permanence depuis le XVIIe siècle. Un domaine et un manoir seigneuriaux, plusieurs maisons centenaires et quelques gîtes ruraux ponctuent un parcours champêtre.

L'Islet-sur-Mer. Ce village confirme la culture maritime des populations riveraines : une jolie chapelle de procession datant de 1835 est consacrée à Saint-Joseph-Secours-des-Marins tandis que le musée maritime Bernier expose des maquettes, des accessoires et des équipements de bateaux. À l'extérieur, on peut visiter un brise-glace et un hydroptère. L'une des salles est consacrée au capitaine Joseph-Elzéar Bernier (1852-1934), ci-contre, qui a sillonné les mers du Nord et a contribué à éveiller l'intérêt pour les espaces arctiques. L'Église Notre-Dame-de-Bonsecours, construite en 1770, possède un retable qui recouvre l'ensemble de l'abside, ainsi que plusieurs œuvres d'art sculptées.

Saint-Jean-Port-Joli. Les longues traditions de charpenterie navale, de batellerie, de menuiserie et de sculpture regroupent un ensemble de savoirs techniques liés à la transformation du bois. Ils se déclinent à travers la finesse des décors de bois ciselé des maisons anciennes et dans l'artisanat actuel de la Côte-du-Sud, en particulier à Saint-Jean-Port-Joli. Le nom de Bourgault, omniprésent, rappelle le fondateur d'une véritable dynastie de sculpteurs et d'ornemanistes qui ont exercé dans ce village depuis 1935. Divers établissements présentent les œuvres des artistes.

La dynastie Bourgault (1897-1967)
Né à Saint-Jean-Port-Joli, Médard Bourgault navigue sur le Saint-Laurent durant plusieurs années avant d'apprendre auprès de son père, le métier de charpentier. Au cours de l'été 1930, pour nourrir sa famille nombreuse, Bourgault sculpte des figurines et de petits objets qu'il vend aux touristes de passage. Le succès de son entreprise le décide à initier ses proches, puis d'autres encore, si bien qu'une école de sculpture naît en 1940. Après les Bourgault, des centaines d'artisans ont perpétué la tradition.

Philippe Aubert de Gaspé (1786-1871)
Dernier seigneur de Saint-Jean-Port-Joli, il publie deux œuvres marquantes au siècle dernier : *Les Anciens Canadiens* (1863), roman de mœurs qui raconte la vie seigneuriale à l'époque de la Conquête anglaise ● *38*, et des *Mémoires* (1866) qui évoquent son enfance et font revivre les lieux et la petite histoire de la Côte-du-Sud.

LAC TROIS-SAUMONS. Situé à l'intérieur des terres près de Saint-Pamphile, ce lac, entouré d'un environnement sauvage, permet la pratique de sports nautiques ◆ *370*. Un réseau de 125 km de sentiers est aménagé à l'intention des cyclistes.
LA SEIGNEURIE DES AULNAIES. Cet ancien domaine, situé à environ 5 km à l'est du village de Saint-Roch, a été transformé en centre d'interprétation du régime seigneurial, officiellement aboli au Québec en 1854. Le manoir, une villa pittoresque, s'ouvre sur les jardins et le fleuve. Il est possible de visiter le manoir récemment réaménagé, ainsi que le moulin à eau qui, après restauration, a retrouvé ses agrès et ses apparaux ● *66*. On y produit à nouveau des farines de froment ou de sarrasin.

LA VILLÉGIATURE
Au XIXe siècle, le Bas-Saint-Laurent était le rendez-vous de villégiature, d'abord pour les familles bourgeoises, puis pour tous les vacanciers. Le chroniqueur Arthur Buies (1840-1901) écrit : « De tous ces lieux de rendez-vous, Kamouraska était [...] le plus fréquenté et le plus connu. [...] De grandes familles et des hommes célèbres y avaient demeuré [...]. Le manoir, un des plus anciens de la rive sud, dans le Bas-Saint-Laurent, avait reçu pendant un quart de siècle tout ce que le pays renfermait d'hommes éminents [...].»

SÉJOUR DÉPAYSANT
Depuis Rivière-du-Loup, il est possible de s'embarquer pour des excursions ou des séjours à l'île aux Lièvres ou aux îles du Pot-à-l'eau-de-vie. Ce sanctuaire d'oiseaux abrite d'importantes colonies d'eider à duvet, de guillemots noirs, de godes, de cormorans à aigrette, sans oublier les mammifères marins, phoques et bélugas, qu'on aperçoit de la rive. Sentiers d'interprétation, hébergement au vieux phare de 1860, ou dans un petit pavillon, le choix est grand pour vivre quelques jours au rythme du fleuve. Ces îles sont un joyau de la région.

LE COMTÉ DE KAMOURASKA

Cette région amorce une transition entre la Côte-du-Sud et le Bas-Saint-Laurent. Le paysage se modifie de façon sensible : une fois la basse terrasse de Kamouraska traversée, la côte se relève en terrasses étroites et accidentées annonçant le mariage des montagnes et de la mer.
LA POCATIÈRE. Ville industrielle et commerciale, elle est aussi un centre d'éducation et de recherche. Prêtre et enseignant, l'abbé François Pilote (1811-1886) s'intéresse à l'enseignement agricole alors qu'il dirige le collège classique de La Pocatière vers 1850. En 1859, il y fonde la première école d'agriculture au Canada. Un Institut de technologie agricole et des fermes expérimentales poursuivront sa mission de recherche et de formation. Le MUSÉE FRANÇOIS-PILOTE expose dans plusieurs salles des collections de véhicules d'hiver tels que des carrioles ; des objets scientifiques comme des instruments de mesure du son ; et des spécimens empaillés de la faune locale tels qu'orignaux, bisons, tourtes et perdrix.
SAINT-PACÔME. Dans le décor exceptionnel des plus belles gorges de la rivière Ouelle, et dans l'une des quarante fosses qui la jalonnent, il est possible d'assister au spectacle

qu'offrent les saumons lors de la montaison ● *87*, ◆ *369*. Les poissons bondissent hors de l'eau et révèlent la force de leurs instincts lorsqu'il s'agit de franchir quelques obstacles.

Rivière-Ouelle. Le quai prolonge une petite anse bordée d'églantiers. L'endroit est peu connu et pourtant, son hôtel du milieu du XIXe siècle, ses villas, ses plages, la côte de Charlevoix qui se découpe à l'horizon et son auberge offrent un avant-goût de la Gaspésie ▲ *297*.

Saint-Denis. Le centre d'interprétation de l'aboiteau de Kamouraska, près de Saint-Denis, explique la création, en 1823, et les principes d'aménagement du plus long polder du Québec. Il longe le littoral du comté sur 60 km. Il fut construit pour drainer les sols marécageux du littoral et réguler les grandes marées qui brûlaient semences et récoltes. On peut aussi visiter à Saint-Denis la maison Chapais du marchand Jean-Charles Chapais (1811-1885), l'un des pères de la Confédération de 1867 ● *38*.

Kamouraska. Surplombant la mer, le village compte parmi les plus anciens (1790) et les plus beaux ensembles bâtis de la région ; il étire ses deux rubans d'élégantes villas et de riches demeures, avant de répandre près du quai ses anciennes maisons de navigateurs aux jardins impeccables. On y entre sur la pointe des pieds, de peur de rompre son charme tranquille. Avec un peu de malice et d'un air entendu, on vous dira ici que «Charlevoix est le plus beau pays du Québec... vu de Kamouraska». Le village a été chef-lieu de comté, siège de justice, d'activités portuaires et d'échanges commerciaux. Dès 1815, de nombreux villégiateurs y passaient la belle saison. On peut y visiter un Centre d'art et d'histoire qui renseigne sur la marche du peuplement, l'histoire locale et la généalogie. Le musée de Kamouraska, consacré à l'ethnographie, présente des objets domestiques et du mobilier du XIXe siècle.

Saint-André-de-Kamouraska. La halte écologique des battures du Kamouraska renseigne sur la vie fragile des marais salés, la flore et la faune du littoral. L'église de Saint-André, construite en 1806, est la plus ancienne de la région : son décor sobre, sculpté et doré,

Les fumoirs à poisson du Bas-Saint-Laurent

Pratiqué depuis longtemps par les Amérindiens, qui ne connaissaient pas le sel, le fumage du poisson et de la venaison s'obtient en exposant les chairs à l'action déshydratante des fumées. On trouve de nombreux fumoirs dans le Bas-Saint-Laurent, depuis Saint-André-de-Kamouraska jusqu'à Matane ▲ *299*, en passant par l'Île-Verte où plusieurs de ces bâtiments constellent encore le paysage. Saumon, esturgeon et hareng fumés font toujours les délices des connaisseurs.

LA PRUNE DE DAMAS
Rapportée en Europe par les croisés, la damas pourpre est introduite en Nouvelle-France au XVIIe siècle. De Québec, elle suit le peuplement vers l'est et pousse dans les vergers des habitants des deux rives. En voie de disparition depuis 1950, ce fruit retrouve aujourd'hui sa place sur les tables grâce à l'action conservatoire de la Maison de la prune, à Saint-André.

LA TOURBE, OU MOUSSE DE SPHAIGNE
Le Bas-Saint-Laurent exploite plusieurs tourbières qui emploient, pour assurer le renouvellement des plantes, des techniques de récolte telles que le hersage et l'aspiration. Des verrous glaciaires ou de mauvais drainages ont créé ces plans d'eau atrophiés il y a des milliers d'années. Les matières végétales décomposées et les sphaignes qui les ont colonisés sont utilisées à des fins horticoles, comme agent de filtration, ou par des établissements de santé pour leurs vertus curatives.

témoigne de l'aisance des paroisses riveraines. LA BOUCANERIE, au cœur du village, offre ses poissons fumés, saumons, esturgeons et harengs, et fait partager les arômes délicats de cette technique de conservation amérindienne. À l'est du village, la MAISON DE LA PRUNE fait revivre une tradition régionale, la culture de la prune de Damas. Au rez-de-chaussée, dans ce qui fut le magasin général de 1853 à 1875, sont vendus les fruits récoltés dans le verger-musée : prunes de Damas, airelles, pommettes et amélanches (petite baie violacée au goût délicat), et divers produits dérivés préparés dans la confiturerie familiale. Ce verger-musée doit son nom aux essences rares et anciennes de ses arbres fruitiers.

LE BAS-DU-FLEUVE ♥

Dans le Bas-du-Fleuve la vallée du Saint-Laurent cède la place à la côte gaspésienne. Le relief s'accentue, le vent devient plus vif et le climat un peu plus rude, quoique tempéré par l'influence de la mer. La forêt et les pêcheries gagnent peu à peu sur l'agriculture et l'élevage, tandis que le tourisme et la villégiature sont depuis plus de cent cinquante ans des activités saisonnières importantes.

RIVIÈRE-DU-LOUP. Concédée en 1673 au commerçant de fourrures Charles-Aubert de La Chesnaye, la seigneurie connaît un essor important au début du XIXe siècle, grâce à l'exportation du bois. Plus tard, la petite industrie, le commerce et la villégiature renforcent son économie. Le MUSÉE DU BAS-SAINT-LAURENT est consacré à l'art et l'histoire régionale. Il présente des expositions à caractère ethnologique.

CACOUNA. Son nom signifie «demeure du porc-épic» en algonquin. Au début du siècle, le village est l'une des plus fameuses stations balnéaires de la province. Plusieurs familles bourgeoises venaient y passer l'été, dont celle du poète Émile Nelligan. Anciennes villas, magasin général, chapelles

et église composent un circuit architectural de vingt-huit étapes identifiées. Quelques bâtiments, tels que l'église et le magasin général, sont ouverts au public.

L'Île-Verte. Il y a tant à voir sur cette île (en bas, à gauche) : des paysages agricoles, un phare de 1809, des pointes rocheuses, de petites anses et des plages sauvages, des oiseaux nicheurs, des rapaces, des phoques et des baleines qui rôdent au large. Si des centaines de résidents hivernaient sur l'île, il y a quarante ans, il ne reste aujourd'hui qu'une trentaine d'irréductibles. Au petit musée aménagé dans une école de rang ▲ *220*, on apprend tout sur la mousse de mer et les fumoirs de harengs.

L'Île-aux-Basques. Elle renferme des sites amérindiens préhistoriques datant du VIIIe siècle. Les Basques, venus pêcher la baleine et traiter avec les Amérindiens, l'ont occupée à partir du XVIe siècle. Les fours qu'ils utilisaient pour fondre la graisse des baleines sont toujours visibles ● *46*. Elle sert au XIXe siècle à l'agriculture et à l'exploitation forestière. En 1929, l'île est achetée par la Société Provancher d'histoire naturelle du Canada qui en fait un lieu historique protégé et un refuge pour les oiseaux migrateurs. La société y organise l'été des excursions journalières depuis Trois-Pistoles.

Trois-Pistoles. Son nom vient d'une légende qui veut qu'au XVIIe siècle, un marin ait perdu à cet endroit un gobelet à trois pistoles. Le PARC DE L'AVENTURE BASQUE EN AMÉRIQUE présentera prochainement l'histoire de l'Île-aux-Basques. Au cœur du village, la MAISON VLB est un centre original d'information sur l'œuvre de l'écrivain Victor-Lévy Beaulieu. On y trouve ses manuscrits, ses romans, des monographies de paroisses de la région, des décors de téléromans, une salle audiovisuelle et un café.

Le Bic. La légende dit que le petit ange chargé de décorer la terre, lors de la Création, aurait laissé échapper au Bic tous ses trésors : plages sauvages, hauts caps, récifs et cayes, îles, îlots, anses tranquilles et rivière à saumon. De la mer ou depuis Saint-Fabien, blotti au pied du pic Champlain, le Bic est toujours impressionnant.

Victor-Lévy Beaulieu

Né en 1945 à Saint-Paul-de-la-Croix, près de Rivière-du-Loup, Victor-Lévy Beaulieu est à la fois romancier, dramaturge, essayiste, éditeur et journaliste. S'intéressant à divers genres littéraires : nouvelle, complainte, épopée humoristique, il remporte plusieurs prix tels que le Prix du gouverneur général que lui vaut son *Don Quichotte de la démanche*. L'essayiste étudie la littérature québécoise oubliée et des auteurs comme Victor Hugo et Jack Kerouac. Il écrit des téléromans qui se distinguent par leur grande qualité littéraire : *Race de monde*, *L'Héritage* et *Montréal, P. Q.* Plusieurs de ses personnages, dont Xavier Galarneau de *L'Héritage*, sont d'une intensité remarquable.

Grand fleuve parmi les grands fleuves, le Saint-Laurent n'est pourtant ni le plus long, ni le plus imposant, ni le plus peuplé, ni le plus vieux du monde. Il est exemplaire par ses paysages grandioses, par sa faune riche et diversifiée et par son histoire. Toutefois, un tel cours d'eau pose aujourd'hui la question de la responsabilité de l'homme envers les systèmes naturels. Nul en amont ne peut se dissocier de ce qui se passe en aval, que ce soit dans le temps ou dans l'espace.

Le béluga, symbole écologique du fleuve
Ce petit cétacé blanc se nourrit des poissons et des invertébrés de l'estuaire. Si le nombre des bélugas est évalué à plusieurs milliers à l'arrivée des Européens, on n'en compte pas plus de 500 aujourd'hui. Ils souffrent de la pollution chimique venant des zones industrielles situées en amont.

La vie sous-marine
Sur les parois rocheuses et sur le fond, la vie emprunte des formes et des couleurs surprenantes. Les courants apportent aux organismes fixés une nourriture toujours renouvelée. Crustacés et petits poissons s'y cachent et s'y poursuivent dans un ballet aquatique fascinant pour le plongeur. Ils pourvoient aussi à l'alimentation des gros poissons, des phoques et des bélugas.

Un habitat varié
Rapide ou paresseux, large ou encaissé, le fleuve change de visage tout au long de son itinéraire. Cette variabilité lui permet de créer des habitats favorables à différentes espèces de poissons, d'oiseaux et de mammifères qui s'y alimentent, s'y reproduisent, ou s'y reposent lors de leurs migrations. Quand les eaux de la mer se mêlent à celles du fleuve, sa faune se diversifie et s'enrichit de nouveau.

RIMOUSKI. La ville a connu son principal essor au milieu du siècle avec l'industrie forestière ; la reprise de l'après-guerre puis le développement du secteur tertiaire et l'exploitation minière de la Côte-Nord ▲ *330* y ont aussi largement contribué. Les activités maritimes et océanographiques sont de plus en plus nombreuses et un musée d'art régional s'est installé dans l'ancienne église. À Rimouski-Est se visite aussi la MAISON LAMONTAGNE, construite au XVIIIe siècle en colombage pierrotté et agrandie au XIXe siècle en pièce sur pièce ● *112*. Plus à l'est se trouvent le MUSÉE DE LA MER et le LIEU HISTORIQUE NATIONAL DE POINTE-AU-PÈRE où des expositions sont consacrées à la navigation et au naufrage de l'*Empress of Ireland*.

SAINTE-LUCE. Un moulin à eau, une église au décor intérieur intéressant et de jolies villas à l'architecture pittoresque datant de la fin du siècle dernier bordent le rivage et mêlent leurs couleurs vives aux vieilles habitations d'esprit néoclassique. Une plage sablonneuse s'étend à l'est.

JARDINS DE MÉTIS ♥. Couvrant cent quatre-vingt-dix-sept acres, dont quarante cultivés, les jardins sont situés à l'embouchure de la rivière Métis et bénéficient d'un microclimat créé par le jeu humidifiant des eaux salées. À l'origine, en 1887, le site accueillait le camp de pêche du saumon d'un riche industriel. Sa nièce, Elsie Meighen Reford, le transforme peu à peu en un somptueux domaine de villégiature entouré de jardins. Élaborés entre 1929 et 1954, ils comprennent plusieurs ensembles distincts : les Rocailles, l'Allée royale, le jardin des Rhododendrons, le jardin des Primevères, le jardin des Pommetiers. Eaux vives, étangs, sous-bois, plantes indigènes, plantes rares et compositions florales ponctuent le décor de ces jardins de style anglais. La villa abrite aujourd'hui un restaurant, un musée local, une boutique d'artisanat et des aires de pique-nique. Les jardins de Métis couronnent magnifiquement cette découverte du Bas-du-Fleuve.

UNE TRAGÉDIE
Sorti des chantiers en 1906, l'*Empress of Ireland* est reconnu pour sa vitesse et son confort. Il peut accueillir 1 550 passagers. Le 28 mai 1914, il quitte Québec pour Liverpool avec 1 477 personnes à bord. À 1 h 50, près de Rimouski, il repère un navire sur le point de le croiser. Soudain, un banc de brouillard oblige les bateaux à ralentir. La visibilité très réduite nécessite des manœuvres, et, dans le désordre général, la collision ne peut être évitée. Une brèche de 6 m sur 7 dans la coque de l'*Empress* laisse pénétrer près de trois millions de litres d'eau à la seconde. Le paquebot sombre en quatorze minutes, faisant 1 012 victimes.

GASPÉSIE
ÎLES-DE-LA-MADELEINE

PIERRE RASTOUL

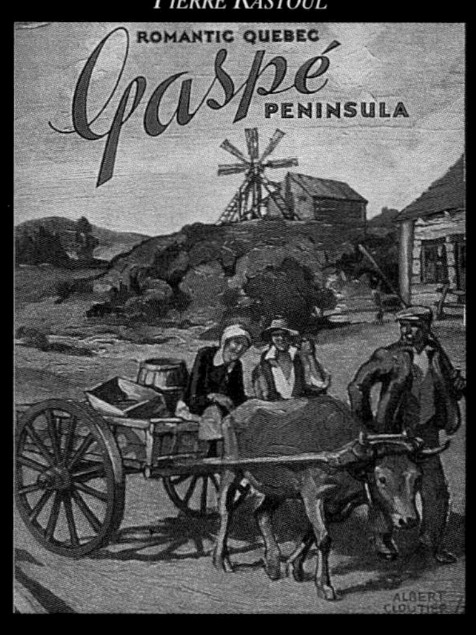

1. MATANE
2. SAINTE-ANNE-DES-MONTS
3. PARC DE LA GASPÉSIE
4. LA MARTRE
5. MONT-SAINT-PIERRE
6. MURDOCHVILLE
7. L'ANSE-AU-GRIFFON
8. CAP-DES-ROSIERS
9. PARC FORILLON
10. GASPÉ

FORMATION GÉOLOGIQUE
La Gaspésie constitue un ultime sursaut de la chaîne des Appalaches. La région repose sur d'anciens terrains (400 à 500 millions d'années), pour la plupart sédimentaires, largement remodelés par l'érosion. Dans sa partie la plus large, la péninsule n'est plus qu'un vaste plateau surélevé couvert d'un réseau de vallées. Les côtes de la baie des Chaleurs sont bordées de formations plus récentes (350 millions d'années), composées de grès, de schistes ou de calcaire.

S'avançant dans le golfe Saint-Laurent, la Gaspésie forme une vaste presqu'île tournée vers l'Atlantique. Les terres de l'intérieur de cette péninsule, grande comme la Suisse, restent sauvages et pratiquement inhabitées. Les villages se succèdent tout autour de la côte, comme des grains de chapelet. Pour des générations de Québécois, le «tour de la Gaspésie» représente un pèlerinage qu'il faut accomplir au moins une fois dans sa vie.

HISTOIRE DE LA GASPÉSIE

Les archéologues ont mis au jour de nombreux sites préhistoriques, dont certains font remonter l'occupation humaine à une époque fort reculée. Il y a sept ou huit mille ans, à mesure que reculaient les glaces, des chasseurs Plano seraient venus s'installer en Gaspésie. Cette population préhistorique, présente un peu partout en Amérique, s'adapte à l'environnement de la péninsule. Au fil des millénaires leur ont succédé d'autres groupes comme les Iroquois ● *44*, les Montagnais ▲ *329* et les Micmacs ▲ *308*. En 1534, Jacques Cartier aborde Gaspé ▲ *303* où il prend possession du pays ; un siècle plus tard, des pêcheurs commencent à s'installer à Mont-Louis, Gaspé, Percé et Pabos. L'effort français de colonisation en Gaspésie reste toutefois négligeable. Avec la Conquête, la

11. Percé
12. Île Bonaventure
13. Chandler
14. Newport
15. Paspébiac
16. Bonaventure
17. Parc de Miguasha
18. Lieu historique de la Bataille-de-la-Ristigouche
19. Matapédia
20. Causapscal

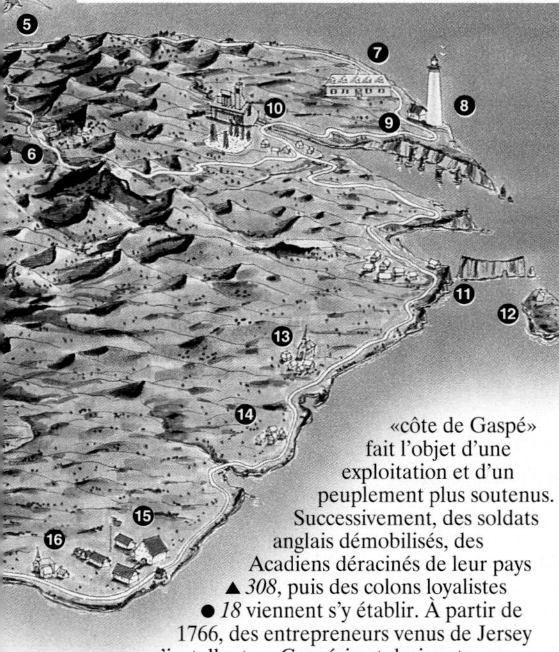

Paysage à Percé

«côte de Gaspé» fait l'objet d'une exploitation et d'un peuplement plus soutenus. Successivement, des soldats anglais démobilisés, des Acadiens déracinés de leur pays ▲ *308*, puis des colons loyalistes ● *18* viennent s'y établir. À partir de 1766, des entrepreneurs venus de Jersey s'installent en Gaspésie et drainent une importante main-d'œuvre dans la région. Charles Robin ▲ *308*, John LeBoutillier ▲ *302*, John Fauvel entre autres, instaurent sur la côte un puissant empire fondé sur le commerce de la morue ; ils allient l'exploitation du travail des pêcheurs à un monopole sur le commerce des denrées. À la fin du XIXe siècle, la diminution des rendements, une sérieuse crise bancaire et la révolte des pêcheurs contre ces compagnies conduisent les Jersiais à se départir de leurs actifs au profit de Canadiens. Au XXe siècle, les pêcheurs gaspésiens s'organisent en coopératives. Tandis que la pêche s'industrialise, l'économie régionale connaît une certaine diversification, d'abord avec l'exploitation forestière, papetière et minière, puis avec le tourisme. Depuis quelques années, l'effondrement complet des stocks de morues dans l'estuaire a durement frappé les pêcheurs, obligeant ces derniers à se tourner vers d'autres espèces (homard, crabe, pétoncle) ■ *28*.

“Que voulez-vous, c'est le pays de la morue ! Par les yeux et par les narines, par la langue et par la gorge, aussi bien que par les oreilles, vous vous convaincrez bientôt que, dans la péninsule gaspésienne, la morue forme la base de la nourriture et des amusements, des affaires et des conversations, des regrets et des espérances, de la fortune et de la vie, j'oserais dire, de la société elle-même.”
Abbé J.-B.-A. Ferland (1836)

Matane

La ville de Matane demeure un pôle économique important. Elle abrite un port moderne, d'où un traversier ◆ *355* assure toute l'année une liaison avec la Côte-Nord (Godbout ou Baie-Comeau ▲ *330*). Avec le déclin de la pêche, la ville et la région avoisinante se sont progressivement tournées vers l'exploitation des forêts.

LES BARACHOIS
À partir de Matane, la côte se présente comme une large plaine s'étageant vers l'intérieur en douces terrasses.
De nombreuses localités se sont implantées à l'embouchure d'importantes

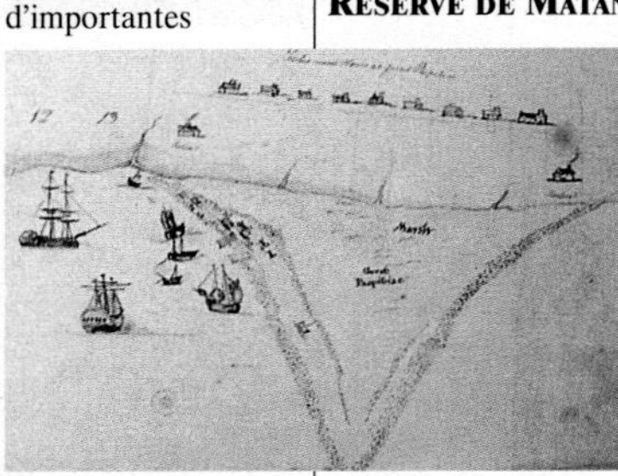

rivières, leur physionomie trahissant un passé maritime en partie révolu : afin d'abriter les bateaux et les installations de pêche, nombre de ces villages ont ainsi été construits près de barachois (du basque *barra choa*). Il s'agit de plans d'eau peu profonds qui se forment derrière des bancs de sable à l'embouchure des rivières.

UNE ESPÈCE MENACÉE ?
La Gaspésie était autrefois peuplée de plusieurs caribous (ci-contre). Le parc de la Gaspésie abrite et protège le dernier troupeau de la région. Il est également l'hôte d'autres cervidés, comme le cerf de Virginie (ci-dessous), communément appelé chevreuil au Québec.

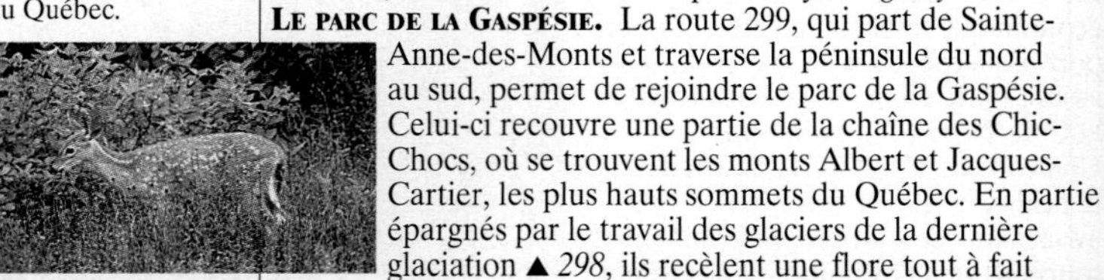

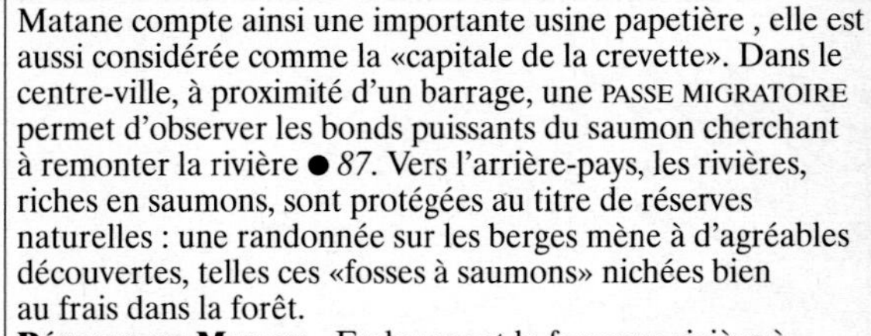

Matane compte ainsi une importante usine papetière , elle est aussi considérée comme la «capitale de la crevette». Dans le centre-ville, à proximité d'un barrage, une PASSE MIGRATOIRE permet d'observer les bonds puissants du saumon cherchant à remonter la rivière ● *87*. Vers l'arrière-pays, les rivières, riches en saumons, sont protégées au titre de réserves naturelles : une randonnée sur les berges mène à d'agréables découvertes, telles ces «fosses à saumons» nichées bien au frais dans la forêt.

RÉSERVE DE MATANE. En longeant la fameuse rivière à saumons de Matane, le visiteur accède à une réserve faunique, sise au cœur de la chaîne des Appalaches. Cette vaste forêt boréale représente bien la sapinière à bouleau blanc. Un réseau de chemins forestiers permet d'accéder au plus profond du pays de la gélinotte, du castor, de l'ours et surtout de l'orignal. Ce grand cervidé s'observe en été près des milieux humides (près du lac de la Tête et de l'étang de la Truite par exemple). Le lac Matane, situé au creux d'une vallée glaciaire, offre à ses visiteurs un paisible décor. Les randonneurs peuvent y admirer différents oiseaux, comme le huard ou l'hirondelle des granges et parfois même l'aigle royal, une espèce plutôt rare.

SAINTE-ANNE-DES-MONTS

Ce village, situé à l'embouchure de la rivière Sainte-Anne, attire de nombreux pêcheurs. En 1915, un violent incendie a détruit une grande partie de l'ancien habitat. Quelques belles

demeures ont toutefois été épargnées : la MAISON LAMONTAGNE, construite vers 1872 par un grand entrepreneur forestier, constitue un bel exemple de style *Regency*.

LE PARC DE LA GASPÉSIE. La route 299, qui part de Sainte-Anne-des-Monts et traverse la péninsule du nord au sud, permet de rejoindre le parc de la Gaspésie. Celui-ci recouvre une partie de la chaîne des Chic-Chocs, où se trouvent les monts Albert et Jacques-Cartier, les plus hauts sommets du Québec. En partie épargnés par le travail des glaciers de la dernière glaciation ▲ *298*, ils recèlent une flore tout à fait particulière et constituent le refuge d'une population isolée de caribous. Dans la région des monts McGerrigle, on peut observer à la fois, fait assez exceptionnel, le caribou des bois, l'orignal et le cerf de Virginie ▲ *332*. Plat comme un comptoir, le sommet du mont Albert est recouvert d'une véritable toundra herbeuse. Il constitue le lieu de reproduction le plus méridional d'oiseaux arctiques comme le sizerin et le pipit. Des sentiers bien entretenus conduisent, au prix d'un effort certain, sur les points culminants du parc (sommets de plus de 900 m) d'où le regard se perd sur une mer déchaînée de vallées encaissées, de crêtes dénudées et de dépressions abruptes. Le site comporte d'excellentes ressources d'hébergement (hôtel et campings de qualité), ainsi qu'une très bonne table au Gîte du Mont-Albert ◆ *373*.

Paysage nordique
Les monts Chic-Chocs façonnent l'ossature de la péninsule gaspésienne. Ces montagnes, érodées par les glaciers et remodelées par des plissements et des failles, culminent à près de 1 250 m. Sur certaines pousse une végétation semblable à celle qui existe dans le Grand Nord québécois.

De Tourelle à Gaspé

Au-delà de Sainte-Anne-des-Monts, le relief des Chic-Chocs se resserre, coinçant les villages entre la mer et les montagnes. Depuis Tourelle, où se dresse, près du havre, un très beau monolithe naturel, la route côtière grimpe, contourne des caps et des monts avant de traverser des vallées et de nombreuses anses. Les rivières viennent se jeter dans la mer presque à angle droit, modelant l'un des plus beaux secteurs de la côte. De charmants petits villages se dressent en outre le long de la route.

La Martre. Enchâssé dans l'écrin des caps, ce hameau possède un phare à ossature en bois datant de 1906. À l'intérieur, un centre d'interprétation des phares de la côte a été aménagé. Plus loin, Mont-Saint-Pierre invite les adeptes du parapente et du deltaplane à s'envoler depuis les sommets qui le surplombent. Ce village accueille chaque année le Festival international du vol libre ◆ *373*.

À l'Anse-Pleureuse, un chemin abandonne la côte pour pénétrer à l'intérieur de la vallée ; il permet d'accéder au lac de l'Anse-Pleureuse, un magnifique plan d'eau peu fréquenté et cerné par des montagnes boisées.

Entre ciel et mer
Trois rampes de lancement de deltaplane ont été aménagées au sommet du mont Saint-Pierre, permettant aux amateurs de ce sport de venir peupler le ciel de leurs ailes multicolores.

JOHN LEBOUTILLIER (1797-1872)
Débarquant de Jersey en 1812, John LeBoutillier débute dans le commerce du poisson à titre d'employé pour les Robin ▲ *308*, à Paspébiac. Il épouse la nièce de Charles Robin en 1824, s'alliant ainsi aux grands intérêts jersiais. Neuf ans plus tard, il crée à Gaspé la *John LeBoutillier & Co*, entreprise qui multipliera les succursales sur la côte.

MURDOCHVILLE. Au début du XXe siècle, Alfred Miller découvre pour la première fois des traces de cuivre dans le lit de la rivière York, près de Gaspé. Ce dernier effectue alors avec ses frères des recherches qui les conduisent à la source de cette rivière, où ils découvrent un riche filon.

Ils cèdent ensuite leur concession à la compagnie Noranda Mines qui, au début des années 1950, construit une ville juste à côté de la mine. Celle-ci est baptisée Murdochville en l'honneur du premier président de l'entreprise, James Y. Murdoch. Elle est située à 40 km de la côte, en plein cœur de la nature gaspésienne. La Noranda Mines décide de traiter le minerai sur place. Pour cela, un concentrateur permettant de transformer le minerai sous une forme métallique est érigé sur place. Cette opération, qui requiert beaucoup d'électricité, pousse la compagnie à bâtir, vers la fin de la décennie, sa propre centrale hydro-électrique ● *68*. Aujourd'hui, un centre d'interprétation offre la possibilité de descendre dans la mine (toujours exploitée) et de visiter une des galeries.

VERS LA POINTE DE FORILLON. De retour sur la côte, le visage géologique du pays retient l'attention. Autour de GROS-MORNE et de MANCHE-D'ÉPÉE, les caps plongent droit dans la mer, coinçant la route contre la rive. Des coupes franches dans les façades rocheuses en exposent les entrailles bouleversées, mille fois repliées au gré des tressaillements de la croûte terrestre. La route traverse plusieurs villages, CLORIDORME, L'ANSE-À-VALLEAU, RIVIÈRE-AU-RENARD, tous d'anciens postes de pêche.

LES FEMMES ET LES ENFANTS D'ABORD !
La Gaspésie, «c'est un pays de tempêtes et de naufrages», notait l'abbé Ferland, missionnaire et voyageur au XIXe siècle.

MANOIR LEBOUTILLIER. Cette demeure, construite entre 1836 et 1838 avec la cargaison de pin d'un navire naufragé, est située dans le petit village de l'Anse-au-Griffon. Elle abrite une exposition qui retrace la vie de John LeBoutillier, un des grands marchands jersiais ayant marqué le développement de la péninsule gaspésienne.

PHARE DE CAP-DES-ROSIERS. Dans le village de Cap-des-Rosiers, porte d'entrée du parc Forillon ▲ *304*, se dresse le plus haut phare du pays (37 m). Il a été construit en 1858, à la suite des nombreux naufrages qui s'étaient produits dans cette région de la côte. En avril 1847, le *Carrick*, navire transportant

«ET LÀ, NOUS TROUVÂMES UNE ÉTRANGE MARÉE, [...] IL NOUS FALLUT SERRER LA TERRE, ENTRE LEDIT CAP ET UNE ÎLE, QUI EST À L'EST DE CELUI-CI [...] ET LÀ, NOUS JETÂMES LES ANCRES...»

JACQUES CARTIER

des immigrants irlandais, se brisait sur les rochers de Forillon. À peine la moitié des passagers sortiront indemnes de cette tempête. Ils décident de s'établir sur la côte entre Cap-des-Rosiers et Rivière-au-Renard. Pendant la période estivale, le phare de Cap-des-Rosiers ouvre ses portes au public ; une visite guidée ◆ *373* permet de comprendre le rôle et l'évolution des phares dans cette région.

Parti de Saint-Malo le 20 avril 1534, Jacques Cartier met une vingtaine de jours pour traverser l'Atlantique. Le 24 juillet, lui et son équipage débarquent à Gaspé.

LA CÔTE DE GASPÉ ET PERCÉ

GASPÉ. Point d'accostage de Jacques Cartier en 1534, Gaspé devrait son toponyme au mot micmac *gespeg* («fins des terres»). Surplombant la baie, six stèles commémorent le passage du navigateur malouin. Jusqu'à la Conquête, Gaspé connaît différentes tentatives de colonisation infructueuses. Des immigrants anglais, groupés autour de Felix O'Hara auxquels s'adjoindront des loyalistes vers la fin du XVIIIe siècle, établissent les bases de la ville, profitant du havre naturel pour en développer le potentiel maritime (pêcheries de morue et de saumon, construction navale, industrie baleinière, commerce international). La cathédrale comporte un très beau vitrail et une fresque célébrant le 400e anniversaire de l'arrivée de Jacques Cartier. Gaspé compte aussi des édifices plus anciens comme le VIEUX SÉMINAIRE (1926), l'ÉGLISE ANGLICANE SAINT PAUL'S (1940) et le *Ash Inn*, une curieuse résidence en pierre construite pour William Wakeham (1845-1915). Médecin et navigateur, ce dernier a commandé en 1897 une expédition dans le détroit d'Hudson afin de proclamer la souveraineté du Canada sur son territoire arctique. Le MUSÉE DE LA GASPÉSIE présente une exposition permanente («Un peuple de la mer»)

axée sur l'histoire de la péninsule. D'autres expositions sont régulièrement organisées autour de thèmes plus précis comme l'art, le patrimoine, les Amérindiens... À l'ouest de la rivière York, on découvrira les bâtiments de la PISCICULTURE DE GASPÉ (1875-1938), la plus vieille institution du genre au Québec. Ce complexe a été créé par les autorités gouvernementales pour l'ensemencement de truites et de saumons.

BARACHOIS DE MALBAIE. Ce barachois ▲ *300*, situé à l'intérieur d'une baie que l'on nommait Baye-des-Morues sous le régime français, est le plus spectaculaire de toute la Gaspésie. Après COIN-DU-BANC, la route rejoint Percé en franchissant une enfilade de gouffres, de courbes et d'ascensions vertigineuses ; elle offre des panoramas grandioses.

LA PÊCHE À LA MORUE
Autrefois, le pêcheur gaspésien travaillait seul à bord de sa barge (embarcation traditionnelle). Son principal outil était la ligne à main, lestée d'un poids en plomb où étaient fixés des hameçons. Sur des barges plus grandes, ils se réunissaient parfois afin de pêcher à la *trawl* : sur une ligne dormante munie

de plusieurs centaines d'hameçons, ils appâtaient avec de l'encornet ou de petits poissons du type capelan. Les morues, étêtées et vidées, étaient salées et exposées à l'air et au soleil, sur la grave (plage de galets) ou sur des vigneaux, sorte d'étals recouverts d'un grillage laissant circuler l'air.

Avec ses hautes falaises, ses montagnes boisées et ses multiples baies, le parc Forillon constitue une réplique en miniature de la Gaspésie. Plusieurs écosystèmes s'y côtoient : de vastes forêts, des plantes arctiques et alpines, la flore des dunes de Penouille et celle des marais. Refuge d'une faune abondante, cette presqu'île est un site idéal pour l'observation des rapaces et des passereaux à l'époque des migrations. On peut également y admirer des mammifères marins ou visiter les bâtiments du secteur historique, vestiges du mode de vie des pêcheurs du début du XXe siècle.

LES ALCIDÉS
Comme le petit pingouin, qu'il ne faut pas confondre avec le manchot évoluant dans l'hémisphère austral, le guillemot à miroir (ci-dessus) est un oiseau de mer qui habite les falaises de Forillon. Tandis que les petits pingouins vivent en communautés serrées, les guillemots à miroir forment plutôt des groupes lâches, certains nichant même isolément. Moins pélagique que les autres membres de la famille des alcidés, le guillemot à miroir fréquente les côtes et hiverne dans les eaux libres de glace.

La végétation arctique
Depuis dix mille ans, les falaises de calcaire du versant nord de Forillon abritent une trentaine d'espèces de plantes rares. Charriées jadis par les glaciers, ce sont des végétaux d'origine arctique et alpine : certaines proviennent du Grand Nord, les autres des montagnes Rocheuses.

La mouette tridactyle
Avec plus de 10 500 couples recensés en 1989, la mouette tridactyle est le plus abondant des oiseaux marins nichant dans les falaises de Forillon. Leur nombre ne cesse de s'accroître depuis une vingtaine d'années, conséquence de la pêche intensive des grands poissons de fond. Ces derniers sont en effet les principaux prédateurs des plus petits poissons dont se nourrit habituellement la mouette tridactyle.

Les mammifères
Ours noirs, porcs-épics, castors, marmottes, lièvres, renards et orignaux sont parmi les mammifères terrestres les plus souvent observés dans les forêts du parc. De plus, les eaux côtières du parc nourrissent de mai à novembre, des colonies de phoques et des baleines de passage.

Grande-Grave, un ancien poste de pêche
Situé au sud de la pointe de Forillon, le secteur historique de Grande-Grave comporte plusieurs bâtiments restaurés et meublés (ci-dessus). Les différentes étapes de la pêche de la morue ▲ *303* y sont expliquées, sa transformation en produit salé-séché ainsi que le commerce international qui entourait cette activité.

Les phoques
Trois espèces de phoques fréquentent les côtes du parc Forillon. Le phoque gris – également appelé loup marin en raison de ses cris – est un mammifère de grande taille (340 kg) au museau allongé. Les phoques communs (ci-dessous) viennent mettre bas au pied des falaises de Forillon entre la mi-mai et la mi-juin. On peut les observer à loisir jusqu'en novembre. Depuis 1993, des troupeaux de phoques du Groenland passent parfois au large des côtes.

❝À Percé, il existe un rocher à la proue effilée fonçant vers l'échancrure de la côte et qui se balance au gré des vagues, une pure merveille de rocher que les touristes à genoux viennent admirer. Jadis pourtant, les riverains se contentaient d'y grimper pour y faire des semailles ou y voler des œufs de mouettes ou de fous de bassan. Délicieux.❞

Noël Audet

PERCÉ.
Le village de Percé est célèbre pour son paysage. Il voisine un splendide rocher façonné par la mer, des montagnes et des caps semés comme au hasard de quelque soulèvement antédiluvien. Percé se découpe en deux grandes anses, bordant de part et d'autre le mont Joli et son prolongement immémorial, le rocher Percé. Ce lieu était considéré par les Micmacs comme un site sacré, mais aussi comme un bon emplacement pour la pêche. Vers la fin du XVIe siècle, des pêcheurs européens viennent à leur tour y jeter leurs filets. Il faut attendre le milieu du XVIIe siècle pour qu'un établissement plus stable prenne forme, et ce en dépit des fréquentes incursions des Anglais qui cherchent à en déloger les habitants. En 1781, le Jersiais Charles Robin ▲ *300* installe un poste de pêche à Percé, qui devient le plus important centre de production morutière en Gaspésie. L'architecture du village conserve encore de beaux témoins de ce passé, notamment près du quai. Le CHAFAUD et la SALINE sont des édifices ayant servi au traitement de la morue. La «BELL HOUSE» et la maison dite du PIRATE, l'ancienne grange fermière du centre d'art, le magasin général où se trouve l'actuelle coopérative constituent autant de vestiges de la compagnie Robin. Dès la seconde moitié du XIXe siècle, Percé devient une destination privilégiée des premiers touristes. Naturalistes, écrivains et vacanciers accourent en grand nombre pour goûter ses charmes envoûtants.

ÎLE BONAVENTURE. Percé fait face à une île verdoyante, bordée de falaises rouges dont la forme évoque une baleine, et où niche une myriade d'oiseaux marins. Rares sont les sites au Québec où la nature mobilise avec autant de brio de tels acteurs. Une visite à l'île Bonaventure permet d'admirer de près une importante colonie de fous de Bassan. La mouette tridactyle, le petit pingouin et le guillemot de Troïl se réfugient sur les anfractuosités des falaises du côté est de l'île. Visibles depuis un sentier, ils vivent en colonie selon des comportements rituels bien arrêtés. À leur arrivée, au printemps, ces oiseaux s'activent pour ramasser les algues et les plantes terrestres nécessaires à la confection de leur nid où ils pondent leurs œufs. Chaque espèce trouve sur l'île sa niche de prédilection où grandiront leurs petits. Habiles pêcheurs, ces oiseaux puisent leur nourriture dans la mer qui les entoure. Lorsque l'hiver frappe à la porte, ils prennent le chemin des mers du sud.

LA «TURLUTTEUSE» Née à Newport d'un père irlandais et d'une mère acadienne, Mary Travers (1894-1941), plus connue sous le nom de la Bolduc, a été l'une des grandes chansonnières du Québec ● *92*. De 1928 jusqu'à sa mort, elle a enregistré près de 80 titres, puisant son inspiration dans les traditions et auprès des ouvriers de son époque. Ses chansons, ponctuées de «turluttes», évoquent avec une vitalité étonnante la vie des milieux populaires.

LA BAIE DES CHALEURS

C'est à Jacques Cartier, impressionné par la température qu'il faisait en juillet 1534, que l'on doit le nom «baye des Chaleurs». Le développement économique de la région s'est appuyé sur les ressources forestières, l'agriculture et la pêche. Les localités anglophones et francophones alternent, témoignant des différentes vagues de colonisation. On compte ainsi des foyers de peuplement loyalistes et d'autres, acadiens.

CHANDLER. Cette ville abrite la première usine de pâte à papier érigée en Gaspésie (1910). Aujourd'hui encore, elle est vouée à l'industrie papetière. Son port en eaux profondes permet l'accostage de grands paquebots qui viennent chercher le papier utilisé pour l'impression du *New York Times*.

GRAND-PABOS. Des fouilles archéologiques ont permis de mettre au jour un emplacement de pêche datant du régime français. Ces vestiges sont exposés dans une construction à l'aménagement futuriste, sur le «banc» (la grève) de Grand-Pabos. À quelques kilomètres à l'ouest, NEWPORT commémore la vie et la carrière de l'une de ses filles, Mary Travers dite «la Bolduc» ● *92*.

La Gaspésie, ce sont également de jolies petites maisons de campagne très colorées. Leur architecture rappelle les diverses vagues d'immigration qu'a connues la péninsule.

ROBIN DE LA CÔTE
Dans la seconde moitié du XVIIIe siècle, Charles Robin (1743-1824) s'associe avec d'autres Jersiais pour créer la *Charles Robin, Collas and Co*. (C. R. C.). Depuis Paspébiac, l'entreprise contrôle un vaste réseau de pêche aux pratiques impitoyables pour les pêcheurs : elle fixe elle-même le prix des morues et celui des denrées vendues aux pêcheurs, qui n'ont pas d'autre choix que de s'approvisionner auprès d'elle.

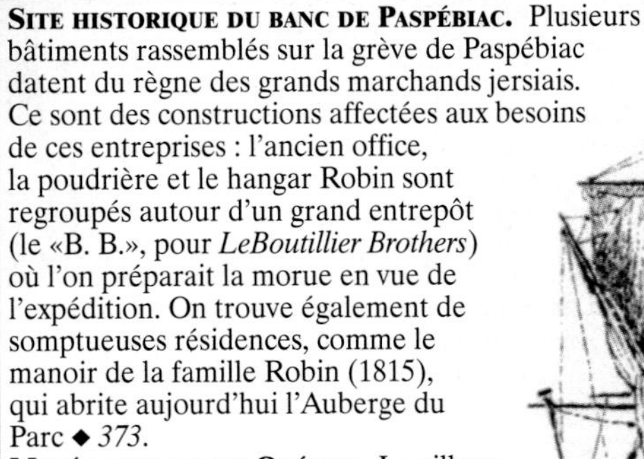

SITE HISTORIQUE DU BANC DE PASPÉBIAC. Plusieurs bâtiments rassemblés sur la grève de Paspébiac datent du règne des grands marchands jersiais. Ce sont des constructions affectées aux besoins de ces entreprises : l'ancien office, la poudrière et le hangar Robin sont regroupés autour d'un grand entrepôt (le «B. B.», pour *LeBoutillier Brothers*) où l'on préparait la morue en vue de l'expédition. On trouve également de somptueuses résidences, comme le manoir de la famille Robin (1815), qui abrite aujourd'hui l'Auberge du Parc ◆ *373*.

MUSÉE ACADIEN DU QUÉBEC. Le village de Bonaventure, qui se dresse à l'embouchure d'une belle rivière, demeure un bastion acadien. Un musée, érigé à proximité de l'église, commémore le souvenir de ce peuple déraciné en 1755, lors du «Grand Dérangement». On y présente des expositions sur l'histoire et la culture des Acadiens venus s'établir en territoire québécois au XVIIIe siècle. À quelques kilomètres de là, dans l'arrière-pays, les amateurs de spéléologie et de paléontologie peuvent, sur réservation ◆ *373*, se rendre à une grotte souterraine située à SAINT-ELZÉAR. Il s'agit de la plus vieille excavation de ce type au Québec, où des ossements d'espèces disparues (comme le carcajou) ont été récemment découverts.

NEW RICHMOND. Ce petit village au passé loyaliste témoigne de la dualité culturelle régionale. Sous la forme d'un village reconstitué, le CENTRE D'INTERPRÉTATION DE L'HÉRITAGE BRITANNIQUE retrace l'histoire des colons britanniques qui ont quitté les États-Unis pour venir s'installer en Gaspésie.

RÉSERVE MICMAC DE MARIA. Les Micmacs occupaient jusqu'au XVIe siècle un vaste territoire qui s'étendait de la Gaspésie jusqu'aux provinces maritimes. L'arrivée des Européens les conduira à se concentrer le long des côtes de la baie des Chaleurs. L'alcool, les maladies et la sédentarisation frappent cruellement le groupe. Aujourd'hui, les Micmacs se concentrent à Gaspé, Maria et Restigouche.

LES ACADIENS EN GASPÉSIE
En 1713, la France cède l'Acadie à l'Angleterre par le traité d'Utrecht. Ce territoire, qui fait aujourd'hui partie des provinces maritimes, était peuplé de francophones. Alors que pèse la menace d'une guerre dans les colonies, le gouverneur de la Nouvelle-Écosse décide en 1755 de déporter tous les Acadiens. Bon nombre d'entre eux iront en Gaspésie. À la fin du XVIIIe siècle, les trois quarts de la population gaspésienne étaient d'origine acadienne.

Parc de Miguasha. Ce site, depuis longtemps reconnu internationalement comme un gisement paléontologique de première importance, est doté d'un musée moderne mettant en valeur de remarquables collections de plantes, de poissons et d'amphibiens fossiles. La visite du parc comprend une petite excursion au pied des falaises où des fouilles plus systématiques ont été réalisées depuis quinze ans. Les fossiles qui ont été exhumés remontent à 365 millions d'années.

Lieu historique de la Bataille-de-la-Ristigouche ♥. Ce centre, situé près de Pointe-à-la-Croix, commémore le dernier épisode de la conquête du Canada par les Britanniques. En 1760, un an après la défaite des plaines d'Abraham ▲ *253*, des navires français sont envoyés pour reprendre Québec. La flotte, dirigée par l'amiral François Chenard de La Giraudais, ne peut s'engager dans le golfe du Saint-Laurent. Les navires trouvent alors refuge dans la baie des Chaleurs à l'embouchure de la Ristigouche où ils essuient le tir des Anglais et sont tous coulés. L'un d'eux, le *Machault*, a fait l'objet de fouilles archéologiques poussées. De nombreuses pièces, remarquablement préservées de l'érosion du temps, ont été sorties du fond de la vase et sont présentées aux visiteurs.

La vallée de la Matapédia

Matapédia. Cette municipalité est sise au point de rencontre de deux rivières majeures (la Ristigouche et la Matapédia). Elle est depuis toujours réputée pour la pêche du saumon. De là, la route traverse la vallée de la Matapédia, quittant la côte pour pénétrer une zone de montagnes densément boisées ; la nature est sauvage à souhait.

Causapscal. Dans ce village, dominé par l'industrie du sciage, subsiste un ancien «camp de pêche» du saumon ● *87*, le Domaine Matamajaw. Ce centre d'interprétation familiarise les visiteurs à ce sport, jadis réservé à l'élite. Par la suite, le paysage s'assagit petit à petit, faisant d'abord place à un pays de lacs – dont le spectaculaire lac Matapédia qu'on découvre à Amqui, Val-Brillant et Sayabec –, puis à une contrée vallonnée qui est tapissée de magnifiques exploitations agricoles (fermes laitières et d'élevage).

René Lévesque (1922-1987)
Natif de New Carlisle, René Lévesque débute sa carrière comme correspondant de guerre, puis à titre d'animateur à la télévision où il acquiert rapidement une solide réputation. Au début des années soixante, il parachève la nationalisation de l'électricité (1962) à titre de ministre du Parti libéral. En 1968, il quitte cette formation pour créer le Parti québécois. Il est élu Premier ministre du Québec en 1976, poste qu'il occupera jusqu'en 1983. Cet homme, à l'intelligence et au charisme irrésistibles, prônant des convictions souverainistes, a marqué l'histoire du Québec d'une trace indélébile.

Très loin au large de Gaspé se profile un chapelet d'îles reliées par un double cordon de dunes. L'archipel des Îles-de-la-Madeleine affecte la forme d'un croissant ciselé de lagunes, recouvert en grande partie de plages. Tout autour gravitent l'île Brion et sa réserve écologique, l'île d'Entrée et ses collines verdoyantes ainsi que d'autres îlots, des sanctuaires d'oiseaux. Le vent et les vagues sculptent les falaises de grès friable, façonnent les dunes et dessèchent sur pied les quelques arbres épargnés par la hache des premiers habitants.

Île aux Loups

Île du Cap aux Meules

Île du Havre aux Maisons

Île du Havre Aubert

Île d'Entrée

Un refuge pour les oiseaux
L'île Brion et le Rocher-aux-Oiseaux accueillent d'importantes colonies d'oiseaux et une très grande variété d'espèces : grèbe cornu, fou de bassan, pétrel cul-blanc, guillemot à miroir ▲ *304*, courlis courlieu, mouette tridactyle ▲ *305*, sterne arctique, petit pingouin, macareux moine ▲ *331*, pluvier siffleur, paruline rayée et bruant fauve ▲ *286*.

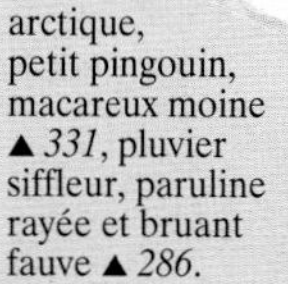

Pluvier (gravelot) siffleur

Sterne de Dougall

L'écologie des îles

L'archipel émerge d'une plate-forme sous-marine qui recèle d'immenses «gîtes» de sel. La partie visible des îles se compose pour l'essentiel d'un grès friable de couleur rouge brique, mêlé çà et là de gypse et d'argile. Sans cesse érodés par le vent et les vagues, les grès du littoral se déchirent en caps fantastiques puis, lessivés des oxydes qui les colorent, se répandent au gré des courants pour nourrir les dunes de sable blond.

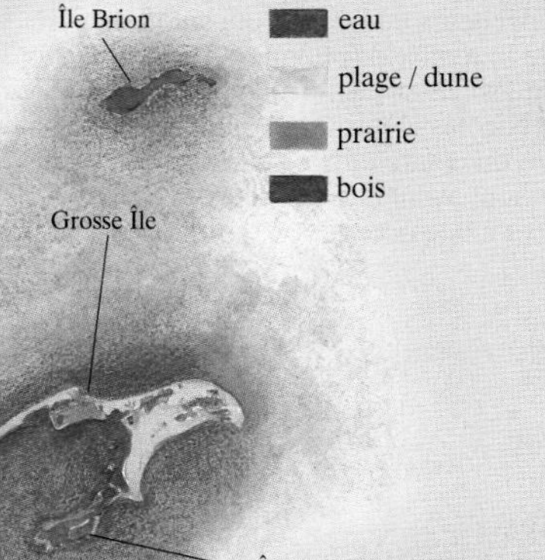

Une histoire de pêcheurs

Plus encore qu'en Gaspésie, vivre aux Îles-de-la-Madeleine a toujours été une affaire de pêche. La morue, le maquereau, le hareng et le homard (depuis 1880) constituent les prises traditionnelles. Les pêcheurs profitent des hauts-fonds entourant l'archipel ainsi que d'une écologie marine particulière. De leur côté, les aquaculteurs tirent profit de la présence de nombreuses lagunes.

Les phoques

Vers fin février, un important troupeau de phoques du Groenland quitte l'Arctique pour la mise bas sur la banquise au large de l'archipel. La chasse aux blanchons (jeunes phoques) est interdite depuis les années soixante-dix. Les pêcheurs madelinots souhaiteraient pourtant stabiliser leur population dans le golfe. Ils les tiennent en grande partie responsables de la diminution du nombre de morues.

La vie fragile

Les Îles-de-la-Madeleine composent un milieu fragile où un équilibre précaire parvient difficilement à se maintenir. Le couvert végétal s'appauvrit et les sources d'eau potable sont menacées, la nappe phréatique étant soumise à une forte demande durant l'été, au moment où le tourisme fait doubler la population.

Les falaises de Belle Anse

UNE PÊCHE MIRACULEUSE
Jusqu'en 1914, la baleine était chassée dans le golfe du Saint-Laurent (surtout à partir de Gaspé) pour sa graisse qu'on transformait en huile. Déjà au XVIIe siècle, un témoin rapporte qu'en «certains temps de l'année ces grands cétacés sont tellement nombreux qu'on peut les tuer à coups d'aviron».

L'archipel des Îles-de-la-Madeleine se compose d'une douzaine d'îles dont la plupart sont reliées par des dunes de sable et des lagunes. Sur ces îles peuplées à l'origine par des pêcheurs, la vie demeure encore aujourd'hui tout orientée autour de cette activité. La morue, le maquereau et le homard constituent les prises traditionnelles des pêcheurs madelinots. Ces derniers profitent des hauts-fonds entourant l'archipel et d'une écologie marine particulière ▲ *310*. Avec ses paysages à couper le souffle, ses falaises, ses lagunes et ses longues plages dorées, l'archipel attire de nombreux estivants ; il est, à juste titre, considéré comme le paradis des véliplanchistes aguerris.

UN LENT PEUPLEMENT

Il y a plusieurs millénaires, les Micmacs ▲ *308*, en habiles navigateurs qu'ils étaient, venaient parfois pêcher près de ces îles, qu'ils nommaient *Menagoesenog* («îles battues par le ressac»). À partir de la fin du XVIe siècle, elles sont également fréquentées par des pêcheurs européens qui viennent y chasser le morse et le loup marin (phoque) et y faire sécher la morue. Malgré quelques tentatives infructueuses d'installation (sous la direction de Nicolas Denis en 1654, puis du sieur Doublet de Honfleur, du comte de Saint-Pierre et des frères Pascaud), nul ne parvient avant la Conquête (1760) à créer les conditions propices à une occupation durable. En 1762, des Acadiens, chassés de leur patrie ▲ *308*, réussissent enfin à jeter les bases d'un peuplement permanent. À ce noyau s'ajoutent un autre contingent d'Acadiens refoulés de Saint-Pierre et de Miquelon lors de la Révolution française – on leur reproche leur attachement au clergé – ainsi que des immigrants écossais qui débarquent à la même époque. En 1787, la seigneurie des Îles-de-la-Madeleine passe aux mains d'Isaac Coffin. Jusqu'en 1902, la famille Coffin exerce une lourde

emprise sur l'économie locale, tirant profit du travail des Madelinots et s'opposant systématiquement à toute réclamation des habitants à propos des droits de propriété. Les pêcheurs subissent en outre, comme leurs confrères gaspésiens, la domination des grands marchands ▲ *299* et pâtissent de la surpêche des Américains jusqu'à ce que le gouvernement commence à instaurer des contrôles sur les pêcheries, au XIXe siècle. L'abolition du joug seigneurial, le développement de contacts avec le continent et l'émergence de réseaux coopératifs permettent aux Madelinots d'améliorer leur sort au XXe siècle. Depuis les années soixante-dix, le déclin du marché pour certaines espèces, l'épuisement des stocks de morue et l'interruption de la chasse aux blanchons ont constitué autant de crises durement ressenties par les insulaires. Le développement récent du tourisme et l'exploitation des mines de sel, en dépit des risques pour l'environnement ▲ *310*, apportent à l'économie locale une diversification opportune.

Île du Cap aux Meules

Cap-aux-Meules. Quiconque se rend aux Îles-de-la-Madeleine par la mer, à bord du traversier de l'Île-du-Prince-Édouard ◆ *355* ou du cargo venant de Montréal, débarque nécessairement au port de Cap-aux-Meules, situé sur l'île du même nom. Cap aux Meules demeure l'île la plus densément peuplée et constitue le centre névralgique de l'archipel avec ses commerces et ses services administratifs.

L'Étang-du-Nord. Ce petit village abrite l'un des plus importants ports de pêche de l'archipel. Les abords du havre, aménagés autour d'une splendide sculpture célébrant le dur labeur des pêcheurs, invitent à une promenade qui peut se poursuivre sur la plage jusqu'au cap du Phare, un kilomètre au nord. À l'intérieur des terres, l'escalade de la Butte du Vent (160 m) est récompensée par un panorama embrassant tout l'archipel. Tout autour, de petits chemins mènent à de superbes maisons anciennes, lesquelles rappellent comment les îles étaient – et sont encore – réputées pour la palette variée de leurs habitations. Depuis le cap du Phare, la côte dévoile un littoral déchiqueté par la mer et hérissé de caps : des paysages grandioses se déploient le long de la crête des falaises, notamment entre Belle Anse et cap au Trou.

«Ma baraque en Canada»
L'architecture rurale des îles compte un modèle de remise qu'on ne retrouve à peu près nulle part en Amérique du Nord : la «baraque». Il s'agit d'une grange utilisée pour remiser le fourrage. Le toit, fixé à quatre poteaux corniers à l'aide de poulies ou de chevilles de fer, s'ajuste en hauteur au volume désiré. Ce type de bâtiment serait originaire de Hollande, mais personne ne s'explique comment il est parvenu dans l'archipel !

L'œuvre de Satan ?
Située non loin de l'Étang-du-Nord, l'église de Lavernière est en partie construite avec la cargaison d'un navire naufragé. Dans un premier temps, le bois a été chargé sur un second bateau qui s'est lui aussi échoué après une tempête. Le propriétaire finit par céder le bois aux Madelinots qui l'utilisent pour construire l'église. Pourtant, peu avant son inauguration, le vent s'engouffre dans la charpente et la renverse comme un château de cartes ! La légende raconte qu'avant de sombrer, le capitaine se serait écrié : «Je donne la cargaison au diable !»

L'APPRÊT DU MAQUEREAU
Le maquereau, un poisson de mer à dos bleu zébré de noir, se présente en abondance près des côtes des Îles-de-la-Madeleine. Comme pour la morue ▲ *303*, sa préparation pour le salage s'effectuait selon une division précise des tâches : une personne apportait les poissons, une autre leur tranchait la tête et une dernière les vidait.

ÎLE D'ENTRÉE

Avec une épaisse pelouse pour toute végétation, l'île d'Entrée se démarque des autres îles. Isolée du reste de l'archipel, elle est peuplée uniquement de Madelinots d'origine écossaise. Le charme d'Entry tient à la tranquillité qui y règne. On y trouve un phare, une petite église anglicane, quelques maisons et de charmants sentiers mènent aux falaises. La population se concentre sur un plateau formant la partie basse de l'île. Avec Big Hill, le plus haut sommet de l'île (174 m), et ses nombreuses buttes, le paysage de l'ouest de l'île invite à la randonnée. De longs sentiers surplombent des vallons verdoyants ainsi que des falaises, donnant accès à quelque crique isolée. Depuis Cap-aux-Meules, un traversier ◆ *355* assure une liaison quotidienne avec l'île d'Entrée. Des excursions vers l'île y sont en outre organisées en été.

ÎLE DU HAVRE AUBERT

HAVRE-AUBERT. Ce village est le plus ancien de l'archipel. Des pêcheurs acadiens s'y établissent en 1762 sous la direction de Richard Gridley, un ancien officier de l'armée britannique à qui on concède l'archipel. Ces derniers s'installent au pied des «collines de la Demoiselle», près d'un havre naturel qu'enserrent le cap Gridley et la majestueuse flèche de Sandy Hook. Passé le cœur du village, la route rejoint le secteur de LA GRAVE (de «grève»), une plage de galets jadis occupée par une chaîne compacte de chafauds (saloirs surmontés d'un logement de pêcheurs), de magasins et d'entrepôts, tous liés de près ou de loin aux activités de la pêche. Il ne reste plus aujourd'hui qu'un ancien magasin transformé en café, deux chafauds, une ferblanterie, quelques maisons et une grande saline près du quai. On y a aménagé l'AQUARIUM DES ÎLES où l'on convie les visiteurs à découvrir ou à redécouvrir la faune marine locale (crustacés, mollusques et poissons divers). Le MUSÉE DE LA MER, sur la pointe Shea, présente différentes collections illustrant le passé de l'archipel. On y traite des nombreux naufrages ayant marqué l'histoire des îles, de l'évolution des techniques de pêche et de la navigation dans le golfe.

SE CONSTRUIRE UN CHÂTEAU
Chaque année, un concours de châteaux de sable est organisé sur la plage de Havre-Aubert.

Le bâti traditionnel
L'architecture domestique traditionnelle, avec ses combles aux formes hybrides, emprunte à divers styles : acadien, loyaliste, néocolonial ou néoclassique... Ces influences témoignent des contacts prolongés que les Madelinots ont entretenus avec les Provinces maritimes. Les maisons sont généralement construites en bois et même si le blanc domine, le paysage se caractérise par la multitude des couleurs vives qui habillent les demeures.

À la découverte de la faune ailée
L'archipel des Îles-de-la-Madeleine accueille environ deux cents espèces d'oiseaux. Certaines vivent en colonie, comme les cormorans à aigrette, les macareux moines, les grands hérons... On peut également observer sur les rivages quelques espèces d'oiseaux migrateurs tels les bécasseaux et les pluviers dorés d'Amérique. Ci-dessous, des courlis esquimaux, une espèce aujourd'hui éteinte.

Île du Havre aux Maisons

L'île du Havre aux Maisons est reliée à l'île du Cap aux Meules par un pont qui surplombe la lagune. Une marina et des infrastructures portuaires se dressent à La Pointe. Les «boucaneries» et les grands fumoirs à hareng d'autrefois ont fait place à des installations liées à la culture et au traitement des moules. À l'instar de l'île d'Entrée, Havre aux Maisons est presque dénudée, si ce n'est du côté nord, où se trouve l'aéroport des îles. En quittant La Pointe, la route s'éloigne de la mer et longe deux beaux édifices : un vieux presbytère de bois (veuf de son église, brûlée en 1973) et l'ancien couvent Notre-Dame-des-Flots, le seul édifice en pierre de taille jamais construit aux îles (1915). Pointe-Basse est le site d'un très beau havre de pêche, où l'on s'était spécialisé autrefois dans la préparation du hareng.

De la Pointe-aux-Loups à la Grande Entrée

Grosse-Île. Depuis Pointe-aux-Loups, on accède à deux des plus belles plages de l'archipel (celles de la Dune du Nord et de Pointe-aux-Loups) et à Grosse Île. Le secteur de la Pointe-de-l'Est abrite une Réserve nationale de faune bordée par de magnifiques plages s'étirant à perte de vue. L'île réunit une population d'origine écossaise, vivant de pêche, d'agriculture et, jusqu'à tout récemment, de l'exploitation d'une mine de sel creusée sous la dune. Old Harry était autrefois le site d'une échouerie où l'on chassait le morse. Le village est doté d'un petit musée témoignant de l'héritage anglophone sur les îles.

Grande Entrée. Dernière île habitée de l'archipel, Grande Entrée est bordée au sud par le bassin aux Huîtres, un plan d'eau isolé, détaché de la mer. Sur place depuis 1870, la population du village de Grande-Entrée se spécialise dans la pêche du homard. L'île est dotée de l'un des ports les plus importants de l'archipel, sis à la pointe de la Grande Entrée, et d'un Centre d'interprétation du phoque qui se donne pour mission de faire connaître l'écologie de ces mammifères marins et leur rôle dans l'histoire et la vie traditionnelle des Madelinots.

La pêche du homard
Entre la mi-mai et la mi-juillet, des milliers de cages à homards sont jetées autour de l'archipel. Ces pièges se présentent sous la forme de lattes de bois ajourées, disposées en demi-cylindre et doublées d'un enclos de filet. Elles sont déposées sur les hauts-fonds rocheux qui forment l'habitat préféré du homard. Des flotteurs marquent la position des cages de chaque pêcheur, qui vient les relever à chaque jour.

Saguenay-Lac-Saint-Jean

Russel Bouchard

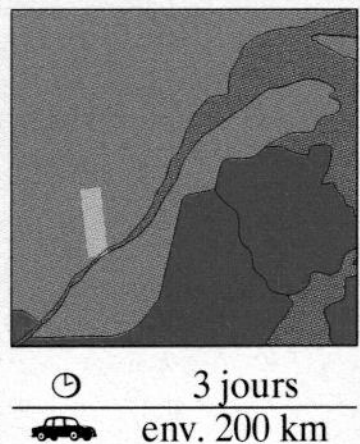

◷ 3 jours
env. 200 km

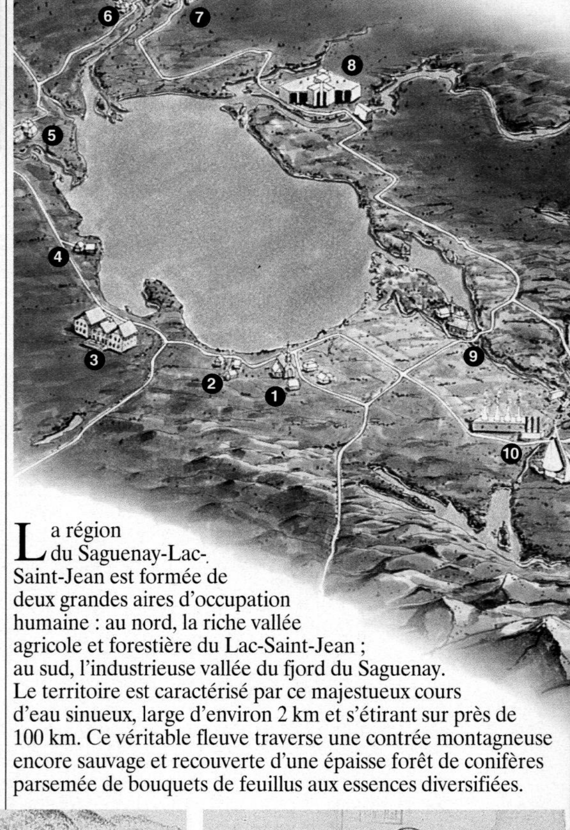

LE LAC SAINT-JEAN
Appelé *Piekowagami* par les Montagnais, le lac Saint-Jean est un bassin circulaire de 225 km de circonférence, de 1 048 km^2 de superficie et de seulement 11,30 m de profondeur en moyenne, pouvant atteindre 62 m à certains endroits. Il est le cinquième des grands lacs québécois. Ses principaux affluents sont les rivières Péribonka, Mistassini et Ashuapmushuan.

La région du Saguenay-Lac-Saint-Jean est formée de deux grandes aires d'occupation humaine : au nord, la riche vallée agricole et forestière du Lac-Saint-Jean ; au sud, l'industrieuse vallée du fjord du Saguenay. Le territoire est caractérisé par ce majestueux cours d'eau sinueux, large d'environ 2 km et s'étirant sur près de 100 km. Ce véritable fleuve traverse une contrée montagneuse encore sauvage et recouverte d'une épaisse forêt de conifères parsemée de bouquets de feuillus aux essences diversifiées.

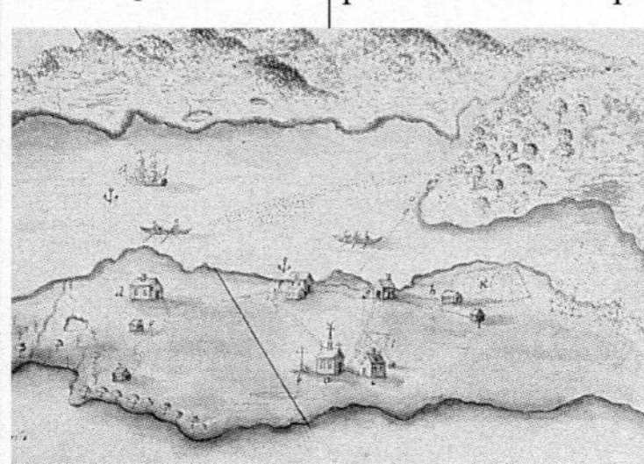

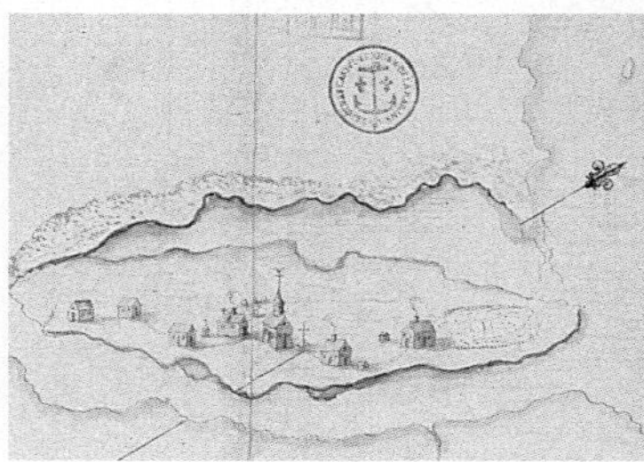

LE ROYAUME DU SAGUENAY
Ses habitants appellent cette région le «Royaume du Saguenay». On attribue cette expression à Jacques Cartier, qui aurait curieusement écrit que le «royaume du Saquenay» est une terre fabuleuse «où il y a infiny or, rubiz et aultres richesses».

HISTOIRE DU SAGUENAY-LAC-SAINT-JEAN

Découverte en 1535 par Jacques Cartier, cette région n'a pas été colonisée pendant plus de trois siècles. À cette époque ● *46*, les rives du Saguenay sont fréquentées par des chasseurs amérindiens. L'an 1652 marque le début d'une ère nouvelle avec l'octroi de monopoles de chasse ● *84*, la course des bois, les voyages d'exploration et les échanges entre blancs et autochtones. Avec l'affaiblissement des ressources fauniques, les compagnies délaissent Tadoussac ▲ *328* en 1676, pénètrent le territoire et fondent des postes de traite à Chicoutimi, Métabetchouan, Chamouchouane et Mistassini.

En 1838, alors que le monopole de la fourrure expire, l'Anglais William Price (1789-1867) construit de petites scieries le long du Saguenay et établit les premiers îlots de peuplement à l'Anse-Saint-Jean, Grande-Baie et Chicoutimi. Attirés par les chantiers de coupe forestière et par les terres libres, les colons s'installent à proximité des scieries et défrichent pour tirer leur subsistance de la terre ● *18*. À la fin du XIXe siècle, les industriels forestiers s'enrichissent considérablement grâce à la demande de pâte à papier toujours croissante à travers l'Occident. Ainsi débute l'ère de la grande industrie forestière, à laquelle s'ajouteront, en 1922, celles de l'électricité et de l'aluminium ● *72*.

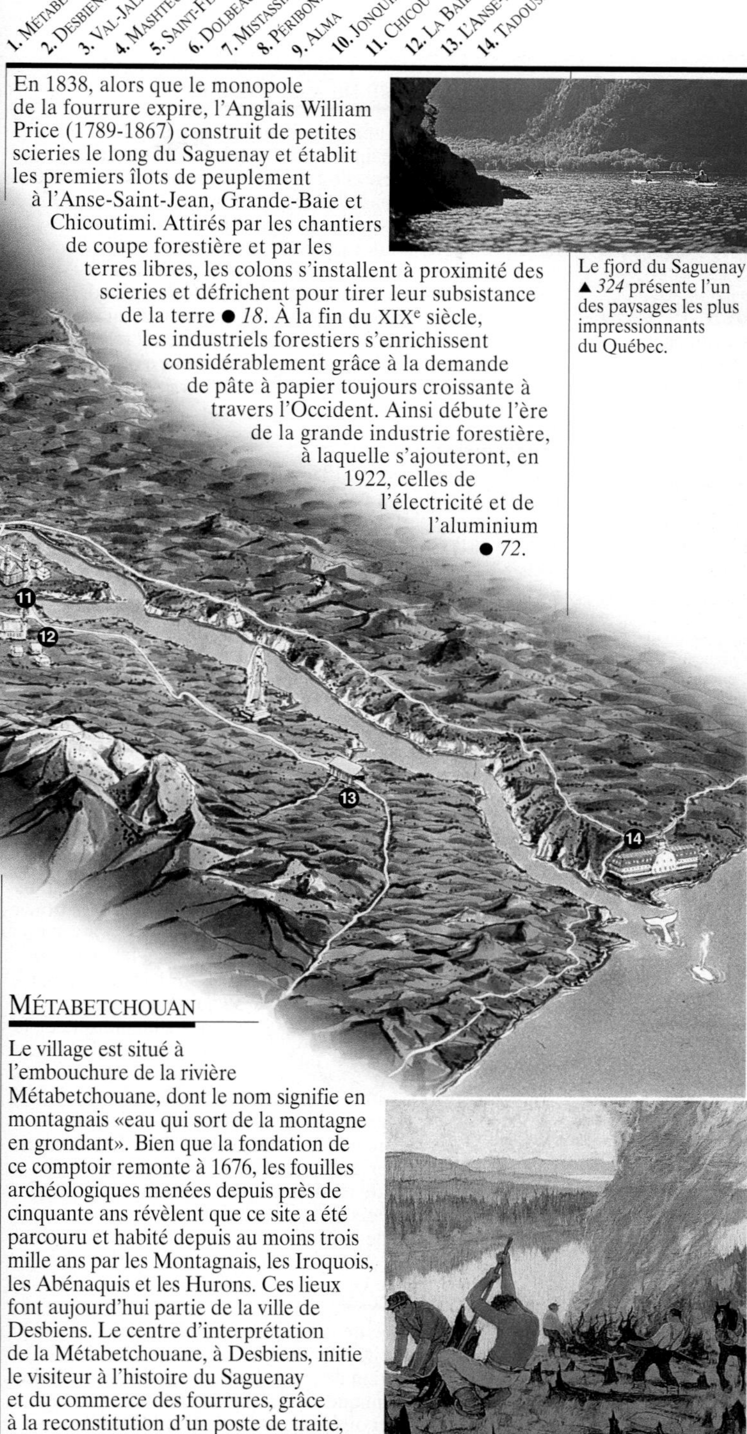

Le fjord du Saguenay ▲ *324* présente l'un des paysages les plus impressionnants du Québec.

MÉTABETCHOUAN

Le village est situé à l'embouchure de la rivière Métabetchouane, dont le nom signifie en montagnais «eau qui sort de la montagne en grondant». Bien que la fondation de ce comptoir remonte à 1676, les fouilles archéologiques menées depuis près de cinquante ans révèlent que ce site a été parcouru et habité depuis au moins trois mille ans par les Montagnais, les Iroquois, les Abénaquis et les Hurons. Ces lieux font aujourd'hui partie de la ville de Desbiens. Le centre d'interprétation de la Métabetchouane, à Desbiens, initie le visiteur à l'histoire du Saguenay et du commerce des fourrures, grâce à la reconstitution d'un poste de traite, et à des expositions archéologiques.

FROMAGERS DE PÈRE EN FILS
Bien que le cheddar soit de tradition anglaise, les Perron de Saint-Prime, près de Mashteuiatsh, se transmettent les procédés de sa fabrication depuis plus de cent ans dans le plus pur respect des traditions. Construite en 1895, la fromagerie demeure la seule du genre au Québec. Elle rappelle l'importance vitale de la fabrication du beurre et du fromage dans la région au début du XXe siècle. Alors que la vieille fabrique est devenue un musée, le fromage est aujourd'hui produit dans une usine moderne, toujours selon les procédés anciens. Au musée, on peut s'initier à la fabrication du cheddar et aux préparatifs d'exportation. 75 % d'une production de plus d'un million de kilos de ce cheddar saguenéen est exporté, et presque exclusivement en Angleterre !

VILLAGE FANTÔME DE VAL-JALBERT

Construit au pied d'une magnifique chute d'eau de 72 m de haut, ce village, haut lieu de l'histoire de l'industrie forestière et papetière, s'est installé en pleine forêt, en 1900. Son fondateur, Damase Jalbert, entreprit de mettre à profit la force hydraulique de la chute pour alimenter une usine de pâte à papier moderne devant assurer la prospérité à ce village doté des innovations les plus modernes : électricité et chemins macadamisés. En 1927, l'effondrement du marché de la pulpe provoque l'abandon total du village. En 1960, des vestiges sont restaurés et le site est mis en valeur : un poste d'observation permet aujourd'hui aux visiteurs d'apprécier le paysage enchanteur (ci-contre).

MASHTEUIATSH

Fondé officiellement en 1856, ce village regroupe une population métisse d'environ 1 500 habitants. Ces métis montagnais appartenaient à l'origine à la nation des Kakouchacks et leur présence sur le territoire remonte à plus de 6 000 ans. Ce peuple de nomades vivait de chasse, de pêche et de cueillette, et se rassemblait annuellement à l'embouchure des grandes rivières de la région pour commercer. Fiers de leur autonomie et de leurs coutumes, les Montagnais savent tirer profit de leur folklore par l'organisation des *pow wows*, sorte de festivités, et par le MUSÉE AMÉRINDIEN DE MASHTEUIATSH qui expose des vêtements et des objets de fabrication artisanale tels que des raquettes à neige. Ils sont cependant bien intégrés au mode de vie contemporain.

JARDIN ZOOLOGIQUE DE SAINT-FÉLICIEN

Dans la partie occidentale du Lac-Saint-Jean, aux confins des terres habitées, se trouve le JARDIN ZOOLOGIQUE DE SAINT-FÉLICIEN. Créé en 1962 sur l'île aux Bernard, à l'embouchure de la rivière Ashuapmushuan, le zoo est consacré à la faune de l'Amérique du Nord et s'est donné pour mission de promouvoir la conservation d'espèces à protéger tels le carcajou et le couguar de l'Est. Les animaux y vivent en semi-liberté, et peuvent être observés dans leur habitat naturel lors de randonnées dans des wagons grillagés, le long des Sentiers de la nature aménagés sur un territoire de 400 ha.

DOLBEAU

Cette petite ville, créée en 1927, doit sa prospérité à l'industrie forestière, à l'usine de fabrication de vin de bleuet et à son observatoire astronomique. Magnifiquement aménagé dans un parc boisé longeant la rivière Mistassini, le CENTRE ASTRO se distingue par la beauté et le calme de ses aménagements paysagers. Tout autour du lac Saint-Jean au mois d'août, on peut «aller aux bleuets» dans les grands champs que l'on nomme bleuetières. L'une d'elles se trouve à Mistassini, près de Dolbeau.

PÉRIBONKA

En 1912, le Brestois Louis Hémon (1880-1913) profite d'un séjour à la ferme du pionnier Samuel Bédard pour écrire son roman *Maria Chapdelaine* (ci-dessous, une des toiles de la version illustrée par Clarence Gagnon ● *133*). Ce chef-d'œuvre brosse une fresque de la vie traditionnelle des colons du Lac-Saint-Jean. Construite en 1903, la maison Bédard est vite devenue un lieu de pèlerinage. Depuis 1938, elle abrite le MUSÉE LOUIS-HÉMON, consacré à l'auteur et à son œuvre, et rend hommage à l'héroïsme des premiers habitants de l'endroit. Restaurée en 1987, l'ancienne habitation est aujourd'hui l'une des rares maisons de colons à avoir survécu en conservant ses caractéristiques architecturales : murs de planches, intérieur sans divisions, fondations de pierres sèches et toit à pentes raides pavé de bardeaux. Outre la vieille maison, le musée possède une collection d'œuvres d'art, d'archives et d'artefacts ethnologiques ; il présente des expositions sur l'art et la culture du Québec et d'ailleurs.

ALMA

Fondée en 1893, Alma est d'abord un village agricole. Son industrialisation débute avec l'aménagement d'une centrale hydroélectrique alimentant L'ALUMINERIE ALCAN. L'usine offre aujourd'hui des visites guidées de ses installations. Le MUSÉE D'HISTOIRE DU LAC-SAINT-JEAN propose une intéressante exposition sur l'histoire de la région.

LES BLEUETS DU LAC-SAINT-JEAN
Petite baie proche de la myrtille, le bleuet est le fruit d'un arbuste appelé l'airelle à feuilles étroites. Celle-ci pousse en talles, plus spécialement autour de rochers et dans des zones boisées ravagées par des incendies. Présent dans la région depuis des millénaires, le bleuet agrémentait autrefois les viandes séchées des Amérindiens. Aujourd'hui, il est surtout apprécié dans les pâtisseries, en confitures ou simplement avec un peu de lait. On en fait aussi une liqueur. La récolte dans les bleuetières donne environ une tonne de fruits à l'hectare et se fait en août, lorsque les «champs sont bleus». Bien que les bleuets soient de petites baies, on dit dans la région que les bleuets du Lac-Saint-Jean sont si gros que trois seulement suffisent à faire une tarte ! Le bleuet est ainsi devenu l'emblème de la région, si bien que, partout au Québec, on nomme amicalement ses habitants les Bleuets.

L'Aluminerie Alcan L'Alcan compte parmi les plus grands producteurs d'aluminium au monde. Fondée en 1902 en tant que filiale de l'*Aluminium*

Company of America, elle exploite aujourd'hui des fonderies dans huit pays et a des partenaires notamment au Brésil et en Irlande. Elle possède des installations minières pour l'extraction de la bauxite, et produit elle-même l'électricité dont elle a besoin.

William Price

Peter McLeod

Jonquière

Le début du peuplement de cette ville remonte à 1847. Après cinquante ans de colonisation agricole, des investisseurs francophones fondent la pulperie de Jonquière en 1899. En 1911, William Price (1867-1924), petit-fils de l'industriel du même nom, y construit une seconde papeterie et fonde la ville de Kénogami. En 1925, le consortium américain *Aluminum Company of America* décide d'exploiter le potentiel hydroélectrique du Saguenay et y construit la plus importante usine d'aluminium au monde ● *72*, l'Alcan, et fonde Arvida. Ces trois municipalités, Jonquière, Kénogami et Arvida, forment depuis 1975 la grande ville industrielle de Jonquière.

Quartier anglo-protestant de Kénogami. Au chapitre de l'urbanisme, ce secteur résidentiel, aménagé entre 1910 et 1920, possède une architecture qui se distingue par son style néo-Tudor ● *118* rappelant l'Angleterre de la fin du XIXe siècle. Conçu pour accueillir le personnel cadre de l'usine papetière, le plan d'urbanisme du quartier prévoit des aménagements paysagers trahissant des préoccupations élitistes. L'architecture complexe se caractérise par des maisons aux formes expressives, une charpente apparente et un choix diversifié des matériaux qui privilégie la brique rouge ou brune, le stuc, le bardeau et le bois.

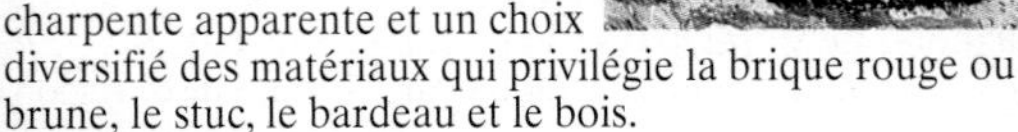

Arvida. Le Manoir du Saguenay est un hôtel imposant construit en 1939 par l'Alcan ● *124.* Fermé en 1985, il est converti en 1990 pour abriter des bureaux de l'Alcan. Construite en 1963, l'Église Notre-Dame-de-Fatima ● *126* est célèbre pour son architecture moderne qui s'inspire des *wigwams* amérindiens. Près de la centrale hydroélectrique de Shipshaw, qui dessert les alumineries de la région et offre des visites de ses installations, on peut traverser le pont d'Aluminium, édifié en 1948 afin de promouvoir l'utilisation de ce métal : construit en acier, le pont aurait pesé deux fois plus lourd.

Chicoutimi

Chicoutimi signifie en montagnais «jusqu'où c'est profond». L'action de la marée du fjord à la rencontre du courant de la rivière Chicoutimi forme une sorte de cuvette naturelle bordée de pics escarpés. C'est là, sur le versant ouest de la rivière, que l'un des principaux postes de traite ● *48* est fondé en 1676. Il est le centre névralgique du circuit des fourrures au Saguenay pendant tout le XVIIIe siècle. C'est près de ce comptoir que William Price (1789-1867) et le métis montagnais Peter McLeod (v. 1810-1852) construisent en 1843 la plus grande scierie hydraulique de la région, un imposant complexe fournissant la moitié de la production locale de madriers. En 1896, le Canadien français Alfred Dubuc fonde la Compagnie de pulpe de Chicoutimi. En 1901, après la fermeture de la scierie, le bassin et ses quais deviennent le centre des expéditions de la pulperie de Chicoutimi, établie sur la rivière du même nom.

MUSÉE DU SAGUENAY-LAC-SAINT-JEAN. Des expositions sur le mode de vie des pionniers et la fabrication de la pâte à papier et de l'aluminium retracent l'histoire de la région.

ANCIENNE PULPERIE. Au confluent des rivières Saguenay et Chicoutimi, les vestiges impressionnants de la pulperie de 1896 célèbrent l'esprit d'entreprise des Québécois et leur savoir-faire en matière d'exploitation forestière. L'usine est l'un des plus importants sites historiques industriels du Canada, tant par les dimensions de ses bâtiments que par sa richesse historique. L'ensemble se compose de cinq énormes édifices de pierre de taille d'une architecture remarquable, d'une série d'écluses et d'arcs destinés à soutenir les tuyaux qui alimentent en eau les moulins mécaniques. Restauré depuis 1980, le site offre des visites guidées ; un centre culturel et artistique où ont lieu des concerts en plein air permettent à chacun de prendre place dans cet amphithéâtre de roche au creux duquel coule la rivière Chicoutimi.

JULIEN-ÉDOUARD-ALFRED DUBUC
Fondateur de la Compagnie de pulpe de Chicoutimi, dont on peut toujours voir les imposants bâtiments, Dubuc est l'un des grands entrepreneurs francophones du Québec.

LA MAISON DU PEINTRE ARTHUR VILLENEUVE
Construite à la fin du XIXe siècle, cette maison est habitée par Arthur Villeneuve (1910-1990) et sa famille de 1950 à 1993. Barbier de profession, cet artiste a exercé ses talents de peintre naïf sur les murs de sa demeure entre 1957 et 1958. La maison est une fresque émouvante de l'histoire, des traditions et des légendes populaires de la région. Afin de soustraire cette œuvre magistrale aux rudesses du climat, la maison a été déplacée, en 1994, dans un édifice de l'ancienne usine de pulpe. Elle sera ouverte au public lors de l'inauguration du musée consacré à la pulperie, prévue en 1996, date du centenaire de l'entreprise.

Caps vertigineux, profondeurs insondables, terrasses gigantesques, sapinières immenses... le fjord du Saguenay, formidable débit d'eau douce glissant sur une nappe d'eau salée, offre des panoramas grandioses. Pendant tout l'été, de spectaculaires mammifères marins viennent s'y nourrir. Grâce à des croisières et à un réseau de sentiers pédestres, le parc de conservation du Saguenay, créé en 1983, rend cette nature sauvage plus accessible.

AU FIL DE L'EAU

Déjà empruntée bien avant l'arrivée de Jacques Cartier, cette voie de navigation naturelle est de nos jours fréquentée par des navires de fort tonnage. Les terminus maritimes de la baie des Ha ! Ha !, de Grande-Anse et de Chicoutimi desservent essentiellement les industries de l'aluminium, des pâtes et papiers ● *72*, du pétrole.

PETITES ET GRANDES BÊTES

Le brassage des eaux provoqué par le débit du fjord et le jeu des marées de l'estuaire enrichit constamment l'écosystème et entretient une riche faune marine d'affinité arctique. Elle compte 250 espèces d'invertébrés, 54 espèces de poissons, comme le saumon atlantique, et 16 de phoques et de baleines, dont des troupeaux de bélugas (ci-contre) menacés de disparition. Les parois vertigineuses du fjord accueillent, entre autres, le faucon pèlerin et le grand corbeau (ci-dessus).

À PIED, À VÉLO, EN AUTO OU EN BATEAU !

Le réseau de sentiers de courtes et de longues randonnées permet de découvrir les paysages sauvages et majestueux du fjord, depuis les «battures» jusqu'au sommet des caps. Le belvédère de l'anse de Tabatière, accessible en automobile par le pont couvert de l'Anse-Saint-Jean ▲ *326*, offre une vue imprenable sur le fjord. Différents organismes ◆ *367* proposent des croisières le long des parois escarpées du fjord et des excursions d'observation des mammifères marins ■ *26* dans l'estuaire du Saint-Laurent.

Les eaux douces et salées du fjord
Le Saguenay a un des plus grands débits d'eau douce au monde, soit de 1 300 à 3 000 m³ à la seconde. Il connaît des marées d'une amplitude de 4 à 6 m. La faible profondeur du seuil, situé à 4 km de Tadoussac, à l'embouchure du Saguenay, est à l'origine d'un phénomène de remontée des eaux profondes à chaque cycle de marées. Ce phénomène océanographique est unique au monde.

Au pays des géants
Ciselé profondément dans le massif des Laurentides, le fjord du Saguenay est long de 104 km et a une largeur moyenne de 2,5 km. Sa profondeur moyenne est de 210 m mais elle peut en atteindre 275.
L'origine de sa formation se lit sur les escarpements rocheux de gneiss granitiques et syénitiques dont les caps culminent jusqu'à 457 m. Les plus impressionnants sont Éternité et Trinité ▲ *326*, le «mur» de Sainte-Rose-du-Nord, ainsi que le «Tableau» (visible de Saint-Basile), gigantesque plan rocheux vertical sans arête qui rappelle les tableaux noirs des écoles.

La flèche littorale de Saint-Fulgence
S'élançant sur 650 m, perpendiculairement au littoral, une étrange formation rocheuse s'avance dans le fjord au pied du cap des Roches, à Saint-Fulgence. Elle marque la limite entre, vers l'est, le bassin des eaux profondes du fjord et, vers l'ouest, les larges «battures» (l'estran) de l'anse aux Foins.

LA OUANANICHE
Ce saumon d'eau douce, vivant dans les eaux profondes et très froides du fjord du Saguenay, est plus élancé que le saumon de l'Atlantique. La ouananiche a récemment été reconnue comme emblème animalier du Saguenay-Lac-Saint-Jean.

NOTRE-DAME-DU-SAGUENAY SUR LE CAP TRINITÉ
À mi-chemin entre Tadoussac et Chicoutimi, sur une immense et spectaculaire paroi rocheuse qui plonge à 200 m dans les abîmes du fjord, s'élève la statue de Notre-Dame-du-Saguenay. Cette sculpture monumentale de Louis Jobin mesure 8,5 m de hauteur. Elle a été érigée en 1881 sur le premier des trois paliers du célèbre cap, conformément au vœu d'un voyageur qui, après avoir échappé à la noyade, avait promis à la Vierge Marie de lui élever un monument.

FJORD DU SAGUENAY

LA BAIE. Le Saguenay-Lac-Saint-Jean est réputé pour ses grands espaces, son climat rigoureux et la richesse de la forêt boréale qui l'entoure. À la fin décembre, lorsqu'un épais tapis de glace et de neige recouvre le fjord, la population locale s'adonne à la pêche blanche ● *86*. À Sainte-Rose-du-Nord, à La Baie et à l'Anse-Saint-Jean, de véritables villages formés de centaines d'abris multicolores naissent en une ou deux nuits pour accueillir les pêcheurs venus taquiner la morue, l'éperlan, le sébaste et le requin du Groenland qui vivent dans cette eau douce mélangée à l'eau salée de l'Atlantique.

GROTTES DU SAGUENAY. Le long de la paroi rocheuse et sauvage qui longe le superbe fjord du Saguenay ▲ *324*, entre la baie des Ha! Ha! et le petit havre de Tadoussac, apparaissent quatre grottes auxquelles seuls les visiteurs aventureux pourront accéder. Formées par les marées et les anciens glaciers, ces cavités naturelles ont été habitées par les Amérindiens de l'époque précolombienne. Elles ont été découvertes vers 1880 par des pêcheurs qui y ont trouvé les restes d'un vieux canot d'écorce de bouleau, des fragments de vannerie, des outils d'os et de pierre et des centaines d'objets laissés là par les premiers occupants des lieux. Bien qu'accessibles par le fjord, ces grottes sont demeurées intactes grâce à la nature hostile des lieux et à la végétation abondante qui les soustrait encore à la vue des randonneurs et des navigateurs sillonnant le Saguenay.

PONT COUVERT DE L'ANSE-SAINT-JEAN. Il s'agit de l'un des ouvrages d'architecture du patrimoine saguenéen les plus connus en Amérique. La région compte plusieurs structures de ce type, mais la représentation au dos des billets de mille dollars canadiens (ci-dessus) a rendu celui-ci plus particulièrement célèbre. Bien que sa construction ne remonte qu'à 1929, cet ouvrage de bois, qui mesure 34 m de long et enjambe la rivière Saint-Jean, rappelle une architecture des années 1820. En 1986, à la suite d'un spectaculaire embâcle que provoqua la crue printanière, le pont a été arraché de son socle et s'est échoué sur la rive du Saguenay, 1,5 km plus bas. La structure a été sauvée *in extremis*, restaurée puis replacée sur ses fondations dix mois plus tard.

Côte-Nord

Hélène Bouchard
Normand David
André Michel

1. Tadoussac 2. Bergeronnes 3. Baie-Comeau 4. Manic 5 5. Pointe-des-Monts 6. Sept-Îles 7. Mingan 8. Île d'Anticosti 9. Baie-Sainte-Claire 10. Port-Menier 11. Havre-Saint-Pierre 12. Baie-Johan-Beetz 13. Natashquan 14. Harrington Harbor 15. Blanc-Sablon

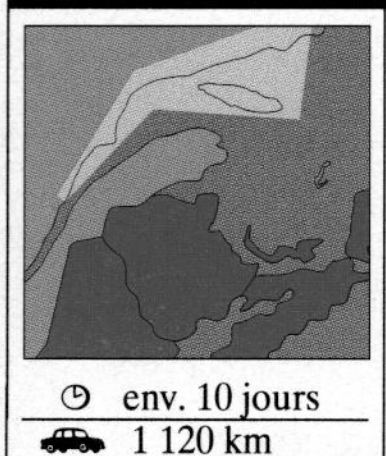

env. 10 jours

1 120 km

La route 138 longe la rive nord du Saint-Laurent sur plus de 670 km. Vallons et collines défilent, souvent coupés par des falaises abruptes qui surplombent le fleuve. De puissantes rivières jaillissent du roc et de superbes plages de sable fin tendent à faire oublier la rigueur du climat septentrional. Le plateau laurentien ■ *20* est recouvert d'épinettes (épicéas) jusqu'au Nouveau-Québec. Jadis, les Amérindiens ont ouvert les sentiers de ces vastes forêts riches en nappes d'eau et en mines souterraines. L'âme amérindienne est indissociable du visage de cette région.

TADOUSSAC ♥

Les glaciers, qui recouvraient une partie de l'Amérique du Nord il y a des millénaires, ont sculpté le roc et la terre, laissant derrière eux un décor imposant. Des collines rocheuses, boisées et très rondes, que les Montagnais désignaient du nom de *Tatoushak*, «mamelons», bordent le côté ouest du village.

MAISON CHAUVIN. En 1600, Pierre Chauvin de Tonnetuit construit le premier poste de traite du Canada à Tadoussac. En 1942, sur l'emplacement probable de ce poste, le propriétaire de l'hôtel Tadoussac ◆ *373*

La vieille chapelle de Tadoussac, construite en 1747

LE PETIT LAC SALÉ
À marée montante, l'eau salée envahit ce lac situé près de la rive du Saint-Laurent par une ouverture au niveau du fleuve. Autrefois, les Amérindiens en profitaient pour s'y glisser avec leurs embarcations et ainsi se dérober à la vue de leurs poursuivants.

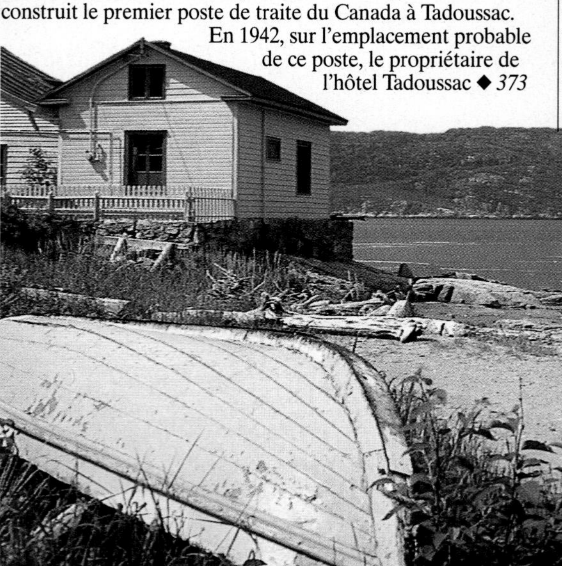

bâtit une réplique en billes équarries ● *76*. On y présente diverses expositions archéologiques et historiques.

Vieille Chapelle. Construite en 1747, elle est considérée comme la plus ancienne du Canada (à gauche). Elle renferme une belle collection d'objets religieux tels un chemin de croix en bois sculpté, une bannière de la Sainte-Croix (1671) et un enfant Jésus que l'on dit donné aux Indiens par Louis XIV. La cloche a aussi été offerte par le Roi-Soleil.

Centre d'interprétation des mammifères marins. La rencontre du fleuve et du fjord crée un milieu riche en plancton dont sont friands les rorquals, les baleines bleues, les bélugas et les baleines à bosse. Le centre présente une exposition interactive et, l'été, on peut aller en bateau observer les baleines dans leur milieu naturel ◆ *367*.

Manicouagan

Bergeronnes. En 1603, Champlain baptise le site Bergeronnettes, sans doute à cause des hirondelles de mer, nombreuses sur le rivage à marée basse ■ *24*. Le Cap-de-Bon-Désir était appelé Pipouanapi, «là où il y a de l'eau l'hiver», par les Montagnais. De fait, il est très rare que l'eau gèle dans l'anse. Le centre d'interprétation du Cap-de-Bon-Désir expose des objets découverts lors de fouilles archéologiques qui attestent le passage des Amérindiens ● *44* depuis au moins 4 000 ans : parmi ces objets, des pointes de flèches, des grattoirs et des fragments de poterie et d'ossements. On peut y observer les mammifères marins depuis le rivage.

La nation montagnaise
Venus d'Asie par le détroit de Béring, les Montagnais habitent la rive nord du Saint-Laurent depuis plus de 8 000 ans. Ces nomades, d'origine algonquienne, vivaient par petites bandes et pratiquaient la chasse et la pêche. Très religieux, ils croyaient en une pléiade d'êtres surnaturels et les rêves jouaient un rôle significatif. Selon eux, les animaux avaient une âme et ils craignaient de les offenser. Ils furent parmi les premiers Amérindiens à fraterniser avec les Européens. Avant 1850, ils habitaient des *wigwams* en écorce de bouleau. Aujourd'hui, ils vivent dans neuf villages dont sept sont dispersés le long de la rive nord du Saint-Laurent. Si certains chassent et pêchent toujours, tous essaient de s'adapter au modernisme dans un «entre deux mondes» souvent difficile à vivre.

Chicago Tribune

Sunday, May 7, 1995

Chicagoland $1.50

MANIC 5
À 215 km de Baie-Comeau, le barrage Daniel-Johnson (Manic 5), fait de voûtes multiples et de contreforts en béton, est le plus important du monde. Il mesure 214 m de hauteur. Son réservoir, d'une superficie de 2 000 km^2, sert à régulariser l'alimentation en eau des centrales construites en aval, sur la Manicouagan.

«SI TU SAVAIS COMME ON S'ENNUIE»
Inspiré par l'éloignement et l'isolement de la Manic, le poète Georges Dor (1931) a traduit les sentiments de ces hommes de chantiers, constructeurs des grands barrages. Il chante : «Si tu savais comme on s'ennuie, à la Manic, tu m'écrirais bien plus souvent, à la Manicouagan. Si t'as pas grand-chose à me dire, écris cent fois les mots "Je t'aime", ça fera le plus beau des poèmes.»

BAIE-COMEAU. Majestueux, le panorama invite à une halte. En 1936, Robert McCormick, éditeur du *Chicago Tribune*, fonde la ville en construisant une usine de pâte et papier pour alimenter son journal. Il baptise la ville à la mémoire de Napoléon-Alexandre Comeau, trappeur, géologue et

naturaliste de la région. Construite en 1940 dans le style dom Bellot ● *124*, l'ÉGLISE SAINTE-AMÉLIE mérite un arrêt pour ses fresques et ses vitraux colorés. À l'entrée de Baie-Comeau, à l'embouchure de la rivière Manicouagan, «là où l'on donne à boire», se trouve Manic 1. Construit en 1964, il est le premier d'une série de cinq barrages réalisés par Hydro-Québec le long de la rivière. Des visites guidées de la centrale MANIC 2 sont offertes et il est possible d'aller marcher sur le célèbre et titanesque barrage MANIC 5.

SEPT-ÎLES

Érigée sur une baie quasi circulaire, la ville bénéficie d'un site exceptionnel. Son port est accessible toute l'année aux plus grands bateaux du monde qui viennent s'y approvisionner en minerai de fer extrait des mines du Labrador.
LE VIEUX-POSTE. Les Montagnais fréquentent déjà le site quand les Français y établissent un poste de traite important au début de la colonisation. Ce poste a été reconstruit en 1967 d'après les plans du XVIIIe siècle. Une reconstitution du magasin de la Compagnie de la baie d'Hudson et des expositions rappellent l'histoire de la culture montagnaise et du poste de traite.
MUSÉE RÉGIONAL DE LA CÔTE-NORD. Ce musée est fondé en 1975 par le peintre des Amérindiens, André Michel. Une exposition permet de mieux comprendre comment s'est effectué le peuplement de la Côte-Nord. D'autres salles sont consacrées à l'art contemporain de la région.

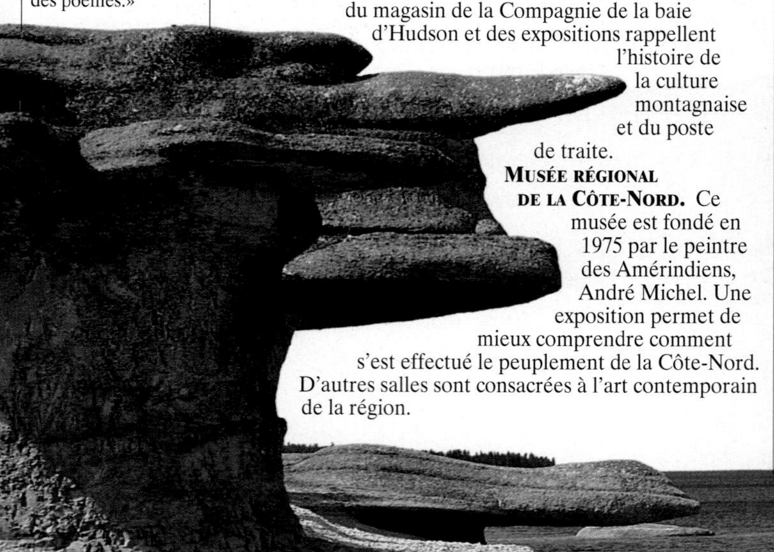

Parc régional des Sept-Îles. Composé d'un archipel de sept îles situé au large de la ville du même nom, ce parc permet d'observer les oiseaux, dont le macareux (ci-dessous) et la sterne, et des mammifères marins tels que les baleines et les phoques. L'île de la Grande-Basque offre de nombreux sentiers de randonnée et des aires de camping.

La Minganie

Longue-Pointe. La station de recherche des îles de Mingan étudie les mammifères marins qui fréquentent le golfe du Saint-Laurent, entre autres le rorqual commun, le béluga et l'épaulard. Elle offre des programmes éducatifs et des excursions en mer ◆ *367* où l'on pourra observer la faune locale, telle une colonie de macareux moines ■ *24*.
Mingan. La petite église du village, construite au début du XXe siècle par John Maloney, est entièrement décorée par des artistes montagnais.

Pointe-des-Monts
Situé près de Baie-Comeau, ce village possède un phare construit en 1830. Il a été converti en auberge.

Havre-Saint-Pierre. C'est en 1857 que des pêcheurs des îles de la Madeleine fondent la ville. En 1948, l'exploitation d'un gisement d'ilménite, oxyde naturel de fer et de titane, amorce l'industrialisation de la localité.
Réserve du Parc national de l'archipel de Mingan ♥. S'étendant de Longue-Pointe à Aguanish, ce parc est constitué d'une quarantaine d'îles aux paysages insolites. Elles sont en fait des roches sédimentaires formées il y a cinq cents millions d'années. Le poids des glaciers, la pression du gel et du dégel conjugués à l'action des vagues façonnèrent ces îles et leurs monolithes caractéristiques. Le courant glacé du Labrador, les différents sols sédimentaires et l'humidité ont créé un bioclimat unique, propice à l'émergence d'une flore diversifiée. Outre des conifères, on y trouve des fougères, des mousses, des lichens et des orchidées. Le chardon de Minganie, répertorié par le frère Marie-Victorin en 1924, est propre aux îles Mingan. De grandes colonies d'oiseaux y nichent, ce qui en fait le plus important refuge hivernal du golfe du Saint-Laurent. Le macareux y est l'oiseau le plus admiré, mais on peut aussi y observer la sterne arctique, le guillemot noir et l'eider commun. Dans les eaux environnantes vivent plusieurs espèces de phoques, comme celui du Groenland.

Les monolithes de Mingan
Taillés dans le calcaire stratifié, les monolithes de Mingan ont émergé graduellement tandis que les vagues et les courants marins sculptaient dans cette pierre tendre les figures les plus extraordinaires.

Située à l'entrée du fleuve Saint-Laurent, l'«île d'avant la côte» – l'*anti costa*, disaient les Basques – s'étire sur 220 km de long et 56 km de large, barrant dangereusement le couloir de navigation central. En 1895, Henri Menier (1853-1913), richissime chocolatier français, achète l'île pour en faire son domaine de chasse. Plusieurs grands mammifères, comme l'ours noir, l'orignal (l'élan d'Amérique) et le chevreuil (cerf de Virginie), y seront introduits à cette fin. L'île est aujourd'hui fréquentée pour ses multiples attraits naturels : ses vastes étendues, ses colonies d'oiseaux marins et une flore variée attirent les amoureux de la nature, tandis que le chevreuil et le saumon offrent de belles prises aux amateurs de chasse et de pêche.

Le pygargue à tête blanche
Anticosti regroupe la plus grande concentration d'oiseaux nicheurs du Québec. On vient souvent de loin pour admirer le magnifique pygargue à tête blanche, qui est aussi l'emblème des États-Unis. Spécialiste de la capture de poissons morts, le pygargue trouve sa pitance dans les rivières à saumon avoisinantes. Il met quatre ans à acquérir son plumage définitif.

Anticosti au fil du temps
Cauchemar des marins, théâtre de centaines de naufrages et repaire de petits brigands des mers, Anticosti était occupée par les Amérindiens avant d'être découverte par Jacques Cartier, en 1534. L'explorateur Louis Jolliet ▲ *258*, qui reçoit l'île en concession en 1680, en a été le premier seigneur. Après sa mort en 1700, se sont succédé de nombreux propriétaires, dont Henri Menier. Plusieurs ont tenté de mettre en valeur les ressources de l'île. En 1974, Anticosti est rachetée par le gouvernement du Québec qui en fait une réserve faunique. Quelques familles l'habitent toujours et elle abrite un petit musée historique.

Les canyons des rivières encaissées
Si les grands dépôts calcaires sont peu nombreux au Québec, ceux d'Anticosti, vieux de 400 à 500 millions d'années, sont exceptionnels. Ils abondent en fossiles de brachiopodes (animaux marins fixés), de gastéropodes (mollusques à coquille) ou de coraux dont les récifs sont parfois entièrement constitués. De multiples infiltrations d'eau dans le sous-sol ont favorisé la formation de gouffres, de cavernes, de puits naturels (avens) et de dolines. Avec le temps, les grands cours d'eau ont fini par creuser les parois verticales, créant de nombreux canyons. Ceux de la rivière Vauréal et de la rivière Jupiter sont particulièrement spectaculaires. La chute de la Vauréal (au centre-nord de l'île) plonge d'une hauteur de 75 m.

Les orchidées
La nature calcaire du sol convient à quelque 25 variétés, plus de la moitié des espèces du Québec. Ces herbacées fascinent par la diversité de leurs fleurs et leurs couleurs spectaculaires.

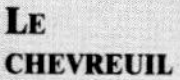

Le chevreuil
De tous les animaux introduits dans l'île par Henri Menier, le chevreuil est l'espèce qui s'est le mieux acclimatée. Avec une population dépassant 100 000 têtes, ce mammifère y est omniprésent en l'absence de prédateurs naturels et grâce à des conditions hivernales favorables. Une telle concentration (plus de 12 au km^2) a cependant des répercussions sur la végétation : plusieurs arbres et arbustes feuillus ont aujourd'hui pratiquement disparu et la régénération du sapin est compromise.

Les cavernes
Depuis une vingtaine d'années, les explorations spéléologiques ont révélé l'existence de nombreux cours d'eau souterrains et de plusieurs cavernes. Parmi les plus accessibles, celle de la rivière à la Patate possède une entrée haute de 10 m.

Les oiseaux marins
Les falaises d'Anticosti regorgent d'oiseaux marins nicheurs. Le macareux ▲ *331*, le guillemot ▲ *304*, le grand cormoran, le petit pingouin et le fou de Bassan ▲ *306* ont surtout choisi le nord-est de l'île pour leur nidification. Sur la falaise aux Goélands nichent près de 25 000 couples de mouettes tridactyles ▲ *305*. C'est l'une des plus grosses colonies en Amérique du Nord.

«Les gens de mon pays»
Poète à la voix brisée, Vigneault chante le «neigeux désert où [on s'entête] à jeter des villages» et la simplicité des gens de son pays. Outre son engagement politique, il combat pour la survie de la culture française en Amérique : «Il n'est chanson de moi, qui ne soit toute faite, avec vos mots, vos pas, avec votre musique.»

«The Birds of America»
Pour cette œuvre, Audubon s'était proposé d'illustrer grandeur nature les oiseaux connus ; aussi chacun des quatre tomes fait-il 1 m de hauteur afin de pouvoir représenter le pélican, le dindon et le flamant (le cou replié). La publication de cet ouvrage, composé de 435 planches, a duré de 1831 à 1839. Les trois cents exemplaires ont été peints à la main.

Basse Côte-Nord

Dans le sillage d'Audubon. De juin à août 1833, le célèbre naturaliste américain Jean-Jacques Audubon (1785-1851) navigue le long de la côte nord du golfe du Saint-Laurent, de Natashquan à Brador (proche de Blanc-Sablon). Il était venu dans la région, très peu connue à l'époque, dans le but d'observer et dessiner les oiseaux pour son œuvre maîtresse *The Birds of America*, sans doute l'ouvrage ornithologique le plus célébré. Visiter la basse Côte-Nord revient donc à s'offrir une croisière dans le sillage de Jean-Jacques Audubon. Aujourd'hui, seuls l'avion et le bateau permettent d'accéder à la quinzaine de villages nichés sur les 500 km qui séparent Havre-Saint-Pierre de Blanc-Sablon.

«Terre de Caïn». Son paysage lui a valu ce surnom : peu élevée, la côte est rocheuse et souvent nue. Par endroits, elle est bordée d'innombrables îles rocailleuses entre lesquelles la navette se faufile, comme dans un dédale, pour atteindre les villages. Comme au temps d'Audubon, macareux, pingouins, sternes et guillemots de Troïl (ci-dessous) peuplent ces îles en grand nombre. La principale activité de la région est la pêche du crabe, du homard et du pétoncle. Sauf exception, les températures estivales sont plutôt fraîches et les journées brumeuses ne sont pas rares.

Natashquan. Ce village qui a vu naître le poète et chansonnier Gilles Vigneault (1928) ● *92*, est le plus peuplé de la basse Côte-Nord. Le 27 juin 1833, Audubon y découvre le bruant de Lincoln, un oiseau jusqu'alors inconnu. On peut pratiquer la randonnée pédestre, notamment le long de la rivière Natashquan et de ses chutes.

Harrington Harbour ♥. Ce village possède un cachet tout à fait particulier. Ses maisons de bois aux couleurs variées, posées sur le roc, sont reliées par des trottoirs qui enjambent crevasses, dépressions et cours d'eau.

Blanc-Sablon. Certaines années, d'immenses blocs de glace défilent lentement devant le village jusqu'en été, avant d'aller se perdre dans les eaux du golfe.

Le Nunavik

Bernard Saladin d'Anglure

LES PREMIERS HABITANTS

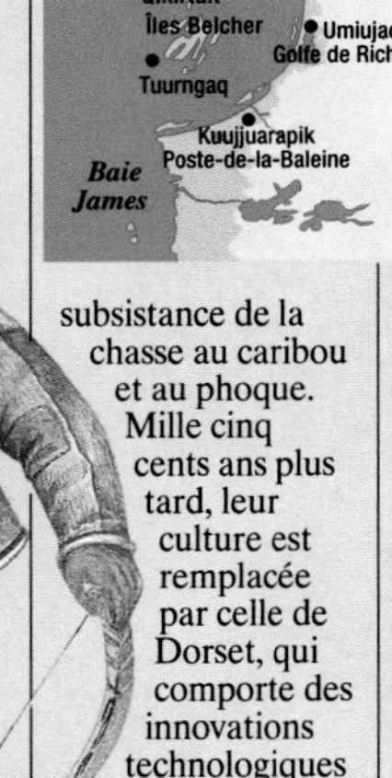

Il y a 4 000 ans arrivaient les premiers habitants, les Paléoeskimo, d'origine asiatique. Leur culture s'est développée en Alaska, avant qu'ils ne migrent vers l'est par les îles arctiques et la Terre de Baffin, à la faveur d'un réchauffement climatique. Ils tirent le gros de leur subsistance de la chasse au caribou et au phoque. Mille cinq cents ans plus tard, leur culture est remplacée par celle de Dorset, qui comporte des innovations technologiques tels le kayak, la lampe, la marmite de stéatite, la maison semi-souterraine aux murs renforcés de tourbe et l'utilisation du chien pour la chasse. Les gens du Dorset manifestent un sens artistique à travers leurs miniatures sculptées dans l'ivoire ou le bois. À la fin du XIIe siècle, une nouvelle culture, celle de Thulé, se développe en Alaska et se répand dans tout l'Arctique. Très mobiles, les Thuléens possèdent, outre le kayak, l'*umiaq*, grand bateau collectif fait de peau, et le traîneau à chiens. Ils sont très bien équipés pour la chasse aux mammifères marins, y compris la baleine franche, qui abonde dans les mers arctiques, alors plus chaudes. Ils sont les ancêtres directs des Inuits actuels. Ce sont ces derniers que rencontrent les premiers explorateurs européens.

LES PREMIERS CONTACTS AVEC LES EUROPÉENS (1610-1850)

La première description des Inuits du Nunavik par des Européens est rédigée après l'expédition de Henry Hudson qui, à la recherche d'un passage vers l'Asie, pénétre en 1610 dans la mer connue aujourd'hui sous le nom de baie d'Hudson. Le capitaine français d'Iberville en donnera une seconde. Ayant fait du troc avec les Inuits à l'entrée de la baie d'Hudson au cours d'une campagne navale contre les Anglais (1697), il s'attaque au monopole de la traite des fourrures accordé à la Compagnie de la baie d'Hudson par la Couronne britannique en 1670. La France ne reconnaîtra ce monopole qu'en 1713, par le traité d'Utrecht. Les premiers comptoirs commerciaux sont établis sur la côte, au sud du territoire, notamment au golfe de Richmond (1750-1756) et à Fort Chimo (1830-1842). Ils sont rapidement abandonnés en raison des difficultés d'approvisionnement et des mauvaises relations avec les Inuits. La navigation à vapeur permettra leur réouverture en 1851. Chaque année, les Inuits effectuaient de longs voyages en traîneaux à chiens pour y échanger leurs fourrures.

«On peut dire que la notion de l'hiver et la notion de l'été sont comme les deux pôles autour desquels gravite le système d'idées des Eskimos [Inuits]»

Marcel Mauss

La concurrence entre les Français et les Anglais

La ruée vers le renard (1903-1936)

La cession de la Terre de Rupert (autour de la baie d'Hudson), au Canada, en 1870, ouvre ce territoire à la concurrence commerciale. À partir de 1903, la compagnie française Révillon frères tente de concurrencer la Compagnie de la baie d'Hudson. Les comptoirs se multiplieront jusqu'à ce que la crise des années trente provoque l'effondrement du prix de la fourrure de renard et la fermeture des postes de Révillon. Une période difficile commence pour les Inuits, abandonnés à eux-mêmes dans de nombreux campements.

La course aux âmes (1936-1970)

Dès la fin des années trente, presque tous les Inuits sont baptisés par des pasteurs protestants itinérants. Sept missions catholiques s'établissent pourtant dans le Grand Nord entre 1936 et 1948. Elles seront rapidement fermées faute de fidèles.

La rivalité politique (1960-1975)

En 1960, le Québec décide d'assumer l'administration du territoire concédé par le gouvernement fédéral en 1912. Un double système administratif est alors instauré dans tous les villages inuits. En 1971, alors que le mouvement coopératif inuit connaît un franc succès et tente d'obtenir du Québec un gouvernement régional, un autre groupe, opposé à ce projet, crée l'Association des Inuits du Québec nordique. Constituée sur une base ethnique, celle-ci obtient l'appui du gouvernement fédéral et s'impose comme l'unique représentant des Inuits du Québec, à l'époque où le projet hydroélectrique de la baie James est annoncé. La rivalité politique entre les gouvernements fédéral et provincial cesse lorsqu'ils signent l'Entente de la baie James avec les Inuits, en 1975. Cet accord prévoit que les Inuits renoncent à certains droits territoriaux. En échange, ils recevront des compensations monétaires et assureront seuls la gestion de leurs affaires municipales et de leur développement économique. Ils obtiendront la gestion partielle de leur santé et de leur éducation. Le Québec peut alors exploiter l'énergie des grands fleuves de la région ● *68*.

Le cycle annuel des activités obéissait à celui des saisons. En hiver, les familles se regroupaient sur le littoral, dans des campements d'une dizaine d'iglous. Les journées très courtes, le froid intense et le manque de gibier rendant la chasse aléatoire, les Inuits vivaient des réserves de viandes conservées depuis l'automne dans des caches de pierres. Les chamans tenaient des séances collectives dans de grands iglous où se déroulaient jeux, danses et chants. Au printemps, les familles s'installaient sous la tente et se dispersaient sur la côte pour maximiser le produit de la chasse. À la fin de l'été, les Inuits partaient vers l'arrière-pays, en *qajaq* et en *umiaq*, afin de chasser le caribou prêt à migrer.

L'HABITATION INUIT

C'était un véritable défi que de vouloir s'établir dans un pays sans arbres, mais les Inuits l'ont relevé. Pour l'hiver, ils ont créé l'iglou de neige, avec fenêtres de glace, et la maison semi-souterraine en tourbe, pierres et ossements de baleine. L'été, ils habitaient des tentes en peau de phoque maintenues par des poteaux en bois de flottage. L'indispensable lampe à huile servait à se chauffer, s'éclairer et cuisiner. La literie était constituée de nattes faites de bouleaux nains reliés par des tendons, de peaux d'ours ou de caribous, et de sacs de couchage en caribou.

Les moyens de transport

Le traîneau à chiens avec son attelage en éventail convenait au relief tourmenté des côtes dont les glaces étaient disloquées par de fortes marées. Le kayak était utilisé pour la chasse aux mammifères marins. L'*umiaq* (ci-dessus) servait en été à se déplacer en famille ; il permettait d'atteindre le fond des fjords d'où l'on se rendait à pied jusqu'aux territoires de chasse au caribou. On se mettait alors à l'affût des troupeaux en migration.

Chasse et pêche

Avec celle du caribou, la chasse des mammifères marins, activité masculine par excellence, occupait une grande partie de l'année. On avait recours à des pièges, tels que les *timijjivit*, petites anses qui se transforment en lacs à marée basse. Si quelques femmes pouvaient remplacer les hommes à la chasse, celles-ci pratiquaient surtout la cueillette des baies ainsi que la pêche des petits poissons, sur la banquise.

Le vêtement

L'habit d'hiver était constitué de deux ensembles en peaux de caribous. Celui que l'on enfilait dans l'habitation, porté à même la peau, était garni de fourrure à l'intérieur. L'autre ensemble avait sa fourrure à l'extérieur et était superposé au premier lorsqu'on sortait. Sur les îles où le caribou manquait, on utilisait des peaux de canards. En été, les Inuits optaient pour un double vêtement en peau de phoque, moins chaud, plus léger, plus résistant et imperméable. Les bottes et les moufles étaient confectionnées selon le même principe.

Armes, outils et ustensiles

Arcs, flèches, lances et harpons articulés constituaient l'arsenal des chasseurs. Le foret à arc et l'herminette servaient à la fabrication des outils : couteaux semi-lunaires et à double tranchant, couteaux à découper la neige en corne ou en ivoire, aiguilles d'os, fils de tendons de caribou et dés en cuir, trousse à feu avec silex et pyrites. Parmi les ustensiles quotidiens des Inuits citons les seaux, les gobelets et les gourdes de peau, les plats en bois bordés de fanons de baleine, les séchoirs en bois, les tendons tressés et les marmites de stéatite ▲ *340*.

Aux yeux des Occidentaux, le monde des Inuits ressemble à un grand désert blanc. Du point de vue inuit, il n'en est rien, puisque tous les éléments naturels sont habités par des esprits. Les Inuits respectent, amadouent et implorent les esprits des animaux, mais aussi ceux qui régissent les mouvements de l'univers. Intermédiaires entre les vivants et les morts, mais aussi les humains et le gibier, les chamans étaient chargés de pallier les désordres comme la maladie ou les intempéries, d'interpréter l'imprévu, l'accidentel ou l'infortune et d'intercéder auprès des grands esprits.

LES CHAMANS
Hommes ou femmes, les chamans devaient aider les humains de la naissance jusqu'au passage dans l'au-delà céleste ou sous-marin.

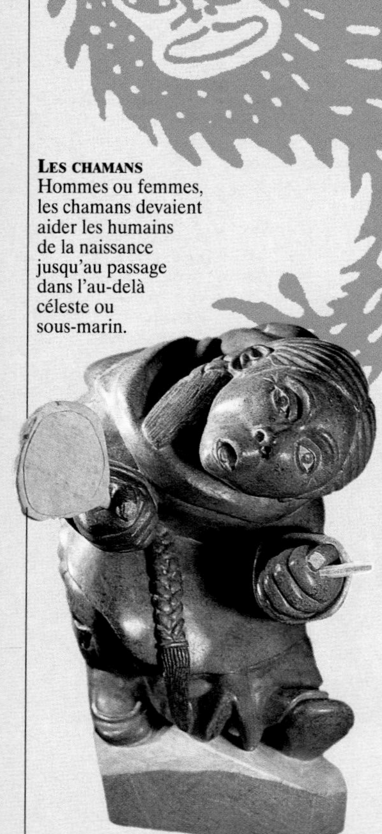

CROYANCES ET RITES COLLECTIFS
On retrouve, le long des côtes du Nunavik, des cavernes appelées *tuurngatuuq*. Ce nom évoque la présence des *tuurngait*, esprits protecteurs des chamans, mais aussi grands esprits puissants et mythiques capables de se rendre invisibles. Près des anciens campements, des cercles de grosses pierres appelés des *qaggiq* servaient de sièges lors de fêtes et de rituels collectifs auquels donnaient lieu la capture d'une grosse baleine ou de la visite d'un groupe voisin.

LE SOLEIL ET LA LUNE

La légende parle d'un jeune aveugle trompé par sa mère et qui commettra l'inceste avec sa sœur ; il partira la rejoindre dans le ciel, où ils deviendront la Lune et le Soleil. Ce mythe inuit établit un lien entre l'ordre cosmique et l'ordre social, qui proscrit l'inceste et le mariage endogame.

MYTHES ET TOPONYMIE

Inscrits dans la mémoire collective et dans la toponymie du Nunavik, les mythes sont encore très présents dans la vie des Inuits. Plusieurs sites de la région leur sont directement associés. Par exemple, la rivière Kuuktaq, entre Puvirnituq et Inukjuak, serait née d'un coup de hache qu'un géant assena dans la montagne, créant ainsi la vallée encaissée où coule aujourd'hui la rivière.

MOUVEMENTS RELIGIEUX ET MESSIANISME

Après les débuts de la christianisation, au XIXe siècle, des mouvements religieux combinant croyances anciennes et doctrines chrétiennes ont émergé dans plusieurs groupes du Nunavik. Dans les années vingt, des Inuits annoncèrent la fin du monde et tuèrent tous les chiens pour être prêts à accueillir Jésus.

«TUNNITUARRUIT»...

Ces créatures mythologiques ont l'apparence de têtes volantes couvertesde tatouages. Leurs cheveux leur servent d'ailes ; deux pattes d'oiseaux et les organes génitaux sont accrochés au menton.

Qu'il s'agisse de sculpture ou de gravure sur stéatite, une pierre compacte faite de talc, l'art inuit connaît depuis les années soixante une renommée mondiale toujours croissante. Sa commercialisation a commencé en 1948, depuis les coopératives de Puvirnituq et d'Inukjuak, sous l'impulsion de l'artiste canadien James A. Houston. Cet art s'enracine néanmoins dans une longue tradition qui remonte à la préhistoire. Vivant surtout de la chasse, les Inuits ont toujours été de fins observateurs de la nature et d'habiles artisans. De plus, leur imagination était autrefois constamment sollicitée par les récits et les rites chamaniques.

L'ART PRÉHISTORIQUE
De petites figurines sculptées dans l'ivoire ont été retrouvées sur presque tous les sites préhistoriques, mais principalement sur ceux de la culture de Dorset ▲ *336*. Le site de gravures rupestres de Qajartalik (ci-dessus), situé dans une île de la rive sud du détroit d'Hudson, daterait aussi de la même époque. On pense que cet art avait une connotation religieuse liée au chamanisme et à ses rites.

L'ARTISANAT TRADITIONNEL
Vivant exclusivement de chasse et de pêche, les hommes et les femmes inuits devaient être capables de confectionner les objets et outils du quotidien. Si les tâches étaient réparties selon le sexe et les talents de chacun, il fallait néanmoins savoir se débrouiller seul. Chaque Inuit était artisan et connaissait les secrets du travail de la pierre, du bois, de l'os, de l'ivoire, de la peau, etc. ; les plus doués étaient reconnus par tous. Les premiers explorateurs et navigateurs qui sont entrés en contact avec les Inuits ont manifesté un vif intérêt pour leur artisanat et leurs figurines. Les artisans ont alors pris l'habitude de fabriquer des miniatures de kayaks, d'animaux ou d'humains qu'ils échangeaient avec les Euro-Américains contre des biens importés.

De la sculpture à la gravure sur stéatite
Les commerçants des comptoirs ont continué d'acheter ou de troquer cet artisanat qui, dès les années soixante, s'est transformé en une véritable production artistique. Un marché s'est d'ailleurs développé dans le Sud grâce à une forte demande de statuettes représentant des scènes du quotidien et des animaux. Amorcée dans quelques villages du Québec arctique, la production s'est vite étendue à tout l'Arctique central. Plus tard, des artistes du Sud, grâce à la collaboration des chefs de comptoirs commerciaux et des coopératives, ont initié les Inuits à la gravure sur stéatite. L'art inuit s'épanouit enfin à travers l'estampe, les appliqués, la sérigraphie et l'acrylique.

Art et artisanat modernes
Le succès international de plusieurs expositions itinérantes consacrées à l'art inuit a accru la demande pour ces œuvres d'art et cet artisanat, si bien que des magasins se spécialisent aujourd'hui dans leur diffusion.

«LES HUMAINS»
Le terme Inuit signifie être humain. Il a remplacé, avec un sens ethnique, le vocable d'Esquimaux, ou mangeurs de viande crue, d'origine algonquienne et qu'avaient consacré trois siècles de domination coloniale.

UN PROJET D'AUTONOMIE POLITIQUE

Trois villages où le mouvement coopératif est particulièrement fort ont refusé les clauses de l'*Entente de la Baie James* (1975) ▲ *337*, et ont créé une association dissidente : «Les Inuits qui se tiennent debout sur leur terre». Ces irréductibles ont refusé de céder leurs droits territoriaux. Leur influence a été bénéfique puisque leur projet de gouvernement territorial non ethnique a été repris par l'ensemble des Inuits, dans un projet récent de constitution qui devrait reconnaître une autonomie politique conférée par l'Assemblée nationale du Québec.

ᑕᑯᒥᓇᕐᑐᓯᐅᕐᓂᖅ ᑕᑯᓐᓇᐅᔮᕐᑎᓯᓂᒃᑯᑦ
ᓴᓇᖕᒍᐊᓯᒪᔪᕐᑎᒍᓪᓗ ᐱᓚᐅᑦᔨᑎᑦᓯᓂᑎᒍᑦ

LA SOCIÉTÉ MAKIVIK

La société inuit Makivik assume, depuis 1975, la gestion des fonds reçus et intervient dans les grands secteurs de la vie économique, sociale et culturelle. Elle possède plusieurs sociétés, dont deux compagnies aériennes, Air Inuit et First Air. En 1986, les Inuits du Québec arctique rebaptisent leur territoire et lui donnent le nom de Nunavik. Leurs leaders s'engagent maintenant dans de nouvelles négociations avec le gouvernement du Canada pour faire reconnaître leurs droits ancestraux sur les îles côtières et les eaux territoriales du Nunavik.

L'ÉCRITURE INUITE
L'alphabet syllabique a été mis au point, au milieu du XIXe siècle, par le missionnaire anglais James Evans. Il est aujourd'hui utilisé dans le Nunavik, à côté de l'alphabet latin. Des ouvrages en syllabique, écrits par des Inuits, sont édités à l'université Laval de Québec depuis 1980 et l'institut culturel Avatak publie le magazine culturel *Tumivut*, rédigé en syllabique avec traductions française et anglaise.

TRADITION ET MODERNISME

Les sept mille Inuits du Nunavik, répartis dans quatorze villages, vivent maintenant dans des maisons dotées du confort moderne. Ils se déplacent en motoneige, en voiture ou en canot à moteur et occupent de nombreux emplois, bien que le chômage et les problèmes sociaux qui en découlent les frappent plus durement que les habitants du Sud. Les produits de la chasse et de la pêche demeurent largement consommés. Outre l'inuktitut et son écriture syllabique, les jeunes apprennent le français ou l'anglais dans les écoles locales, et plusieurs poursuivent leurs études dans des collèges ou des universités du Québec.

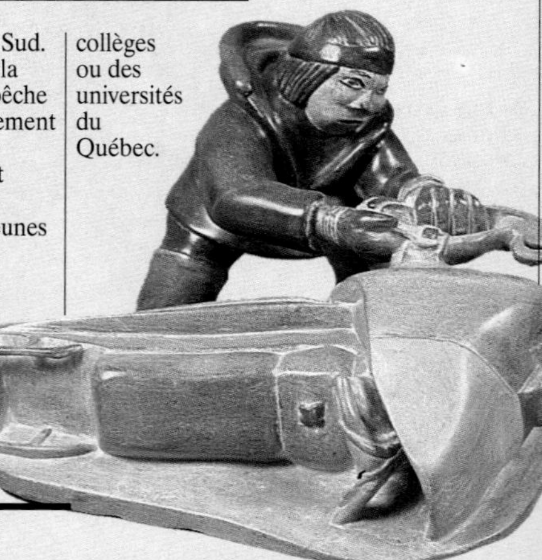

CARNET DE VOYAGE

Louise Dugas
Claire Thivierge

Chaque région touristique ◆ *14* possède son association touristique régionale ou ATR qui dépend de Tourisme Québec. Ces organismes peuvent vous renseigner sur tous sujets (hôtels, activités, transports…) ◆ *373*.

L'immensité du Québec est à l'échelle nord-américaine et il est utopique de songer à le parcourir en quelques jours. Sachez que Montréal est plus éloigné de Gaspé que Paris de Milan ! Une gamme de séjours variés vous fera apprécier les attraits culturels des villes ou les loisirs au naturel. Même si la haute saison (mai à septembre) est plus clémente, le Québec en basse saison (octobre à avril) est tout aussi accueillant, et combien plus dépaysant !

Formalités

Un passeport valide suffit ; un visa n'est nécessaire que pour un séjour de plus de trois mois.

Douanes

Si vous avez 18 ans ou plus, vous pouvez importer au Québec 200 cigarettes, 50 cigares et 400 g de tabac, 1,14 l d'alcool ou de vin, ou 24 bières en format de 355 ml. L'importation de certains produits (aliments, plantes, armes à feu ou animaux de compagnie) est très réglementée, voire interdite.

Renseignements : Revenu Canada, Direction des communications, Ottawa, Ontario, K1A 0L5
Tél. (613) 957-2275
Fax (613) 957-9039
À Montréal : (514) 283-9900

Réglez vos montres

Au Québec, il est 6 heures de moins qu'en France. Du début d'avril à la fin d'octobre, l'est du Canada passe à l'heure d'été et avance ses horloges d'une heure.

Paris 12 h 00
Londres 11 h 00
New York 6 h 00
Montréal 6 h 00
Calgary 4 h 00
Vancouver 3 h 00

Maison de l'île d'Orléans, région de Québec

Conduire au Québec

Permis

Un permis de conduire étranger valide suffit pour prendre le volant pendant six mois au Québec. Pour obtenir un permis international (valide un an), s'adresser à un club automobile ou à l'Alliance internationale du tourisme autoclub à Paris : Tél. (1) 43 80 21 70

Cartes routières

Vous trouverez les cartes de Transport Québec dans les bureaux d'information touristique. D'autres sont vendues dans les stations-service et les librairies et boutiques spécialisées. Une bonne adresse à Montréal : Aux quatre points cardinaux 551, rue Ontario Est, Tél. (514) 843-8116

Santé

Aucun vaccin ni précaution particulière ne sont nécessaires.

Recommandations

N'oubliez pas d'apporter vos médicaments sur ordonnance. Prévoyez des crèmes hydratantes et protectrices, un baume pour les lèvres en hiver et une crème solaire en été. Assurez-vous aussi d'avoir la forme physique requise avant d'entreprendre une activité de plein air intense ou un séjour «aventure». Vérifiez que votre assurance-maladie couvre bien les frais médicaux et hospitaliers en pays étranger.

Bonjour Québec !

Les brochures distribuées à l'Office de tourisme du Québec sont une mine de précieux renseignements.

Où s'adresser avant de partir ?

Office de tourisme du Québec : 4, av. Victor-Hugo, 75116 Paris
Tél. (1) 44 17 32 41
Fax (1) 44 17 32 39
Minitel 3615 code QUÉBEC

À noter

La carte internationale d'étudiant (60 F) donne droit à de nombreuses réductions (musées, cinémas, transports).
CROUS : 39, av. Georges-Bernanos, 75005 Paris
Tél. (1) 40 51 37 13

Tourisme Québec

Adresses utiles

En France

◆ Ambassade du Canada : 35, av. Montaigne, 75008 Paris.
Tél. (1) 44 43 29 00

◆ Délégation générale du Québec : 66, rue de Pergolèse, 75116 Paris
Tél. (1) 45 02 14 10

En Belgique

◆ Délégation générale du Québec Avenue des Arts 46 7e étage 1040 Bruxelles
Tél. 512 00 36
Fax 514 26 41

En Suisse

◆ Ambassade du Canada Kirchenfeldstrasse 88 3005 Berne
Tél. (31) 352 63 81
Fax (31) 352 73 15

Ferme québécoise traditionnelle

Prêts pour une balade en raquettes ?

L'automne québécois

Entre la mi-septembre et la mi-octobre, la forêt québécoise mêle l'ocre et le cuivre

à ses rouges ainsi qu'au vert profond de ses conifères. L'air doux qui se parfume, les pommeraies où l'on s'affaire et les fruits qui croquent sous la dent… Il est temps d'observer la migration des oies blanches ou de crever le paysage juché sur un télésiège !

Téléphoner au Québec

De France
19 1 + indicatif régional (3 chiffres) :
514 pour Montréal et sa région
418 : Québec et à l'est
819 : partout ailleurs
+ numéro du correspondant à 7 chiffres.

De Belgique et de Suisse
00 1 + indicatif régional + numéro du correspondant.

Le climat

Qualifier le climat québécois de tempéré est un doux euphémisme. En fait, le temps joue au yoyo et les écarts climatiques sont très prononcés, entre le nord et le sud, bien sûr, mais aussi d'un jour à l'autre. Sachez qu'en janvier 1995, le mercure est passé de -20 °C à 18 °C en deux jours... L'été, la canicule rend parfois l'air lourd d'humidité, surtout en ville. Le printemps et l'automne sont imprévisibles, et l'hiver, souvent très ensoleillé et sec, reçoit en moyenne 3 m de neige.

TEMPÉRATURES MINIMA ET MAXIMA (MOYENNE MENSUELLE EN ° C)

	Jan.	Avr.	Juil.	Oct.
Montréal	-15/-6	-1/8	13/25	2/11
Québec	-17/-8	-1/8	13/25	2/11
Hull	-17/-7	0/10	15/26	4/12
Mont-Laurier	-20/-8	-2/9	12/25	1/11
Gaspé	-17/-6	-3/6	10/23	0/10
Sept-Îles	-20/-9	-4/4	11/20	-1/8
Kuujjuaq	-28/-19	-15/-4	5/17	-4/2

Boucler sa valise

Vêtements
Au printemps et en automne, prévoyez un imperméable, des lainages légers et un coupe-vent. En été, souvent chaud au Québec, optez pour les cotonnades et tissus légers, une veste ou un pull pour le soir. En hiver, s'équiper contre la froidure : collant de laine ou caleçon long, bottes imperméables doublées, gants ou mouffles, chapeau ou bonnet de laine couvrant les oreilles, tricots, écharpe et manteau chaud.

Photo
En hiver, munissez-vous de piles de rechange et d'un sac plastique pour protéger votre appareil (prévoir une surexposition d'un cran ou deux). N'oubliez pas vos jumelles pour les escapades en pleine nature.

Électricité
Au Québec, le courant est de 110 V et les prises ont deux fiches plates. Un adaptateur de prise et un transformateur sont nécessaires à l'utilisation de vos rasoirs, sèche-cheveux et autres appareils électriques.

Conseils d'amis
Un bon insecticide est vivement recommandé à la fin du printemps et une partie de l'été pour échapper aux féroces «maringouins» ◆ *370*.

Un moyen de monter vers un lac inaccessible,

...et un autre pour descendre une rivière

Parmi la centaine de voyagistes offrant le Québec comme destination, plus de la moitié proposent des séjours centrés sur la nature. Les forfaits varient de sept à dix jours et recouvrent des activités fort diverses, alliant les sensations fortes à la douceur de vivre. Plus de cent idées sont regroupées par thèmes à partir de la page 360.

CONDITION PHYSIQUE

Le degré de difficulté varie beaucoup selon les forfaits. Dans certains cas, il s'agit de véritables expéditions assez exigeantes et réservées aux grands sportifs. Dans d'autres, les activités proposées s'adressent aux débutants ou aux sportifs de niveau intermédiaire. Faire du rafting sur une rivière écumante de la Côte-Nord avec portage et coucher à la dure est plus épuisant que la simple découverte en canoë d'un lac paisible, avec hébergement en auberge. En règle générale, les forfaits d'hiver exigent une meilleure condition physique. Dans le cas précis des raids en motoneige ou en traîneau à chiens, une tolérance aux grands froids est de rigueur. Il est toutefois possible pour les débutants d'aborder une activité en participant à de courts voyages d'initiation. Il existe en outre des formules familiales.

HÉBERGEMENT ET REPAS

Les personnes qui participent à ce genre d'activités dorment généralement dans des auberges douillettes, ou encore dans des camps de chasse et de pêche (pourvoiries), en refuge chauffé, sous la tente moderne ou le tipi ancestral. Les repas sont inclus, sauf parfois le déjeuner. Au menu : cuisine québécoise et amérindienne.

ENCADREMENT

Des guides expérimentés (québécois ou amérindiens) assurent le bon déroulement des expéditions tout en partageant leurs connaissances de la nature avec les participants. Ils sont parfois accompagnés de spécialistes (biologistes, botanistes ou naturalistes) offrant un complément d'informations scientifiques.

PRINTEMPS, ÉTÉ ET AUTOMNE : DES SÉJOURS POUR TOUS LES GOÛTS ◆ *370*

SUR L'EAU
Les rivières écumantes de l'Abitibi-Témiscamingue et de la Côte-Nord lancent de beaux défis aux amateurs de rafting et de canotage. Des randonnées en canot sur la rivière Georges, dans le Grand Nord, ou dans le parc de la Vérendrye, en pays algonquin, offrent peut-être moins de frissons, mais favorisent une plus grande communion avec la nature.

PÊCHE ◆ *368*
On taquine le saumon de l'Atlantique dans les rivières du golfe du Saint-Laurent et du Grand Nord, la truite mouchetée, le doré, le brochet (jusqu'à 5 kg) au réservoir Gouin et sur d'autres vastes plans d'eau.

SAFARI AÉRIEN
Pour rejoindre un camp de chasse et de pêche isolé, quoi de mieux que l'hydravion ? Un vol dans ce type d'appareils représente en outre un moyen unique pour découvrir le vaste territoire du Québec. Certains voyagistes offrent des séjours comprenant des cours de pilotage au-dessus de la forêt.

GOLF
Le territoire québécois compte de nombreux terrains de golfs. Plusieurs occupent des sites spectaculaires, tel celui de Pointe-au-Pic en Charlevoix.

VÉLO
De nombreuses localités entretiennent leur propre réseau de pistes cyclables. De belles randonnées sont possibles, notamment en Estrie et en Montérégie.

ÉCOTOURISME
Safari-nature à l'île d'Anticosti, aventure écologique dans la réserve faunique d'Ashuapmushuan ou dans le parc de la rivière Jacques-Cartier, observation des mammifères marins dans le fleuve Saint-Laurent… La découverte du Québec méridional, avec sa flore et sa faune incomparables, peut prendre diverses formes pour le botaniste amateur et le chasseur d'images.

Plaisirs d'hiver ◆*364*

De plus en plus d'agences proposent des forfaits centrés sur les sports d'hiver. Le climat et la situation géographique du Québec permettent une gamme étendue d'activités nordiques. Le traîneau à chiens emmène les coureurs de bois modernes à travers les territoires amérindiens et inuits du Grand Nord. La motoneige suit la piste des trappeurs et des chercheurs d'or, au pays d'Harricana (Abitibi-Témiscamingue) ou longe les rivages maritimes de la Gaspésie. Ski de randonnée, ski alpin et raquettes font le bonheur des amateurs de poudreuse. La pêche sous la glace (sébaste, truite, brochet...) étonne plus d'un pêcheur à la ligne.

Pour la plupart des raids en motoneige et en traîneau à chiens, l'équipement spécifique est fourni sur place.

Multi-activités

Certaines formules combinent plusieurs activités sportives ou culturelles : vélo/observation des baleines, motoneige/traîneau à chiens, etc. Des bases de plein air (hôtellerie sportive) offrent des séjours comprenant, hiver comme été, diverses activités : équitation, sports nautiques, activités en plein air, ski de randonnée...

Des prix variés

Le type d'activités et la région de chute déterminent le prix des forfaits. Le traîneau à chiens, qui requiert huit chiens et un *musher* (conducteur) par client, coûte évidemment plus cher qu'un voyage en canoë. Les voyages dans le Grand Nord sont plus onéreux, en raison des distances. Depuis Mirabel, il faut ainsi compter encore plusieurs heures d'avion pour atteindre la baie d'Ungava. La plupart des forfaits comprennent le prix d'un billet aller-retour (Paris-Montréal), les correspondances à l'aéroport, une nuit à l'hôtel (à Montréal, le plus souvent), le transport jusqu'au point de départ en autocar ou en hydravion, certains équipements et le guide.

Les indispensables

Lors d'une excursion en plein air, un sac à dos souple est plus facile à transporter qu'une valise rigide. Certains vêtements et objets sont indispensables. Hiver comme été, il faut pouvoir compter sur : sac de couchage, maillot de bain, serviettes, gourde, lampe de poche avec piles, allumettes imperméabilisées, bâton de magnésium pour faire du feu, canif ou couteau suisse, boussole (à la condition bien sûr de savoir s'en servir), sifflet (utile pour se faire repérer), trousse de premiers soins, petit sac à dos (ce qui vous évitera de traîner l'ensemble de vos bagages lors d'une randonnée en forêt), lunettes de soleil, jumelles, écran solaire pour le visage et les lèvres. Certains voyagistes fournissent sur demande une liste plus détaillée des effets personnels à apporter. Finalement, pour bien profiter du voyage, prévoir de bonnes chaussures de marche.

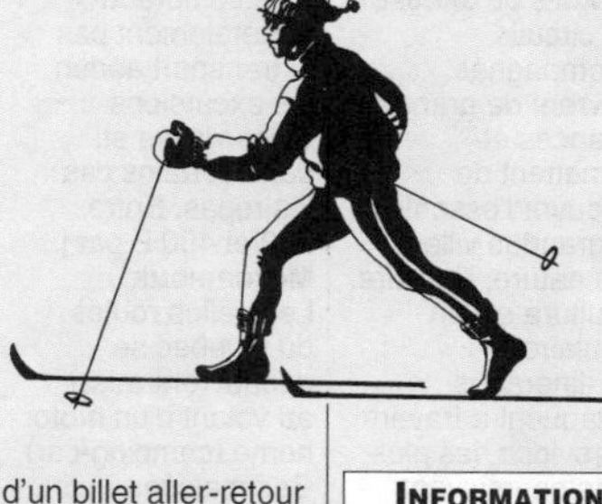

Information

L'Office de tourisme du Québec à Paris ◆ *346* fournit la liste de tous les voyagistes offrant des voyages de plein air ou des expéditions en pleine nature et peut vous renseigner sur les différentes options.

Gamme des prix

Activités	Durée	Prix par jour
Été		
Canoë	6 à 17 j.	500 à 1 100 FF
Séjour hôtellerie sportive	3 à 8 j.	400 à 1 100 FF
Pêche	3 à 10 j.	1 000 à 2 500 FF
Safari-nature à Anticosti	9 à 12 j.	800 à 1 400 FF
Randonnée pédestre	7 à 18 j.	650 à 850 FF
4 x 4 et quad	6 à 9 j.	900 à 1 700 FF*
Rafting	15 j.	1 200 FF
Croisière	8 j.	600 à 1 600 FF*
Golf	4 j. et plus	650 FF*
Vélo tout terrain	15 j.	1 100 FF (vélo non inc.)
Hiver		
Motoneige	7 à 9 j.	1 100 à 3 000 FF
Traîneau à chiens	4 à 9 j.	1 300 à 1 700 FF
Motoneige et traîneau	7 à 9 j.	1 600 à 1 900 FF
Ski de randonnée	8 j.	1 300 FF*
Ski alpin	8 j.	250 FF (remontés méc.)

* excluant le vol

Une croisière sur le Saint-Laurent...

ou un chalet au cœur des grands espaces

Choisir sa formule

Les voyagistes proposent des circuits et des séjours à la carte, dont une trentaine en hiver. L'Office de tourisme du Québec à Paris vous renseignera sur les différentes options ◆ *346*.

Voyages de groupe
Les circuits accompagnés couvrent de grandes distances et permettent de découvrir l'essentiel : les grandes villes et la nature, l'histoire, la culture et l'art populaire.
Les itinéraires zigzaguent à travers la province, les plus longs poursuivant vers l'Ontario et les chutes du Niagara, les Rocheuses ou les États-Unis.
Les couleurs chatoyantes de «l'été des Indiens» offrent un thème de vacances toujours favori. La durée des circuits est de 8 à 14 j. en moyenne. Le prix comprend le transport, le logement (hôtel, chalet ou chez l'habitant), la plupart des repas, les excursions et les visites. Tarif moyen : 1 000 à 1 400 F par j.

Croisières
Le majestueux Saint-Laurent, le fjord du Saguenay, les îles du Golfe et Saint-Pierre-et-Miquelon se découvrent en paquebot de croisière. Environ 600 à 1 600 F par j.

Autotours
Ce circuit organisé individuel s'adresse à ceux qui aiment conduire. Le forfait comprend la location du véhicule, l'hébergement et un itinéraire précis quoique flexible.
Il ne comprend généralement pas le transport aérien, les excursions et les visites et, dans certains cas, les repas. Entre 250 et 400 F par j.

Motor-home
Les belles routes du Québec se découvrent aussi au volant d'un motor-home (camping-car). Ces maisons roulantes tout confort peuvent accueillir jusqu'à 4 adultes et 4 enfants, selon le modèle. Essence, contraventions et camping non inclus. Une assurance complémentaire est recommandée et le permis de conduire à trois volets requis. L'âge minimal du conducteur est de 21 ans. Location : 400 à 1 200 F par j.

Ma cabane au Canada
Perdus au fond de l'Abitibi-Témiscamingue ou situés au cœur des Laurentides, les chalets sont dotés du confort moderne entièrement équipés. Les appartements se trouvent à Montréal et dans des centres de villégiature.

Le Québec en fête

Des événements spéciaux font l'objet de voyages thématiques ou sont inclus dans des circuits.

Carnaval de Québec
Pendant 11 j. en février, la capitale québécoise se pare de sculptures de neige et d'un spectaculaire château de glace. Au programme : défilés, course en canoë sur le fleuve, soirées thématiques...

Le Festival international de jazz de Montréal
Il s'agit du plus grand en Amérique du Nord et l'un des cinq plus importants au monde. Plus de 400 spectacles, dont une bonne partie se déroulent gratuitement et en plein air. Pendant 10 j., fin juin-début juillet.

Juste pour rire
Le festival de l'humour à Montréal est unique en son genre. Tremplin pour les vedettes de demain, il réunit des comiques du monde entier dans plus de 300 spectacles à travers la ville, dont certains en plein air. 10 j., fin juillet.

Le marathon de Montréal
Il réunit, mi-septembre, 8 000 coureurs sur trois épreuves.

La fête de la Saint-Jean-Baptiste

Le carnaval de Québec

Jours fériés

Attention : La plupart des banques et bureaux sont fermés.
- 1er et 2 janvier
- Vendredi saint
- Lundi de Pâques
- avant-dernier lundi de mai : fête de Dollard et de la reine Victoria
- 24 juin : fête nationale du Québec (Saint-Jean-Baptiste)
- 1er juillet : fête du Canada
- 1er lundi de septembre : fête du Travail
- 2e lundi d'octobre : Action de grâces
- 25 et 26 décembre

FÊTES, FESTIVALS ET MANIFESTATIONS

JANVIER
◆ Festival des glaces, à Mont-Laurier (Laurentides) : raid en motonieige, randonnées et animations

FÉVRIER
◆ Carnaval de Québec
◆ Carnaval-souvenir de Chicoutimi (Saguenay-Lac-Saint-Jean) : un retour au XIXe siècle, opérette, bals costumés et activités traditionnelles
◆ Grand Prix de Valcourt (Estrie) : course de motoneige
◆ Festival régional de la motoneige de l'Outaouais, à Buckingham

MARS
◆ Festival international du film sur l'art, à Montréal

MAI
◆ Festival de théâtre des Amériques, à Montréal (fin mai-début juin)

JUIN
◆ Grand Prix Molson du Canada de course automobile, à Montréal (1re sem. du mois)
◆ Tour de l'île, à Montréal : tout le monde à vélo pour une épreuve de 70 km à travers la ville

JUILLET
◆ Festival international de jazz ▲ *194*, à Montréal
◆ Festival de l'humour «Juste pour rire», à Montréal
◆ International Benson & Hedges : le plus grand concours d'art pyrotechnique au monde (les sam., dim. ou mer. du mois)
◆ La Fabuleuse histoire d'un royaume, à La Baie (Saguenay-Lac-Saint-Jean) : grande fresque historique sur l'histoire du Saguenay (fin juin à fin juil.), suivie du Tour du monde de Jos Maquillon (jusqu'à début sept.)
◆ Festival international de Lanaudière, à Joliette : concerts de musique classique
◆ Festival d'été international de Québec : la plus importante manifestation culturelle francophone des arts de la scène et de la rue en Amérique. Animations dans les rues et les parcs (début du mois)
◆ Festival mondial de folklore, à Drummondville (Cœur-du-Québec)
◆ Championnats internationaux de tennis, à Montréal (fin du mois)

AOÛT
◆ Innu Nikamu, au village amérindien de Maliotenam (Duplessis) : musique et chants traditionnels (1re sem.)
◆ Les Francofolies de Montréal, cousines québécoises des françaises de La Rochelle (début du mois)
◆ Les Médiévales de Québec (2e sem.)
◆ Festival de montgolfières, à Saint-Jean-sur-Richelieu (Montérégie) (2e sem.)
◆ Festival des films du monde, à Montréal (de fin août à début sept.)
◆ Concours de châteaux de sable, à Havre-Aubert (Îles-de-la-Madeleine)

SEPTEMBRE
◆ Marathon de Montréal
◆ Festival western de Sainte-Tite (Cœur-du-Québec) : la plus grande attraction western de tout l'est du Canada (2e sem.)
◆ Carrefour mondial de l'accordéon, à Montmagny (Chaudière-Appalaches)
◆ Festival des couleurs, à Saint-Donat (Lanaudière)
◆ Flambée des couleurs, à Magog (Estrie)

OCTOBRE
◆ Festival de la Nouvelle Danse, à Montréal (début du mois)
◆ Festival du cinéma international en Abitibi-Témiscamingue ▲ *331*, à Rouyn-Noranda (fin oct.-début nov.)

DÉCEMBRE
◆ Noël au Jardin botanique de Montréal ▲ *196* (jusqu'à début jan.)

RENSEIGNEMENTS
On compte plusieurs centaines de festivals à travers le Québec.
Pour obtenir une liste complète :
Société des fêtes et festivals du Québec
4545, av. Pierre-de-Coubertin
CP 1000, succ. M, Montréal, H1V 3R2
Tél. : (514) 252-3037
Fax : (514) 254-1617

PLAISIRS DU PALAIS

PRINTEMPS
Les repas à la cabane à sucre permettent de goûter le sirop et la tire d'érable.
◆ Festival beauceron de l'érable à Saint-Georges (mi-mars)
◆ Festival de l'érable à Plessisville (fin avr.)

ÉTÉ ET AUTOMNE
Festival du homard (de juin à début juil.)
Tournée des vignobles, cueillette de fruits, tables champêtres, foires et festivals gastronomiques :
◆ Festival du vin des Laurentides, Saint-Sauveur-des-Monts (mi-juil.)
◆ Fêtes gourmandes internationales, Montréal (mi-août)
◆ Pommes en fête, Basses-Laurentides (août à oct.)
◆ Fête des Vendanges en Estrie (fin sept. à début oct.)

PARTIR D'EUROPE

Chaque semaine en haute saison 70 vols partent de France vers le Québec. La Suisse et la Belgique proposent également de nombreux vols directs.

COMPAGNIES AÉRIENNES

Trois grandes compagnies assurent des vols réguliers :

◆ Air Canada
Paris :
Tél. (1) 42 18 19 20
Lyon :
Tél. 78 42 43 17
Bruxelles :
Tél. (02) 513 91 50
Zurich :
Tél. (01) 211 07 77
Genève :
Tél. (22) 731 49 80

◆ Canadien International
Paris :
Tél. (1) 49 53 07 07
Bruxelles :
Tél. (02) 511 59 37
Zurich :
Tél. (01) 211 37 94 ; (01) 212 11 41

◆ Air France
Paris :
Tél. (1) 44 08 22 24 ; (1) 44 08 22 22 (Minitel 3615/16, AF)
Bruxelles :
Tél. (02) 220 08 00
Zurich :
Tél. (01) 211 13 77

CHARTERS
Une dizaine de transporteurs offrent des charters depuis la France, la Belgique et la Suisse : Air Alliance, Air Canada, Air Club, Air Liberté, Air Transat, Canada 3000, Corsair, Inter Canadien et Royal Air. Le nombre et la fréquence des vols varient selon les saisons et les transporteurs. Renseignez-vous auprès des agences de voyages.

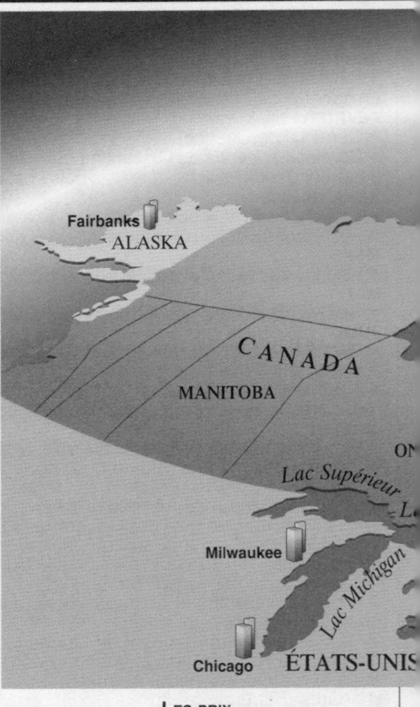

LES PRIX

Ils varient selon la saison et la compagnie. En haute saison, compter environ 4 650 FF (rég.) et 3 500 FF (charter) ; en basse saison, env. 3 500 FF (rég.) et env. 2 200 FF (charter). On peut profiter de réductions très intéressantes à certaines périodes de l'année, ou se procurer un billet «ouvert», dont la date de retour n'est pas fixée au départ. Ce billet est valable pour une période allant de six mois à un an.

ARRIVER AU QUÉBEC

AÉROPORTS
Aux aéroports de Mirabel (Montréal) et de Québec arrivent les vols internationaux, alors que celui de Dorval (Montréal) dessert les destinations nord-américaines.

REJOINDRE MONTRÉAL
De Mirabel, plusieurs moyens de transport vous mèneront au centre-ville, situé à une cinquantaine de kilomètres.
◆ Autobus : chaque demi-heure (de 12 h à 20 h), 14,50 $, tél. (514) 934-1222.
◆ Limousine : env. 72 $, minibus pour groupe env. 130 $, tél. (514) 333-5466.
◆ Taxi : env. 60 $
◆ Voiture : Avis, Budget, Hertz, Tilden et Thrifty ont un comptoir de location à Mirabel.

REJOINDRE QUÉBEC
L'aéroport Jean-Lesage est situé à une vingtaine de kilomètres du centre-ville.
◆ Navette : horaire variable selon la saison, 8,50 $, tél. (418) 649-9226.
◆ Limousine : env. 92 $, tél. (418) 628-3386.
◆ Taxi : env. 25 $.
◆ Voiture : Budget, Thrifty, Hertz et Tilden ont un comptoir de location à l'aéroport.

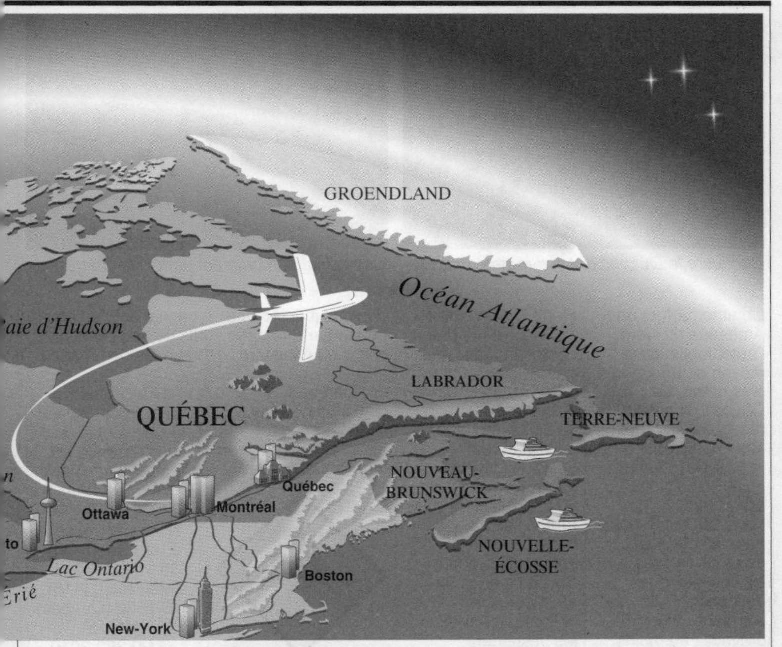

Partir des États-Unis ou du Canada

On vient de partout au Québec, que ce soit de Boston, de New York, de Vancouver ou de Toronto. Tous les moyens de transport sont envisageables.

En avion

Les compagnies aériennes Air Canada, American Airlines, Canadien International, Delta, First Air, Northwest Airlines, United Airlines et US Air offrent plusieurs vols par semaine vers le Québec.

En train

Les compagnies ferroviaires Via Rail (canadienne) et Amtrak (américaine) relient le Québec au reste du Canada et aux États-Unis.

En autocar

Voyageur (Canada) et Greyhound (États-Unis), sont les principales compagnies qui couvrent le réseau.

N B : Les gares routières et ferroviaires sont situées au centre de Montréal.

En bateau

On peut aussi arriver au Québec en partant des Grands Lacs et en empruntant la voie maritime du fleuve Saint-Laurent ou en franchissant le lac Champlain (à cheval sur les États de New York et du Vermont) ; vous pourrez rejoindre ensuite la rivière Richelieu puis le fleuve Saint-Laurent à bord d'un voilier ou d'un yacht. En venant du lac Champlain, l'arrêt au poste douanier de Lacolle est obligatoire.

Distance (en km) entre Montréal et ...

Boston :	491
Toronto :	546
New York :	608
Chicago :	1 365
Vancouver :	4 473
Los Angeles :	4 554
Londres :	6 022
Paris :	6 363
Amsterdam :	6 338
Bruxelles :	6 393
Madrid :	6 399
Zurich :	6 904
Berlin :	6 924
Rome :	7 596
Tokyo :	11 979

Lignes intérieures (au dép. de Montréal)

Destinations	Cie	A/R	Vols
Québec	Air Alliance/Inter-Can.	378 $*	25
Alma	Air Alma	387 $**	2
Sept-Îles	Air Alliance/Inter-Can.	406 $**	8
Gaspé	Air Alliance/Inter-Can.	440 $**	3
Rouyn-Noranda	Air Alliance/Inter-Can.	457 $*	10
Cap-aux-Meules	Inter-Canadien	458 $**	4

* taxes incl., 3 j. à l'avance
**taxes incl., 14 j. à l'avance

Air Alliance : (514) 393-3333
Inter-Can. : 1 800 361-2965

Découvrir le Québec par ses routes rurales

Des animaux traversent parfois la chaussée.

EN VOITURE

Comme partout en Amérique du Nord, l'automobile est le moyen de transport le plus utilisé. Le Québec dispose d'un réseau routier fort étendu, excepté dans la Basse-Côte-Nord et le Grand Nord.

LOCATION
Un forfait avion-hôtel-auto acheté avant de partir est plus avantageux que de louer un véhicule sur place. Sinon, prévoyez au moins 50 $ par j. pour une première catégorie. Bons forfaits le week-end, au kilométrage souvent illimité. Âge min. de 21 ans et carte de crédit requise. Les principales compagnies (Avis, Budget, Discount, Hertz, Thrifty, Tilden, Via Route) ont des comptoirs dans les gares, les aéroports et les grandes villes.

SÉCURITÉ
La limitation de vitesse est de 100 km/h sur autoroute, de 70, 80 ou 90 km/h sur les routes secondaires et de 50 km/h en agglomération. Boucler sa ceinture de sécurité est obligatoire pour tous les passagers. N'oubliez pas de vous munir d'une bonne carte routière : celles du ministère des Transports du Québec sont disponibles dans les ATR ou les bureaux d'information touristique.

Prudence lorsque vous apercevez un panneau avec la silhouette d'un orignal ou d'un cerf ! Ils peuvent causer de réels dommages.

Au Québec, les autoroutes sont gratuites et le coût de l'essence est deux fois moins élevé qu'en France !

NUMÉROS UTILES :
État des routes
(514) 873-4121 (Montréal), (418) 643-6830 (Québec)
Météo
(514) 283-3010 (Montréal), (418) 648-7766 (Québec)
En cas d'accident
Sûreté du Québec : 1 800 461-2131

EN TRAIN

Quoique le réseau de chemin de fer soit assez limité au Québec, la Cie Via Rail en dessert la majeure partie.

GARES
Montréal : 895, rue La Gauchetière Ouest. Tél. (514) 871-1331. Québec : 450, rue de la Gare-du-Palais. Tél. (418) 524-4161

TARIFS
Des réductions sont prévues pour les étudiants et les aînés. Vous économiserez en achetant vos billets 7 j. à l'avance et en évitant de voyager les ven., dim. et jours fériés.

ASTUCIEUX
«Canrailpass» offre une balade d'un mois au Québec et au Canada, à partir de 610 $. Valable du 1er juin au 30 sept., il est moins cher en basse saison. Vendu dans les agences de voyages en Europe. Rens. : 1 800 361-5390 (9 h à 19 h)

TRAINS AU DÉPART DE MONTRÉAL

	Aller-retour*	Fréquence
Québec	98 $	4 par j.
Jonquière	130 $	1 par j.
Amos	219 $	3 par s.
Gaspé	264 $	1 par s.

* Taxes incl., classe économique

EN AUTOCAR

L'autocar (ou autobus) est plus populaire que le train et mène partout.

TERMINUS
Montréal : 505, bd. de Maisonneuve Est. Tél. (514) 842-2281 Québec : 320, rue Abraham-Martin. Tél. (418) 525-3000

TARIFS
Les étudiants et les personnes de plus de 65 ans bénéficient de réductions. Pour tous, le prix est plus intéressant si vous revenez le jour même. Des forfaits «Vacances d'un jour» sont offerts dans les grandes villes. Ils comprennent l'A/R et un laissez-passer pour une croisière ou une promenade en autocar.

FUTÉ
De mai à octobre, le «Tourpass» permet de voyager pendant 14 j. au Québec et en Ontario. Il coûte 200 $, et vous obtiendrez 6 j. supplémentaires en l'achetant en Europe.

AUTOBUS AU DÉPART DE MONTRÉAL

Destination	Aller simple*	Départs quot.
Saint-Jovite	19 $	2
Sherbrooke	22 $	10
Québec	35 $	18
Baie-Saint-Paul	50 $	3
Chicoutimi	58 $	5
Rouyn-Noranda	75 $	3
Gaspé	98 $	2

* Taxes incl. Le billet A/R est plus avantageux si vous ne partez pas un ven. et si vous revenez avant 10 jours.

Un traversier pour les Îles-de-la-Madeleine

Une compagnie aérienne régionale

PRINCIPAUX TRAVERSIERS

Annuel	Durée	Aller simple*	Tél.
Sorel—Saint-Ignace-de-Loyola	15 m	3 $ (v)** 2 $ (p)**	(514) 836-4600
Québec—Lévis	15 m	3 $ (v) 2 $ (p)	(418) 644-3704
Saint-Joseph-de-la-Rive—Ile-aux-Coudres	15 m	gratuit	(418) 438-2743
Baie-Sainte-Catherine—Tadoussac	8 m	gratuit	(418) 235-4395
Matane—Baie-Comeau/Matane—Godbout	2 h 30	25 $ (v) 10 $ (p)	(418) 562-2500
Saisonnier			
Trois-Pistoles—Les Escoumins (mai—oct.)	1 h 30	25 $ (v) 10 $ (p)	(418) 851-4676
Saint-Siméon—Rivière-du-Loup (avr.—jan.)	1 h 15	25 $ (v) 10 $ (p)	(418) 862-9545
Rivière-au-Renard—Havre-Saint-Pierre (juin à sep) avec arrêt à l'île d'Anticosti		112 $ (v) 68 $ (p) aller-retour	1 800 692-8002
Île-du-Prince-Édouard—Îles-de-la-Madeleine		180 $ aller-retour	(418) 986-6600 (avr. à jan.) (418) 986-3278 (juil.-août)
Carleton—Îles-de-la-Madeleine	14 h 30	125 $ (v) 60 $ (p)	(418) 364-6207

* Taxes incl., tarif min. ** (v) voiture (p) passager

En bateau

Îles-de-la-Madeleine
Le CTMA Voyageur, un fret accueillant 17 passagers, fait la navette chaque semaine depuis Montréal d'avr. à déc. Réservez en fév. pour juil.-août. Prix : env. 450 $ aller. Durée de la traversée : 2 jours. Tél. (514) 937-7656

Basse-Côte-Nord
Le Nordik Express part de Rimouski, fait escale à Sept-Îles, Port-Menier (Anticosti), Havre-Saint-Pierre avant d'accoster à Blanc-Sablon. Confort minimal mais ambiance assurée et cuisinier hors pair ! Env. 740 $ A/R. Relais Nordik 205, rue Léonidas Rimouski, G5L 2T5 Tél. (418) 723-8787

Le covoiturage (Allô-Stop)

Le temps de dire «Je pars pour Gaspé ! » et on vous assigne un conducteur. Très bon marché, c'est un moyen de transport convivial. La carte de membre coûte 6 $. Allô-Stop Montréal : 4317, rue Saint-Denis Tél. (514) 985-3032 Allô-Stop Québec : 467, rue Saint-Jean ou 2360, chemin Sainte-Foy Tél. (418) 522-0056 Autres bureaux à Baie-Comeau, Sept-Îles, Sherbrooke, Rimouski, Gaspé, Chicoutimi, Jonquière, La Baie, Hull, Ottawa, Toronto et Edmundston.

En avion

Plus coûteux, l'avion présente néanmoins l'avantage de traverser les longues distances du Québec plus rapidement. Air Alliance et Inter-Canadien sont les principales compagnies qui desservent le territoire ◆ *353*.

DISTANCES

	Chicoutimi	Gaspé	Havre-Saint-Pierre	Hull	Montréal	Québec	Sept-Îles	Tadoussac
Gaspé	649*							
Havre-Saint-Pierre	764	738*						
Hull	662	1124	1318					
Montréal	464	930	1085	207				
Québec	211	700	871	451	253			
Sept-Îles	543	567*	222	1096	904	652		
Tadoussac	127	487*	653	688*	484*	215*	430	
Val-d'Or	747	1446	1435	429	531	771	1302	987*

* Avec le traversier

Le déneigement à Montréal

VOITURE

STATIONNEMENT

Pour éviter les contraventions, qui coûtent cher au Québec, ou pire, l'enlèvement de votre véhicule, respectez les panneaux qui indiquent les heures et les jours où il est permis de se garer. Les parcmètres se trouvent dans les artères commerciales des grandes villes. À Montréal, leur coût varie de 0,50 $ à 1,50 $ l'heure, selon le lieu. Les stationnements sont payants jusqu'à 21 h le jeu. et le ven., et gratuits le dim. Les centres-villes possèdent de nombreux parcs de stationnement qui appliquent des tarifs très variés.

CONDUITE EN HIVER

Avant de partir, faites chauffer la voiture, déneigez et dégivrez. Roulez lentement, ne freinez jamais brusquement et prévoyez le double de la distance d'arrêt habituelle. Méfiez-vous des plaques de «glace noire», peu visibles sur la chaussée. Enfin, en cas de pluie verglaçante, faites comme les Québécois, utilisez les transports en commun !

MÉTRO DE MONTRÉAL

65 stations sont réparties sur quatre lignes suivant des axes nord-sud et est-ouest. L'entrée du métro est repérable à une flèche blanche sur fond bleu pointée vers le bas.

HORAIRES

Sauf exception, ouvert de 5 h 30 à 0 h 30 du dim. au ven., de 5 h 30 à 1 h env. le sam.

TICKETS

Valables aussi pour l'autobus, les tickets sont vendus dans les stations de métro, les «tabagies» et les dépanneurs. 1,75 $ l'unité, 7,50 $ le carnet de 6 ; carte mensuelle à 43,50 $. La carte touristique (5 $ par j. ou 12 $ pour 3 j.) est vendue au Centre infotouriste, au kiosque d'information touristique ◆ *373* et dans certains hôtels.

CORRESPONDANCE

Pour passer du métro à l'autobus pendant un même trajet, retirer un ticket dans les distributeurs ou auprès du chauffeur d'autobus. Valable pendant 1 h 30.

ORIENTATION

En divisant leur ville d'est en ouest dans l'axe du boulevard Saint-Laurent, les Montréalais font fi de géographie ! Dos au fleuve, vous regardez selon eux vers le «nord», en fait vers le nord-ouest. Les rues sont numérotées à partir du fleuve vers le «nord». La numérotation des rues orintées «est-ouest» va croissant de part et d'autre du boulevard Saint-Laurent et se développe en symétrie.

TAXI

Le tarif de base à Montréal est de 2,20 $ (prix de départ) + 1 $/km. Les taxis sont plus rares à Québec, sauf aux environs des grands hôtels. Mieux vaut réserver par téléphone : (418) 525-5191, 525-8123, 522-2001. Ailleurs, le numéro de la compagnie locale est dans les Pages jaunes de l'annuaire.

AUTOBUS

MONTRÉAL

Le réseau permet d'aller partout dans l'île et même au-delà (Laval au nord et Longueuil au sud). Bien visibles, les arrêts sont situés au coin des rues. Attention : à défaut de ticket ou de correspondance, il faut disposer de la monnaie exacte pour prendre l'autobus. Information, horaires et trajets : (514) 288-6287, de 7 h à 20 h 30 (lun. au ven.), de 8 h 30 à 16 h 30 (week-ends et jours fériés).

QUÉBEC

Le passage des autobus y est moins fréquent qu'à Montréal. Le ticket avec monnaie exacte coûte 1,45 $ et le laissez-passer quotidien, 3,50 $. Ils sont vendus dans les «tabagies», les dépanneurs et les pharmacies. Le plan du réseau figure dans l'annuaire et dans les points de vente de tickets. Les bus circulent de 6 h à 0 h 30 (tous les jours). Informations au (418) 627-2511.

MONNAIE

DEVISE
Le dollar ($) canadien se divise en 100 cents. Les coupures sont de 2, 5, 10, 20, 50 et 100 dollars ; les pièces de 1, 5, 10 et 25 cents ainsi que de un dollar.
◆ Taux de change (le 4 juillet 1995) : 1 $ = 3,47 FF, 20 FB et 0,82 FS.

CHÈQUES DE VOYAGE
Ils sont honorés sur présentation du passeport dans les grands hôtels et certains restaurants. Si vous ne transitez pas par les États-Unis, il est préférable de vous procurer des chèques de voyage en dollars canadiens.

CARTES DE CRÉDIT
Les plus connues (Visa, MasterCard et American Express) sont acceptées partout.

BANQUES
Les banques ouvrent leurs portes de 10 h à 15 h du lun. au mer. et jusqu'à 18 h ou 20 h les jeu. et ven.
◆ Guichets automatiques : les retraits en devises canadiennes sont possibles avec une carte de crédit (Visa plutôt que MasterCard) ou une carte de débit d'un réseau bancaire affilié aux réseaux internationaux Cirrus ou Plus. Commission fixe retenue à chaque retrait.
◆ Bureaux et comptoirs de change : vous en trouverez dans les aéroports et les établissements spécialisés situés dans les zones touristiques. Leurs frais sont moins élevés que ceux des banques. Il existe aussi des changeurs automatiques, notamment au Complexe Desjardins, à Montréal.
◆ Pourboires : surtout destinés aux chauffeurs de taxi, pompistes, serveurs, portiers d'hôtel et coiffeurs, ils sont à votre discrétion.

ACHATS

MAGASINS
Heures d'ouverture : 10 h à 18 h du lun. au mer, 10 h à 21 h les jeu. et ven., 10 h à 17 h le sam. et de 12 h à 17 h le dim.

TAXES
La taxe fédérale sur les produits et services (TPS), de 7%, plus la taxe de vente du Québec (TVQ), de 6,5 %, s'appliquent sur la plupart des achats, y compris les repas. Attention : elles ne sont généralement pas comprises dans les prix affichés. Chaque touriste peut se faire rembourser certaines taxes (hébergement et achats tels que les souvenirs, les vêtements et les cadeaux). Conservez vos reçus et demandez la brochure «Remboursement de taxe aux visiteurs» aux douanes canadiennes.

POSTE

Les bureaux de Postes Canada (enseignes rouges) sont ouverts de 8 h à 17 h 45 du lun. au ven. Certains dépanneurs et pharmacies offrent des services postaux équivalents.

COURRIER
Les boîtes aux lettres rouges sont faciles à repérer dans les rues et les centres commerciaux. Tarif des lettres et cartes postales pour l'Europe : 0,88 $ + taxes = 1 $

TÉLÉCOPIES
On trouve des appareils publics dans certains dépanneurs et dans les pharmacies Jean Coutu. Tarif : env. 1 $ la page + le coût de l'interurbain, s'il y a lieu.

TÉLÉPHONE

APPELS LOCAUX
Ils sont gratuits depuis un téléphone privé et coûtent 0,25 $ depuis un téléphone public.

INTERURBAINS
Les tarifs varient selon la distance, l'heure et la durée. L'annuaire téléphonique donne l'indicatif des villes du Québec. La carte prépayée *Allô !*, qui permet d'appeler partout dans le monde, est vendue dans les bureaux d'information touristique et les Téléboutiques Bell. Retenez que l'appel des numéros commençant par 1 800 n'occasionne aucuns frais.

APPELS INTERNATIONAUX
Du Québec, faire le 011 + 33 (France), 011 + 32 (Belgique), 011 + 41 (Suisse) + indicatif régional + numéro de l'abonné. Ici encore, les tarifs sont fonction de la distance, de l'heure et de la durée de l'appel.
Ex. Montréal – Paris, 1re min : 1,28 $ (9 h à 13 h) et 0,96 $ (18 h à 9 h).

LES DÉPANNEURS

Très répandus au Québec, ces magasins d'alimentation sont ouverts tard le soir (certains 24 h sur 24) et 7 j. sur 7. Si les prix sont ici plus élevés que dans les épiceries, il permettent d'acheter des cigarettes, de la bière, un choix limité de vins et une foule d'autres articles (magazines, journaux, billets de loterie, accessoires de toilette, fleurs, pâtisseries maison et autres plats cuisinés...). La loi leur interdit cependant de vendre des boissons alcoolisées après 23 h.

Si vous venez au Québec pour parcourir les grands espaces et vous enivrer d'air pur, n'oubliez pas pour autant de reprendre des forces ! Que vous optiez pour la table de tradition ou pour le fast-food, que vous préfériez le charme d'une auberge douillette à celui d'une tente en plein air, il n'y a au Québec qu'une constante : un accueil sympathique !

RESTAURATION

GASTRONOMIE LOCALE
Les spécialités traditionnelles sont plutôt roboratives, et permettent d'affronter la froidure du long hiver ! Soupe aux pois ou aux gourganes (fèves), tourtière (tourte à la viande), cretons (rillettes québécoises), fèves au lard, ragoût, gibelotte (sorte de bouillabaisse), cipaille ● *98*, tartes au sucre, aux bleuets, à la ferlouche (raisins secs et mélasse) sont autant de recettes à découvrir.

CURIOSITÉS LOCALES
Certaines vous étonneront, telles la poutine (frites arrosées d'une sauce brune et de fromage frais) et la guédille (pain à hot dog farci de garnitures variées, propre à la région de Québec).

LES REPAS
Au Québec, on déjeune le matin, on dîne le midi et on soupe tôt le soir, à partir de 17 h 30. Le dimanche, certains préfèrent «bruncher». D'inspiration française, la cuisine québécoise a subi

l'influence anglo-saxonne et les chefs innovent en s'inspirant des produits locaux. Montréal, Québec et les zones de villégiature sont réputées pour leur bonne chère, alors qu'ailleurs, on sert une cuisine plus familiale. Le *Guide Debeur* (éd. Thierry Debeur) et le *Répertoire des bonnes tables au Québec* – réédité annuellement et distribué gratuitement dans les succursales de la Société des alcools du Québec – vous orienteront dans vos choix.

POURBOIRE
Au restaurant, le service est rarement compris dans l'addition. Il faut ajouter 15 % du total, taxes en sus.

À LA CAMPAGNE
◆ Des repas élaborés avec des produits de ferme sont servis dans des maisons de campagne. Ces tables champêtres s'adressant à des groupes (6 à 20 pers.), il est nécessaire de réserver. Informations dans le guide *Gîtes du passant au Québec* (éd. Ulysse).
◆ Les «parties de sucre» ● *82* ont lieu au printemps dans les cabanes à sucre. Vous y goûterez le jambon à l'érable, les oreilles de crisse, les œufs au sirop et la fameuse tire sur la neige.

POUR ARROSER LE TOUT
Les boissons alcoolisées se vendent surtout dans les succursales de la Société des alcools du Québec (SAQ) et dans les Maisons des vins.
◆ Les grands brasseurs de bière Labatt et Molson-O'Keefe sont concurrencés par un nombre croissant de brasseries artisanales. Certains bars produisent aussi leur propre bière. Les bars et restaurants offrent une pression, appelée bière en fût, ou *draft*.
◆ La SAQ vend une liqueur de mûre des marais appelée Chicoutai, alors qu'on trouve de l'hydromel et du cidre de pommes chez des producteurs indépendants. Une quinzaine de vignobles en Estrie proposent des visites guidées accompagnées de dégustations. Rens. au près de l'ATR.

APPORTEZ VOTRE VIN
Le vin se vend très cher au restaurant et certains établissements ne détiennent pas le permis pour en vendre. Il existe heureusement un usage propre au Québec qui consiste à apporter sa propre bouteille, achetée à meilleur compte à la Société des alcools. Cette formule, répandue dans les grandes villes, correspond à des restaurants à prix moyens.

Hébergement

Hôtels
Il en existe de toutes catégories, pour tous les budgets.
À Montréal, l'Association des petits et moyens hôtels peut vous suggérer quelques bonnes adresses : Tél. (514) 597-0166 Fax (514) 597-0496.

Motels
Typiquement américains, pratiques et meilleur marché que les hôtels, ces établissements se trouvent au bord des routes et en périphérie des grandes villes.

Auberges
Bien qu'il désigne en principe un petit hôtel, le mot auberge s'applique parfois à des établissements de plus de 100 chambres.
Les plus agréables sont des maisons de campagne qui servent une cuisine raffinée. Réservation obligatoire. Un guide des *Auberges et relais de campagne du Québec* (éd. Les Guides du Jour) est mis à jour chaque année.
◆ Les auberges du réseau «Hôtellerie champêtre» s'adressent aux amateurs de villégiature et proposent, dans un décor de rêve, des forfaits d'activités pour les quatre saisons (golf, tennis, équitation, ski, motoneige, etc.). 455, rue Saint-Antoine Ouest, bureau 114, Montréal, H2Z 1J1 Tél. (514) 861-4024 Fax (514) 861-4032.
◆ Les auberges les plus chics appartiennent à des réseaux internationaux et se distinguent par leur confort et la qualité de leur table. Il est possible de réserver depuis la France dans les auberges du réseau «Relais du silence» : Tél. (1) 45 66 77 77 Fax(1) 40 65 90 09.
Les auberges Hatley à North Hatley, La Pinsonnière dans Charlevoix, L'Eau à la bouche à Sainte-Adèle-des-Monts et Les Trois Tilleuls à Saint-Marc-sur-le-Richelieu appartiennent au réseau «Relais et Châteaux».
◆ Les «Relais de santé» procurent activités de détente et soins du corps. Leurs prix (125 $ à 310 $ par pers.) varient selon les services retenus. Rens. : Association des relais de santé du Québec : Tél. (514) 224-8419.
◆ Pour qui recherche l'intimité chaleureuse d'une maison privée, à la ville ou à la campagne, les gîtes du passant représentent la formule parfaite. L'affiliation à la Fédération des agricotours du Québec est un label de qualité. Attention : tous n'acceptent pas les cartes de crédit. Le guide des *Gîtes du passant au Québec* (éd. Ulysse) réunit auberges du passant, gîtes à la ferme, maisons de campagne, promenades à la ferme et tables champêtres.

PRIX MOYEN POUR DEUX PETIT-DEJEUNER COMPRIS.	
Hôtel bonne cat.	180 $
Chaîne hôtelière	100 $
Motel	75 $
Auberge de charme	200 $
Gîte du passant	45 $

Auberges de jeunesse
Le Québec en compte 18. Pas de limite d'âge. De 12 à 18 $ par pers.
Rens. : Fédération québécoise de tourisme jeunesse, 4545, av . Pierre-de-Coubertin, CP 1000, succ. M, Montréal, H1V 3R2
Tél. (514) 252-3117.

Formule loisirs
◆ Les adeptes de nature et de sports fréquentent les bases de plein air et les centres de vacances. Toute la famille peut y pratiquer une foule d'activités (voile, canotage, équitation, ski, patinage, etc.). Animation et équipements sur place. Les plus courus : Pohénégamook Santé Plein Air, Centre Nouvel-Air Matawinie, Davignon et Jouvence. À partir de 65 $ par j.

Camping
◆ Le Québec offre plus de 800 terrains réunissant 72 000 emplacements. Si certains sont situés près des villes, les plus intéressants se trouvent dans les parcs et les réserves fauniques. Là encore, le confort nord-américain prévaut : douches, électricité, laverie, dépanneur, installations sportives. De 15 à 27 $ par j.
Fédération québécoise de camping-caravaning Tél. (514) 252-3003
Camping Québec Tél. (514) 651-7396, Publient le guide annuel *Camping-Caravaning.*
◆ Le camping rustique se pratique dans une douzaine de parcs québécois et nationaux.
Mais pas question de piquer sa tente n'importe où en pleine nature : des refuges, plates-formes et espaces sauvages sont prévus à cette fin. De 0 à 20 $ par j. Réservations recommandées.
Parcs québécois : min. de l'Env. et de la Faune
Tél. (418) 643-3127.
Parcs nationaux : Parcs Canada
Tél. (418) 648-4177.

Le château Frontenac de Québec

Le Centre-Ville de Montréal

Difficile d'imaginer deux villes aussi différentes que Québec et Montréal ! La capitale ne se résume pas à ses seuls monuments, sites historiques et fleuve colossal ; elle est aussi peuplée de joyeux lurons, avides de culture, de divertissements et de bombances... à ébranler ses remparts. Quant à la métropole, son cosmopolitisme confère aux rues, aux parcs et aux restaurants un cachet sans pareil ; cette ville a du cœur, du caractère, on y vit bien et de toutes les façons.

Sortir

Musique, cinéma, littérature, théâtre, danse, expositions... Pour tout savoir, consulter *La Presse* (Montréal), *Le Soleil* (Québec) ou *Voir* (éditions de Montréal et de Québec), l'hebdomadaire culturel disponible gratuitement dans les cafés, restaurants, bars et autres commerces. À Montréal, réservez vos spectacles par téléphone avec votre carte de crédit :
◆ Réseau Admission : Tél. 790-1245
◆ Place des Arts : Tél. 842-2112

À lire

Guide du Montréal ethnique, Barry Lazar et Tamsin Douglas, XYZ éditeur, Montréal, 1993 (45 communautés culturelles, restaurants, musique, galeries...).

Flâneries et emplettes à Québec

◆ La Grande-Allée : architecture victorienne, restaurants, bars et cafés-terrasses de toutes catégories installés dans des maisons patrimoniales.
◆ Rue du Trésor (face au Château Frontenac) : un tout petit bout de rue où des artistes locaux proposent aquarelles et dessins.
◆ Quartier du Petit-Champlain : boutiques de produits locaux et d'artisanat.
◆ Rues Saint-Paul et Sault-au-Matelot : antiquités, brocante, galeries d'art, restaurants et cafés sympas.
◆ Galerie Les Trois Colombes
46, rue Saint-Louis
Art traditionnel, moderne et inuit.
◆ Le Magasin général
1196, rue Saint-Jean
Vieilles affiches, objets rétro.
◆ Peau sur peau
85, Petit-Champlain
Manteaux chauds, accessoires en peau de mouton.

Promenades insolites dans Québec

Dans la ville
◆ L'été, louer une mobylette pour découvrir la ville de bas en haut, et sans s'essouffler.
Tél. 692-3660 ou 692-5208
◆ L'hiver, glisser sur la neige ou patiner sur la glace au cœur de la ville (glissades et patinoire de la Terrasse, attenantes au Château Frontenac).

Sur le fleuve
◆ Choix de croisières, Tél. 648-9696 ou 692-1159
◆ Promenades en bateau-mouche, Tél. 692-4949

Hôtels et restaurants

Vous trouverez dans le carnet d'adresses ◆ *373* tous nos coups de cœur en matière d'hébergement et de restauration.

Rappel

Les indicatifs des numéros de téléphone donnés dans ces pages sont pour
Montréal : 514
Québec : 418

Vie nocturne à Québec

Décibels, amplis et sauteries
◆ La Fourmi atomik
33, rue D'Auteuil
Tél. 694-1473
Oui, même Québec la sage a sa faune alterno, hard, etc.
◆ Le Maurice
575, av. Grande-Allée Est
Tél. 640-0711
La disco branchée où le beau monde joue des coudes.

Rencontres, chansons et libations
◆ Chez Son Père
24, rue Saint-Stanislas
Tél. 692-5308
Une des dernières boîtes à chansons authentiques.
◆ Le Fou Bar
525, rue Saint-Jean
Tél. 522-1987
La bohème et les gens de théâtre s'y réunissent.

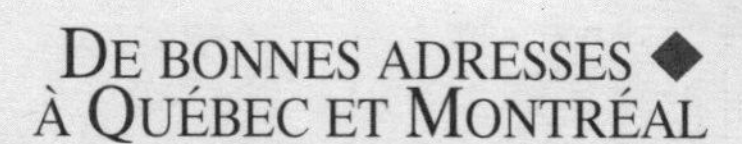

De bonnes adresses ◆ à Québec et Montréal

Les bars de Montréal

Les incontournables

◆ Le Grand Prix
Hôtel Ritz-Carlton
1228, rue Sherbrooke Ouest
Tél. 842-4212
Très chic. Les plus grandes personnalités y sont descendues. Fermé le dim.

◆ Les Bobards
4328, bd. Saint-Laurent
Tél. 987-1174
Ambiance conviviale et tout à fait décontractée.

◆ Sir Winston Churchill Pub
1459, rue Crescent
Tél. 288-0616
Ambiance britannique. Un classique depuis 25 ans. Terrasse, bar, resto, disco...

Billards

Plusieurs bars ont leur table. Ceux-ci en font une spécialité :

◆ Le Swimming
3643, bd Saint-Laurent
Tél. 282-7665

◆ Bacci
4205, rue Saint-Denis
Tél. 844-3929
3553, bd Saint-Laurent
Tél. 287-9331

◆ Le Sherlock's
1010, rue Sainte-Catherine Ouest
Tél. 878-0088

Jazz and blues

◆ Berri Blues
1170, rue Saint-Denis
Tél. 287-1241
Ouvert jeu., ven., sam.

◆ Chez Biddles
2060, rue Aylmer
Tél. 842-8656

Le sport à Montréal

Patins à roulettes

Rollerblades (roues alignées) dans le Vieux-Port. Environ 15 $ pour 2 h.

◆ 117, rue de la Commune
Tél. 849-4020

Patins à glace

Toute l'année à l'Amphithéâtre Bell. Environ 10 $ (location de patins comprise).

◆ Amphithéâtre Bell
1000, rue de La Gauchetière Ouest
Tél. 395-0555

Vélos

Plan gratuit des 280 km de voies cyclables et location de vélo au Centre infotouriste ◆ *373*. Environ 25 $ par jour. Guide *Pédaler - Montréal et les environs* disponible à la Maison des cyclistes ◆ *370*.

Rafting

De mai à octobre, rafting à quelques minutes du centre-ville dans les rapides de Lachine. Service de navette gratuit au Centre infotouriste. Environ 34 $.

◆ Les Descentes du Saint-Laurent
8912, bd La Salle
La Salle
Tél. 767-2230

Pique-nique sur le mont Royal

Achetez saucissons et pâtés à La Queue de cochon (1328, av. Laurier Est), pain aux olives, au fromage ou au pesto chez Le Fromentier (1375, av Laurier Est) et fruits, légumes, miel et sirop d'érable au marché Jean-Talon (au sud de Jean-Talon entre Henri-Julien et Casgrain).

«Magasinage» à Montréal

Si vous «magasinez» rues Saint-Denis, Saint-Laurent, Laurier, Mont-Royal, Sainte-Catherine, Sherbrooke et Crescent, vous êtes sûr de trouver tout ce dont vous avez envie.

Papier

◆ L'Essence du papier
4160, rue Saint-Denis
Papier Saint-Gilles (100 % coton) fabriqué à Saint-Joseph-de-la-Rive.

Fourrure

◆ Les ateliers se trouvent dans le quartier de la fourrure, délimité par les rues de Bleury, Sainte-Catherine Ouest, City Councillors et Maisonneuve Ouest.

◆ Similitude
825, av. du Mont-Royal Est
Pour de l'imitation qui trompera tout le monde.

Look coureur de bois ou aventurier

◆ Le Baron
8601, bd Saint-Laurent

◆ Azimut
1781, rue Saint-Denis et autres succursales.

Far West

Pour certains, les «Boulet» sont à la botte western ce que «Levis» est au jean. Fabriquées à la main à Saint-Tite, elles sont populaires même au Texas.

◆ Top-Western
4314, rue Saint-Denis

◆ Marie Modes
469, rue Sainte-Catherine Ouest

◆ Steps
6634, rue Saint-Hubert

Griffes québécoises

◆ Revenge
3852, rue Saint-Denis

Friperies

Plusieurs boutiques sur l'avenue du Mont-Royal, à l'ouest de Saint-Denis, ressuscitent la mode des années 60 et 70.

◆ Chez Rio
3459, rue Saint-Denis

Brocante

Antiquités québécoises et européennes rue Notre-Dame Ouest (entre Guy et Atwater), le chic du chic rue Sherbrooke Ouest, les années 50 rue Duluth et tous styles confondus rue Amherst !

Grands magasins

◆ Eaton
677, rue Sainte-Catherine Ouest
Pour son restaurant Arts déco, Le 9e.

◆ La Baie
585, rue Sainte-Catherine Ouest
Pour ses couvertures et ses manteaux aux couleurs de la Compagnie de la baie d'Hudson.

◆ Ogilvy
1307, rue Sainte-Catherine Ouest
Pour la mode à l'anglaise.

◆ Holt Renfrew
1300, rue Sherbrooke Ouest
Pour ses griffes.

Oiseaux de nuit de Montréal

◆ Angels Pub
3604, bd Saint-Laurent
Tél. 282-9944
Clientèle jeune et branchée. House, funky, acid hip-hop.

◆ Di Salvio
3519, bd Saint-Laurent
Tél. 845-4337
Mode et snob. Soirées funky hop, R & B, underground house.

◆ Le Balattou
4372, rue Saint-Laurent
Tél. 845-5447
L'Afrique, les Antilles, l'Amérique latine... Les nuits chaudes de Montréal.

◆ Le K.O.X.
1450, rue Sainte-Catherine Est
Tél. 523-0064
Discothèque gay, mais tous les genres s'y côtoient.

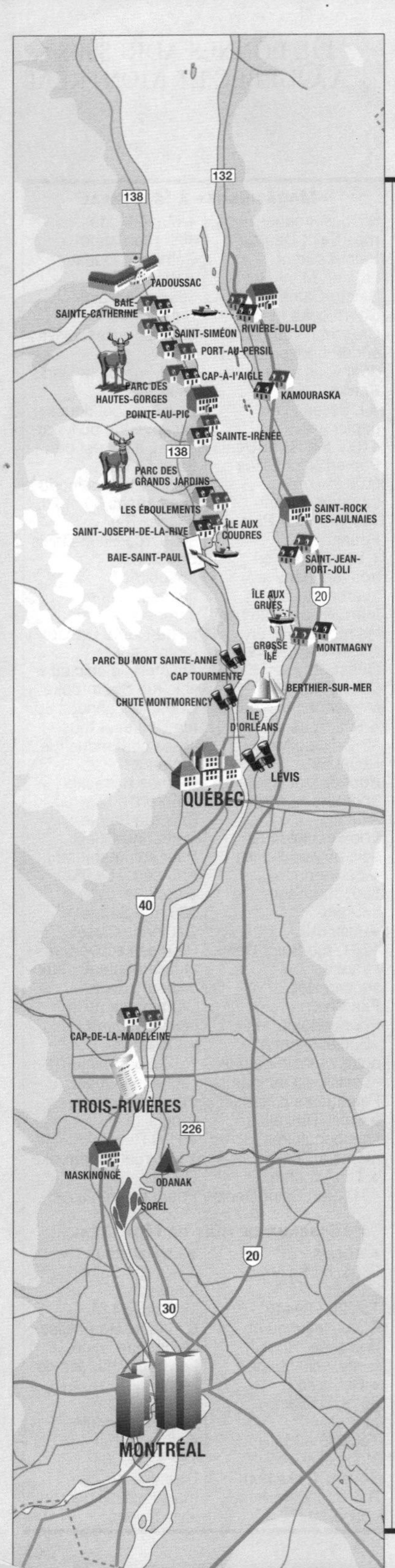

◆ Un chassé-croisé d'une semaine autour du Saint-Laurent

Le Saint-Laurent constitue l'artère vitale du Québec. Impossible de connaître cette terre de contrastes sans longer son fleuve imposant et majestueux. Aussi, si vous avez une semaine, n'hésitez pas à parcourir ses rives. Ce circuit allie nature et culture et compte certaines des meilleures tables du Québec !

Jour 1

Quittez Montréal (aut. 40 Est) et empruntez le Chemin du Roy (rte 138 Est) ▲ *248*, la première voie carrossable au Québec. Ouvrez l'œil pour repérer les anciennes seigneuries. À Maskinongé ▲ *248*, au printemps, vous apercevrez des milliers d'oiseaux en migration. Traversez Trois-Rivières ▲ *238*, capitale mondiale du papier journal, puis Cap-de-la-Madeleine ▲ *249*, avec son sanctuaire renommé. Vous aborderez Québec ▲ *251* à temps pour apprécier la cuisine méditerranéenne de Hao Bella (575, av. Grande-Allée Est, 522-2544) et goûter le charme romantique de la ville, avant d'aller dormir dans un ancien entrepôt maritime : Auberge Saint-Antoine, 10, rue Saint-Antoine, 692-2211 (148 $ à 339 $).

Jour 2

De Québec, franchissez le pont qui mène à l'île d'Orléans (rte 138 Est) ▲ *276*, si chère à Félix Leclerc. Prenez le petit déjeuner à l'Auberge La Goéliche (22, av. du Quai, 828-2248) avant d'en faire le tour (rte 368) – à vélo si vous êtes sportif – pour contempler ses vues et peut-être cueillir des fraises (828-9411). Reprenez le Chemin du Roy jusqu'à la chute Montmorency, plus haute que celles du Niagara. L'ascension en téléphérique vous ouvre un horizon où ciel et fleuve se confondent. Déjeunez au Manoir (663-3330), juché au sommet. Faites ensuite une excursion au cap Tourmente ▲ *282* ou contemplez le panorama d'une télécabine au parc du Mont-Sainte-Anne. Bientôt, la route tout en montées et descentes rejoint le Charlevoix ▲ *280*, où montagne et presque mer composent un décor chaotique. À Baie-Saint-Paul, désaltérez-vous à une terrasse avant de visiter galeries et centres d'art. Dînez à La Maison Otis (23, rue Saint-Jean-Baptiste, 435-2255), puis dormez à l'Auberge Le Cormoran (196, rue Sainte-Anne, 435-6030, 55 $ à 100 $).

Notes

◆ Durée : 7 jours
◆ Distance : 1 222 km (excursions non comprises)

◆ La terminologie utilisée pour les repas est la française (petit déjeuner, déjeuner, dîner).

◆ Les prix de l'hébergement pour 2 personnes incluent le petit déjeuner, parfois le dîner.

◆ L'indicatif de tous les numéros de téléphone est le 418.

Paysage rural au cap Tourmente

Saint-Fidèle, dans Charlevoix

Jours 3 et 4

Charlevoix invite à pratiquer une foule d'activités et à fureter dans ses villages, dont Saint-Joseph-de-la-Rive, joli hameau en contrebas de la route. Procurez-vous du papier de luxe (Papeterie Saint-Gilles, 304, rue F.-A.-Savard) ou des figurines (Santons de Charlevoix, en face), puis prenez le traversier pour l'île aux Coudres ▲ *281*. Parcourez en vélo cet îlot de quiétude (26 km) où se succèdent goélettes, vieux moulins et boutiques de tissage artisanal. Dégustez la cuisine locale au restaurant À la nage ! (744, chemin des Coudriers, 438-2136). Remontez aux Éboulements ▲ *284* et prenez le thé au Surouêt (rue Principale). Dînez à La Pinsonnière, où vous dormirez (124, rue Saint-Raphaël, Cap-à-l'Aigle, 665-4431, 200 $ à 375 $) avant d'aller tenter votre chance au casino de Pointe-au-Pic (665-5353).

Jour 5

Le matin, retournez à Pointe-au-Pic ▲ *284* , au musée de Charlevoix (4 $). Sa rotonde offre de beaux points de vue sur le fleuve. Déjeunez dans le décor suranné du Manoir Richelieu (181, av. Richelieu, 665-3703), entouré de splendides villas, puis faites halte à Port-au-Persil, célébré par les artistes. Dirigez-vous vers Baie-Sainte-Catherine, pour admirer le fjord du Saguenay et les baleines. Un traversier permet de rejoindre Tadoussac ▲ *328*. Promenez-vous dans ses dunes et ses sentiers, visitez sa vieille chapelle, achetez des objets d'art autochtones (Boutique Nima, 231, rue des Pionniers) et profitez du buffet de la terrasse du Bateau (746, rue des Forgerons, 235-4427). Dormez à l'hôtel Tadoussac (165, rue du Bord-de-l'Eau, 235-4421, 200 $ à 260 $), qui surplombe le fleuve.

Jour 6

La route 138 Ouest vous ramène à Saint-Siméon où vous emprunterez le traversier vers Rivière-du-Loup ▲ *292*. En suivant le fleuve (rte 132 Ouest), vous parviendrez au ravissant village de Kamouraska ▲ *291*. À Saint-Roch-des-Aulnaies, visitez l'ancienne seigneurie (4 $). Laissez-vous tenter par une sculpture sur bois à Saint-Jean-Port-Joli ▲ *289* et par les spécialités culinaires régionales de La Coureuse des Grèves (300, rte 204, 598-9111). À Berthier-sur-Mer, embarquez-vous pour une croisière sur le Saint-Laurent, puis, à Montmagny ▲ *288*, empruntez le traversier vers l'Isle-aux-Grues ▲ *289* pour visiter ce paisible domaine fluvial et y passer la nuit (Auberge des Dunes, rue Principale, 248-0129, 90 $).

Jour 7

Reprenez le traversier vers Montmagny puis la route vers Montréal (132 Ouest). De la terrasse de Lévis ▲ *274* (rue Côte-du-Passage, puis à gauche rue William-Tremblay), offrez-vous une image inoubliable de Québec. À Pierreville, faites une excursion à la réserve abénaquise d'Odanak (rte 226) ▲ *245* avant de poursuivre jusqu'à Sorel ▲ *204*, le royaume de la gibelotte ◆ *358*, puis rentrez à Montréal (aut. 30 Ouest puis 20 Ouest).

Coup de cœur

Frissonner dans l'air salin et soudain apercevoir une famille de rorquals cabriolant et soufflant l'eau ! Baie-Sainte-Catherine, 30 $, env. 3 h, réservations : 237-4274, 827-5711 ou 1 800 463-5250

Les musts

◆ Admirer la faune et la flore au parc des Grands-Jardins, rte 381.
◆ Voguer en bateau-mouche entre les falaises escarpées du parc des Hautes-Gorges-de-la-Rivière-Malbaie, *via* rte 138, 1 h 30, 18 $, 665-7527.
◆ Bruncher en musique le dimanche au Domaine Forget, 398, chemin Les Bains, Saint-Irénée, 21 $, 452-3535.
◆ Jouer au golf au Manoir Richelieu 19, rte 362, Pointe-au-Pic, 50 $, 665-3703.
◆ Visiter un cratère impressionnant, 2 h en car, Baie-Saint-Paul, 15 $, 435-6275.
◆ Partir de Baie-Sainte-Catherine ou Tadoussac en croisière dans le fjord du Saguenay, 40 $ (repas incl.), 4 h 30, réservations : 237-4274.
◆ Revivre l'accueil fait jadis aux immigrants au Lieu historique national de la Grosse-Île 30 $ à 60 $, réservations : Berthier-sur-Mer 563-4009 ou Montmagny 248-2818.

Dès l'annonce de la première chute de neige, bon nombre de Québécois tempêtent, grognent et rêvent de déménager sous les palmiers. Si certains migrent vers la Floride dès le mois d'octobre, la plupart restent très attachés à l'hiver. Ils s'émeuvent encore devant les premiers flocons et n'hésitent pas à quitter le confort de leur maison pour apprivoiser les rigueurs de l'hiver dans le cadre de nombreuses activités.

SKI ALPIN

Bien que de dimensions modestes, les montagnes québécoises offrent de bonnes pistes et attirent des skieurs de tous calibres. La saison s'étend de la mi-novembre à la mi-avril selon les régions. Plusieurs stations sont dotées d'un système d'éclairage pour skier en soirée. Le Québec compte une centaine de stations de ski, dont plusieurs à proximité des grandes villes (dans la région de Québec, en Estrie et dans les Laurentides).

STATIONS

Les plus importantes sont Mont-Tremblant (650 m), au nord de Montréal, et Mont-Sainte-Anne (625 m), à l'est de Québec. Autour des principaux centres se trouvent de nombreux hôtels et des auberges proposant des forfaits intéressants avec accès aux pistes.

◆ Prix (billet de remontée) : environ 35 $ par jour. Certaines stations offrent aussi différents forfaits (demi-journée, à l'heure...). Location d'équipement dans la plupart des stations.

EN VILLE

Patinage, ski de randonnée et toboggan peuvent se pratiquer en plein centre-ville.

◆ Renseignements : Office du tourisme de Montréal et de Québec ◆ *373.*

LES GRANDS PARCS

Plusieurs parcs et réserves fauniques restent accessibles en hiver et ouvrent leurs sentiers aux skieurs de randonnée et aux raquetteurs ◆ *372.*

RAQUETTES

Pour connaître les sentiers de randonnée pédestre ouverts aux raquetteurs, adressez-vous à la

◆ Fédération québécoise de la marche
Tél. (514) 252-3157
Fax (514) 254-1363

EXCURSIONS ENCADRÉES

Pour les coureurs de bois, excursion à la frontière du Grand Nord avec initiation au trappage avec les Algonquins. Possibilité de randonnées en motoneige et en traîneau à chiens.

◆ Prix : entre 110 $ et 210 $ par jour.

◆ Renseignements :
Wawati
CP 118, Val-d'Or
J9P 4N9
Tél. (819) 824-7652
Fax (819) 824-7653

SKI DE RANDONNÉE

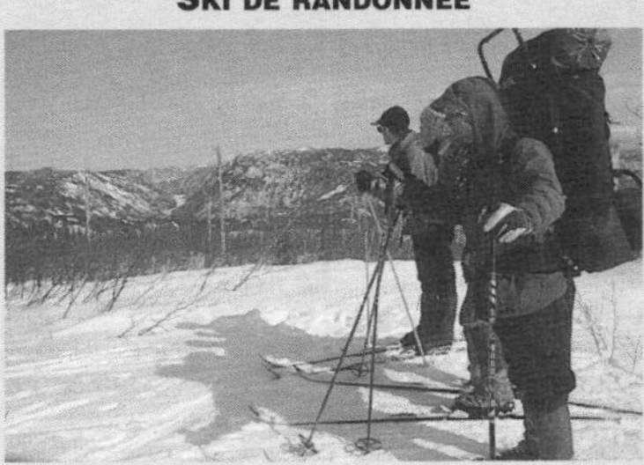

Plusieurs stations de ski alpin comportent des pistes de ski de randonnée. Mont-Sainte-Anne remporte la palme avec ses 235 km de pistes entretenues.

LES CENTRES

On compte une quarantaine de centres spécialisés. Pistes (longues ou courtes), sentiers pour le pas de patin, pistes en forêt ou à travers les champs.

◆ Prix : environ 10 $ par jour.

◆ Renseignements :
Association des centres de ski de fond
Tél. (514) 436-4051
Fédération québécoise de la marche
Tél. (514) 252-3157
Fax (514) 254-1363

RÉSEAU SKIWIPPI

Circuit de 35 km reliant différentes auberges près du lac Massawippi en Estrie. Confort et cuisine raffinée.

◆ Prix : pour 4 jours et 3 nuits, incluant les petits déjeuners et les dîners : environ 449 $; 7 jours et 6 nuits : env. 770 $.

◆ Renseignements :
Auberge Hatley
Tél. (819) 842-2451
Manoir Hovey
Tél. (819) 842-2421
Auberge Ripplecove
Tél. (819) 838-4296

SE METTRE EN TRAIN

Un sympathique sentier de ski de randonnée : celui du P'tit Train du Nord dans les Laurentides, entre Saint-Jérôme et Sainte-Agathe-des-Monts. Auberges et gîtes du passant à Prévost, Val-Morin et Val-David.

◆ Renseignements et réservations :
Tél. 1-800-561-6673.

MOTONEIGE

La motoneige est une invention québécoise ● *89*. C'est dire si sa pratique est répandue. Le territoire est ainsi sillonné de 30 000 km de pistes.

QUELQUES CONSEILS

◆ Monture fiable et fougueuse, la

motoneige peut réveiller chez certains individus une envie irrésistible de partir au galop. Même s'il n'y a aucune limite de vitesse, la Fédération québécoise des motoneigistes invite ses membres à ne pas dépasser 60 km/h. La conduite d'un tel engin est moins commode qu'il n'y paraît et la casse coûte cher. Si vous en êtes à votre première expérience, vous serez certainement fourbu à la fin de la journée. Aussi, respectez vos limites.

◆ Portez un vêtement de jogging plutôt qu'un jean sous la combinaison. Ayez aussi de bonnes chaussettes de laine.

RENSEIGNEMENTS

◆ Auprès des ATR ou à la Fédération québécoise des motoneigistes
Tél. (514) 252-3076
Fax (514) 254-2066

PRÉPARATIFS

Les agences de location demandent un permis de conduire (automobile ou moto) et une carte de crédit pour couvrir le dépôt de garantie (environ 500 $). Location à l'heure, à la journée et à la semaine. Le forfait de base (environ 140 $ par jour) comprend le permis de circuler sur les sentiers, l'essence, les assurances, la combinaison, les bottes, les gants et le casque. Des forfaits, à partir de 230 $ par jour, comprennent guide, repas, nuit en auberge ou en pourvoirie. Ne partez jamais seul mais en petits groupes et assurez-vous de bien connaître votre itinéraire.

LUXUEUX OU INTENSIF

Les personnes souhaitant effectuer une randonnée «grand luxe et gastronomie» dans Charlevoix ou rouler 300 km par jour jusqu'en Gaspésie contacteront :

◆ SM Sport
113, bd Valcartier
Loretteville G2A 2M4
Tél. (418) 842-2703
Fax (418) 842-9388

AVENTURE

Pour un séjour en motoneige, en raquettes et en traîneau à chiens dans la région de La Tuque, agrémenté d'une bonne cuisine et d'un séjour chez les Attikameks :

◆ Passeport Aventure
284, rang Sud-Est
La Tuque, G9X 3N6
Tél. (819) 523-7350
Fax (819) 523-8295

UN BIJOU POUR LE SKI DANS CHARLEVOIX

Le massif de la Petite-Rivière-Saint-François possède le plus haut dénivelé (770 m) à l'est des Rocheuses, avec, en prime, une vue splendide sur le fleuve.

◆ Renseignements :
Tél. (418) 632-5876
Fax (418) 632-5205

À LIRE

Québec plein air, guide d'activités – Hiver disponible en France et au Québec.

CAMPING D'HIVER

Jumelé au ski de randonnée et à la raquette, le camping d'hiver est exotique, amusant et... sans moustiques.

Les parcs de Forillon, de la Gaspésie, de La Mauricie, du Mont-Tremblant et la réserve faunique Saint-Maurice mettent à la disposition des intrépides sites de campement, toilettes sèches, foyers, bois et parfois refuges chauffés. Essentiel à votre confort, votre sac de couchage doit pouvoir vous protéger à -40 °C. Portez le moins de vêtements possible pour dormir, car la transpiration est votre pire ennemie. Des dessous en polypropylène et de bonnes chaussettes de laine suffisent. N'importe quelle tente peut être utilisée, à la condition toutefois d'être munie d'un double toit et d'un matelas de sol. Plantez votre tente à l'abri du vent, servez-vous de la neige comme isolant et apportez un bon réchaud.

TRAÎNEAU À CHIENS

L'attelage traditionnel se compose de 6 à 12 chiens (huskies sibériens, malamutes ou samoyèdes). Ces bêtes très douces peuvent parcourir de 30 à 60 km par jour à une vitesse de 10 km/h.

La conduite du traîneau exige certains efforts, spécialement dans les virages. On vous enseigne comment faire, mais vous pouvez aussi confier votre attelage aux soins du *musher* (maître-chiens).

◆ Renseignements : ATR ◆ *373*

ENVIRONS DE QUÉBEC

À 20 min de Québec, Aventure Nord-Bec propose des sorties d'une demi-journée. L'entreprise offre également des séjours plus longs avec hébergement dans un chalet-dortoir ou sous une tente chauffée au bois. À partir de 120 $ par jour.

◆ Aventure Nord-Bec
665, rue Saint-Aimé
Saint-Lambert
G0S 2W0
Tél. (418) 889-8001
Fax (418) 889-8307

MONTS VALIN

Dans le décor féerique des monts Valin (Saguenay), il est possible de faire des randonnées d'une ou deux journées ou d'une semaine. Environ 125 $ par jour avec repas typique de la région et nuit dans une cabane en rondins.

◆ Expéditions du Roy
6660, bd Martel
Saint-Honoré
G0V 1L0
Tél. (418) 673-3038

Camping d'hiver ◆ *364 aux Îles Manitounuk*

Husky sibérien

Grand Nord ne signifie pas pôle Nord. Dès juin, le soleil chauffe la toundra et une flore minuscule et abondante surgit du sol. C'est la saison du trekking et du canoë. La température varie entre 0° C la nuit et 20° C le jour. La moyenne étant de -23° C à Kuujjuak en janvier, les expéditions en traîneau, motoneige et ski ont plutôt lieu au printemps.

INFORMATIONS ET CARTES

Tourisme Québec, Direction des projets, Grand-Nord, 2, place Québec, Québec, G1R 2B5, tél. (418) 643-6820, 1-800-463-5009, fax : (418) 646-6439

PRÉPARATIFS

Un séjour dans le Grand Nord ne s'improvise pas. L'hébergement est limité et le séjour assez coûteux (de 2 000 $ à 5 000 $ pour 1 semaine).

AGENCES SPÉCIALISÉES

Elles offrent des forfaits intéressants incluant transport, gîte, repas, équipement.

◆ En France : Canadien National, France Raid, Jet Set, Scanditours, Terres d'aventure et autres. L'Office du tourisme du Québec à Paris ◆ *346* possède la liste de tous les voyagistes.

◆ Au Québec : Kilomètre Voyages, 8500, bd Henri-Bourassa, Charlesbourg, G1G 5X1 Tél. (418) 626-6300 Fax (418) 626-7475

TRANSPORT

EN VOITURE

Seules trois routes mènent vers le Grand Nord et aucune ne va au-delà du 55e parallèle.

◆ À l'ouest, la route de la baie James (la 109) relie Amos à Radisson ▲ *234*. Bureau d'accueil et d'information à Matagami. Tél. (819) 739 44 73 Ouvert 24 h/24

◆ La route du Nord relie le Lac-Saint-Jean à la Baie-James par Chibougamau. Route en gravier, très praticable.

◆ À l'est, la route 389 partiellement pavée mène jusqu'à Fermont et au Labrador.

EN AVION

Service régulier assuré par :

◆ Air Inuit Tél. 1-800-361-2965

◆ Air Creebec Tél. 1-800-567-6567

◆ Et aussi Air Alliance et Inter-Canadien

◆ 353 Vol direct Montréal-Kuujjuak : env. 600 $ A/R (réservation 14 jours à l'avance).

EN TRAIN

La Compagnie ferroviaire Québec, Côte-Nord et Labrador dessert Sept-Îles – Labrador City (3 fois/sem. l'été, 88 $ A/R) et Sept-Îles – Schefferville (1 fois/sem., 120 $ A/R).

◆ Tél. (418) 962-9411

HÉBERGEMENT

Vous trouverez hôtels, motels ou gîtes du passant, mais comme dans les coins les plus reculés de la planète, le confort se révèle parfois relatif.

BAIE JAMES

◆ Auberge Radisson (104 $ la nuit) Tél. (819) 638-7201

◆ Plusieurs terrains de camping, réservez au bureau d'accueil à Matagami.

◆ Renseignements : Société de développement des pourvoiries de la baie James Tél. (819) 638-7867 Service des pourvoiries et du tourisme cri Tél. (819) 673-2600

NUNAVIK

Pour réserver votre chambre dans les villages inuits (80 $ à 100 $ la nuit) :

◆ Fédération des coopératives du Nouveau-Québec Tél. (514) 457-9371

SCHEFFERVILLE

◆ Renseignements : Corporation de développement des Naskapis Tél. (514) 745-3839 ou 1-800-363-3839

AVENTURE

Pays de l'extrême, le Grand Nord offre de nombreux défis aux mordus d'aventure. Ces activités sont très bien encadrées et exigent juste une bonne condition physique.

CANOT ET TRAÎNEAU

Mer et montagnes en canot motorisé dans le détroit d'Hudson et expédition en traîneau à chiens près d'Inukjuak et Povungnituk. Visite de sites archéologiques, rencontre avec les fils de la banquise et spectacles traditionnels.

◆ Aventures Inuit 19950, av. Clark Graham, Baie-d'Urfé H9X 3R8 Tél. (514) 457-9371 Fax (514) 457-4626

RAID EN MOTONEIGE

Dans le célèbre cratère du Nouveau-Québec.

◆ Aventures Ammuumaajjuq Kangiqsujuaq J0M 1K0 Tél. (819) 338-3368 Fax (819) 338-3396

ETHNO ET ÉCOTOURISME

◆ Agence Maudow Chisasibi, J0M 1E0 Tél. (819) 855-3373 Fax (819) 855-3374

◆ La Nation cri de Mistissini, 187, rue Main, Mistissini (*via* Chibougamau), G0W 1C0 Tél. (418) 923-3253 Fax (418) 923-3115

Des milliers d'oies blanches...

et un rorqual à bosse

Avec près de 90 espèces de mammifères et 350 espèces d'oiseaux, le Québec est un terrain privilégié d'observation en milieu naturel. Il ne faudrait pas vous attendre à ce que canards ou cerfs de Virginie défilent devant vous dès votre arrivée, mais ils pourraient bien vous surprendre au détour d'un sentier. Les activités suivantes sont encadrées par un guide naturaliste qui saura vous ouvrir les yeux.

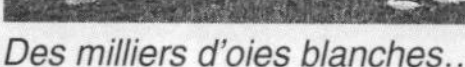

Les oiseaux marins

Les îles du Saint-Laurent constituent l'un des plus grands sanctuaires d'oiseaux marins en Amérique. ◆ Croisières, excursions et hébergement au large de Rivière-du-Loup de juin à mi-sept. Société Duvetnor, CP 305, 200, rue Hayward, Rivière-du-Loup, G5R 3Y9 Tél. (418) 867-1660

Refuge Pageau

Ce n'est pas un zoo, même s'il abrite orignaux, loups, ours, cerfs, lynx, renards et faucons. Son propriétaire est Michel Pageau, dit Noé, un vieux trappeur qui recueille dans son arche les bêtes malades ou blessées. C'est au bout du monde, et c'est pourquoi vous aurez envie d'y aller. Ouvert l'été, du mar. au dim., l'après-midi. Rang 10, Amos, J9T 3A1 Tél. (819) 732-6875

Bébé phoques

En mars, des millions de femelles donnent naissance à leurs petits, les blanchons, au nord des Îles-de-la-Madeleine. ◆ Forfait aux blanchons pour 3 ou 4 nuits à partir de 1 370 $ comprenant avion depuis Montréal, hébergement, vêtements, petits déjeuners et transport en hélicoptère jusqu'à la banquise. Vacances Air Transat, CP 2120, Succ. Place-du-Parc, Montréal, H2W 2P6 Tél. (514) 987-1616 Fax (514) 987-1601

Les loups

Vous ne les verrez sans doute pas, mais vous apprendrez à hurler avec eux, au clair de lune, lors d'une randonnée dans le parc de la rivière Jacques-Cartier ◆ *372* en juillet et août (19 h 30 à minuit). Tél. (418) 890-6527 1-800-665-6527

Baleine à babord

De juin à sept., l'estuaire et le golfe du Saint-Laurent accueillent l'une des plus grandes variétés de mammifères marins au monde ■ *26*. ◆ On peut les observer depuis la terre ferme sur la Côte-Nord et dans certains parcs ◆ *372* (parc de Forillon, Archipel-de-Mingan et parc marin du Saguenay). ◆ Les croisières d'observation en Zodiac, goélette, bateau ou voilier restent le moyen le plus spectaculaire pour les découvrir. Prévoir un blouson ou un chandail. Rens. aux ATR de Charlevoix, Manicouagan, Duplessis, Bas-Saint-Laurent, Gaspésie ◆ *373*. ◆ La station de recherche des îles Mingan propose des sorties en Zodiac (65 $) et des croisières en voilier de 5 à 10 j. (165 $ par j.). Les profits financent la recherche et la protection des baleines. 106, Bord-de-la-Mer, Longue-Pointe, G0G 1V0 Tél. (418) 949-2845 (été) Tél. (514) 465-9176 (hiver)

Les cervidés

Les rois de la forêt

Le parc de la Gaspésie est le seul endroit en Amérique du Nord où cohabitent cerf de Virginie, orignal et caribou. Randonnée en montagne et safari-photo sont organisés de mai à sept. Parc ami Chic-Chocs, CP 1066, Sainte-Anne-des-Monts, G0E 2G0 Tél. (418) 763-9020

Sur la piste des caribous

Dans le parc des Grands-Jardins ◆ *372* vit un troupeau de 150 têtes. En hiver, week-end d'observation en ski de fond de 50 km : 215 $ (chalet, repas et transport des bagages). Tél. (418) 890-6527

Une expédition de pêche

Lièvre d'Amérique

Le Québec est un territoire aux trois quarts sauvage traversé par un fleuve gigantesque et parsemé d'environ un million de lacs et de rivières. Ces splendeurs naturelles en font l'un des plus grands paradis de chasse et de pêche au monde. On y vient pour la qualité et la variété des prises, mais aussi pour respirer l'air pur et découvrir de grands espaces.

PRÉPARATIFS

EN FRANCE
Certains voyagistes offrent des séjours tout compris en pourvoirie au départ de l'Europe. Parmi eux, Canadien National, Discovers Tours, Griserie, Jet Set, New America et Nouvelles Frontières. L'Office du tourisme du Québec à Paris ◆ *344* en possède une liste complète ainsi que leurs coordonnées.

AU QUÉBEC
L'agence Toundratour organise différentes expéditions de chasse et de pêche en pourvoiries :
◆ Toundratour
80, rue Bernard,
Sainte-Madeleine,
J0H 1S0
Tél. (514) 795-6188
Fax (514) 795-6355

RÉGLEMENTATION

LA CHASSE
Pour traquer leurs proies, les chasseurs peuvent utiliser, selon l'espèce et la période de l'année : le fusil, la carabine, l'arbalète ou l'arc.
Toute l'année, un permis est obligatoire.

LA PÊCHE
La pêche se pratique à la ligne avec leurres, hameçons ou mouches.
L'utilisation d'appâts vivants est très restreinte. La pêche à la nage avec arc, arbalète ou harpon est permise à certaines conditions. En raison de la spécificité du poisson, chaque rivière à saumon possède sa propre réglementation.

INFORMATIONS SUR LES RÉGLEMENTATIONS
Pour plus de précisions :
◆ Ministère de l'Environnement et de la Faune
150, bd René-Lévesque Est,
Québec, G1R 4Y1
Tél. (418) 643-3127
ou (514) 374-2417
Fax (418) 643-3330

RENSEIGNEMENTS ET BROCHURES
◆ En France :
Office du tourisme du Québec ◆ *344*
◆ Au Québec :
information dans les bureaux régionaux du ministère de l'Environnement et de la Faune, les bureaux d'information touristique et les ATR ◆ *373.*

CHASSE ET PÊCHE SPORTIVES

LES POURVOIRIES
Ce terme désigne des auberges offrant un encadrement pour la chasse et la pêche. Outre un gîte confortable et une cuisine délectable, on y trouve un équipement, des embarcations, des véhicules tout terrain (quad) et des guides.
Au retour d'une expédition, des chefs cuisiniers apprêtent le poisson ou le gibier.
Un personnel qualifié s'occupe d'entreposer et d'expédier les prises. Certains pourvoyeurs proposent également des activités comme la randonnée pédestre, le vélo de montagne, le traîneau à chiens et la motoneige.
◆ Renseignements :
Tourisme Québec ◆ *374* ou à la Fédération des pourvoyeurs du Québec,
2485, bd Hamel,
Québec, G1P 2H9
Tél. (418) 527-5191
ou 1-800-567-9009
Fax (418) 527-8326

LES ZEC ◆ *372*
Le Québec est divisé en zones d'exploitation contrôlées (ZEC). Ces territoires sauvages sont confiés à des associations qui veillent à la protection des ressources fauniques.
À l'exception du camping et de la location d'embarcations, peu de services sont offerts sur place.
Pour plus d'informations :
Répertoire des zones d'exploitation contrôlées (ZEC) du Québec publié par le ministère de l'Environnement et de la Faune.

LES PARCS ◆ *372*
S'il est permis de pêcher dans les parcs québécois et nationaux, la chasse y est interdite.

LES RÉSERVES ◆ *372*
Dans les réserves fauniques, certaines activités de chasse contingentées sont réservées aux résidents du Québec. La pêche et la chasse du petit gibier est toutefois ouverte à tous.
◆ Prix : une journée de pêche avec embarcation coûte environ 25 $. Les parcs et réserves sont dotés d'infrastructures pour l'hébergement.

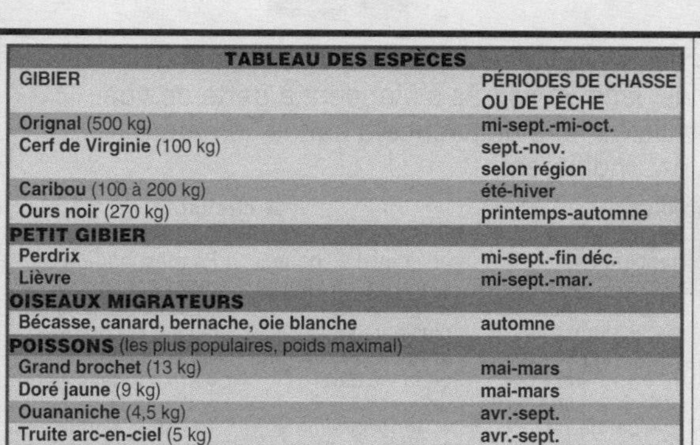

TABLEAU DES ESPÈCES	
GIBIER	PÉRIODES DE CHASSE OU DE PÊCHE
Orignal (500 kg)	**mi-sept.-mi-oct.**
Cerf de Virginie (100 kg)	**sept.-nov. selon région**
Caribou (100 à 200 kg)	**été-hiver**
Ours noir (270 kg)	**printemps-automne**
PETIT GIBIER	
Perdrix	**mi-sept.-fin déc.**
Lièvre	**mi-sept.-mar.**
OISEAUX MIGRATEURS	
Bécasse, canard, bernache, oie blanche	**automne**
POISSONS (les plus populaires, poids maximal)	
Grand brochet (13 kg)	**mai-mars**
Doré jaune (9 kg)	**mai-mars**
Ouananiche (4,5 kg)	**avr.-sept.**
Truite arc-en-ciel (5 kg)	**avr.-sept.**
Omble de fontaine (4,5 kg)	**avr.-sept.**
Saumon de l'Atlantique (12 kg)	**juin-sept.**
Omble chevalier de mer (2 à 5 kg)	**juin-sept.**

PERMIS PROVINCIAL ANNUEL

Obligatoire pour la chasse et la pêche (sauf la pêche en étang et dans le Saint-Laurent). En vente sur les lieux de chasse et de pêche, dans les pourvoiries et les magasins d'équipement.
◆ Pêche : 50 $ (ou 22 $ pour 3 jours), 99 $ (saumon).
◆ Chasse : 63 $ (petit gibier) à 220 $ (ours, caribou et orignal). Pour les oiseaux migrateurs, il est nécessaire en outre de se procurer un permis fédéral. En vente dans les bureaux de poste.

Être bon pêcheur et bon chasseur, c'est aussi respecter les limites de prises.

DES SITES ENCHANTEURS

GRAND NORD
Pour chasser et pêcher au-delà du 52e parallèle, on doit nécessairement faire appel aux services d'une pourvoirie.
◆ Pour la liste des pourvoyeurs : Tourisme Québec ◆ *374*.

NASKAPIS
Les Naskapis proposent des expéditions dans la taïga subarctique au nord de Schefferville.
– Chasse du caribou : 7 jours, tout compris, avec départ de Montréal en avion : à partir de 3 800 $ (août-septembre).
– Pêche du saumon : 7 jours à partir de 3 600 $ (mi-juin à mi-septembre).
◆ Club chasse et pêche Tuktu 2430, bd Marcel-Laurin, Saint-Laurent, H4R 1J9
Tél. (514) 745-3839 ou 1-800-363-3839
Fax (514) 335-7179

ANTICOSTI
L'île Anticosti ◆ *332* constitue le paradis des chasseurs et des pêcheurs. Elle est à juste titre considérée comme le royaume du saumon de l'Atlantique (mi-juin à fin août) et du cerf de Virginie (septembre à décembre). Prix : de 1 500 $ à 4 000 $ pour 4 à 6 jours. Renseignements sur les quatre pourvoiries d'Anticosti : ATR de Duplessis ◆ *373*. Tourisme Québec ◆ *374*

PÊCHE EN HAUTE MER
Un séjour dans l'archipel des Îles-de-la-Madeleine est l'occasion rêvée de pêcher en mer. Des sorties sont organisées sur place. Les prises les plus courantes sont le maquereau et la morue.
◆ Prix : environ 20 $ pour 3 h.
Pêche du requin (à 15 km de la côte) : environ 300 $ par jour (repas inclus).
◆ Rens. : ATR des Îles-de-la-Madeleine ◆ *373*.

ENVIRONS DE MONTRÉAL
On peut traquer le cerf et l'orignal à seulement 140 km de Montréal.
◆ Prix : 1 450 $ environ pour 5 jours tout compris sauf repas.
◆ Pourvoirie Kenauk 540, rue Notre-Dame, CP 9, Montebello, J0V 1L0
Tél. (819) 423-5573
Fax (819) 423-5277

PÊCHE SOUS LA GLACE

Pour pêcher en hiver, il suffit de tailler un trou dans la glace et d'y plonger une ligne.

SAINTE-ANNE-DE-LA-PÉRADE
Ce village est l'hôte d'une activité très populaire, la pêche aux «petits poissons des chenaux» (poulamons). Plusieurs cabanes installées sur la glace de la rivière accueillent les amateurs dans une atmosphère de carnaval. De 15 $ à 18 $ par jour, incluant le matériel.
◆ Association des pourvoyeurs de la rivière Sainte-Anne 8, rue Marcotte, CP 494, Sainte-Anne-de-la-Pérade, GOX 2J0
Tél. (418) 325-2475

FJORD DU SAGUENAY
Éperlan, plie, morue, sébaste et flétan du Groenland (turbot).
◆ Cabane : 50 $ à 60 $ par jour
◆ Forfaits auberges et gîtes du passant Société touristique du fjord
1171, 7e Avenue, La Baie, G7B 1S8
Tél. (418) 544-0438

L'été au Québec est synonyme de chaleur, d'espace et d'air pur. Fleuve, montagnes, lacs et rivières s'étendent à perte de vue. Aux portes de la ville ou hors des sentiers battus, la nature ne vous laissera pas indifférent.

RANDONNÉE

Des sentiers balisés sont aménagés pour courtes ou longues randonnées.
◆ Renseignements : Fédération québécoise de la marche
Tél. (514) 252-3157
Fax (514) 254-1363

SENTIERS DE MONTAGNE
Des sentiers mènent aux sommets des monts suivants :
◆ mont Albert ▲ *300* dans le parc de la Gaspésie (16 km, alt. 1 150 m, difficile)
◆ mont du Lac-des-Cygnes dans le parc des Grands-Jardins ▲ *286* (5,2 km, alt. 980 m, moyen)
◆ le sentier des Caps dans le parc du Saguenay ▲ *324* (25 km, alt. 450 m, facile à difficile)
◆ mont Chauve dans le parc du Mont-Orford ▲ *212* (10 km, alt. 600 m, moyen)
◆ mont Saint-Hilaire ▲ *208* (5 km, alt. 416 m, facile).

LE SENTIER DE L'ESTRIE
C'est l'un des plus longs du Québec (150 km). Il va de Kingsbury jusqu'à la frontière américaine. Prévoyez une bonne dizaine de jours pour le parcourir. Sites de campement tous les 10 ou 12 km. Pour obtenir la carte-guide et le permis de circuler, contactez :
◆ Les Sentiers de l'Estrie, CP 93, Sherbrooke, J1H 5H5
Tél. (819) 829-1992

LA TRAVERSÉE DE CHARLEVOIX
Jadis réservée aux skieurs de randonnée, la traversée de Charlevoix (6 jours, 100 km) est désormais accessible aux marcheurs. Paysage décapant dans les Hautes-Gorges-de-la-Rivière-Malbaie.
◆ Prix : de 80 $ (autonomie complète et camp rustique) à 250 $ (chalet et transport de bagages).
◆ Renseignements : 841, rue Saint-Édouard, CP 171, Saint-Urbain G0A 4K0
Tél. (418) 639-2284
Fax (418) 639-2777

PARCS
Tous les sports et loisirs d'été peuvent se pratiquer dans les parcs naturels et réserves fauniques ◆ *372.*

INFORMATION
◆ Consulter les offices du tourisme, fédérations de plein air et associations sportives.
4545, av. Pierre-de-Coubertin, CP 1000, succ. M, Montréal, H1V 3R2
◆ Outre la vente et la location d'équipement, les boutiques de plein air fournissent des informations et organisent parfois des voyages. Coordonnées dans les Pages jaunes de l'annuaire.

À CHEVAL

Vous pouvez louer un cheval à l'heure, mais rien ne vaut un galop de plusieurs jours à travers le Québec ou la vie dans un ranch !
◆ Renseignements : Fédération Québec à cheval
Tél. (514) 252-3002
Fax (514) 251-8038

RANCH
Forfait équitation initiation à la prospection d'or.
◆ Ranch Massif du Sud
149, rte du Massif-du-Sud, Saint-Philémon, G0R 4A0
Tél. (418) 469-2900
Fax (418) 883-2225
(Ouvert l'hiver)

CIRCUITS
Fermes, pâturages, repas copieux et chansons autour du feu sur le contrefort appalachien.
◆ Prix : forfaits week-end à partir de 250 $. Forfait 5 jours avec relais différent chaque soir à partir de 640 $. Repas, gîte et transport des bagages inclus.
◆ Jal à cheval
Auclair, G0L 1A0
Tél. (418) 899-6635

À LIRE
Québec plein air, Guide d'activités – Été. Disponible au Québec et en France

À VÉLO

Au Québec, près de 2 000 km de voies cyclables longent les cours d'eau, les anciens chemins de fer ou traversent des villages pittoresques.

EXCURSIONS LIBRES
La Maison des cyclistes constitue la référence pour le vélo. Demandez-leur où louer un vélo et procurez-vous leur carte *Le Québec à vélo* et leurs guides *Le Répertoire des voies cyclables* et *Le Répertoire des sentiers de vélo de montagne.*
◆ Maison des cyclistes
1251, rue Rachel Est, Montréal, H2J 2J9
Tél. (514) 521-8356
Fax (514) 521-5711

EXCURSIONS ORGANISÉES
Pour rouler sans tracas, des excursions de 2 à 5 jours (50 à 80 km par jour) sont organisées par l'association Les Grands Dérailleurs. Petits déjeuners, collations et repas du soir. Coucher dans un gîte du passant ou une auberge de campagne.
◆ Prix : à partir de 110 $ + 15 $ (location du vélo) par jour.
◆ Les Grands Dérailleurs
8390, rte 261, Sainte-Gertrude, G0X 2S0
Tél./Fax (819) 297-2036

Randonnée dans le parc des Hautes-Gorges

Kayak de mer aux Îles-de-la-Madeleine

RAFTING

Les rivières sont déchaînées au printemps, mais si le froid vous rebute, l'été offre également des descentes exaltantes. Aucune expérience n'est nécessaire, mais vous devez peser au moins 45 kg.

ÉQUIPEMENT
Il est fourni et la location de combinaisons isothermiques se fait sur place. Apportez maillot, serviette, souliers de course, tricot, veste en nylon et vêtements de rechange.

FORFAITS
Il existe des forfaits demi-journée (3 h), journée (5 à 6 h) ou plusieurs jours. Certaines entreprises, comme Nouveau Monde Expéditions en rivière, offrent le repas et d'autres activités dans leurs forfaits qui vous amènent sur les rivières Rouge, Batiscan, Jacques-Cartier ou la Diable.

◆ Prix : environ 90 $ par jour.

◆ Nouveau Monde Expéditions en rivière
100, chemin de la Rivière-Rouge,
Calumet, J0V 1B0
Tél. (819) 242-7238
ou 1 800 361-5033
Fax (819) 242-0207

CANOË

Pagayez quelques heures dans un parc ou partez en expédition en plein cœur de la forêt. Pour les longs périples, il n'est pas nécessaire d'avoir parcouru l'Amazonie, mais assurez-vous d'être en forme.

AUTOUR DE MONTRÉAL

◆ Pour tremper votre pagaie à quelques kilomètres de Montréal : le parc de la rivière des Mille-Îles et le parc des Îles-de-Boucherville.

◆ Pour une excursion en canot rabaska : le Parc national de La Mauricie ◆ *372*.

CANOT-CAMPING
Pour connaître les parcours et les expéditions organisées, contactez
◆ Fédération québécoise de canot-camping
Tél. (514) 252-3001
Fax (514) 254-1363

CIRCUITS
Nouvelles Frontières offre un circuit de 7 jours sur la rivière Vermillon en canoë et en hydravion ou un raid de 10 jours en territoire amérindien (760 $ à 840 $). Le circuit de 4 jours au pays des bûcherons est idéal pour les débutants et un séjour familial (570 $).

◆ Nouvelles Frontières
1001, rue Sherbrooke Est, bur. 720
Montréal, H2L 1L3
Tél. (514) 526-6774
Fax (514) 526-2335

ATTENTION : MOUSTIQUES

Ils peuvent gâcher un séjour en plein air. Très nombreux de juin à août autour de Montréal, ils sont plus tardifs vers le nord. Pour éviter d'être piqué par les maringouins ou mordu par les mouches noires, il n'y a pas de recette miracle ni de produit efficace à 100 % mais voici quelques trucs :

◆ Les moustiquaires des tentes fabriquées en France sont inefficaces. Il faut les remplacer par un filet au maillage plus serré.

◆ Savons et shampoings parfumés sont à proscrire.

◆ Éviter les vêtements foncés.

KAYAK DE MER

Idéal pour explorer le fjord du Saguenay et l'archipel de Mingan, le kayak se révèle aussi une extraordinaire façon de courtiser les baleines. Mais l'embarcation est un peu plus difficile à manœuvrer qu'un canoë à cause des courants marins et il faut aussi s'habituer à la jupette. L'école Kayak en folie organise des excursions pour débutants et experts.

◆ Prix : environ 70 $ par jour, équipement et repas compris. Une semaine dans le fjord à partir de 825 $ ou dans l'archipel de Mingan à partir de 955 $.

◆ Kayak en folie
472, rue Notre-Dame,
Repentigny, J6A 2T5
Tél./Fax (514) 898-7324 ou 581-7379

ESCALADE

EN INDÉPENDANT
Si vous êtes un grimpeur d'expérience et que vous voulez connaître les meilleures parois, contactez la
◆ Fédération québécoise de la montagne
Tél. (514) 252-3004
Fax (514) 251-8038

AVEC UNE ÉCOLE
Si vous souhaitez vous mesurer à plus grand que vous, tout en étant bien encadré, des écoles organisent des excursions pour débutants et experts.

◆ Prix : environ 50 $ par jour, sans le gîte ni les repas.

◆ Dans les Laurentides :
Passe-Montagne
1760, montée 2e Rang
Val-David, J0T 2M0
Tél. (819) 322-2123
ou 1-800-465-2123
Fax (819) 322-2948

◆ Dans la région de Québec et de Charlevoix :
L'Ascensation,
2350, av. du Colisée,
Québec, G1L 5A2
Tél. (418) 647-4422
ou 1-800-665-4420
Fax (418) 647-4330

Le Québec est doté de nombreuses étendues boisées protégées où il est possible de pratiquer des activités de plein air. Ces territoires sont de trois types : les parcs, les réserves fauniques et les zones d'exploitation contrôlées (ZEC).

Paysage côtier du parc Forillon

TYPOLOGIE

LES PARCS
Le Québec compte quatre parcs dits nationaux (gérés par le gouvernement fédéral) et 17 parcs provinciaux de conservation et de récréation. Chacun possède un service d'accueil et des structures permettant la pratique de loisirs de plein air, tels le canot-camping, l'observation de la faune, la randonnée pédestre, la pêche... Chaque site propose en outre des activités plus spécifiques, en accord avec ses caractéristiques. Le prix d'entrée varie entre 5 $ et 7 $ par voiture ; celui d'un emplacement de camping, de 5 $ à 20 $ par nuit. Certains parcs offrent d'autres types d'hébergement (chalets, auberges, refuges).

LES RÉSERVES FAUNIQUES
Recouvrant des territoires plus vastes que les parcs, les réserves fauniques ont d'abord été créées dans le but de préserver la nature. Certaines réserves permettent cependant l'exercice de sports de plein air.

LES ZEC
De petits territoires de chasse et de pêche sont gérés par des associations à but non lucratif regroupant les habitants d'une région donnée. La formule des zones d'exploitation contrôlées (ZEC) a été conçue dans le but de démocratiser la pratique de ces activités ● *64*.

QUELQUES SITES À VOIR

MONTÉRÉGIE
◆ Centre de conservation de la nature, 422, chemin des Moulins, Mont-Saint-Hilaire, J3G 4S6
Tél. (514) 467-1755

ESTRIE
◆ Parc de récréation du Mont-Orford, CP 146, Magog, J1X 3W7
Tél. (819) 843-6233
◆ Parc de récréation de Frontenac, 9, route rurale # 3, Thetford Mines, G6G 5R7
Tél. (418) 422-2136

LANAUDIÈRE-LAURENTIDES
◆ Parc du Mont-Tremblant, 731, chemin de la Pisciculture, CP 129, Saint-Faustin, J0T 2G0
Tél. (819) 424-2954
◆ Parc d'Oka, 2020, chemin d'Oka, CP 1200, Oka, J0N 1E0
Tél. (514) 479-8365

OUTAOUAIS
◆ Parc de la Gatineau, Commission de la capitale nationale, 40, rue Elgin, # 202, Ottawa, K1P 1C7
Tél. (819) 827-2020

ABITIBI-TÉMISCAMINGUE
◆ Réserve faunique de La Vérendrye, CP 1330, Val-d'Or, J9P 4P8
Tél. (819) 736-7431

CŒUR-DU-QUÉBEC
◆ Parc de la Mauricie CP 758, 465, 5e Rue, Shawinigan, G9N 6V9
Tél. (819) 536-2638

QUÉBEC
◆ Parc de la rivière Jacques-Cartier, 9530, rue de la Faune, Charlesbourg, G1G 5H9
Tél. (418) 622-4444
◆ Parc du Mont-Sainte-Anne, Route 360, CP 400, Beaupré, G0A 1E0
Tél. (418) 827-4561
◆ Réserve nationale de faune du Cap-Tourmente, Saint-Joachim, G0A 3X0
Tél. (418) 827-4591

CHARLEVOIX
◆ Parc des Grands-Jardins, 9530, rue de la faune, Charlesbourg, G1G 5H9
Tél. (418) 846-2218
◆ Parc régional des Hautes-Gorges-de-la-Rivière-Malbaie, ATR Charlevoix, CP 417, 166, rue Comporté, La Malbaie, G0T 1J0
Tél. (418) 439-4402

BAS-SAINT-LAURENT
◆ Parc du Bic, 365, bd Sainte-Anne, Pointe-au-Père, J5M 1E8
Tél. (418) 736-5035

GASPÉSIE
◆ Parc de la Gaspésie, 10, bd Sainte-Anne Ouest, CP 550, Sainte-Anne-des-Monts, G0E 2G0
Tél. (418) 763-3301
◆ Parc national Forillon, 122, bd Gaspé, CP 1220, Gaspé, G0C 1R0
Tél. (418) 368-5505
Parc de l'Île-Bonaventure-et-du-Rocher-Percé, 4 rue du Quai, CP 310 Percé, G0C 2L0
Tél. (418) 782-2241

SAGUENAY-LAC-SAINT-JEAN
◆ Parc du Saguenay, 3415, bd de la Grande-Baie, Ville de La Baie, G7B 1G3
Tél. (418) 544-7388

DUPLESSIS
◆ Parc national de l'Archipel-de-Mingan, 30, bord de la Mer, Longue-Pointe, G0G 1V0
Tél. (418) 949-2126

RENSEIGNEMENTS
◆ Parcs québécois et réserves fauniques : ministère de l'Environnement et de la Faune, 150, bd René-Lévesque Est, Québec, G1R 4Y1
Tél. (418) 643-3127, 1-800-561-1616, Fax (418) 643-3330
Réservations : (418) 890-6527, 1-800-665-6527
◆ Parc nationaux : parcs Canada, 3, rue Buade, CP 6060, Québec, G1R 4V7
Tél. (418) 648-4177 (514) 283-2332, 1-800-463-6769
Fax (418) 649-6140

CARNET D'ADRESSES

La succession des adresses correspond aux itinéraires du guide, eux-mêmes regroupés par région touristique. Tourisme Québec et chaque Association touristique régionale (ATR), par leur documentation et leur disponibilité, nous ont permis d'établir une sélection qui, naturellement, est le fruit de notre propre subjectivité.
Tourisme Québec, CP 20 000, Québec G1K 7X2
Tél : (514) 873-2015 ou 1 800 363-7777

♥ Coup de cœur — Panorama — Centre-ville — Isolé — Parking — Garage surveillé — Calme — Piscine — Cartes de crédit — Prix enfants — Musique — Jardin, terrasse — Animaux interdits

AVIS AU LECTEUR

◆ Les adresses sont classées selon les régions touristiques du Québec ● *14* (titres blancs sur fond vert foncé).
◆ ATR : Associations touristiques régionales
◆ Attention au Québec «table d'hôte» signifie «menu» ou «formule».
◆ CP ne signifie pas code postal mais casier postal (boîte postale).
◆ Le prix des hôtels est donné pour une chambre double occupée par 2 personnes.
◆ L'appel d'un n° de tél. qui commence par 1 800 est gratuit de toute l'Amérique du Nord.

MONTRÉAL

VIE PRATIQUE

CENTRE INFOTOURISTE
1 001, rue du Square-Dorchester
Code postal H3C 2W3
Tél. (514) 873-2015
Fax (514) 864-3838
Ouvert tlj. 8 h 30-19 h 30, juin-août ; tlj. 9 h-17 h, sep.-mai

MONTRÉAL

VIE CULTURELLE

BASILIQUE NOTRE-DAME
110, rue Notre-Dame O
Ouvert tlj. 7 h-18 h, sep.-24 juin ; tlj. 7 h-20 h, 25 juin-août

BIODÔME
4 777, av. P.-de-Coubertin
Tél. (514) 868-3000
Ouvert tlj. 9 h-18 h, sep.-juin ; tlj. 9 h-20 h, juil.-août

CATHÉDRALE CHRIST CHURCH
635, rue Sainte-Catherine O
Tél. (514) 843-6577
Ouvert tlj. 8 h-18 h

CATHÉDRALE MARIE-REINE-DU-MONDE
1 085, rue de la Cathédrale
Tél. (514) 866-1661
Ouvert lun. 7 h-20 h 15, mar.-ven. 7 h-19 h 15, sam. 7 h-20 h 50, dim. 7 h 30-19 h 15

CENTRE CANADIEN D'ARCHITECTURE
1 920, rue Baile
Ouvert mar.-sam 11 h-18 h, jeu. 11 h-20 h, juin-sep.

CENTRE D'HISTOIRE
335, pl. d'Youville
Tél. (514) 872-3207
Ouvert tlj. 9 h-17 h, 8 mai-18 juin ; tlj. 10 h-18 h, 19 juin-4 sep. ; tlj. 10 h-17 h, 5 sep.-10 déc.

CHAPELLE NOTRE-DAME-DE-BONSECOURS
402, rue Saint-Paul E
Tél. (514) 845-9991
Ouvert tlj. 10 h-15 h, nov.-avr. ; tlj. 9 h-16 h 30, mai-oct.

CHÂTEAU RAMEZAY
280, rue Notre-Dame E
Tél. (514) 861-3708
Ouvert tlj. 10 h-18 h, mai-4 sep. ; mar.-dim. 10 h-16 h 30, 5 sep.-avr.

ÉGLISE SAINT GEORGE
ANGLICAN CHURCH
1 101, Stanley Street
Tél. (514) 866-7113
Ouvert mar.-dim. 8 h 30-17 h 30, juil.-août

ÉGLISE UNIE SAINT JAMES
463, rue Ste-Catherine O
Tél. (514) 288-9245
Ouvert 10 h 30-14 h, mi-mai-sep.

JARDIN BOTANIQUE ET INSECTARIUM
4 101, rue Sherbrooke E
Tél. (514) 872-1400
Ouvert tlj. 9 h-18 h, 5 sep.-23 juin ; tlj. 9 h-20 h, 24 juin-4 sep.

MUSÉE D'ARCHÉOLOGIE ET D'HISTOIRE
350, pl. Royale
Pointe-à-Caillère
Tél. (514) 872-9150
Ouvert mar.-dim. 10 h-17 h, mer. 10 h-20 h, sep.-24 juin ; mar.-dim. 10 h-20 h, juil.-août

MUSÉE D'ART CONTEMPORAIN
185, rue Ste-Catherine O
Tél. (514) 847-6212
Ouvert mar.-dim. 11 h-18 h, mer. 11 h-21 h, toute l'année

MUSÉE DES ARTS DÉCORATIFS
CHÂTEAU DUFRESNE
2 929, rue Jeanne-d'Arc, Angle de la rue Sherbrooke E et du bd Pie-IX
Tél. (514) 259-2575
Ouvert mer.-dim. 11 h-17 h, toute l'année

MUSÉE DES BEAUX-ARTS
Tél. (514) 285-1600
– Pavillon sud
1 380, rue Sherbrooke
Ouvert tlj. 11 h-18 h, jusqu'à 20 h mer., ven., sam., 11 mai-15 oct.
– Pavillon nord
1 379, Benaiah Gibb
Ouvert tlj. 11 h-18 h, jusqu'à 20 h mer., 11 mai-15 oct.

MUSÉE MCCORD D'HISTOIRE CANADIENNE
690, rue Sherbrooke O
Tél. (514) 398-7100
Ouvert mar., mer., ven. 10 h-18 h, jeu. 10 h-21 h, sam.-dim. 10 h-17 h

ORATOIRE ST-JOSEPH
3 800, chemin Queen-Mary
Tél. (514) 733-8211
Ouvert tlj. 6 h 30-21 h 30, toute l'année

LOISIRS

PARC OLYMPIQUE
3 200 Viau
Tél. (514) 252-8687
Ouvert tlj. 10 h-21 h, 17 juin-4 sep. ; tlj. 10 h-18 h, 5 sep.-16 juin

RESTAURANTS

♥ BEAUTY'S
93, av. du Mont-Royal O
Tél. (514) 849-8883
Le brunch fast-food le plus couru en ville.

♥ CAFÉ CHERRIER
3 635, rue Saint-Denis
Tél. (514) 843-4308
Très vivant, le brunch sur la terrasse est recommandé. Clientèle médiatique.

♥ CAFÉ-CINÉ-LUMIÈRE
5 163, bd Saint-Laurent
Tél. (514) 495-1796
Restaurant-cinéma. Cuisine de bistro et films des années 1930 à 1960.

CHEZ LA MÈRE BERTEAU
1 237, rue de Champlain
Tél. (514) 524-9344
Cuisine française du terroir, simple et délicieuse. Il faut apporter son vin.

CLAUDE POSTEL
443, rue Saint-Vincent
Tél. (514) 875-5067
Cuisine française. Terrasse.
12 $-35 $ (table d'hôte)
30 $-80 $ (carte)

♥ FAIRMOUNT BAGEL BAKERY
74, rue Fairmount O
Tél. (514) 272-0667
Ouvert 24 h/24
Boulangerie. On y trouverait les meilleurs bagels d'Amérique.

KILO RESTAURANT
5 206, Saint-Laurent
Tél. (514) 277-5039
Connu pour ses gâteaux et bonbons.
6 $-9 $

L'AVENUE DU PLATEAU
922, av. du Mont-Royal E
Tél. (514) 523-8780
Excellentes pâtes, crêpes succulentes. Baie vitrée avec vue sur les ruelles de Montréal.

♥ L'ENTRE-PONT
4 622, rue de l'Hôtel-de-Ville
Tél. (514) 845-1369
Ouvert tlj.18 h-22 h, 2e service à 21 h ven.-sam.
Petit, chaleureux, cuisine inventive. Apportez votre vin.

LA PARYSE
302, Ontario E
Tél. (514) 842-2040
Cuisine nord-américaine : excellents hamburgers-frites. Décor très fifties.

♥ LALOUX
250, av. des Pins E
Tél. (514) 287-9127
Chic à prix raisonnables. Excellente nourriture. Menus-théâtre.
8 $-25 $ (table d'hôte)
19 $-40 $ (carte)

♥ LE BAZOU
2 004, av. de l'Hôtel-de-Ville
Tél. (514) 982-0853
1271, rue Amherst
Tél. (514) 526-4940
Inclassable, décontracté, kitsch et savoureux. Bon rapport qualité-prix.

LE JARDIN DE PANOS
521, Duluth E
Tél. (514) 527-5035
Restaurant grec. Grande terrasse fleurie. Apportez votre vin.

♥ **LE LUX**
5 220, bd Saint-Laurent
Tél. (514) 271-9272
Ouvert lun.-ven.10 h-4 h, w.-e. 24 h/24
Magazines, «frite-mayo», bière en fût et lunes de miel.

LE PETIT EXTRA
1 690, rue Ontario E
Tél. (514) 527-5552
Bistrot français.
8 $-15 $ (table d'hôte)

LE SHERLOCK'S
1 010, rue Sainte-Catherine O
Tél. (514) 878-0088
Bar et déjeuner sur le pouce. Billard. Jet-set.

LES MIGNARDISES
2037, Saint-Denis
Tél. (514) 842-1151
Bonne cuisine dans un cadre romantique et chaleureux.

MILOS RESTAURANT
5 357, du Parc
Tél. (514) 272-3522
Le meilleur restaurant de poissons de Montréal. Très cher.
39 $ (table d'hôte)
23 $-28 $ (carte)

PIZZÉDÉLIC
3 509, bd Saint-Laurent
Tél. (514) 282-6784
La meilleure pizza en ville, des variations surprenantes. Clientèle jeune.
4 $-8 $ (pizza)

PORTÉ DISPARU
959, av. Mont-Royal E
Tél. (514) 524-0271
Café-bibliothèque et spectacles le week-end.
4 $-5 $

RÔTISSERIE LAURIER
381, Laurier O
Tél. (514) 273-3671
Poulet au barbecue et frites.

♥ **SCHWARTZ**
3 895, Saint-Laurent
Tél. (514) 842-4813
Une institution pour le smoked meat, *la spécialité montréalaise.*
3,40 $-11,4 $

♥ **TOQUÉ !**
3 842, rue Saint-Denis
Tél. (514) 499-2084
Fine cuisine nord-américaine. Décor design années 1990.
34 $-55 $

HÔTELS

QUALITY HÔTEL
3 440, av. du Parc
Code postal H2X 2H5
Tél. (514) 849-6564
Hôtel propre et calme, bon rapport qualité-prix
60 $-105 $

AUBERGE DE LA FONTAINE
1 301, rue Rachel E
Code postal H2J 2K1
Tél. (514) 597-0166
Accueil chaleureux, décoration raffinée. Au cœur du Plateau Mont-Royal, dans le parc La Fontaine.
99 $-175 $ (p. déj. inclus)

AUBERGE LE JARDIN D'ANTOINE
2 024, rue Saint-Denis
Code postal H2X 3K7
Tél. (514) 843-4506
Fax (514) 281-1491
Le patron de ce B & B est très sympathique.
74 $-140 $ (p. déj. inclus)

♥ **AUBERGE LES PASSANTS DU SANS-SOUCY**
171, rue Saint-Paul O
Code postal H2Y 1Z5
Tél. (514) 842-2634
Fax (514) 842-2912
Accueil remarquable ; le hall d'entrée est une galerie d'art. Les chambres de derrière donnent sur les jardins du Vieux-Séminaire. Le petit déjeuner est spectaculaire et délicieux.
85 $-150 $

♥ **AUBERGE MINUSCULE**
4 324, rue Fabre
Code postal H2J 3T6
Tél. (514) 522-6251
Charmant petit studio indépendant.

HÔTELS-RESTAURANTS

♥ **CHÂTEAU VERSAILLES HÔTEL ET TOUR**
1 659, rue Sherbrooke O
Code postal H3H 1E3
Tél. (514) 933-3611
Fax (514) 933-7102
L'hôtel occupe 4 vieilles maisons victoriennes et une tour. Son restaurant Les Champs-Élysées propose une excellente cuisine française.
86 $-170 $

HÔTEL INTER-CONTINENTAL
360, Saint-Antoine O
Code postal H2Y 3X4
Tél. (514) 987-9900
Fax (514) 847-8550
L'hôtel est relié à la ville souterraine. Son restaurant Chez Plume est romantique et excellent.
220 $-295 $

HÔTEL LE REINE-ÉLISABETH
900, bd R.-Lévesque O
Code postal H3B 4A5
Tél. (514) 861-3511
Fax (514) 954-2256
La plus grande capacité de Montréal. Forfaits intéressants. Certaines chambres, un peu plus chères, ont une salle à manger avec foyer.
270 $-480 $

HÔTEL VOGUE
1 425, rue de la Montagne
Code postal H3G 1Z3
Tél. (514) 285-5555
Fax (514) 849-9819
Décor intérieur très luxueux. Le restaurant Société Café propose d'excellents repas.
235 $-250 $

♥ **RITZ-CARLTON KEMPINSKI MONTRÉAL**
1 228, rue Sherbrooke O
Code postal H3G 1H6
Tél. (514) 842-4212
Fax (514) 842-3383
Le plus vieil hôtel de Montréal (1912). Le hall et la salle de bal ont retouvé leur aspect d'origine. L'été, repas dans le jardin. Bon petit déjeuner.
300 $-350 $

WESTIN MONT-ROYAL
1 050, Sherbrooke O
Code postal H3A 2R6
Tél. (514) 284-1110
Les stars y descendent. Restaurant Le Zen : gastronomie chinoise pour le meilleur rapport qualité-prix de Montréal.
145 $-225 $

LACHINE

CENTRE D'INTERPRÉTATION DU CANAL DE LACHINE
Angle de la 7e Avenue et du bd Saint-Joseph
Tél. (514) 637-7433
Ouvert mar.-dim. 10 h-12 h et 13 h-18 h, lun. 13 h-18 h, 15 mai-4 sep.

LIEU HISTORIQUE NATIONAL DU COMMERCE DE LA FOURRURE
1 255, bd Saint-Joseph
Tél. (514) 637-7433
Ouvert tlj. 10 h-12 h 30 et 13 h-18 h, avr.-15 oct. ; mer.-dim. 13 h-17 h, 16 oct.-août

MUSÉE DE LA VILLE DE LACHINE
110, chemin Lasalle
Tél. (514) 634-3471
Poste 346
Ouvert mer.-dim. 11 h 30-16 h 30, 31 mars-17 déc.

MONTÉRÉGIE

VIE PRATIQUE

ATR DE LA MONTÉRÉGIE
989, rue Pierre-Dupuy
Longueuil J4K 1A1
Tél. (514) 674-5555
Fax (514) 463-2865
Ouvert lun.-ven. 9 h-20 h, sam.-dim. 9 h-18 h, été ; lun.-ven. 9 h-17 h, hiver

BELŒIL

HÔTEL

HOSTELLERIE RIVE GAUCHE
1 810, bd Richelieu
Code postal J3G 4S4
Tél. (514) 467-4650
Fax (514) 467-0525
Rivière à proximité. Piscine, tennis.
125 $-260 $

CHAMBLY

VIE CULTURELLE

PARC HISTORIQUE NATIONAL DU FORT CHAMBLY
2, rue Richelieu
Tél. (514) 658-1585

Ouvert 9 h-17 h, 16 mai-23 juin et ts les j. fér. de l'année ; lun. 13 h-18 h, mar.-dim. 10 h-18 h 24 juin-5 sep. ; lun. 13 h-17 h, mar.-dim. 10 h-17 h, 6 sep.-10 oct. ; mer.-dim. 10 h-17 h, 11 oct.-11 déc. et 2 mars-15 mai
Fermé 12 déc.-fév.

Loisirs

Kayak et Cetera
56, rue Martel
Tél. (514) 658-2031
Ouvert mer-ven. 13 h-17 h, sam.-dim. 9 h-19 h, 6 mai-sep.
Ouvert lun. à partir de

la mi-juillet. Location de canots, kayaks. Randonnées. Sorties les nuits de pleine lune. Expéditions sur la Rouge et la Yamaska.

Coteau-du-Lac

Vie culturelle

Lieu historique national de Coteau-du-Lac
550, chemin du Fleuve
Tél. (514) 763-5631
Ouvert tlj. 9 h-17 h, 18 mai-23 juin ; tlj.10 h-18 h, 25 juin-3 sep. ; mer.-dim. 10 h-18 h, 6 sep.-8 oct.
Fermé 10 oct.-18 mai, et j. fér. (sauf 1er juil.)

L'Acadie

Vie culturelle

Il était une fois une petite colonie
2 500, route 219
Tél. (514) 347-9756
Ouvert mer.-dim. 10 h-17 h, 24 juin-5 sep.
Groupes, tlj. sur rdv. mai-mi-oct.

Melocheville

Vie culturelle

Centrale hydroélectrique de Beauharnois
80, Edgar-Hébert
Tél. 1 800 365-5229
Ouvert tlj. 9 h 30-16 h 30, 22 mai-4 sep.
Visites guidées à 9 h 30, 11 h 15, 13 h et 14 h 45

Parc archéologique de la Pointe-du-Buisson
333, rue Emond
Tél. (514) 429-7857
Ouvert lun.-ven. 10 h-17 h, sam.-dim. 10 h-18 h, 16 mai-août
Sep. et oct. sur rdv.

Mont-Saint-Hilaire

Loisirs

Centre de conservation de la nature Mont-Saint-Hilaire
422, chemin des Moulins
Tél. (514) 467-1755
Ouvert 8 h-1 h avant le coucher du soleil
Observations de la nature et activités de plein air (randonnée pédestre, ski de fond...).

Hôtel-Restaurant

Manoir Rouville-Campbell
125, chemin des Patriotes S
Code postal J3H 3G5
Tél. (514) 446-6060
Fax (514) 446-4878
99 $-168 $

Richelieu

Loisirs

ULM Cosmos
Aéroport de Richelieu
1 439, rang du Corodon
Tél. (514) 447-6580
ou (514) 990-5179
Ouvert tlj. 7 h 30-20 h 30 toute l'année
Initiation au vol en ULM.

Hôtel-Restaurant

♥ La Jarnigoine
1 156, 1re Rue
Code postal JL3 3W8
Tél. (514) 658-8031
2 chambres (B & B). Cuisine raffinée et originale. Prix très raisonnables. Ancienne maison de style victorien au bord du Richelieu.

Saint-Constant

Vie culturelle

Musée ferroviaire canadien
122 A, rue Saint-Pierre
Tél. (514) 632-2410
Ouvert tlj. 9 h-17 h, mai-4 sep. ; sam.-dim. 9 h-17 h, 9 sep.-15 oct.
Fermé mi-oct.-30 avr.
Sur rdv. pour groupes la semaine.

Saint-Denis-sur-Richelieu

Vie culturelle

Maison nationale des Patriotes
610, chemin des Patriotes
Tél. (514) 787-3623
Ouvert mar.-dim. 10 h-17 h, mai-sep. et nov.
Sur rdv. pour groupes toute l'année.

Saint-Jean-sur-Richelieu

Vie culturelle

Musée régional du Haut-Richelieu
182, rue J.-Cartier N
Tél. (514) 347-0649
Ouvert mer.-dim. 12 h 30-17 h, toute l'année

Restaurant

Le Samuel II
291, rue Richelieu
Tél. (514) 347-4353
Cuisine régionale. Prix gastro 1992 et prix tourisme québécois.
17 $-30 $ (table d'hôte)
35 $ (carte)

Loisirs

Croisières Richelieu
68, rue Saint-Maurice
Code postal J3B 3Y5
Tél. (514) 346-2446
ou 1 800 361-6420
Fax (514) 346-3505
Ouvert 24 juin-4 sep.
Croisières dans la vallée du nord au sud.

Saint-Paul-de-l'Île-aux-Noix

Vie culturelle

Blockhaus de Lacolle
1, rue Principale
Tél. (514) 246-3227
Ouvert tlj. 9 h-17 h, juin-sep.
En septembre, ouvert le w.-e. seulement.

Lieu historique national de Fort Lennox
1, 61e Avenue
Tél. (514) 291-5700
Ouvert lun.-ven. 10 h-17 h, sam.-dim. 10 h-18 h, 23 mai-23 juin ; mar.-dim. 10 h-18 h, lun. 12 h-18 h, 24 juin-5 sep. ; sam.-dim. 10 h-18 h, lun.-ven. sur rdv., 6-11 sep.
Fermé 12 sep.-22 mai

Sainte-Anne-de-Sorel

Vie culturelle

Musée de l'Écriture
23, îlette au Pé
Tél. (514) 746-1690
Ouvert mar.-dim. 13 h-18 h, juil.-août ;
Fermé oct.-mai
Juin et septembre sur rdv.

Loisirs

Croisières des îles de Sorel
1 665, chemin du Chenal-du-Moine
CP 32
Code postal J3P 5N6
Tél. (514) 743-7227
ou (514) 743-7807
Ouvert juin-sep.
Croisières «éco-nature» pour fervents d'ornithologie.

Estrie

Vie pratique

Tourisme Estrie
25, rue Bocage
Sherbrooke J1L 2J4
Tél. (819) 820-2020
Fax (819) 566-4445
Ouvert tlj. 8 h 30-12 h et 13 h-17 h

BROMONT

Vie culturelle

Jardin Marisol
1, rue Marisol
Tél. (514) 534-4515
Ouvert tlj. 9 h-19 h,
15 juin-sep.
Fleurs sauvages.

Loisirs

Centre de plein air Davignon
319, chemin du Lac-Gale
Tél. (514) 534-2277
Ouvert 9 h-17 h

Parc de récréation du Mont-Orford
Tél. (819) 843-6233
Camping, ski de randonnée, VTT.

Station touristique Bromont
150, rue Champlain
Code postal J1X 3W8
Tél. (519) 843-6548
Ski l'hiver et VTT l'été.

Station touristique du Mont-Orford
CP 248
Tél. (819) 843-6548
Ski alpin, golf, VTT.

Hôtel-restaurant

Auberge Bromont
95, rue Montmorency
CP 510
Code postal J0E 1L0
Tél. (514) 534-2200
Fax (514) 534-1700
Piscine, terrasse, gymnase. Restaurant quartre fourchettes. À proximité de la station touristique Bromont.
140 $-160 $

GRANBY

Loisirs

Centre d'interprétation de la nature du lac Boivin
700, rue Drummond
Tél. (514) 375-3861
Ouvert tlj. 8 h 30-16 h 30
Sentiers d'interprétation de la nature (oiseaux). Expositions.

Parc de récréation de la Yamaska
950, 8e rang O
Tél. (514) 372-3204
Ouvert 8 h-coucher du soleil, mai-oct.
Baignade, activités aquatiques, pêche.

Zoo de Granby
Autoroute 10 (sortie 68)
Bd Bouchard
Tél. (514) 372-9113
Ouvert tlj. 9 h-17 h,
20 mai-4 sep.
Ouvert les w.-e. jusqu'à l'Action de Grâces.

Hôtel-restaurant

Le Castel
901, rue Principale
Code postal J2G 2Z5
Tél. (514) 378-9071
ou 1 800 363-8953
Fax (514) 378-9930
Golf. Piscine extérieure chauffée. Confortable, familial et bon marché.
79 $-109 $

KNOWLTON

Vie culturelle

Musée historique du Comté de Brome
130, rue Lakeside
Tél. (514) 243-6782
Ouvert lun.-sam. 10 h-16 h 30, dim. 11 h-16 h 30, mi-mai-mi-sep.

Hôtel-restaurant

♥ **Auberge Lakeview**
50, rue Victoria
Code postal J0E 1V0
Tél. (514) 243-6183
ou 1 800 661-6183
Fax (514) 243-0602
Établissement de style victorien, classé monument historique. Élégance et charme champêtre. Pas de veilleur de nuit, ferme vers 23 h.
186 $-228 $

MAGOG

Loisirs

Centre d'arts Orford
3 165, chemin du Parc
Tél. (819) 843-3981
Ouvert juil.-août
Stages de musique et festival de musique classique.

Hôtels

Auberge La Grande Fugue
3 165, chemin du Parc
Code postal J1X 3W8
Tél. (819) 843-8595
ou 1 800 567-6155
Fax (819) 843-7274
Fermé nov.-avr.
Membre de Hostelling International.
18 $

Motel de l'Outlet
480, rue Hatley O
Code postal J1X 3G4
Tél. (819) 847-2609
Fax (819) 843-6545
Proximité du parc de récréation du Mont-Orford. Bon marché, confortable.
45 $-70 $

Hôtel-restaurant

Auberge Estrimont
44, av. de l'Auberge
Code postal J1X 3W7
Tél. (819) 843-1616
Foyers et terrasses. Vue sur le mont Orford. Piscines intérieure et extérieure, gymnase, sauna et de nombreuses activités sportives. Cuisine raffinée et brunch du dimanche recommandé.

MANSONVILLE

Hôtel-restaurant

♥ **L'Aubergine**
160, chemin Codedge
Knowlton Landing
Code postal J0E 1X0
Tél. (514) 292-3246
Dans un cadre enchanteur, cette auberge familiale propose à ses hôtes une délicieuse cuisine du terroir.

NORTH HATLEY

Hôtels-restaurants

Auberge de la Rose des Vents
312, chemin de la Rivière
Code postal J0B 2C0
Tél. (819) 842-4530
Fax (819) 842-2610
Salle à manger avec foyer. Chambres romantiques.
75 $-185 $ (p. déj. inclus)

Auberge Hatley
CP 330
Code postal J0B 2C0
Tél. (819) 842-2451
Fax (819) 842-2907
Piscine extérieure chauffée. Demeure de 1903 sur une colline dominant le lac Massawippi. Nombreuses activités sportives. «Relais et Châteaux». A remporté plusieurs prix pour la qualité de sa table.
150 $-250 $

♥ **Manoir Hovey**
CP 60
Code postal J0B 2C0
Tél. (819) 842-2421
Fax (819) 842-2248
Piscine extérieure chauffée. Plages privées et activités nautiques. Nombreux sports à proximité. Hôtel élégant et cuisine raffinée.
186 $-396 $ (1/2 pens.)

Hôtel

♥ **Manoir Le Tricorne**
50, chemin Gosselin
Code postal J0B 2C0
Tél. (819) 842-4522
Fax (819) 842-2692
Auberge de montagne romantique, avec vue sur lac Massawippi.
95 $-160 $ (brunch inclus)

SAINT-BENOÎT-DU-LAC

Vie culturelle

Abbaye de Saint-Benoît-du-Lac
Tél. (819) 843-4080
Ouvert 5 h-20 h 30

SHERBROOKE

Vie culturelle

Musée des Beaux-Arts
174, rue du Palais
Tél. (819) 821-2115

Musée du Séminaire
22, rue Frontenac
Tél. (819) 564-3200
Ouvert tlj. 10 h-17 h, été ; mar.-dim. 12 h 30-16 h 30, hiver
Musée des Sciences naturelles.

Hôtel

♥ B&B Le Mitchell
219, rue Moore
Code postal J1H 1C1
Tél. (819) 562-1517
Fax (819) 562-1516
95 $-115 $ (p. déj. inclus)

Hôtel-restaurant

Hôtel Delta
2 685, rue King O
Code postal J1L 1C1
Tél. (819) 822-1989
Fax (819) 822-8990

Sutton

Restaurant

Les Alleghanys
33, rue Maple
Tél. (514) 538-3802
Petit restaurant sympathique. Cuisines européenne et régionale. Ambiance chaleureuse.
9 $-17 $

Hôtel-restaurant

Auberge La Paimpolaise
615, rue Maple
CP 548
Code postal J0E 2K0
Tél. (514) 538-3213
ou 1 800 263-3213
Fax (514) 538-3970
En pleine nature, au pied du mont Sutton. Ambiance détendue. Cuisines régionale et européenne.
70 $-110 $

Thetford Mines

Loisirs

Parc provincial de récréation de Frontenac
9, route rurale 3
Tél. (418) 422-2136

Valcourt

Vie culturelle

Musée J.-Armand-Bombardier
1 001, av. J.-A. Bombardier
Tél. (514) 532-5300
Ouvert tlj. 10 h-17 h 30, 24 juin-1er lun. sep. ; mar.-dim. 10 h-17 h, début sep.-23 juin

Laurentides et Lanaudière

Vie pratique

ATR des Laurentides
14 142, rue de la Chapelle
R R n° 1
Saint-Jérôme J7Z 5T4
Tél. (514) 436-8532
Fax (514) 436-5309
Ouvert tlj. 8 h 30-20 h 30, juin-sep. ; tlj. 9 h-17 h (19 h le ven.), oct.-mai

ATR de Lanaudière
3 643, rue Queen
CP 1210
Rawdon J0K 1S0
Tél. (514) 834-2535
Fax (514) 834-8100
Ouvert lun.-ven. 8 h 30-12 h et 13 h-16 h 30

Berthierville

Vie culturelle

Musée Gilles-Villeneuve
960, av. Gilles-Villeneuve
Tél. (514) 836-2714
Ouvert 10 h-16 h, mi-mars-oct.

Carillon

Vie culturelle

Musée de la Société d'histoire d'Argenteuil
50, rue Principale
Tél. (514) 537-3861
Ouvert mar.-dim. 12 h-18 h, 24 mai-sep.

Joliette

Vie culturelle

Musée d'art de Joliette
145, rue Wilfrid-Corbeil
Tél. (514) 756-0311
Ouvert mar.-dim. 12 h-18 h, l'été ; mer.-dim. 12 h-17 h, hors saison

Hôtel-restaurant

Château Joliette
450, rue Saint-Thomas
Code postal J6E 3R1
Tél. (514) 752-2525
ou 1 800 361-0572
Fax (514) 752-2520
Vue sur la rivière Assomption.
79 $

L'Assomption

Vie culturelle

L'Oasis du Vieux Palais de Justice
255, rue Saint-Étienne
Tél. (514) 589-3266

Lac-Saint-Paul

Hôtel

La Bougade
158, chemin Poissant
Code postal J0W 1K0
Tél./Fax (819) 587-4773
7 tipis traditionnels, foyer central et bois. Lit double avec literie fournie. Gratuit pour les enfants (apporter des sacs de couchage). Plage privée, sauna, embarcations.
68 $

Lac-Supérieur

Hôtel

Chez Nor-Lou
803, chemin du Lac-à-L'Équerre
Code postal J0T 1J0
Tél. (819) 688-3128
Gîte du passant. Accès par un sentier : 5 min de marche l'été, en moto-neige l'hiver. Rivières et nombreuses activités à proximité. On peut aussi louer une maison.
50 $-60 $

Laval

Loisirs

Cosmodome
2 150, autoroute des Laurentides
Code postal H7T 2T8
Tél. (514) 978-3600
Ouvert 10 h-18 h
Fermé lun. sep.-juin
Initiation à l'aérospatiale. Stage de plusieurs jours possible.

Delco Aviation Ltée
Laval des Rapides
Tél. (514) 663-4311
Ouvert tlj. 8 h-20 h
Survol des Laurentides en hydravion.

Mont-Tremblant

Loisirs

Mont-Tremblant Réservation
2 001, rue Principale
Tél. (819) 425-8681
Ouvert juil.-août
Excursion commentée sur la nature, l'histoire et les légendes du lac Tremblant. Tlj. à 13 h, 14 h 30 et 16 h, 24 juil.-31 août ; tlj. 14 h 30, sam.-dim. 13 h et 14 h 30, 1er sep.-15 oct.

Parc du Mont-Tremblant
Tél. (819) 688-2281
Le doyen des parcs provinciaux (1490 km², avec ses 405 lacs et ses 7 rivières). Une pléiade d'activités et de sports de plein air.

Restaurant

Le Grand Manitou
Tél. (819) 681-5500
ou 1 800 461-8711
Ouvert en saison
Au sommet du mont Tremblant, vue splendide. Cuisine rapide ou gastronomique. Réserver pour le restaurant gastronomique.

Hôtel-restaurant

Club Tremblant
Rue Cuttle
Code postal J0T 1Z0
Tél. (819) 425-2731
Fax (819) 425-9903
Hébergement en condos. Site panoramique au bord du lac Tremblant. Piscine intérieure et extérieure. Tennis, plage. Très cher. Possibilité de forfaits (ski, tennis, golf).
260 $

MORIN HEIGHTS

HÔTEL-RESTAURANT

AUBERGE CLOS JOLI
19, chemin du Clos-Joli
Code postal J0R 1H0
Tél. (514) 226-5401
Fax (514) 226-5401
Charmante auberge dans la vieille ferme Watchorn. Réputée pour la qualité de sa table.
87 $

OKA

VIE CULTURELLE

ABBAYE CISTERCIENNE D'OKA
1 600, chemin d'Oka
Tél. (514) 479-8361
Ouvert lun.-sam. 4 h-20 h, toute l'année

SAINT-EUSTACHE

VIE CULTURELLE

MANOIR GLOBENSKY
235, rue Saint-Eustache
Tél. (514) 974-5000
Poste 280
Ouvert lun.-ven. 8 h 30-16 h, 25 avr.-18 nov.

MOULIN À FARINE LÉGARÉ
232, rue Saint-Eustache
Tél. (514) 472-9529
Ouvert lun.-ven. 9 h-16 h 30, mai-nov. ; sam.-dim. 12 h 30-16 h 30, mai-oct.

SAINT-JÉRÔME

VIE CULTURELLE

CENTRE D'EXPOSITION DU VIEUX-PALAIS
185, rue du Palais
Tél. (514) 432-7171
Ouvert mar.-ven. 12 h-17 h, sam.-dim. 13 h-17 h

SAINT-MICHEL-DES-SAINTS

HÔTEL-RESTAURANT

CENTRE NOUVEL-AIR MATAWINIE
Lac à la Truite
Code postal J0K 3B0
Tél. (514) 833-6371
ou 1 800 361-9629
Fax (514) 833-6061
130 $-180 $

SAINT-SAUVEUR-DES-MONTS

LOISIRS

STATION TOURISTIQUE MONT-SAINT-SAUVEUR
350, rue Saint-Denis
Code postal J0R 1R3
Le plus grand domaine skiable éclairé en Amérique du Nord ; cabane à sucre ; parc aquatique.

HÔTEL-RESTAURANT

AUBERGE SAINT-DENIS
61, rue Saint-Denis
Code postal J0R 1R4
Tél. (514) 227-4602
ou (514) 227-4766
Fax (514) 227-8504
Piscine chauffée extérieure. Près d'une station touristique quatre saisons. Possibilité de forfaits, ski, golf... Cuisine française de renom.
89 $-114 $

SAINTE-ADÈLE

VIE CULTURELLE

MUSÉE VILLAGE DE SÉRAPHIN
297, montée à Séraphin
Tél. (514) 229-4777
Ouvert tlj. 10 h-18 h, 24 juin-août ; sam.-dim. 10 h-18 h, sep. et mi-mai-23 juin

RESTAURANT

LA CLEF DES CHAMPS
875, chemin Sainte-Marguerite
Tél. (514) 229-2857
Ouvert mar.-dim. et j. fér. ; tlj. 24 juin-15 sep.
Site enchanteur, jardins magnifiques. Cuisine française. Restaurant primé. Cave à vins remarquable.
35 $-55 $

HÔTEL-RESTAURANT

L'EAU À LA BOUCHE
3 003, bd Sainte-Adèle
Code postal J0R 1L0
Tél. (514) 229-2991
Fax (514) 229-7573
«Relais et Châteaux». Piscine. À proximité : golf, ski alpin et ski de fond. Table de prestige.
125 $-320 $

SAINTE-MARCELLINE-DE-KILDARE

VIE CULTURELLE

LA MAISON DE LA CEINTURE FLÉCHÉE
290, rue Principale
Tél. (514) 883-0126
Ouvert lun.-ven. 9 h-16 h 30, sam.-dim. 12 h-18 h

SAINTE-MARGUERITE-DU-LAC-MASSON

RESTAURANT

BISTRO À CHAMPLAIN
75, chemin Masson
Tél. (514) 228-4988
ou (514) 228-4949
Seul établissement du Canada à avoir reçu le Grand Award Circle *de la revue américaine «The Wine Spectator» pour l'excellence de sa table et de sa cave à vins. Face au lac Masson. Décoration originale, tableaux de maîtres.*
23 $-52 $ (table d'hôte)

TERREBONNE

LOISIRS

L'ÎLE DES MOULINS
Informations :
Tél. (514) 477-6464
ou (514) 471-0619
ou (514) 471-5503
210 $ (mini en 1/2 pens.)

HÔTEL-RESTAURANT

HÔTEL DES MOULINS ET RESTAURANT LANZA CARELLI
1425, chemin Gascon
Code postal J0N 1N0
Tél. (514) 477-9434
Fax (514) 477-6567
Cuisine italienne.
50 $-80 $

VAL-DAVID

HÔTELS

CHALET BEAUMONT
1 451, rue Beaumont
Code postal J0T 2N0
Tél. (819) 322-1972
Fax (819) 322-1972
Auberge de montagne. Vue panoramique. Ski de fond, randonnée pédestre, escalade.
40 $-48 $

DOMAINE CHANTECLAIR
2 325, route 117
Code postal J0T 2N0
Tél. (819) 326-5922
Fax (819) 326-7188
Chalets (1 à 5 chambres). Vue panoramique. Plage privée. Piscine, tennis.
105 $-235 $

HÔTEL-RESTAURANT

LA SAPINIÈRE
1 244, chemin de la Sapinière
Code postal J0T 2N0
Tél. (819) 322-2020
Fax (819) 322-7493
Piscine extérieure chauffée et nombreuses activités sportives. Cadre enchanteur sur le bord du lac de La Sapinière. Table d'hôte, cuisine raffinée, prestigieuse cave à vins.
230 $-360 $

VILLE D'ESTÉREL

HÔTEL-RESTAURANT

HÔTEL ESTÉREL
CP 38
Code postal J0T 1E0
Tél. (514) 228-2571
Fax (514) 228-4977
Centre de villégiature, nombreuses activités sportives (dont la montgolfière) et possibilité de forfait activités quatre saisons.

OUTAOUAIS

VIE PRATIQUE

ATR DE L'OUTAOUAIS
103, rue Laurier
Hull J8X 3V8
Tél. (819) 778-2222
Fax (819) 778-7758
Ouvert lun.-ven. 8 h 30-20 h, sam.-dim. 9 h-17 h, mi-juin-août ; lun.-ven. 8 h 30-17 h, sam.-dim. 9 h-16 h, hiver

AYLMER

VIE CULTURELLE

L'ANCIENNE AUBERGE SYMNES
1, rue Front
Tél. (819) 684-5372

LOISIRS

AIR OUTAOUAIS
– Bureau
192, rue Beau
Code postal J9H 5G8
Tél. (819) 568-2359
– Hydrobase
300, rue Jacques-Cartier
Gatineau
Fermé nov.-avr.
Survol du centre-ville et du parc de la Gatineau, visite d'une réserve indienne, survol des chutes du Niagara...

HÔTEL-RESTAURANT

CHÂTEAU CARTIER SHERATON
1 170, chemin Aylmer
Code postal J9H 5E1
Tél. (819) 777-1088
Piscine intérieure et terrain de golf. Cuisine française.
166 $-175 $

HULL

VIE CULTURELLE

MAISON DU CITOYEN
25, rue Laurier
Tél. (819) 595-7175
Ouvert lun.-ven.
8 h 30-17 h

MUSÉE CANADIEN DES CIVILISATIONS
100, rue Laurier
Renseignements :
Tél. (819) 776-7000
Ouvert toute l'année, horaires variables

THÉÂTRE DE L'ÎLE
1, rue Wellington
Tél. (819) 595-7455

HÔTELS-RESTAURANTS

HOLIDAY INN CROWNE PLAZA HULL-OTTAWA
2, rue Montcalm
Code postal J8X 4B4
Tél. (819) 778-3880
Garderie. Cuisine internationale.
130 $-140 $

HÔTEL CENTRE VILLE
35, rue Laurier
Code postal J8X 4E9
Tél. (819) 778-6111
Fax (819) 778-8548
Gymnase. Salon de thé. Piscine intérieure. Garderie. Cuisine française. Restaurant fermé le dimanche.
155 $-295 $

HÔTEL QUALITY INN
31, rue Laurier
Code postal J8X 3W3
Tél. (819) 770-8550
Piscine intérieure. Cuisine continentale et italienne. Restaurant fermé le dimanche.
69 $ (minimum)

RESTAURANT

LES MUSES
100, rue Laurier
Tél. (819) 776-7009
20 $ (mini.)

MONTEBELLO

VIE CULTURELLE

MANOIR LOUIS-JOSEPH PAPINEAU
500, rue Notre-Dame
Tél. (819) 423-6968
Ouvert 10 h-18 h,
20 mai-29 oct.

LOISIRS

DOMAINE OMEGA
Route 323 N
Tél. (819) 423-5023
ou (819) 423-5487
Ouvert tlj. 10 h-19 h, mai-oct. ; jeu.-dim. 10 h-1 h avant la nuit, nov.-avr.
Parc de 1 500 acres : bisons, wapitis, ours noirs...

HÔTEL-RESTAURANT

AUBERGE SUISSE MONTEVILLA
970, chemin Montevilla
CP 309
Code postal J0V 1L0
Tél. (819) 423-6692
ou 1 800 363-0061
Fax (819) 423-5420
Chambres et chalets sur les berges d'un lac privé (possibilité de pêche). Piscine extérieure et tennis. Cuisine suisse.
110 $-130 $

HÔTEL CHÂTEAU MONTEBELLO
392, rue Notre-Dame
Code postal J0V 1L0
Tél. (819) 423-6341
Piscine intérieure et extérieure, golf et possibilité de pratiquer le curling. Garderie. Cuisine continentale. Immense bâtiment en rondins construit entre 1930 et 1933, c'est un hôtel prestigieux de la compagnie ferroviaire Canadien Pacifique.

PARC DE LA GATINEAU

LOISIRS

BELVÉDÈRE CHAMPLAIN
Tél. (819) 827-2020
Panorama spectaculaire sur la vallée de la rivière Outaouais et l'escarpement de Eardley.

DOMAINE MACKENZIE-KING
Tél. (613) 239-5000
ou (819) 827-2020
Ouvert tlj. 11 h-18 h, 22 juin-10 oct. ; mer.-dim. 11 h-18 h, 14 mai-21 juin
Parc boisé, sentiers de randonnée, chalets restaurés à visiter, guides-interprètes disponibles.

PLAISANCE

VIE CULTURELLE

CENTRE D'INTERPRÉTATION DU PATRIMOINE
276, rue Desjardins
Tél. (819) 427-6400

CHUTES DE PLAISANCE
Rang Malo
Tél. (819) 427-5363

LOISIRS

RÉSERVE FAUNIQUE DE PLAISANCE

Route 148
Chemin de la Presqu'île
Tél. (819) 427-6974
Ouvert 7 h-23 h
Sentiers de randonnée pédestre. Découverte de la faune régionale.

OTTAWA

VIE PRATIQUE

MARCHÉ
MARCHÉ BYWARD
Promenade Sussex
et rue George

VIE CULTURELLE

MUSÉE CANADIEN DE LA GUERRE
330, promenade Sussex
Tél. (819) 776-8600
Ouvert mar.-dim.
9 h 30-17 h, toute l'année

MUSÉE CANADIEN DE LA NATURE
Angle des rues Metcalfe et McLoed
Tél. (613) 996-3102
Ouvert lun., jeu., dim. 9 h 30-20 h, mar., mer., ven., sam. 9 h 30-17 h, mai-août ; tlj. 10 h-17 h, sauf jeu. 10 h-20 h, 1er mar. de sep.-30 avr.

MUSÉE DES BEAUX-ARTS DU CANADA
380, promenade Sussex
Tél. (613) 990-1985
Ouvert lun.-mer. et ven.-dim. 10 h-18 h, jeu. 10 h-20 h, 1er mai-10 oct. ; lun.-mer. et ven. 10 h-17 h, jeu. 10 h-20 h, 11 oct.-30 avr.

MUSÉE NATIONAL DES SCIENCES ET DE LA TECHNOLOGIE
1 867, bd Saint-Laurent
Tél. (613) 991-3044
Ouvert tlj. 9 h-18 h sauf ven. 9 h-21 h, mai-août ; mar.-dim. 9 h-17 h, sep.-avr.

PARLEMENT CANADIEN, ÉDIFICE DE L'EST
111, rue Wellington
Tél. (613) 992-1149
Ouvert tlj. 9 h 35-16 h 35

PARLEMENT CANADIEN, ÉDIFICE DU CENTRE
111, rue Wellington
Tél. (613) 239-5000
Ouvert lun.-ven. 9 h-20 h 30, sam.-dim. 9 h-18 h, 24 mai-6 sep. ; tlj. 9 h-16 h 30, 7 sep.-23 mai

HÔTELS-RESTAURANTS

CHÂTEAU LAURIER
1, Rideau
Code postal K1N 8S7
Tél. (613) 241-1414
Fax (613) 241-2958
Gymnase. Salon de thé.
116 $-169 $

L'AUBERGE DU MARCHÉ
87, Guigues
Code postal K1N 5H8
Tél. (613) 241-6610
ou 1 800 465-0079
B & B à deux pas du musée des Beaux-Arts.
55 $ (p. déj. inclus)
70 $ (suite)
P

LORD ELGIN HOTEL
100, Elgin Street
Code postal K1P 5K8
Tél. (613) 235-3333
ou 1 800 267-4298
Fax (613) 235-3223
Gymnase.
81 $-115 $

RESTAURANTS

COURTYARD
21, George
Tél. (613) 241-1516
Cuisine européenne.
10 $-20 $

MAYFLOWER II
201, Queen
Tél. (613) 238-1138
Style pub anglais.
10 $

THE MILL
555, promenade Ottawa River Parkway
Tél. (613) 237-1311
Spécialité : rosbif.
10 $-20 $

ABITIBI-TÉMISCAMINGUE

VIE PRATIQUE

ATR DE L'ABITIBI-TÉMISCAMINGUE
170, av. Principale
bureau 103
Rouyn-Nouranda
J9X 4P7
Tél. (819) 762-8181
Fax (819) 762-5212
Ouvert lun.-ven. 8 h 30-12 h et 13 h-16 h 30

AMOS

LOISIRS

CENTRE DES MARAIS ET SES HABITANTS
3 991, rang Croteau
Tél. (819) 732-6875
ou (819) 732-8999
Ouvert mar.-ven. 13 h-17 h, sam., dim. et j. fér. 13 h-21 h, 24 juin-29 août ; sam.-dim. 13 h-16 h, 30 août-26 sep.
Refuge pour animaux blessés, remis en liberté après les soins. Pour les groupes de 15 à 25 personnes, réserver 1 semaine à l'avance.

♥ REFUGE PAGEAU
3991, rang Croteau
Tél. (819) 732-6875
Ouvert mar.-ven. 3 h-17 h, sam.-dim. 13 h-20 h, 24 juin-août
Pour les groupes Tél. (819) 732-8999. Refuge d'animaux (loups, lynx, ours, orignaux...).

HÔTEL-RESTAURANT

HÔTEL-MOTEL LE CHÂTEAU D'AMOS
201, av. Authier
Code postal J9T 1W1
Tél. (819) 732-5386
Fax (819) 732-0455
85 $-150 $

ANGLIERS

VIE CULTURELLE

REMORQUEUR T.-E. DRAPER
11, rue T.-E.-Draper
Tél. (819) 949-4431
Ouvert tlj. 10 h-18 h, mi-juin-déb. sep.
Fermé mi-sep.-mi-juin
Groupes : réservation 48 h à l'avance.

LA SARRE

HÔTEL-RESTAURANT

VILLA MON REPOS
32, route 111 E
Code postal J9Z 1R7
Tél. (819) 333-2224
Fax (819) 333-9106
50 $-70 $

MALARTIC

VIE CULTURELLE

MUSÉE RÉGIONAL DES MINES
650, rue de la Paix
Tél. (819) 757-4677
Ouvert tlj. 9 h-17 h, 15 juin-15 sep. ; lun.-ven. 9 h-17 h, sam.-dim. sur rdv., 16 sep.-14 juin
Après 17 h, visites sur rdv.

ROUYN-NORANDA

VIE CULTURELLE

MAISON DUMULON
191, av. du Lac
Tél. (819) 797-7125
Ouvert tlj. 9 h-20 h, 24 juin-début sep. ; lun.-ven. 9 h-12 h et 13 h-17 h, mi-sep.-mi-juin

LOISIRS

PARC D'AIGUEBELLE
180, bd Rideau
Tél. (819) 762-8154
ou (819) 637-7322
Accès par Saint-Norbert-de-Mont-Brun. Observation de la faune et de la flore et multiples activités sportives.

RÉSERVE FAUNIQUE LA VÉRENDRYE
80, bd Rideau
Tél. (819) 762-8154

HÔTEL-RESTAURANT

HÔTEL ALBERT
84, av. Principale
Code postal J9X 4P2
Tél. (819) 762-3545
Produits régionaux.
67 $-85 $

VAL-D'OR

VIE CULTURELLE

LA CITÉ DE L'OR
90, av. Perreault
Tél. (819) 825-7616
ou (819) 825-5510
Ouvert tlj. 9 h-18 h, 24 juin-8 sep.
Sur rdv. le reste de l'année.

LOISIRS

WAWATÉ
CP 118
Code postal J9P 4N9
Tél. (819) 824-7652
ou (819) 825-9518
Tourisme d'aventure. Les Algonquins vous emmènent en canot, descendre des rivières et vivre en campement. L'hiver : traîneau à chiens, circuits de l'Abitibi en motoneige.

RESTAURANT

♥ LA GRILLADERIE
1097, rue de l'Escale
Tél. (819) 824-5384
Fine cuisine régionale. Ambiance chaleureuse.

HÔTEL

♥ AUBERGE DE L'ORPAILLEUR
104, rue Perreault
Code postal J9P 2G3
Tél. (819) 825-9518
Fax (819) 825-8275
Dans l'ancien village minier. Circuits (1 à 6 j.) avec des Algonquins : canot, campement. L'hiver : motoneige.
48 $ (p. déj. inclus)

HÔTEL-RESTAURANT

CONFORTEL VAL D'OR
1 001, 3e Avenue E
Code postal J9P 1T3
Tél. (819) 825-5660
ou 1 800 567-6799
Fax (819) 825-8849
Produits régionaux.
60 $-76 $

VILLE-MARIE

VIE CULTURELLE

LIEU HISTORIQUE NATIONAL DU FORT TÉMISCAMINGUE
Route 101
Tél. (819) 629-3222
Ouvert lun.-ven. 9 h-16 h 30, sam.-dim. sur rdv., 29 mai-23 juin ; lun. 13 h-17 h, mar.-dim. 10 h-17 h 30, 24 juin-20 août ; jeu.-lun. 9 h-16 h 30, 21 août-11 sep.
Visite guidée sur rdv. 1er-12 mai.

MAISON DU COLON
7, rue Notre-Dame-de-Lourdes
Tél. (819) 629-3533
Ouvert tlj. 10 h-17 h 30, mi-juin-août. ; tlj. 19 h-21 h, 2e sem. juil.-1re sem. août
De mi-mai à mi-juin et de sep. à mi-oct., groupes sur rdv.

HÔTEL-RESTAURANT

MOTEL LOUISE
25, chemin de Guigues
Code postal J0Z 3W0
Tél. (819) 629-2770
Fax (819) 629-2086
60 $-106 $

CŒUR-DU-QUÉBEC

VIE PRATIQUE

ATR CŒUR-DU-QUÉBEC
1 180, rue Royale
Trois-Rivières G9A 4J1
Tél. (819) 375-1222
Fax (819) 375-0301
Ouvert 8 h 30-12 h et 13 h-17 h

TROIS-RIVIÈRES

VIE CULTURELLE

CENTRE D'EXPOSITION SUR L'INDUSTRIE DES PÂTES ET PAPIERS
800, parc Portuaire
Tél. (819) 372-4633

LIEU HISTORIQUE NATIONAL LES FORGES-DU-SAINT-MAURICE
10 000, bd des Forges
Tél. (819) 378-5116
Ouvert tlj. 9 h 30-17 h 30, mai-oct.

MANOIR BOUCHER-DE-NIVERVILLE
1 563, rue Notre-Dame
Tél. (819) 375-9628
Ouvert lun.-ven. 9 h-17 h

MUSÉE DES URSULINES
784, rue des Ursulines
Tél. (819) 375-7922
Ouvert mar.-ven. 9 h-17 h, sam.-dim. 13 h 30-17 h, mai-sep. ; mer.-dim. 13 h 30-17 h, nov.-avr.
Sur rdv. pour groupes.

VIEILLE PRISON DE TROIS-RIVIÈRES
200, rue Laviolette
Tél. (819) 372-0406
Fax (819) 372-9907
Un musée des Arts et Traditions populaires y sera intégré en mai 1996.

LOISIRS

CROISIÈRES M/V LE DRAVEUR
1 515, rue du Fleuve
CP 64
Code postal G9A 5E3
Tél. (819) 375-3000
Fax (819) 375-1975
Ouvert 9-h-20 h, été ; 9 h-17 h, hiver
Découverte de l'histoire de la drave sur la rivière Saint-Maurice.

HÔTEL-RESTAURANT

DELTA TROIS-RIVIÈRES
1 620, rue Notre-Dame
Code postal G9A 6E5
Tél. (819) 376-1991
Fax (819) 372-5975
59 $-140 $

BATISCAN

VIE CULTURELLE

VIEUX PRESBYTÈRE
340, rue Principale
Tél. (418) 362-2051
Ouvert mar.-dim. 9 h-17 h
Fermé nov.-mai

DESCHAMBAULT

VIE CULTURELLE

VIEUX PRESBYTÈRE
106, rue Saint-Joseph
Tél. (418) 286-6891

DONNACONA

LOISIRS

PASSE MIGRATOIRE DE DONNACONA
Rue Notre-Dame
Tél. (418) 285-2210
Ouvert tlj. 9 h-20 h, juil.-août
Observation du saumon lors de la montaison. Centre d'interprétation sur le cycle de vie du saumon et sur la rivière Jacques-Cartier.

GRAND-MÈRE

HÔTEL-RESTAURANT

AUBERGE LE FLORES
4 291, 50e Avenue
Code postal G9T 1A6
Tél. (819) 538-9340
Fax (819) 538-1884
45 $-60 $

GRANDES-PILES

VIE CULTURELLE

VILLAGE DU BÛCHERON
780, 5e Avenue
Tél. (819) 538-7895
Ouvert tlj.10 h-18 h, mi-mai-mi-oct.

HÔTEL

CHÂTEAU-CRÊTE
740, 4e Avenue
Code postal G0X 1H0
Tél. (819) 533-5841
Magnifique manoir, vue sur les Laurentides et la rivière Saint-Maurice.
40 $-70 $

HÔTEL-RESTAURANT

AUBERGE LE BÔME
720, 2e Avenue
Code postal G0X 1H0
Tél. (819) 538-2805
Fax (819) 538-5879
Bien situé. Tennis. Bonne table.
70 $-95 $

LA TUQUE

LOISIRS

PARC DES CHUTES DE LA PETITE-RIVIÈRE-BOSTONNAIS
Route 155
Tél. (819) 523-5930
Centre d'interprétation de la nature. Sentiers de randonnée, aires de pique-niques, chutes de 35 m de haut.

LOUISEVILLE

LOISIRS

DOMAINE DU LAC SAINT-PIERRE
75, lac Saint-Pierre E
Tél. (819) 228-8819
Aventure écotouristique, excursions nautiques. L'hiver excursions en traîneaux.

MANAWAN

LOISIRS

CHALETS SIX SAISONS ATIKAMEKW
80, rue Metapeckeka
Code postal J0K 1M0
Tél. (819) 971-1455
Fax (819) 971-1484
En pleine nature, accessible en avion ou par route, pour découvrir le peuple Atikamekw et les relations privilégiées qu'il entretient avec la terre et la nature.

POINTE-DU-LAC

VIE CULTURELLE

MOULIN SEIGNEURIAL DE TONNANCOUR
2 930, rue Notre-Dame
Tél. (819) 377-1396

HÔTEL-RESTAURANT

AUBERGE DU LAC SAINT-PIERRE
1 911, rue Notre-Dame
CP 10
Code postal G0X 1Z0
Tél. (819) 377-5971
Fax (819) 377-5579
Vue sur le lac Saint-Pierre. Excursions en bateau. Restaurant gastronomique.
84 $-158 $

SAINT-GRÉGOIRE

HÔTEL-RESTAURANT

AUBERGE GODEFROY
17 575, bd Bécancour
Code postal G0X 1N0
Tél. (819) 233-2200
ou 1 800 361-1620
Fax (819) 233-2288
Centre de santé, golf. Bonne table.
85 $-139 $

SAINT-JEAN-DES-PILES

LOISIRS

CENTRE D'ACCUEIL ET D'INTERPRÉTATION DE SAINT-JEAN-DES-PILES
Autoroute 55, sortie 226 passer le village de Saint-Jean
Tél. (819) 536-2638

SHAWINIGAN

VIE CULTURELLE

CENTRE D'INTERPRÉTATION DE L'INDUSTRIE DE SHAWINIGAN
2 152, rue Cascade
Tél. (819) 536-8516
Ouvert tlj. 9 h-18 h
Ouvert en soirée sur rdv.

LOISIRS

PARC NATIONAL DE LA MAURICIE
Tél. (819) 536-2638

Route panoramique de 60 km. Activités de plein air : baignade, pêche, canot-camping...

RÉGION DE QUÉBEC

VIE PRATIQUE

OFFICE DE TOURISME DE LA COMMUNAUTÉ URBAINE DE QUÉBEC
60, rue d'Auteuil
Québec G1R 4C4
Tél. (418) 692-2471
Fax (418) 692-1481
Ouvert tlj. 8 h 30-20 h, juin-4 sep. ; tlj. 8 h 30-17 h 30, 5 sep.-9 oct ; tlj. 9 h-17 h, 10 oct.-avr.

VILLE DE QUÉBEC

VIE CULTURELLE

CATHÉDRALE ANGLICANE DE LA SAINTE-TRINITÉ
31, rue des Jardins
Tél. (418) 692-2193
Ouvert lun.-ven. 9 h-20 h, sam. 10 h-20 h, dim. 11 h-18 h, juil.-août ; lun.-sam. 9 h-18 h, dim. 11 h-18 h, mai-juin ; lun.-ven. 10 h-16 h, sep.-avr.

CENTRE CATHERINE-DE-SAINT-AUGUSTIN
32, rue Charlevoix
Tél. (418) 692-2492
Ouvert lun.-sam. 9 h-12 h et 14 h-17 h, dim. 14 h-17 h

CENTRE D'INFORMATION DE PLACE ROYALE
215, rue du Marché-Finlay
Tél. (418) 643-6631
Ouvert tlj. 10 h-17 h, juin-sep.

CHAPELLE DES JÉSUITES
20, rue Dauphine
Haute-Ville
Ouvert tlj. 10 h-17 h

CHÂTEAU FRONTENAC
1, rue des Carrières
Tél. (418) 692-3861
Visites guidées de 10 h à 18 h, ttes les heures, tlj. 1er mai-15 oct et le w.-e., le reste de l'année.

ÉGLISE NOTRE-DAME-DES-VICTOIRES
Place Royale
Tél. (418) 692-1650
Ouvert tlj. 9 h-16 h 30, mai-15 oct. ; mar.-sam. 9 h-12 h, dim. 9 h 30-15 h 30, 16 oct.-avr.

ÉGLISE PRESBYTÉRIENNE SAINT ANDREW
Angle rue Sainte-Anne et rue Cook
Tél. (418) 694-1347
Ouvert lun.-ven. 10 h-16 h 30, juil.-août

ÉGLISE SAINT-JEAN-BAPTISTE
490, rue Saint-Jean
Tél. (418) 525-7188
Ouvert mar.-sam. 10 h-17 h 30, dim. 12 h-15 h, mai-sep. ; lun.-sam. 13 h-17 h 30, oct.-avr.

ÉGLISE UNIE CHALMERS-WESLEY
78, rue Sainte-Ursule
Tél. (418) 692-0431

HÔTEL DU PARLEMENT
ASSEMBLÉE NATIONALE
1 020, rue St-Augustin
5e étage
Tél. (418) 643-7239
Ouvert tlj. 9 h-16 h 30, juin-août ; lun.-ven. 9 h-16 h 30, sep.-mai

L'ÎLOT DES PALAIS
8, rue Vallière
Tél. (418) 691-6092
Ouvert tlj. 10 h-17 h, 24 juin-août ; mar.-dim. 10 h-17 h, sep.-oct. et mai-23 juin

LIEU HISTORIQUE NATIONAL DU VIEUX-PORT-DE-QUÉBEC
100, rue Saint-André
Tél. (418) 648-3300
Ouvert tlj.10 h-17 h

MAISON CHEVALIER
60, rue du Marché-Champlain
Tél. (418) 643-2158
Ouvert tlj. 10 h-17 h, mi-mai-sep.

MAISON HENRY STUART
82, Grande Allée O
Tél. (418) 647-4347
Ouvert 15 mai-3 sep.
Fermé mar.
Le reste de l'année sur rdv.

MAISON HISTORIQUE FRANÇOIS-XAVIER GARNEAU
14, rue Saint-Flavien
Tél. (418) 692-2240
Visites : lun.-ven. 13 h 30 et 15 h, sam.-dim. 13 h, 14 h 30 et 16 h, l'été
Sur rdv. le reste de l'année.

MUSÉE BON-PASTEUR
14, rue Couillard
Tél. (418) 694-0243
Ouvert mar.-dim. 13 h-17 h, juil.-août ; jeu. et dim. 13 h-17 h, sep.-juin

MUSÉE DE L'AMÉRIQUE FRANÇAISE
2, côte de la Fabrique
Tél. (418) 692-2843
Ouvert tlj. 10 h-17 h 30, juin-sep. ; mar.-dim. 10 h-17 h, oct.-mai

MUSÉE DE LA CIVILISATION
85, rue Dalhousie
Tél. (418) 643-2158
Ouvert tlj. 10 h-19 h, 24 juin-août ; mar. et jeu.-dim. 10 h-17 h, mer. 10 h-21 h, sep.-23 juin

MUSÉE DES AUGUSTINES DE L'HÔTEL-DIEU-DE-QUÉBEC
32, rue Charlevoix
Tél. (418) 692-2492
Ouvert mar.-sam. 9 h 30-12 h et 13 h 30-17 h, dim. 13 h 30-17 h

MUSÉE DES URSULINES
12, rue Donnacona
Tél. (418) 694-0694
Ouvert mar.-sam. 9 h 30-12 h et 13 h-16 h 30, dim. 12 h 30-17 h
Fermé 21 déc.-16 jan.

MUSÉE DU FORT
10, rue Sainte-Anne
Tél. (418) 692-2175
Ouvert tlj. 10 h-18 h, juin-août ; tlj. 10 h-17 h, avr.-mai et sep.-oct. ; lun.-ven. 11 h-15 h, sam.-dim. 11 h-17 h, nov.-mars

MUSÉE DU QUÉBEC
Parc des Champs-de-Bataille
Tél. (418) 643-2150
Ouvert tlj. 10 h-17 h 45, 23 mai-3 sep. ; mar. et jeu.-dim. 10 h-17 h 45, mer. 10 h-21 h 45, 4 sep.-22 mai

PLACE ROYALE, 400 ANS D'HISTOIRE
25, rue Saint-Pierre
Tél. (418) 643-6631
Ouvert tlj. 10 h-18 h, juil.-sep.

SANCTUAIRE NOTRE-DAME-DU-SACRÉ-CŒUR
71, rue Sainte-Ursule
Tél. (418) 692 37 87
Ouvert tlj. 7 h-20 h

LOISIRS

BATEAU-MOUCHE DE QUÉBEC
132, rue Saint-Pierre
Tél. (418) 692-4949
Ouvert 8 h 30-17 h
Croisière commentée.

IMAX LE THÉÂTRE
5401, bd des Galeries
Tél. (418) 627-8222
Ouvert tlj. 12 h-21 h
Films sur écran géant.

QUÉBEC EXPÉRIENCE
8, rue du Trésor
Suite 200
Tél. (418) 694-4000
Ouvert tlj. 10 h-22 h, mi-mai-mi-oct. ; lun.-jeu. et dim. 10 h-17 h ven.-sam. 10 h-22 h, mi-oct.-mi-mai
Spectacle multimédia sur la découverte du Québec (son et lumière).

TRAVERSIER QUÉBEC – LÉVIS
10, rue des Traversiers
Tél. (418) 644-3704
Départ toutes les 30 min, le jour, et toutes les 60 min, la nuit.

RESTAURANTS

♥ AUX ANCIENS CANADIENS
34, rue Saint-Louis
Succ. H. V.
Tél. (418) 692-1627
ou (418) 692-5419
Cuisine québécoise.

♥ À LA TABLE DE SERGE BRUYÈRE
1 200, rue Saint-Jean
Tél. (418) 694-0618
ou (418) 694-2202
Créations culinaires réputées (pour budgets généreux) ou «petite table», également délectable, à meilleurs prix.

♥ BUFFET DE L'ANTIQUAIRE
95, rue Saint-Paul
Tél. (418) 692-2661
Cuisine québecoise.

CAFÉ DU MONDE
57, rue Dalhousie
Tél. (418) 692-4455
Ouvert 11 h 30-23 h
Bistrot français. Vue sur le fleuve.

CHAMPLAIN (CHÂTEAU FRONTENAC)
1, rue des Carrières
Tél. (418) 692-3861
Fermé dim.-lun., nov.-avr.
Cuisine européenne, dans le château Frontenac.

♥ COCHON DINGUE
46, bd Champlain
Tél. (418) 692-2013
Steak-frites, salades, sandwichs.

COCHON DINGUE
46, bd René-Lévesque O
Tél. (418) 523-2013
Steak-frites, salades, sandwichs.

L'ÉCHAUDÉ
73, rue Sault-au-Matelot
Tél. (418) 692-1299
Fermé le soir en sem.
Spécialités : caille, canard, steak tartare.

LAURIE RAPHAËL
17, rue Sault-au-Matelot
Tél. (418) 692-4555
Fermé les dim. et lun. soirs en hiver
Terrasse.

♥ MARIE-CLARISSE
12, rue du Petit-Champlain
Tél. (418) 692-0857
Spécialités : poissons et fruits de mer.

SAINT-AMOUR
48, rue Sainte-Ursule
Tél. (418) 694-0667
Spécialités : viandes et poissons.

HÔTELS-RESTAURANTS

CHÂTEAU FRONTENAC
1, rue des Carrières
Code postal G1R 4P5
Tél. (418) 692-3861
Fax (418) 692-1751
Dans le château surplombant le fleuve Saint-Laurent. Piscine intérieure, club de santé.

HÔTEL DU THÉÂTRE
972, rue Saint-Jean
Code postal G1R 1R5
Tél. (418) 694-4040
Fax (418) 694-1916
Dans le théâtre Capitole, architecture début du siècle.
115-275 $

HÔTEL LE PRIORI
15, rue Sault-au-Matelot
Code postal G1K 3Y7
Tél. (418) 692-3992
Fax (418) 692-0883

HÔTEL LOEWS LE CONCORDE
1 225, pl. Montcalm
Code postal G1R 4W6
Tél. (418) 647-2222
Fax (418) 647-4710
Restaurant rotatif situé au sommet de l'hôtel. Vue sur le Saint-Laurent.

MANOIR VICTORIA
44, Côte-du-Palais
Code postal G1R 4H8
Tél. (418) 692-1030
Fax (418) 692-3822
Au cœur du vieux Québec. Piscine intérieure, sauna, centre de conditionnement physique.

QUÉBEC-HILTON
3, pl. Québec
Code postal G1K 7M9
Tél. (418) 647-2411
Fax (418) 647-6488
Vue sur le Saint-Laurent, les Laurentides ou le Vieux Québec.

RADISSON GOUVERNEURS QUÉBEC
690, bd R.-Lévesque E
Code postal G1R 5A8
Tél. (418) 647-1717
Fax (418) 647-2146
Piscine extérieure chauffée, sauna.

HÔTELS

AU JARDIN DU GOUVERNEUR
16, rue Mont Carmel
Code postal G1R 4A3
Tél. (418) 692-1704
Fax (418) 692-1713
Adjacent au château Frontenac.

AUBERGE DU QUARTIER
170, Grande Allée O
Code postal G1R 2G9
Tél. (418) 525-9726
Située en face des plaines d'Abraham. Foyer dans la salle à manger.

AUBERGE SAINT-ANTOINE
10, rue Saint-Antoine
Code postal G1K 4C9
Tél. (418) 692-2211
Fax (418) 692-1177
Dans un ancien entrepôt maritime du vieux port.

CENTRE INTERNATIONAL DE SÉJOUR DE QUÉBEC
19, rue Sainte-Ursule
Code postal G1R 4E1
Tél. (418) 694-0755
Fax (418) 694-2278
Auberge de jeunesse au cœur du vieux Québec. Chambres de 3 à 8 lits. Dortoirs de 10 à 12 lits. Douches et salles de bains à l'étage.

CHÂTEAU DE LA TERRASSE
6, pl. Terrasse-Dufferin
Code postal G1R 4N5
Tél. (418) 694-9472
Fax (418) 694-0055
Vue sur le fleuve.

CHEZ MARIE-CLAIRE
62, rue Sainte-Ursule
Code postal G1R 4E6
Tél. (418) 692-1556
Maison victorienne située en plein cœur du vieux Québec. B & B.

LE MANOIR D'AUTEUIL
49, rue d'Auteuil
Code postal G1R 4C2
Tél. (418) 694-1173
Fax (418) 694-0081
Vieil immeuble situé dans le vieux Québec. Décor intérieur Arts déco et Art Nouveau.

SIEUR DE MAGNAN
26, av. Sainte-Geneviève
Code postal G1R 4B2
Tél. (418) 694-9165

BEAUPORT

LOISIRS

PARC DE LA CHUTE-MONTMORENCY
2 492, av. Royale
Tél. (418) 663-2877
Chute de 83 m (ponts, téléphérique, belvédères et centre d'interprétation).

RESTAURANT

MANOIR MONTMORENCY
2 490, av. Royale
Tél. (418) 663-3330
Cuisine québecoise. Vue sur le Saint-Laurent. Terrasse.

BEAUPRÉ

LOISIRS

GRAND CANYON DES CHUTES SAINTE-ANNE
40, côte de la Miche (route 138)
Tél. (418) 827-4057
Ouvert tlj. 8 h-18 h, 24 juin-4 sep. ; tlj. 9 h-17 h, sep.-oct. et mai-23 juin
Sentiers et ponts surplombant le canyon et une chute (74 m).

PARC DU MONT-SAINTE-ANNE
Route 360
Tél. (418) 827-4561
Activités de plein air (golf, vélo de montagne, ski…).

RESTAURANT

♥ AUBERGE LA CAMARINE
10 947, bd Sainte-Anne
Tél. (418) 827-5703
Lauréat du Grand Prix gastronomie 1993.

HÔTEL-RESTAURANT

CHÂTEAU MONT-SAINT-ANNE
500, bd Beau-Pré
Code postal G0A 1E0
Tél. (418) 827-5211
Fax (418) 827-5072
Au pied du mont Saint-Anne. Piscine intérieure, sauna, billard.

CHARLESBOURG

LOISIRS

BALADES EN CALÈCHE ET DILIGENCE
8 335, pl. Montaigne
Tél. (418) 624-3062

PARC DE LA JACQUES-CARTIER
Tél. (418) 622-5151
Ouvert lun.-ven. 8 h 30-

16 h 30
Interprétation nature, canot-camping, VTT, randonnées pédestres.

CHÂTEAU-RICHER

VIE CULTURELLE

CENTRE D'INTERPRÉTATION DE LA CÔTE-DE-BEAUPRÉ
7 007, av. Royale
Tél. (418) 824-3677
Fermé jan.-fév.
Groupes sur rdv. Géomorphologie, histoire, patrimoine et développement économique de la Côte-de-Beaupré.

SAINT-JOACHIM

LOISIRS

RÉSERVE NATIONALE DE FAUNE DU CAP TOURMENTE
Tél. (418) 827-3776
Site naturel : observation des oiseaux.

SAINT-LAURENT (ÎLE D'ORLÉANS)

VIE CULTURELLE

PARC MARITIME DE SAINT-LAURENT
120, chemin de la Chalouperie
Tél. (418) 828-2322
Ouvert tlj. 9 h-17 h 30, 15 juin-août

SAINTE-ANNE-DE-BEAUPRÉ

VIE CULTURELLE

BASILIQUE SAINTE-ANNE-DE-BEAUPRÉ
10 018, av. Royale
Tél. (418) 827-3781
Ouvert (accueil) tlj. 8 h 30-17 h, mai-mi-sep.
L'Historial est fermé jusqu'en 1997.

HÔTEL

CHALETS VILLAGE MONT-SAINT-ANNE
CP 275
Code postal G0A 3C0
Tél. (418) 650-2030
Fax (418) 650-2030
8 maisons de campagne (sauna et cuisinettes).

SAINTE-FOY

LOISIRS

FAUNE AVENTURE
914, rue Duchesneau
Tél. (418) 848-5099
Ouvert juin-oct.
Activités dans le parc de la Jacques-Cartier. Observation de la faune : safari à l'orignal, guides en forêts…

RESTAURANT

TANIÈRE
2 115, rang Saint-Ange
Tél. (418) 872-4386
Cuisine continentale, spécialisée dans la venaison (gibier).

HÔTELS

AUBERGE DU BOULEVARD LAURIER
3 125, av. des Hôtels
Code postal G1W 3Z6
Tél. (418) 653-7221
Fax (418) 653-2307
Piscine extérieure chauffée.

CITÉ UNIVERSITAIRE
UNIVERSITÉ LAVAL
Bd René-Lévesque
Service des Résidences
Pavillon Alphonse-Marie-Parent (bureau 1643)
Code postal G1K 7P4
Tél. (418) 656-5632
Fax (418) 656-2801
L'été, l'université loue des chambres aux visiteurs.

SILLERY

VIE CULTURELLE

MAISON DES JÉSUITES
2 320, chemin du Foulon
Tél. (418) 654-0259
Ouvert mar.-dim. 11 h-17 h, 15 mai-août
Visites commentées.

RESTAURANT

MELROSE
1 648, chemin St-Louis
Tél. (418) 681-7752
Fermé dim.
Cuisine québecoise, endroit tranquille.

WENDAKE

VIE CULTURELLE

WENDAKE
255, pl. Chef-M.-Laveau
Tél. (418) 843-3767
Ouvert lun.-jeu. 8 h-16 h, ven. 12 h-16 h
Village amérindien.

CHARLEVOIX

VIE PRATIQUE

ATR CHARLEVOIX
630, bd de Comporté
CP 275
La Malbaie G5A 1T8
Tél. (418) 665-4454
Fax (418) 665-3811
Ouvert 9 h-21 h, été ; 9 h-16 h, hiver

BAIE-SAINT-PAUL

VIE CULTURELLE

CENTRE D'EXPOSITION DE BAIE-SAINT-PAUL
23, rue Ambroise-Fafard
Tél. (418) 435-3681

LOISIRS

DOMAINE CHARLEVOIX
Route 362
Tél. (418) 435-2626
Ouvert 9 h-23 h
Pour observer les étoiles.

PARC DES GRANDS-JARDINS
À 42 km de Baie-Saint-Paul, *via* route 381
Tél. (418) 846-2057
ou (418) 435-3101
Un îlot de Grand Nord.

POURVOIRIE DU LAC MOREAU
Via route 381 et une route forestière de 10 km
Tél. (418) 439-3695
Séjours chasse et pêche.

HÔTEL

AUBERGE LA PIGNORONDE
750, bd Mgr-de-Laval
Code postal G0A 1B0
Tél. (418) 435-5505
Fax (418) 435-2779
170 $-218 $

HÔTELS-RESTAURANTS

♥ AUBERGE LA MAISON OTIS
23, rue St-Jean-Baptiste
Code postal G0A 1B0
Tél. (418) 435-2255
130 $-250 $ (1/2 pens.)

♥ LA MUSE
39, rue St-Jean-Baptiste
CP 1627
Code postal G0A 1B0
Tél. (418) 435-6839
Fax (418) 435-6289
Bon marché, formules B & B ou demi-pension.
75 $-85 $ (p. déj. inclus)

BAIE-SAINTE-CATHERINE

LOISIRS

CROISIÈRES NAVIMEX
Route 138
Tél. (418) 237-4274
ou (418) 692-4642
Fax (418) 694-1533
Croisières aux baleines.

FAMILLE DUFOUR CROISIÈRES
Route 138
Tél. 1 800 436-5250
Chaîne de 5 hôtels qui propose des croisières pour observer les baleines ou découvrir le fjord du Saguenay (bateaux à moteur ou goélette).

CAP-À-L'AIGLE

HÔTELS

AUBERGE PETITE PLAISANCE
310, rue Saint-Raphaël
Code postal G0T 1B0
Tél. (418) 665-2653
125 $

LA PINSONNIÈRE
124, rue Saint-Raphaël
Code postal G0T 1B0
Tél. (418) 665-4431
ou 1 800 387-4431
Fax (418) 665-7156
«Relais & Châteaux». Piscine intérieure. Forfaits possibles (ski…).
100 $-275 $

ÎLE AUX COUDRES

VIE CULTURELLE

LES MOULINS DE L'ÎLE-AUX-COUDRES
247, chemin du Moulin (Saint-Louis)
Tél. (418) 438-2184
Ouvert tlj. 10 h-17 h, 3e sem. de mai-24 juin ; tlj. 9 h-19 h, 25 juin-août ; tlj. 10 h-17 h, sep.-25 oct.

MUSÉE LES VOITURES D'EAU
203, chemin des Coudriers (Saint-Louis)
Tél. (418) 438-2208
Ouvert tlj. 9 h-18 h, mi.-juin-août ; sam.-dim. 9 h 30-17 h 30, 1er-15 juin et sep.-mi-oct.

LOISIRS

TRAVERSIER ÎLE AUX COUDRES/SAINT-JOSEPH-DE-LA-RIVE
3, rue du Port (Saint-Bernard-sur-Mer)
Tél. (418) 438-2743
Ouvert tlj. 7 h-23 h, toute l'année
Selon la saison, 8 à 24 départs par jour.

VÉLO-COUDRES
743, chemin des Coudriers
Tél. (418) 438-2118
Location de tous types de cycles : vélo de montagne, de randonnée, tricycle, quadricycle.

HÔTELS-RESTAURANTS

HÔTEL-MOTEL CAP-AUX-PIERRES
220, route Principale
Code postal G0A 2A0
Tél. (418) 438-2711
Fax (418) 438-2127
178 $-198 $

♥ HÔTEL-MOTEL LA ROCHE PLEUREUSE
272, route Principale
Code postal G0A 2A0
Tél. (418) 438-2734
Tennis, piscine d'eau de mer extérieure chauffée.
62 $-86 $ (1/2 pens.)

HÔTEL

LA MARGUERITE
567, chemin des Coudriers
Code postal G0A 2A0
Tél. (418) 438-2283
50 $-60 $ (p. déj. inclus)

LA MALBAIE

LOISIRS

PARC DES HAUTES GORGES
Via Saint-Aimé-des-Lacs et route forestière pendant 35 km
Tél. (418) 439-4402
Les plus hautes parois rocheuses de l'est du Canada.

POURVOIRIE ET AUBERGE CLUB DES HAUTEURS
Via Clermont et route forestière de 40 km
Tél. (418) 439-2723
Fermé mi-déc.-mars
En pleine nature, séjours chasse et pêche. 14 chalets et 1 auberge. L'hiver, accessible en motoneige.

LES ÉBOULEMENTS

VIE CULTURELLE

MANOIR DE SALES-LATERRIÈRE
159, rue Principale
Tél. (418) 635-2666
Ouvert tlj. 9 h-11 h et 14 h-16 h

PETITE-RIVIÈRE-SAINT-FRANÇOIS

LOISIRS

LE MASSIF
1 350, rue Principale
CP 47
Code postal G0A 2L0
Tél. (418) 632-5876
Centre de ski.

POINTE-AU-PIC

VIE CULTURELLE

MUSÉE DE CHARLEVOIX
1, chemin du Havre
Tél. (418) 665-4411
Ouvert tlj. 10 h-18 h, 21 juin-août ; mar.-dim. 10 h-17 h, sep.-20 juin

LOISIRS

CASINO DE CHARLEVOIX
183, av. Richelieu
Tél. (418) 665-5353
Roulette, black jack, baccara.

HÔTEL

♥ MANOIR RICHELIEU
181, av. Richelieu
Code postal G0T 1M0
Tél. (418) 665-3703
Fax (418) 665-3093
Forfaits possibles. Casino.
150 $-190 $

SAINT-AIMÉ-DES-LACS

HÔTEL-RESTAURANT

AUBERGE LE RELAIS DES HAUTES-GORGES
317, rue Principale
Code postal G0T 1S0
Tél. (418) 439-5110
Feux de camp, activités sportives.
48 $-68 $

SAINT-FIDÈLE

LOISIRS

CENTRE ÉCOLOGIQUE DE PORT-AU-SAUMON
337, route 138
Tél. (418) 434-2209
Ouvert tlj. 10 h-16 h, juil.-mi-août
Visite de sentiers aménagés avec guide.

SAINT-IRÉNÉE

LOISIRS

DOMAINE FORGET
398, chemin Les Bains
Tél. (418) 452-8111
Stages de perfectionnement (musique et danse) de juin à août. Concerts mer., ven. et sam.

HÔTEL-RESTAURANT

AUBERGE DES SABLONS
223, chemin Les Bains
Code postal G0T 1V0
Tél. (418) 452-3594
ou 1 800 267-3594
Fax (418) 452-3240
Forfaits w.-e. à thèmes (observation de la faune, musique...) ou sportifs (ski, traîneau à chiens).
150 $-210 $

SAINT-JOSEPH-DE-LA-RIVE

VIE CULTURELLE

PAPETERIE SAINT-GILLES
304, rue F.-A.-Savard
Tél. (418) 635-2430

HÔTEL-RESTAURANT

♥ AUBERGE BEAUSÉJOUR ET MOTEL
569, chemin du Quai
Code postal G0A 3Y0
Tél. (418) 635-2895
Fax (418) 635-1195
Piscine d'eau de mer, tennis.
70 $-90 $

SAINT-SIMÉON

LOISIRS

TRAVERSE RIVIÈRE-DU-LOUP/ST-SIMÉON
Tél. (418) 862-9545
2 à 5 départs par jour du jeudi saint au 2 jan.

HÔTELS

♥ AUBERGE PETITE MADELEINE
400, chemin Port-au-Persil
Code postal G0T 1X0
Tél. (418) 638-2460
50 $

AUBERGE SUR MER
109, rue du Quai
Code postal G0T 1X0
Tél. (418) 638-2674
Fax (418) 638-2483
40 $-68 $

CHAUDIÈRE-APPALACHES ET BAS-ST-LAURENT

VIE PRATIQUE

ATR CHAUDIÈRE-APPALACHES
800, autoroute J.-Lesage
Bernières G7A 1C9
Tél. (418) 831-4441

ATR BAS-ST-LAURENT
189, rue Hôtel-de-Ville
Rivière-du-Loup G5R 5C4
Tél. (418) 867-3015
Fax (418) 867-3245
Ouvert tlj. 8 h 30-16 h 30, hte saison ; lun.-ven. 8 h 30-16 h 30, b. saison

BEAUMONT

VIE CULTURELLE

MOULIN DE BEAUMONT
Autoroute J.-Lesage
Sortie 341
2, route du Fleuve
Tél. (418) 833-1867
Ouvert mar.-dim. 10 h-16 h 30, 25 juin.-août ;

sam.-dim. 10 h-16 h 30, 15 mai-24 juin et sep.-oct.

CACOUNA

HÔTEL

AUBERGE DU PORC-ÉPIC
600, rue Principale O
Route 132
Code postal G0L 1G0
Tél. (418) 868-1373
Non fumeur.
55 $-80 $ (p. déj. inclus)

CHARNY

LOISIRS

PARC DE LA CHUTE DE LA RIVIÈRE CHAUDIÈRE
Renseignements :
333, 20e Rue
Tél. (418) 832-4695

GRAND-MÉTIS

LOISIRS

JARDINS DE MÉTIS
200, route 132
Tél. (418) 775-2221
Ouvert tlj. 8 h 30-20 h
Fermé nov.-avr.
Villa magnifique, musée, boutique, restaurant et aires de pique-nique. Plusieurs grands jardins anglais fleuris.

ÎLE AUX GRUES

HÔTEL-RESTAURANT

AUBERGE DES DUNES
CP 55
Code postal G0R 1P0
Tél. (418) 248-0129
Fax (418) 248-5789
Type pourvoirie.
120 $

KAMOURASKA

VIE CULTURELLE

MUSÉE DE KAMOURASKA
69, av. Morel
Tél. (418) 492-9783
Ouvert tlj. 9 h-17 h, 20 juin-août. ; lun.-ven. 9 h-17 h, sam. et dim. sur rdv., nov.-mai

L'ISLET-SUR-MER

VIE CULTURELLE

MUSÉE MARITIME BERNIER
55, chemin des Pionniers E
Tél. (418) 247-5001
Ouvert tlj. 9 h-18 h, 20 mai-30 oct. ; mar.-ven. 9 h-12 h et 13 h-17 h, 31 oct.-19 mai

HÔTEL-RESTAURANT

RESTAURANT-MOTEL LA PAYSANNE
497, chemin des Pionniers E
Code postal G0R 2B0
Tél. (418) 247-7276
40 $-60 $

LA POCATIÈRE

VIE CULTURELLE

MUSÉE FRANÇOIS-PILOTE
100, 4e Avenue
Tél. (418) 856-3145
Ouvert lun.-sam. 9 h-12 h et 13 h-17 h, dim. 13 h-17 h ; lun.-ven. 9 h-12 h et 13 h-17 h, oct.-mai

LE BIC

LOISIRS

PARC NATIONAL DU BIC
Route 132
Tél. (418) 869-3311
Golf, marche, randonnée en vélo, plage, centre d'interprétation de la nature, camping.

HÔTEL-RESTAURANT

♥ AUBERGE DU MANGE-GRENOUILLE
148, rue Sainte-Cécile
Code postal G0L 1B0
Tél. (418) 736-5656
Fax (418) 736-5657
Au cœur d'une nature sauvage et escarpée, décor romantique et théâtral fin XIXe siècle. Vue sur îles du Bic. Fine cuisine régionale.
70 $-180 $

LÉVIS

VIE CULTURELLE

FORT DE LA MARTINIÈRE
9 805, bd de la Rive S
Tél. (418) 833-6620
Ouvert 9 h-16 h
Visites guidées 12 h-16 h.

LIEU HISTORIQUE NATIONAL DU FORT N°1
91, chemin du Gouvernement
Tél. (418) 835-5182
Ouvert 9 h-16 h, mi-mai-mi-juin ; 10 h-17 h, mi-juin-août ; lun.-sam. sur rdv, dim. 12 h-16 h, sep.-oct.

MAISON ALPHONSE DESJARDINS
6, rue du Mont-Marie
Tél. (418) 835-2090

HÔTEL

LE ROSIER
473, rue Saint-Joseph
Code postal G6V 1G9
Tél. (418) 833-6233
Maison style victorien, vue sur le Saint-Laurent, la chute Montmorency et l'île d'Orléans.
45 $

MONTMAGNY

VIE CULTURELLE

CENTRE ÉDUCATIF DES MIGRATIONS
53, rue du Bassin Nord
Tél. (418) 248-4565
Ouvert tlj. 9 h 30-17 h 30
Fermé déc.-mars
Sur rdv. pour groupes hors saison.

MANOIR DE L'ACCORDÉON
301, bd Taché E
Tél./Fax (418) 248-7927

HÔTEL-RESTAURANT

MANOIR DES ÉRABLES
220, bd Taché E
Code postal G5V 1G5
Tél. (418) 248-0100
Fax (418) 248-9507
55 $-195 $

POINTE-AU-PÈRE

VIE CULTURELLE

MUSÉE DE LA MER ET LIEU HISTORIQUE NATIONAL DU PHARE DE POINTE-AU-PÈRE
1 034, rue du Phare
Tél. (418) 724-6214
Ouvert tlj. 9 h-18 h, juin-mi-oct.

HÔTEL-RESTAURANT

♥ AUBERGE LA MARÉE DOUCE
1 329, bd Sainte-Anne E
Code postal G5M 8X7
Tél. (418) 722-0822
Fax (418) 736-5167
40 $-75 $

RIMOUSKI

VIE CULTURELLE

MAISON LAMONTAGNE
707, bd du Rivage
Tél. (418) 722-4038
Ouvert tlj. 10 h-18 h, mi-juin-août

HÔTEL-RESTAURANT

HÔTEL RIMOUSKI
225, bd René-Lepage E
Code postal G5L 1P2
Tél. (418) 725-5000
Fax (418) 725-5725
Vue sur le fleuve et l'île Saint-Barnabé. Sports et activités à proximité.
105 $-125 $

RIVIÈRE-DU-LOUP

VIE CULTURELLE

MUSÉE DU BAS-SAINT-LAURENT
300, rue Saint-Pierre
Tél. (418) 862-7547
Ouvert tlj. 10 h-20 h, 24 juin-août ; lun.-ven. 10 h-12 h et 13 h-17 h, sam.-dim. 13 h-17 h, sep.-23 juin

LOISIRS

CROISIÈRES NAVIMEX
200, Hayward (Marina)
Code postal G5R 3Y9
Tél. (418) 867-3361
ou (418) 692-4643
Fax (418) 694-1533
Expéditions pour voir les baleines avec guides naturalistes.

SOCIÉTÉ DUVETNOR
200, Hayward (Marina)
Code postal GR5 3Y9
Tél. (418) 867-1660
Activités écotouristiques, croisières, excursions sur les îles du St-Laurent.

Forfaits séjour dans un ancien phare sur l'île du Pot-à-l'Eau-de-Vie. Chalet et camping à l'Île-aux-Lièvres.

TRAVERSIER RIVIÈRE-DU-LOUP/ST-SIMÉON
199, rue Hayward
Tél. (418) 862-1981 (OT)
Horaires variables.

HÔTEL-RESTAURANT

AUBERGE DE L'ANSE
Anse-au-Persil
Route 132 E
Code postal G5R 3Y3
Tél. (418) 867-3463
Fax (418) 867-0842
Sports et activités à proximité. Vue sur le cap d'une montagne qui laisse voir le fleuve. Beaux couchers de soleil.
40 $-65 $

RIVIÈRE-OUELLE

HÔTEL-RESTAURANT

♥ **AUBERGE FLEUR DES BOIS**
103, route du Quai
Code postal G0L 2C0
Tél. (418) 856-1201
ou 1 800 463-1201
Fax (418) 856-5580
125 $-180 $ (1/2 pens.)

SAINT-ANDRÉ-DE-KAMOURASKA

VIE CULTURELLE

HALTE ÉCOLOGIQUE DES BATTURES
Route 132 O
Tél. (418) 493-2604
Ouvert lun.-ven. 10 h-18 h, sam.-dim. 9 h 30-20 h, 25 juin-août
Site accessible toute l'année. Pour les groupes sur rdv.

LA BOUCANERIE
111, rue Principale
Tél. (418) 493-2929
Ouvert 9 h-21 h, 15 avr.-24 déc.
Poissonnerie, fumoir.

MAISON DE LA PRUNE
129, route 132 E
Tél. (418) 493-2616
Ouvert août-oct.

HÔTEL-RESTAURANT

AUBERGE LA SOLAILLERIE
112, rue Principale
Code postal G0L 2H0
Tél. (418) 493-2914
Dans une maison ancienne. Poisson et cuisine régionale.
50 $-65 $ (p. déj. inclus)

SAINT-DENIS-DE-KAMOURASKA

VIE CULTURELLE

CENTRE D'INTERPRÉTATION L'ABOITEAU DE KAMOURASKA
60, route 132 E
Tél. (418) 498-5410
Ouvert tlj. 9 h 30-17 h, 24 juin-août
Hors saison sur rdv.

SAINT-DENIS-DE-LA-BOUTEILLERIE

VIE CULTURELLE

MAISON CHAPAIS
2, route 132 E
Tél. (418) 498-2353
Ouvert tlj. 10 h-18 h, 24 juin-5 sep.
Hors saison sur rdv.

SAINT-GEORGES

VIE CULTURELLE

CENTRE D'ART DE SAINT-GEORGES
250, 18e Rue O
(3e niveau)
Tél. (418) 228-2027
Ouvert mar., mer., sam. et dim. 13 h-17 h, jeu. et ven 13 h-21 h
Groupes sur rdv.

HÔTEL-RESTAURANT

HÔTEL LE GEORGESVILLE
300, 118e Rue
Code postal G5Y 3E3
Tél. (418) 227-3000
Fax (418) 227-4110
Vue sur la vallée de la Chaudière. Centre de détente (balnéothérapie, soins, massages...). Gastronomie beauceronne.
130 $-255 $

SAINT-JOSEPH DE-BEAUCE

VIE CULTURELLE

MUSÉE MARIUS-BARBEAU
139, rue Sainte-Christine
Tél. (418) 397-4039

SAINT-LAMBERT

LOISIRS

AVENTURE NORD-BEC
665, rue Saint-Aimé
Tél. (418) 889-8001
Pour conduire un attelage de malamutes d'Alaska à travers les pistes enneigées. Excursions de 1 à plusieurs jours, avec campement ou chalet. Le plus important éleveur de malamutes d'Alaska au Canada.

SAINT-ROCH-DES-AULNAIES

VIE CULTURELLE

LA SEIGNEURIE DES AULNAIES
525, rue de la Seigneurie
Tél. (418) 354-2800
Ouvert tlj. 9 h-18 h, 17 juin-4 sep. ; tlj. 10 h-16 h, 5 sep.-8 oct.
Sur rdv. pour groupes hors saison.

SAINTE-FLAVIE

RESTAURANT

CAPITAINE HOMARD
180, route de la Mer
Tél. (418) 775-8046
Produits de qualité. Fruits de mer. Spécialité de homard. Vue panoramique : bord de mer, couchers de soleil.
10 $-25 $ (carte)

SAINTE-MARIE

VIE CULTURELLE

MAISON J. A. VACHON
383, de la Coopérative
Tél. (418) 387-4052
Ouvert tlj. 9 h-17 h mi-juin-sep.
Sur rdv. le reste de l'année.

RESTAURANT

MAISON DE L'ÉRABLE
1 346, bd Vachon
Tél. (418) 387-3978
Repas typiques d'une cabane.
10 $-12 $

TROIS-PISTOLES

VIE CULTURELLE

MAISON VLB
23, rue Pelletier
Tél. (418) 851-6852

PARC DE L'AVENTURE BASQUE EN AMÉRIQUE
Rue du Parc
Ouvrira en 1996, de la mi-juin à la mi-octobre.

GASPÉSIE

VIE PRATIQUE

ATR DE LA GASPÉSIE
357, route de la Mer
Sainte-Flavie G0J 2L0
Tél. (418) 775-2223
Fax (418) 775-2234
Ouvert tlj. 8 h-20 h, été ; lun.-ven. 8 h 30-17 h, hiver

ANSE-AU-GRIFFON

VIE CULTURELLE

MANOIR LE BOUTILLIER
Route 132
Tél. (418) 892-5150
Ouvert 8 h-21 h, mi-juin-4 sep.

BONAVENTURE

VIE CULTURELLE

MUSÉE ACADIEN DU QUÉBEC À BONAVENTURE
95, av. Port-Royal
Tél. (418) 534-4000
Ouvert tlj. 9 h-20 h, 24 juin-août ; lun.-ven. 9 h-12 h et 13 h-17 h, sam.-dim. 13 h-17 h, sep.-23 juin

HÔTEL-RESTAURANT

HÔTEL-MOTEL LE CHÂTEAU BLANC
98, av. Port-Royal
CP 880
Code postal G0C 1E0
Tél. (418) 534-3336
Fax (418) 534-4016
Vue sur la baie des Chaleurs.
55 $-85 $

CAP-DES-ROSIERS

VIE CULTURELLE

PHARE DU CAP-DES-ROSIERS
Route 132
Ouvert tlj. 9 h-19 h, juin-sep.

CARLETON

HÔTEL-RESTAURANT

HOSTELLERIE BAIE BLEUE
482, bd Perron
CP 150
Code postal G0C 1J0
Tél. (418) 364-3355
ou 1 800 463-9099
Fax (418) 364-6165
Face à la mer. Piscine extérieure chauffée.
82 $-140 $

GASPÉ

VIE CULTURELLE

MUSÉE DE LA GASPÉSIE
80, bd Gaspé
Tél. (418) 368-1534
Ouvert tlj. 8 h 30-20 h 30, 24 juin-août ; lun.-ven. 9 h-12 h et 13 h-17 h, dim. 13 h-17 h, sep.-23 juin

LOISIRS

CROISIÈRES BAIE DE GASPÉ
Chantier maritime
CP 754
Code postal G0C 1R0
Tél. (418) 368-6123
Ouvert 12 juin-10 oct.
Croisière d'observation 1 à 3 départs par jour. 7 espèces de baleines et 2 de phoques vivent dans les eaux de Forillon.

PARC FORILLON
122, bd Gaspé
Tél. (418) 368-5505

Centre d'interprétation de la nature. Randonnées. Visite d'une ancienne compagnie exportatrice de morue. Excursion en mer. Camping. Plongée sous-marine.

RESTAURANT

CAFÉ-RESTAURANT LA BELLE HÉLÈNE
135, rue de la Reine
CP 2197
Tél. (418) 368-1455
Vue sur la baie. Fruits de mer et poissons.
15 $-30 $ (table d'hôte)

HÔTELS-RESTAURANTS

AUBERGE DES COMMANDANTS
178, rue de la Reine
Code postal G0C 1R0
Tél. (418) 368-3355
ou 1 800 462-3355
Fax (418) 368-1702
Vue sur la baie.
80 $

MOTEL ADAMS
2, rue Adams
CP 130
Code postal G0C 1R0
Tél. (418) 368-2244
Fax (418) 368-6963
Vue sur la baie de Gaspé.
67 $-83 $

LA MARTRE

LOISIRS

CENTRE D'INTERPRÉTATION DES PHARES
10, av. du Phare
Tél. (418) 288-5698
Ouvert tlj. 9 h-17 h, juin-1er lun. sep.

MARIA

HÔTEL-RESTAURANT

AUBERGE HONGUEDO
548, bd Perron
CP 1038
Code postal G0C 1Y0
Tél. (418) 759-3488
ou 1 800 463-0833
Fax (418) 759-5849
Piscine extérieure chauffée. Vue sur la baie des Chaleurs.
64 $-88 $

MATANE

LOISIRS

POSTE D'OBSERVATION DU SAUMON, BARRAGE MATHIEU-D'AMOURS
235, av. Saint-Jérôme (local 101)
Tél. (418) 562-7560
Ouvert tlj. 7 h-22 h, 15 juin-1er lun. sep. ; tlj. 8 h-21 h, 1er lun. sep.-30 sep.
Poste d'observation du passage du saumon de l'Atlantique. Vente de droits d'accès pour la pêche et de permis provinciaux.

SOCIÉTÉ DE GESTION DE LA RIVIÈRE MATANE
235, av. Saint-Jérôme
Local 101
Tél. (418) 562-7560
Pêche au saumon.

SOCIÉTÉ DES TRAVERSIERS DU QUÉBEC
Tél. (418) 562-2500
Traversées Matane/Baie-Comeau, Matane/Godbout.

HÔTEL-RESTAURANT

HÔTEL DES GOUVERNEURS
250, av. du Phare E
Code postal G4W 3N4
Tél. (418) 566-2651
Fax (418) 562-7365
À proximité du fleuve et du port de mer. Tennis éclairé, sauna, piscine extérieure, centre de conditionnement physique. Vue sur les rives du Saint-Laurent.
150 $

MONT-SAINT-PIERRE

LOISIRS

CORPORATION DE VOL LIBRE
Rue Prudent-Cloutier
Tél. (418) 797-2222
Ouvert 9 h-18 h, mi-juin-sep.
Excursion en voiture sur le mont St-Pierre. Vol en tandem, en biplaces (20 min). Initiation, exercices de décollage et d'atterrissage.

RESTAURANT

RESTAURANT-BAR LES JOYAUX NAUFRAGÉS
7, Pierre Mercier
Tél. (418) 797-2017
ou (418) 797-2624
Cuisine régionale : poissons et fruits de mer.
14 $-23 $

MURDOCHVILLE

VIE CULTURELLE

CENTRE D'INTERPRÉTATION DU CUIVRE
345, route 198
Tél. (418) 784-3335
Ouvert 9 h-18 h, 24 juin-18 août ; 10 h-16 h, 19 août-15 oct.
Sur rdv. le reste de l'année.

NEW RICHMOND

VIE CULTURELLE

CENTRE DE L'HÉRITAGE BRITANNIQUE
351, Perron O
Tél. (418) 392-4487

HÔTEL-RESTAURANT

HÔTEL-MOTEL FRANCIS
210, chemin Pardiac
CP 819
Code postal G0C 2B0
Tél. (418) 392-4485
Fax (418) 392-4819
Aux abords de la rivière Petite Cascapédia.
60 $-80 $

NOUVELLE

VIE CULTURELLE

PARC DE MIGUASHA
270 Miguasha O
Tél. (418) 794-2475
Ouvert 9 h-18 h, juin-mi-oct.

PASPÉBIAC

VIE CULTURELLE

SITE HISTORIQUE DU BANC-DE-PASPÉBIAC
Tél. (418) 752-6229
Ouvert 9 h-18 h, juin-sep.

PERCÉ

LOISIRS

PARC DE L'ÎLE-BONAVENTURE-ET-DU-ROCHER-PERCÉ
Rue du Quai
Tél. (418) 782-2240
Ouvert 8 h 15-16 h, 1er-24 juin ; 8 h 15-17 h, 25 juin-août ; 9 h 15-16 h, sep.-oct.
Randonnées guidées au Percé. Centre d'interprétation : nature et histoire. Très importante colonie de fous de Bassan.

RESTAURANTS

LA MAISON DU PÊCHEUR
Place du Quai
Tél. (418) 782-5331
En bord de mer. Vue sur le Rocher Percé et l'île Bonaventure. Spécialités : poissons, fruits de mer, pizzas.
9 $-35 $ (table d'hôte)
8 $-50 $ (carte)

LE MATELOT
7, rue de l'Église
Tél. (418) 782-2569
Spécialités : homard, crabe, pétoncles, crevettes. Homard élevé sur place, leçon de décorticage en prime.

HÔTEL

MOTEL LES TROIS SŒURS
77 B, route 132
Code postal G0C 2L0
Tél. (418) 782-2183
Fax (418) 782-2610
Vue sur le Rocher Percé et l'île Bonaventure.
65 $-95 $

HÔTELS-RESTAURANTS

HÔTEL-MOTEL BONAVENTURE-SUR-MER
261, route 132
Code postal G0C 2L0
Tél. (418) 782-2166
Fax (418) 782-5323
Ouvert 15 mai-15 oct.
Vue sur la plage, le Rocher Percé et l'Île Bonaventure.
55 $-107 $

HÔTEL-MOTEL LA NORMANDIE
221, route 132 O
CP 129
Code postal G0C 2L0
Tél. (418) 782-2112
ou 1 800 463-0820
Fax (418) 782-2337
Accès direct à la plage, face au Rocher Percé et à l'île Bonaventure.
107 $-125 $

POINTE-À-LA-CROIX

VIE CULTURELLE

LIEU HISTORIQUE NATIONAL DE LA BATAILLE-DE-LA-RISTIGOUCHE
Route 132
Tél. (418) 788-5676
Ouvert tlj. 9 h-17 h, juin-sep.
Fermé déc.-fév.
Sur rdv. : oct., nov., mars, avr. et mai.

SAINTE-ANNE-DES-MONTS

LOISIRS

PARC DE LA GASPÉSIE
10, bd Sainte-Anne O
Tél. (418) 763-7811
ou (418) 763-3301
Centre d'interprétation de la nature (ouvert juin-sep.). *Sentiers de grande randonnée, VTT, pêche, ski de randonnée et raquette.*

HÔTELS-RESTAURANTS

AUBERGE-GÎTE DU MONT-ALBERT
Route 299 (parc de la Gaspésie)
Code postal G0E 2G0
Tél. (418) 763-2288
Fax (418) 763-7803
Fermé oct.
Chambres et chalets dans le parc de la Gaspésie. Piscine extérieure chauffée, sauna. Vue sur les montagnes.
159 $

MONACO-DES-MONTS
90, bd Sainte-Anne-des-Monts
Code postal G0E 2G0
Tél. (418) 763-3321
Fax (418) 763-7846
Près du Saint-Laurent, entre la mer et la montagne. Orchestre du mardi au samedi.
84 $

ÎLES-DE-LA-MADELEINE

VIE PRATIQUE

ATR ÎLES-DE-LA-MADELEINE
CP 1028
Cap-aux-Meules
Îles-de-la-Madeleine
Code postal G0B 1B0
Tél. (418) 986-2245
Fax (418) 986-2327
Ouvert tlj. 7 h-21 h, été ; lun.-ven. 9 h-17 h, hiver
En haute saison, les Madelinots ouvrent leurs maisons aux visiteurs. Pour louer une chambre dans une famille, une maison ou un chalet, s'adresser à l'Association touristique des Îles (mars-sep.).

CAP-AUX-MEULES

LOISIRS

AVENTURE PLONGÉE DES ÎLES DE LA MADELEINE
105, chemin Principal
Tél. (418) 986-6475
ou (418) 986-4470
Ouvert lun.-sam. 8 h-20 h (en saison touristique)
Réparation, vente et location d'équipements. Sorties en mer, cours de formation.

CTMA TRAVERSIER
Tél. (418) 986-3278
Traversier Souris (Île-du-Prince-Édouard)/ Cap-aux-Meules.

EXCURSIONS EN MER
Marina Cap-aux-Meules
Tél. (418) 986-4745
ou (418) 986-2304
Excursions bateau : observations des grottes et des falaises et démonstration de pêche au homard (9 h). Excursion à l'île d'Entrée (10 h 30). Parties de pêche – morue ou maquereau (15 h 30). Sorties en soirée (19 h). Départ bateaux tlj. à heures fixes.

BARS

LA JETÉE
153, chemin Principal
Tél. (418) 986-6312

LE CENTRAL
Chemin Principal
Tél. (418) 986-3212
Musique (rock, jazz...). L'incontournable des soirées d'été aux Îles.

HÔTEL-RESTAURANT

CHÂTEAU MADELINOT
323, route 199
CP 265
Code postal G0B 1B0
Tél. (418) 986-3695
ou 1 800 661-4537
Fax (418) 986-6437
Au bord de la mer à quelques minutes de marche de Cap-aux-Meules. Piscine intérieure, sauna, centre de thalassothérapie.

ÉTANG-DES-CAPS

LOISIRS

LA CHEVAUCHÉE DES ÎLES
Chemin des Arpenteurs
Tél. (418) 937-2368
Ouvert tlj. 9 h-crépuscule
Randonnées équestres en forêt, sur la plage. Balade en poney sur rdv.

ÉTANG-DU-NORD

LOISIRS

AVENTURE PLEIN AIR
1 252, route 199

Tél. (418) 986-6161
Ouvert tlj. 9 h-17 h
Location kayaks de mer. Sorties guidées.

FATIMA

LOISIRS

L'ODYSSÉE CHEVALINE
Chemin Les Caps
Tél. (418) 986-3177
Ouvert tlj. 8 h 30-18 h 30, 15 mai-15 oct.
École d'équitation, randonnées guidées, forfaits autour des îles.

GRANDE-ENTRÉE

LOISIRS

CENTRE D'INTERPRÉTATION DU PHOQUE
Rens. : Club vacances «Les Îles»
Ouvert lun.-ven. 9 h-17 h, sam.-dim. 10 h-17 h, juin-août et mars

POURVOIRIE MAKO
Port de Grande-Entrée
Tél. (418) 985-2895
Ouvert tlj. (selon météo), août-oct.
Pêche au requin autour des îles. Maximum six personnes par sortie.

GRANDE-ÎLE

HÔTEL

CLUB VACANCES LES ÎLES
377, route 199
CP 59
Code postal G0B 1H0
Tél. (418) 985-2833
Fax (418) 985-2226
534 $ pour 1 semaine

GROSSE ÎLE

LOISIRS

RÉSERVE NATIONALE DE FAUNE DE LA POINTE DE L'EST
128, chemin Débarcadère
Tél. (418) 985-2333
Observation de la faune.

HAVRE-AUBERT

VIE CULTURELLE

MUSÉE DE LA MER
1 023, route 199
Pointe Shea
Tél. (418) 937-5711
Ouvert lun.-ven. 9 h-18 h, sam.-dim. 10 h-18 h, 24 juin-août ; lun.-ven. 9 h-12 h et 13 h-17 h, sam.-dim. 13 h-17 h, sep.-23 juin

LOISIRS

AQUARIUM DES ÎLES
982, route 199, La Grave
Ouvert lun.-ven. 10 h-18 h, sam.-dim. 11 h-17 h, 15 juin-15 sep.
Une impressionnante variété de poissons et autres espèces aquatiques du golfe du Saint-Laurent.

CENTRE NAUTIQUE DE L'ISTORLET
100, chemin de l'Istorlet
Tél. (418) 937-5266
Ouvert lun.-sam. 9 h-17 h
Cours et location : voile, planche à voile, canot, kayak de mer, surf et plongée légère. Excursions. Camps de vacances pour 6-15 ans.

RESTAURANTS

CAFÉ DE LA GRAVE
969, route 199
La Grave
Tél. (418) 937-5765
Ambiance très sympathique. Croissants, croque-monsieur, croque-madame, gâteaux maison. Café aménagé dans un ancien magasin général.

LA MARÉE HAUTE
25, chemin des Fumoirs
Tél. (418) 937-2492
Le chef, dijonnais d'origine, allie de façon inventive tradition française et fraîcheur des produits de la mer. 28,50 $ (table d'hôte)

HÔTEL-RESTAURANT

AUBERGE CHEZ DENIS À FRANÇOIS
404, chemin d'En-Haut
CP 183
Code postal G0B 1J0
Tél. (418) 937-2371
Petite auberge sympathique.
72 $

HAVRE-AUX-MAISONS

RESTAURANT

AU VIEUX COUVENT
292, route 199
Tél. (418) 969-2233
Spécialités : calmars frits, moules à toutes les sauces, etc. Grande terrasse.

HÔTEL

AUBERGE LA P'TITE BAIE
187, route 199
Code postal G0B 1E0
Tél. (418) 969-4073
Ancienne résidence. Entre baie et lagune.
65 $ (p. déj. inclus)

HAVRE-SUR-MER

LOISIRS

LES EXCURSIONS DE LA LAGUNE
La Pointe (Marina)
Tél. (418) 969-4550
Départs tlj. à 11 h, 14 h, 18 h, de juin à sep.

Observation et interprétation, sur un bateau à fond vitré, de la vie lagunaire. Dégustation de crustacés et de mollusques.

HÔTEL-RESTAURANT

♥ L'ANSE À LA CABANE
1 197, chemin du Bassin
CP 257
Code postal G0B 1A0
Tél. (418) 937-5675
Fax (418) 937-2540
À proximité de la plage. Ambiance chaleureuse.

LA VERNIÈRE

RESTAURANT

♥ LA TABLE DES ROY
1 188, route 199
Tél. (418) 986-3004
Fermé lun. et oct.-mai
Cuisine de la mer fine et réputée. Très bonne sélection de vins.
30 $-38 $

NORTH SYDNEY (NOUVELLE-ÉCOSSE)

LOISIRS

MARINE ATLANTIC
355, Puarves
Tél. (902) 794-5700
Ouvert tlj. 7 h-23 h
Traversier cap Tormentine (Nouvelle-Écosse)/ Borden (île-du-Prince-Édouard). Permet ensuite de prendre un autre traversier à Souris pour les Îles-de-la-Madeleine.

SAGUENAY-LAC-SAINT-JEAN

VIE PRATIQUE

ATR SAGUENAY-LAC-SAINT-JEAN
198, rue Racine E
bureau 210
Chicoutimi G7H 1R9
Tél. (418) 543-9778
Fax (418) 543-1805
Ouvert 8 h 30-12 h et 13 h 30-16 h 30

ALMA

VIE CULTURELLE

MUSÉE D'HISTOIRE DU LAC SAINT-JEAN
54, rue Saint-Joseph S
Tél. (418) 668-2606
Ouvert lun.-ven. 9 h-18 h, sam.-dim. 13 h-16 h 30, 24 juin-4 sep. ; lun.-ven. 9 h-12 h et 13 h 30-16 h, sep.-juin

USINE ISLE-MALIGNE (ALCAN)
1 025, rue des Pins O
Tél. (418) 668-9872 poste 472
Ouvert lun.-ven. 8 h 30-10 h
Interdit aux moins de 14 ans.

CHICOUTIMI

VIE CULTURELLE

LA PULPERIE DE CHICOUTIMI
300, rue Dubuc
Tél. (418) 698-3100
Ouvert tlj. 9 h-17 h, mi-juin-mi-sep.

MAISON-MUSÉE DU PEINTRE ARTHUR VILLENEUVE
Dans le complexe touristique de la Pulperie
Ouvert mar.-ven. 9 h 30-11 h 30 et 13 h 30-16 h 30, mai-sep. ; lun., sam.-dim. sur rdv. (pour groupes), mai-sep.
Fermé oct.-avr.

MUSÉE DU SAGUENAY-LAC-SAINT-JEAN
534, rue J.-Cartier E
Tél. (418) 545-9400
Ouvert lun.-ven. 8 h 30-17 h, sam.-dim. et j. fér. 10 h-17 h, 24 juin-4 sep. ; lun.-ven. 8 h 30-12 h et 13 h 30-17 h, sam.-dim. et j. fér.13 h-17 h, 5 sep.-23 juin

RESTAURANT

LE DEAUVILLE
720, bd Talbot
Tél. (418) 696-4144
Bonne table.
15 $ (minimum)

HÔTEL

HÔTEL CHICOUTIMI
460, rue Racine E
Code postal G7H 1T7
Tél. (418) 549-7111
ou 1 800 463-7930
Fax (418) 549-0938
56 $-68 $
C

HÔTEL-RESTAURANT

LE MONTAGNAIS
1 080, bd Talbot
Code postal G7H 4B6
Tél. (418) 543-1521
ou 1 800 463-9160
Fax (418) 543-2149
Piscine intérieure et extérieure, sauna…
58 $-80 $

DESBIENS

VIE CULTURELLE

CENTRE D'INTERPRÉTATION DE LA MÉTABETCHOUANE
243, rue Hébert

Tél. (418) 346-5341
Ouvert mar.-dim. 10 h-17 h, 25 mai-sep.
Réservation obligatoire.

DOLBEAU

LOISIRS

CENTRE ASTRO
1 208, route de la Friche
Tél. (418) 276-0919
Ouvert tlj. 8 h-24 h, 21 juin-sep.
Fermé oct.-mi-mai
Sur rdv., 17 mai-18 juin.

JONQUIÈRE

VIE CULTURELLE

CENTRALE HYDROÉLECTRIQUE DE SHIP-SHAW
1 471, route du Pont
Ouvert lun.-ven. 13 h 30-16 h, juin-août

LA BAIE

HÔTELS-RESTAURANTS

♥ AUBERGE DES 21
621, rue Mars
Code postal G7B 4N1
Tél. (418) 697-2121
ou 1 800 363-7298
Fax (418) 544-3360
Pour la qualité du service et de la table.
84 $-145 $

♥ AUBERGE LA MAISON DE LA RIVIÈRE
9 122, chemin de la Batture
Code postal G7B 3P6
Tél. (418) 544-2912
ou 1 800 363-2078
Fax (418) 544-2912
Mélange cuisine amérindienne et québécoise.

MASHTEUIATSH

VIE CULTURELLE

MUSÉE AMÉRINDIEN
1 787, rue Amishk
Tél. (418) 275-4842
Ouvert tlj. 9 h-18 h, juin-sep. ; lun.-ven. 9 h-12 h et 13 h-15 h, oct.-mai

MÉTABETCHOUAN

HÔTEL-RESTAURANT

AUBERGE LAMY
56, rue Saint-André
CP 396
Code postal G0W 2A0
Tél. (418) 349-8633
Ancienne maison de médecin.
65 $ (p. déj. inclus)

PÉRIBONKA

VIE CULTURELLE

MUSÉE LOUIS-HÉMON
700, rue Maria-Chapdelaine (route 169)
Tél. (418) 374-2177
Ouvert tlj. 9 h-17 h 30, juin-sep. ; lun.-sam. 9 h-16 h, dim. 13 h-17 h, oct.-mai

PETIT-SAGUENAY

HÔTEL-RESTAURANT

AUBERGE DU JARDIN
71, rue Dumas
Code postal G0V 1N0
Tél. (418) 272-3444
Hébergement et cuisine régionale.
150 $-200 $ (1/2 pens.)

SAINT-FÉLICIEN

LOISIRS

JARDIN ZOOLOGIQUE DE SAINT-FÉLICIEN
2 230, bd du Jardin
Tél. (418) 679-0543
ou 1 800 667-5687
Fax (418) 679-3647

Ouvert tlj. 9 h-17 h, juin, août et sep. ; tlj. 9 h-19 h, juil.
Animaux en semi-liberté. Randonnées en wagons grillagés pour les observer.

HÔTEL-RESTAURANT

HÔTEL DU JARDIN
1 400, bd du Jardin
Code postal G8K 2N8
Tél. (418) 679-8422
ou 1 800 463-4927
Fax (418) 679-4459
85 $-92 $

SAINT-PRIME

VIE CULTURELLE

VIEILLE FROMAGERIE PERRON
148, 15e Avenue
Tél. (418) 251-4922
Ouvert tlj. 9 h-20 h, 24 juin-4 sep.
Pour les groupes sur rdv. toute l'année.

SAINTE-ROSE-DU-NORD

HÔTEL-RESTAURANT

AUBERGE LE PRESBYTÈRE
136, rue du Quai
Code postal G0V 1T0
Tél. (418) 675-2503
Pour la table et l'hébergement.
120 $

MANICOUAGAN ET DUPLESSIS

VIE PRATIQUE

ATR MANICOUAGAN
CP 2366
Baie-Comeau G5C 2T1
Tél. (418) 589-2876
Fax (418) 589-9546
Ouvert tlj. 9 h-17 h

ATR DUPLESSIS
865, bd Laure
Sept-Îles G4R 1Y6
Tél. (418) 962-0808
Fax (418) 962-6518
Ouvert 9 h-12 h et 13 h 30-17 h

BAIE COMEAU

VIE CULTURELLE

HYDRO-QUÉBEC-BARRAGE MANIC 2
135, bd Comeau

Tél. (418) 294-3923
Ouvert tlj. 9 h-11 h et 13 h-15 h, mi-juin-août

Hôtel-restaurant

Le Manoir
8, rue Cabot
Code postal G4Z 1L8
Tél. (418) 296-3391
ou 1 800 361-6162
Fax (418) 296-1435
Hôtel ancien.

Bergeronnes

Vie culturelle

Archeo-Topo
498, rue de la Mer
Tél. (418) 232-6286
Centre d'interprétation sur la préhistoire.

Site d'observation de Cap-de-Bon-Désir
166, route 138
Tél. (418) 232-6751
Ouvert tlj. 9 h-20 h
Fermé mi-sep.-mi-juin
Observation de mammifères marins depuis le rivage, centre d'interprétation…

Godbout

Vie culturelle

Musée amérindien et inuit
134, rue Pascal-Comeau
Tél. (418) 568-7724
Ouvert tlj. 9 h-22 h, juin-août

Hôtel-restaurant

♥ **Aux Berges**
180, rue Pascal-Comeau
Code postal G0H 1G0
Tél. (418) 568-7748
Petite auberge conviviale. Chalets. Excellente cuisine.
45 $-60 $

Havre-Saint-Pierre

Restaurant

♥ **Chez Julie**
1 023, Dulcinée
Tél. (418) 538-3070
Fruits de mer, pizzas aux fruits de mer.
8 $-13 $ (table d'hôte)

Longue-Pointe

Loisirs

Station de recherche des îles de Mingan
124, bord de la Mer
Code postal G0G 1V0
Tél. (418) 949-2845
Participation aux recherches sur les mammifères marins et excursions en mer ou stages de 5 à 10 jours.

Pointe-des-Monts

Hôtel-restaurant

♥ **Gîte du phare de Pointe-des-Monts**
Route du Vieux-Phare
Code postal G0H 1A0
Tél. (418) 939-2332
Gîte touristique dans les bâtiments d'appoint d'un phare historique. Excursions à la baleine. Pêche en mer. Plongée sous-marine (épaves des XVIIe, XVIIIe et XIXe s.). Chalets. Bar et repas le soir. Spécialités régionales.
48 $-72 $

Port-Menier Île Anticosti

Hôtel-restaurant

Auberge Port-Menier
Code postal G0G 2Y0
Tél. (418) 535-0122
Réservation obligatoire. Bonne table.
66 $

Rivière-au-Tonnerre

Hôtel-restaurant

♥ **Place Jonathan**
454, rue Jacques-Cartier
Code postal G0G 2L0
Tél. (418) 465-2207
ou 1 800 563-2208
Fax (418) 465-2217
Prix raisonnables. Excellente table. Réservations pour hébergement et expéditions à la baleine. Hôtel et motel.
54,20 $ (motel)

Sacré-Cœur

Hôtel

Centre d'hébergement Bordsville
Route 177
Code postal G0T 1Y0
Tél. (418) 236-4831

Sept-Îles

Vie culturelle

Le Vieux Poste
99, bd Laure
Tél. (418) 968-2070
Ouvert tlj. 9 h-17 h, juil.-4 sep. ; lun.-ven. 9 h-12 h et 13 h-17 h, sam.-dim. 13 h-17 h, 5 sep.-juin
Fermé Noël

Musée régional de la Côte-Nord
500, bd Laure
Tél. (418) 968-2070
Ouvert tlj. 9 h-17 h, 22 juin-août. ; lun.-ven. 9 h-12 h et 13 h-17 h, dim. 13 h-17 h, sep.-juin

Restaurant

♥ **Chez Omer**
372, av. Brochu
Tél. (418) 962-7777
Steaks, fruits de mer.

Hôtel

Hôtel Sept-Îles
451, av. Arnaud
CP 829
Code postal G4R 4L2
Tél. (418) 962-2581
ou 1 800 463-1753
Choisir une chambre sur la mer. Confortable.

Loisirs

Relais Nordik
205, rue Léonidas
Tél. (418) 723-8787
ou (418) 968-4707
Traversier : Rimouski, Sept-Îles, Port Menier, Havre Saint-Pierre et la Basse Côte-Nord.

Tadoussac

Vie culturelle

La Maison des Dunes
Chemin du Moulin-à-Bande
Tél. (418) 235-4227
Ouvert tlj. 10 h-17 h, juin-15 oct.

La Vieille Chapelle
Rue du Bord-de-l'Eau
Tél. (418) 235-4324
Ouvert tlj. 9 h-21 h, juil.-sep.
Pour les groupes sur rdv. en oct. et mai.

Maison Chauvin
157, rue du Bord-de-l'Eau
Tél. (418) 235-4657
Ouvert tlj. 9 h-21 h, 21 juin-14 sep. ; tlj. 10 h-16 h, 20 mai-20 juin et 15 sep.-10 oct.
Fermé mi-oct.-mi-mai

Loisirs

Centre d'interprétation des mammifères marins
108, rue de la Cale-Sèche
Tél. (418) 235-4701
Ouvert tlj. 9 h-12 h et 15 h-18 h, mai-oct.
Expositions interactives sur les mammifères marins et excursions d'observation des baleines.

Restaurant

Café du Fjord
154, rue du Bateau-Passeur
Tél. (418) 235-4626
Pour l'ambiance.

Hôtels-restaurants

Hôtel Beluga
191, rue des Pionniers
Code postal G0T 2A0
Tél. (418) 235-4784
Fax (418) 235-4295
Accessible en motoneige l'hiver .
45 $-82 $

♥ **Hôtel Tadoussac**
165, rue du Bord-de-l'Eau
Code postal G0T 2A0
Tél. (418) 235-4421
ou 1 800 463-5250
Fax (418) 235-4607
Fermé nov.-mai
149 $

Les expressions entre guillemets constituent des exemples courants d'utilisation.

ACHALER : «se faire achaler». Signifie se faire ennuyer. Se dit également dans le sens d'embêter quelqu'un, «l'achaler».
ADON : «c'est un adon». Signifie que cela tient du hasard.
ALLER AU SUCRE : Se rendre dans une érablière pour festoyer autour des produits de l'érable ● *100*.
ARENA : patinoire couverte ou centre sportif.
ARRACHER (EN) : Éprouver de nombreuses difficultés.
ASTHEURE : à cette heure, actuellement.
ASTINEUX : se dit d'une personne qui aime bien contredire les autres.
ATRIQUÉE : manière d'être ou façon de se vêtir : «atriquée comme la chienne à Jacques» (mal habillée).
BABINES : lèvres.
BARDASSER : malmener.
BAVASSER : médire de quelqu'un.
BÉCOSSE : (dérivation de l'expression *back house*) : toilette, W.C.
BLONDE : «c'est ma blonde». Expression servant à désigner sa petite amie.
BIBITTE : «il y bien de la bibitte». Signifie qu'il y a beaucoup de moustiques.
BIENVENU : formule de politesse, équivalent de «je vous en prie».
BOQUÉ : obtus.
BOUTTE : «c'est au boutte». Pour signifier qu'on aime beaucoup.
BROCHE À FOIN : «une affaire broche à foin», s'applique à un objet ou une situation mal organisée.
CAROSSE : un chariot d'aéroport ou de magasin (caddie).
CARREAUTÉ : «une chemise carreautée». Renvoie au motifs (à carreaux).
CASSÉ : «être cassé comme un clou» : signifie ne plus avoir d'argent, être sans le sous.
CENNE : désigne les pièces de monnaie d'un cent.
C'EST PAS PIRE : Selon le ton utilisé, expression s'appliquant à une situation banale ou une bonne performance (dans le sens : c'est pas mal !).
CHAMBRANLANT : instable, «l'escalier est chambranlant».
CHAUDIÈRE : seau.
CHAUFFER LA COUENNE : se prélasser au soleil.
CHAR : une automobile. «Si j'avais un char !» est le refrain d'une chanson populaire.
CHUM : peut désigner un ami, un camarade ou l'ami de cœur.
CRISSE : «être en crisse» c'est être en furie. S'utilise également sous forme verbale (est alors synonyme de donner) : «Je vais te crisser mon poing…».
COLTAILLER (SE) : en venir aux mains, se battre avec quelqu'un.
CROCHE : «il est tout croche.» Peut vouloir dire qu'un individu est débraillé, négligé ou encore qu'il est ivre.
DÉBARQUE : «prendre une débarque», signifie subir un revers sérieux.
DÉPANNEUR : «aller au dépanneur». Se rendre à la petite épicerie de quartier.
DISPENDIEUX : «cela est dispendieux» : le prix est élevé.
ÊTRE EN LIGNE : «vous êtes en ligne». Au téléphone, signifie vous avez la communication.
ÊTRE EN AMOUR : être épris d'une personne. Dérivé : «tomber en amour».
ÊTRE TANNÉ : en avoir assez d'une situation ou être à bout de patience.
ENFARGER (S') : trébucher.
ENFIROUAPER : «se faire enfirouaper». Se laisser duper avec subtilité.
ESQUIDDER : «esquidder sur la glace» : glisser sur la glace.
FIN OU FINE : se dit d'une personne gentille : «elle est donc fine !».
FRET : (se prononce «frette») se dit lorsque la température est froide. «Y fait frette».
FUN : «avoir du fun», c'est prendre du bon temps, s'amuser
GAROCHER : lancer un objet quelconque. «Se garocher», veut dire se jeter (à l'eau par exemple).
GRATTEUX : avare. Désigne aussi une catégorie de billets de loterie.
JASER : causer, bavarder, jaspiner : «avez-vous bientôt fini de jaser» !
ITOU : «moi itou», pour moi aussi.
LICENCES : «passer ses licences». Obtenir son permis de conduire.
LIQUEUR : boisson non alcoolisée (soda, ou coca).
LOUSSE : libre, ample. Par extension : dépensier.
MAGANÉ : se dit d'une personne qui est affectée par un événement ou une maladie, ou d'une chose qui est abimée. Par extension, avoir la gueule de bois.
MAGASINER : faire du shopping.
MANGER DU CURÉ : médire contre les autorités religieuses.
MENTRIE : mensonge
MINOUNE : se dit d'une vieille voiture
MOTTON : «avoir le motton». Posséder une forte somme d'argent.
PANTOUTE : «Cela ne me tente pas pantoute», ne m'intéresse point.
PARTIR SUR UNE BALOUNE : prendre une sérieuse cuite.
PARTIR EN PEUR : comportement excessif, être trop ambitieux. «Pars pas en peur !»
PÂTE MOLLE : se dit d'une personne sans volonté : «c'est une vraie pâte molle» !
PATENTEUX : désigne une personne habile de ses mains, capable de bricoler.
PAYER LA TRAITE : peut vouloir dire offrir une tournée. Par extension, se faire payer la traite peut signifier recevoir une raclée mémorable.
PIASTRE : (prononcer «piasse») une piastre équivaut à un dollar.
PITON :«de bonne heure sus l'piton» : se dit d'une personne qui se lève tôt pour aller travailler.
PITOUNE : troncs d'arbres ébranchés et coupés à la bonne dimension pour la fabrication de papier
PLATE : qualificatif qui s'applique à une situation désagréable : «c'est donc plate».
PLOGUÉ : «la lampe est ploguée». Dans ce contexte, signifie être branchée. On peut également ploguer quelqu'un (le recommander).
POGNÉ : «il est ben pogné». Signifie qu'une personne est dans une situation embarassante, sans issue.
POUTINE : plat se composant de frites et de «fromage en grains», le tout arrosé d'une sauce piquante.
PRENDRE UNE MARCHE : faire une promenade
QUÉTAINE : de mauvais goût ; objet kitsch.
RAPAILLER (SE) : réunir ses effets personnels avant de quitter un endroit.
TANNANTE : terme utilisé pour désigner une personne qui dérange ou qui aime bien jouer des tours.
TASSER (SE) : se mettre sur le côté, laisser le passage libre.
SLUSH : terme pour décrire de la neige fondue et sale.
TRAÎNER DE LA PATTE : être en retard.
TRAÎNEUX : personne désordonnée.
VALISE (DU CHAR) : le coffre de la voiture
VARGER : «varger à tour de bras». Signifie s'en prendre violemment à quelqu'un.

Tél. (418) 294-3923
Ouvert tlj. 9 h-11 h et 13 h-15 h, mi-juin-août

Hôtel-restaurant

Le Manoir
8, rue Cabot
Code postal G4Z 1L8
Tél. (418) 296-3391
ou 1 800 361-6162
Fax (418) 296-1435
Hôtel ancien.

Bergeronnes

Vie culturelle

Archeo-Topo
498, rue de la Mer
Tél. (418) 232-6286
Centre d'interprétation sur la préhistoire.

Site d'observation de Cap-de-Bon-Désir
166, route 138
Tél. (418) 232-6751
Ouvert tlj. 9 h-20 h
Fermé mi-sep.-mi-juin
Observation de mammifères marins depuis le rivage, centre d'interprétation…

Godbout

Vie culturelle

Musée amérindien et inuit
134, rue Pascal-Comeau
Tél. (418) 568-7724
Ouvert tlj. 9 h-22 h, juin-août

Hôtel-restaurant

♥ Aux Berges
180, rue Pascal-Comeau
Code postal G0H 1G0
Tél. (418) 568-7748
Petite auberge conviviale. Chalets. Excellente cuisine.
45 $-60 $

Havre-Saint-Pierre

Restaurant

♥ Chez Julie
1 023, Dulcinée
Tél. (418) 538-3070
Fruits de mer, pizzas aux fruits de mer.
8 $-13 $ (table d'hôte)

Longue-Pointe

Loisirs

Station de recherche des îles de Mingan
124, bord de la Mer
Code postal G0G 1V0
Tél. (418) 949-2845
Participation aux recherches sur les mammifères marins et excursions en mer ou stages de 5 à 10 jours.

Pointe-des-Monts

Hôtel-restaurant

♥ Gîte du phare de Pointe-des-Monts
Route du Vieux-Phare
Code postal G0H 1A0
Tél. (418) 939-2332
Gîte touristique dans les bâtiments d'appoint d'un phare historique. Excursions à la baleine. Pêche en mer. Plongée sous-marine (épaves des XVIIe, XVIIIe et XIXe s.). Chalets. Bar et repas le soir. Spécialités régionales.
48 $-72 $

Port-Menier Île Anticosti

Hôtel-restaurant

Auberge Port-Menier
Code postal G0G 2Y0
Tél. (418) 535-0122
Réservation obligatoire. Bonne table.
66 $

Rivière-au-Tonnerre

Hôtel-restaurant

♥ Place Jonathan
454, rue Jacques-Cartier
Code postal G0G 2L0
Tél. (418) 465-2207
ou 1 800 563-2208
Fax (418) 465-2217
Prix raisonnables. Excellente table. Réservations pour hébergement et expéditions à la baleine. Hôtel et motel.
54,20 $ (motel)

Sacré-Cœur

Hôtel

Centre d'hébergement Bordsville
Route 177
Code postal G0T 1Y0
Tél. (418) 236-4831

Sept-Îles

Vie culturelle

Le Vieux Poste
99, bd Laure
Tél. (418) 968-2070
Ouvert tlj. 9 h-17 h, juil.-4 sep. ; lun.-ven. 9 h-12 h et 13 h-17 h, sam.-dim. 13 h-17 h, 5 sep.-juin
Fermé Noël

Musée régional de la Côte-Nord
500, bd Laure
Tél. (418) 968-2070
Ouvert tlj. 9 h-17 h, 22 juin-août. ; lun.-ven. 9 h-12 h et 13 h-17 h, dim. 13 h-17 h, sep.-juin

Restaurant

♥ Chez Omer
372, av. Brochu
Tél. (418) 962-7777
Steaks, fruits de mer.

Hôtel

Hôtel Sept-Îles
451, av. Arnaud
CP 829
Code postal G4R 4L2
Tél. (418) 962-2581
ou 1 800 463-1753
Choisir une chambre sur la mer. Confortable.

Loisirs

Relais Nordik
205, rue Léonidas
Tél. (418) 723-8787
ou (418) 968-4707
Traversier : Rimouski, Sept-Îles, Port Menier, Havre Saint-Pierre et la Basse Côte-Nord.

Tadoussac

Vie culturelle

La Maison des Dunes
Chemin du Moulin-à-Bande
Tél. (418) 235-4227
Ouvert tlj. 10 h-17 h, juin-15 oct.

La Vieille Chapelle
Rue du Bord-de-l'Eau
Tél. (418) 235-4324
Ouvert tlj. 9 h-21 h, juil.-sep.
Pour les groupes sur rdv. en oct. et mai.

Maison Chauvin
157, rue du Bord-de-l'Eau
Tél. (418) 235-4657
Ouvert tlj. 9 h-21 h, 21 juin-14 sep. ; tlj. 10 h-16 h, 20 mai-20 juin et 15 sep.-10 oct.
Fermé mi-oct.-mi-mai

Loisirs

Centre d'interprétation des mammifères marins
108, rue de la Cale-Sèche
Tél. (418) 235-4701
Ouvert tlj. 9 h-12 h et 15 h-18 h, mai-oct.
Expositions interactives sur les mammifères marins et excursions d'observation des baleines.

Restaurant

Café du Fjord
154, rue du Bateau-Passeur
Tél. (418) 235-4626
Pour l'ambiance.

Hôtels-restaurants

Hôtel Beluga
191, rue des Pionniers
Code postal G0T 2A0
Tél. (418) 235-4784
Fax (418) 235-4295
Accessible en motoneige l'hiver .
45 $-82 $

♥ Hôtel Tadoussac
165, rue du Bord-de-l'Eau
Code postal G0T 2A0
Tél. (418) 235-4421
ou 1 800 463-5250
Fax (418) 235-4607
Fermé nov.-mai
149 $

Les expressions entre guillemets constituent des exemples courants d'utilisation.

ACHALER : «se faire achaler». Signifie se faire ennuyer. Se dit également dans le sens d'embêter quelqu'un, «l'achaler».

ADON : «c'est un adon». Signifie que cela tient du hasard.

ALLER AU SUCRE : Se rendre dans une érablière pour festoyer autour des produits de l'érable ● *100.*

ARENA : patinoire couverte ou centre sportif.

ARRACHER (EN) : Éprouver de nombreuses difficultés.

ASTHEURE : à cette heure, actuellement.

ASTINEUX : se dit d'une personne qui aime bien contredire les autres.

ATRIQUÉE : manière d'être ou façon de se vêtir : «atriquée comme la chienne à Jacques» (mal habillée).

BABINES : lèvres.

BARDASSER : malmener.

BAVASSER : médire de quelqu'un.

BÉCOSSE : (dérivation de l'expression *back house*) : toilette, W.C.

BLONDE : «c'est ma blonde». Expression servant à désigner sa petite amie.

BIBITTE : «il y bien de la bibitte». Signifie qu'il y a beaucoup de moustiques.

BIENVENU : formule de politesse, équivalent de «je vous en prie».

BOQUÉ : obtus.

BOUTTE : «c'est au boutte». Pour signifier qu'on aime beaucoup.

BROCHE À FOIN : «une affaire broche à foin», s'applique à un objet ou une situation mal organisée.

CAROSSE : un chariot d'aéroport ou de magasin (caddie).

CARREAUTÉ : «une chemise carreautée». Renvoie au motifs (à carreaux).

CASSÉ : «être cassé comme un clou» : signifie ne plus avoir d'argent, être sans le sous.

CENNE : désigne les pièces de monnaie d'un cent.

C'EST PAS PIRE : Selon le ton utilisé, expression s'appliquant à une situation banale ou une bonne performance (dans le sens : c'est pas mal !).

CHAMBRANLANT : instable, «l'escalier est chambranlant».

CHAUDIÈRE : seau.

CHAUFFER LA COUENNE : se prélasser au soleil.

CHAR : une automobile. «Si j'avais un char !» est le refrain d'une chanson populaire.

CHUM : peut désigner un ami, un camarade ou l'ami de cœur.

CRISSE : «être en crisse» c'est être en furie. S'utilise également sous forme verbale (est alors synonyme de donner) : «Je vais te crisser mon poing…».

COLTAILLER (SE) : en venir aux mains, se battre avec quelqu'un.

CROCHE : «il est tout croche.» Peut vouloir dire qu'un individu est débraillé, négligé ou encore qu'il est ivre.

DÉBARQUE : «prendre une débarque», signifie subir un revers sérieux.

DÉPANNEUR : «aller au dépanneur». Se rendre à la petite épicerie de quartier.

DISPENDIEUX : «cela est dispendieux» : le prix est élevé.

ÊTRE EN LIGNE : «vous êtes en ligne». Au téléphone, signifie vous avez la communication.

ÊTRE EN AMOUR : être épris d'une personne. Dérivé : «tomber en amour».

ÊTRE TANNÉ : en avoir assez d'une situation ou être à bout de patience.

ENFARGER (S') : trébucher.

ENFIROUAPER : «se faire enfirouaper». Se laisser duper avec subtilité.

ESQUIDDER : «esquidder sur la glace» : glisser sur la glace.

FIN OU FINE : se dit d'une personne gentille : «elle est donc fine !».

FRET : (se prononce «frette») se dit lorsque la température est froide. «Y fait frette».

FUN : «avoir du fun», c'est prendre du bon temps, s'amuser

GAROCHER : lancer un objet quelconque. «Se garocher», veut dire se jeter (à l'eau par exemple).

GRATTEUX : avare. Désigne aussi une catégorie de billets de loterie.

JASER : causer, bavarder, jaspiner : «avez-vous bientôt fini de jaser» !

ITOU : «moi itou», pour moi aussi.

LICENCES : «passer ses licences». Obtenir son permis de conduire.

LIQUEUR : boisson non alcoolisée (soda, ou coca).

LOUSSE : libre, ample. Par extension : dépensier.

MAGANÉ : se dit d'une personne qui est affectée par un événement ou une maladie, ou d'une chose qui est abimée. Par extension, avoir la gueule de bois.

MAGASINER : faire du shopping.

MANGER DU CURÉ : médire contre les autorités religieuses.

MENTRIE : mensonge

MINOUNE : se dit d'une vieille voiture

MOTTON : «avoir le motton». Posséder une forte somme d'argent.

PANTOUTE : «Cela ne me tente pas pantoute», ne m'intéresse point.

PARTIR SUR UNE BALOUNE : prendre une sérieuse cuite.

PARTIR EN PEUR : comportement excessif, être trop ambitieux. «Pars pas en peur !»

PÂTE MOLLE : se dit d'une personne sans volonté : «c'est une vraie pâte molle» !

PATENTEUX : désigne une personne habile de ses mains, capable de bricoler.

PAYER LA TRAITE : peut vouloir dire offrir une tournée. Par extension, se faire payer la traite peut signifier recevoir une raclée mémorable.

PIASTRE : (prononcer «piasse») une piastre équivaut à un dollar.

PITON : «de bonne heure sus l'piton» : se dit d'une personne qui se lève tôt pour aller travailler.

PITOUNE : troncs d'arbres ébranchés et coupés à la bonne dimension pour la fabrication de papier

PLATE : qualificatif qui s'applique à une situation désagréable : «c'est donc plate».

PLOGUÉ : «la lampe est ploguée». Dans ce contexte, signifie être branchée. On peut également ploguer quelqu'un (le recommander).

POGNÉ : «il est ben pogné». Signifie qu'une personne est dans une situation embarassante, sans issue.

POUTINE : plat se composant de frites et de «fromage en grains», le tout arrosé d'une sauce piquante.

PRENDRE UNE MARCHE : faire une promenade

QUÉTAINE : de mauvais goût ; objet kitsch.

RAPAILLER (SE) : réunir ses effets personnels avant de quitter un endroit.

TANNANTE : terme utilisé pour désigner une personne qui dérange ou qui aime bien jouer des tours.

TASSER (SE) : se mettre sur le côté, laisser le passage libre.

SLUSH : terme pour décrire de la neige fondue et sale.

TRAÎNER DE LA PATTE : être en retard.

TRAÎNEUX : personne désordonnée.

VALISE (DU CHAR) : le coffre de la voiture

VARGER : «varger à tour de bras». Signifie s'en prendre violemment à quelqu'un.

ANNEXES

◆ GÉNÉRALITÉS ◆

BRAUDEL (F. sous la dir. de) : *Le Monde de Jacques Cartier. L'aventure au XVIe siècle*, Berger-Levrault et Libre Expression, Paris/Montréal, 1984
BROWN (C. sous la dir. de) : *Histoire générale du Canada* (éd. française dirigée par P.-A. Linteau), Boréal, Montréal, 1990
COLL. : *Dictionnaire biographique du Canada*, Presses de l'université Laval et Toronto University Press, Québec, Toronto, 1991
DUMONT (F.) : *Genèse de la société québécoise*, Boréal, Montréal, 1993
FOURNIER (M.) : *L'Entrée dans la modernité : science, culture et société au Québec*, Albert Saint-Martin, Montréal, 1986
MUSÉE DU NOUVEAU MONDE : *Une autre Amérique*, Musée du Nouveau Monde, La Rochelle, 1982
TÉTU DE LABSADE (F.) : *Le Québec, un pays, une culture*, Boréal, Montréal, 1990

◆ NATURE ◆

BANVILLE (D.) : *Les Réserves fauniques du Québec*, Regroupement Loisirs Québec, Secteur Plein air, Montréal, 1985
FORTIN (D.) : *Arbres, arbustres et plantes herbacées du Québec (et de l'est du Canada)*, Trécarré, Saint-Laurent, 1989
GAGNON (L.) et SCHELL (J.) : *Anticosti, guide écotouristique*, Broquet, L'Acadie, 1994
JUCHEREAU-DUCHESNAY (E.) : *Les Mammifères du Québec*, Hurtubise HMH, Québec, 1972
MARIE VICTORIN, FRÈRE, *La Flore laurentienne*, Imp. Leroy, Nancy, 1935
QUÉBEC. MINISTÈRE DU LOISIR, DE LA CHASSE ET DE LA PÊCHE : *Parcs et réserves fauniques du Québec : activités et services*, Ministère du Loisir, de la Chasse et de la Pêche, 1988
ROULEAU (R.) : *Petite flore forestière du Québec*, Ministère de l'Énergie et des Ressources, Québec, 1990
TANGUAY (S.) : *Guide des sites naturels du Québec*, M. Quintin éd., Waterloo, 1988

◆ HISTOIRE ET LANGUE ◆

BÉLANGER (J.), DESJARDINS (M.) et FRENETTE (Y.) : *Histoire de la Gaspésie*, Boréal Express, Montréal, 1981
BERNARD (J.-P.) : *Les Rébellions de 1837-1838*, Boréal, Montréal, 1983
CHAMPLAIN (S.) : *La France d'Amérique. Voyages de Champlain*, 1604-1629, Imprimerie nationale, Paris, 1994
COLLIN (J) ET BÉLIVEAU (D.) : *Histoire de la Pharmacie au Québec*, Musée de la pharmacie, Montréal, 1994
DELÂGE (D.) : *Le Pays renversé. Amérindiens et Européens en Amérique du Nord-Est* (1600-1664), Boréal, Montréal, 1992
DESCHÊNES (G.) : *L'Année des anglais, la Côte-du-Sud à l'heure de la conquête*, Septentrion, Sillery, 1988
DICKINSON (J. A.) et YOUNG (B.) : *Brève histoire socio-économique du Québec*, Septentrion, Sillery, 1992
DONALDSON (G.) : *Battle for a Continent, Quebec 1759*, Doubleday Canada, Toronto, 1973
FAHMY-EID (N.) et DUMONT (M.) : *Les Couventines*, Boréal, Montréal, 1986
FORTIN (J.-C.) et LECHASSEUR (A.) : *Histoire du Bas-Saint-Laurent*, Institut québécois de recherche sur la culture, Québec, 1993
GAFFIELD (C.) : *Histoire de l'Outaouais*, Institut québécois de recherche sur la culture, Québec, 1994
GIRARD (C.) ET PERRON (N.) : *Histoire du Saguenay-Lac-Saint-Jean*, Institut québécois de recherche sur la culture, Québec, 1989
HARDY (R.) et SÉGUIN (N.) : *Forêt et société en Mauricie*, Boréal, Montréal, 1984
HARE (J.), LAFRANCE (M.) et RUDDEL (D.-T.) : *Histoire de la ville de Québec (1608-1871)*, Boréal, Montréal, 1987
LAURIN (S.) : *Histoire des Laurentides*, Institut québécois de recherche sur la culture, Québec, 1989
LINTEAU (P.-A), *Histoire de Montréal depuis la confédération*, Boréal, Montréal, 1992
LINTEAU (P.-A.), DUROCHER (R.), ROBERT (J.-C.) et RICARD (F.) : *Histoire du Québec contemporain. De la confédération à la crise*, Boréal, Montréal, 1989
LINTEAU (P.-A.), DUROCHER (R.), ROBERT (J.-C.), RICARD (F.) : *Histoire du Québec contemporain. Le Québec depuis 1930*. Boréal, Montréal, 1989
Mathieu (J.) : *La Nouvelle-France. Les Français en Amérique du Nord (XVIe-XVIIIe siècle)* Belin/Presses de l'université Laval, 1991
MATHIEU (J.) ET KELD (E.) : *Les Plaines d'Abraham. Le culte de l'idéal*, Septentrion, Québec, 1993
MORISSONNEAU (C.), *La Terre promise. Le mythe du Nord québécois*, Montréal, Hurtubise, 1978
NEWMAN (P. C.) : *Empire of the Bay. An Illustrated History of the Hudson's Bay Company*, Madison Press Books, Toronto, 1989
POULIOT (J.-C.) : *L'Île d'Orléans, glanures historiques et familiales*, Leméac, Montréal, 1984
PROTEAU (L.) *La Parlure québécoise*, Proteau éd., Montréal, 1982
QUÉBEC : *Itinéraires toponymiques du Québec* , Québec, Les Publications du Québec, Québec, 7 vol.
QUÉBEC : *Noms et lieux du Québec*, Québec, Les Publications du Québec, Québec, 1994
RAMIREZ (B.) : *Les Premiers Italiens de Montréal. L'origine de la Petite Italie au Québec*, Boréal, Montréal, 1984
RICARD (F.) : *La Génération lyrique. Essai sur la vie et l'œuvre des premiers nés du baby-boom*, Boréal, Montréal, 1992
RUDDEL (D.-T.) : *Québec, 1765-1832. L'évolution d'une ville coloniale*, Musée canadien des Civilisations, 1991
VACHON (A.) : *Rêves d'empire, le Canada avant 1700*, Archives publiques du Canada, Ottawa, 1982
TAYLOR (J. H.) : *The History of Canadian Cities*, Ottawa, An Illustrated History, James Lorimer & Co. et le musée canadien des Civilisations, Toronto, 1986
VACHON (A.) : *L'Enracinement, le Canada de 1700 à 1760*, Archives publiques du Canada, Ottawa, 1985

◆ ARTS ET TRADITIONS ◆

ADAM-VILLENEUVE (F.) et FECTEAU (C.) : *Les Moulins à eau de la vallée du Saint-Laurent*, Éditions de l'Homme, Montréal, 1978
ARPIN (R.) : *Rencontre de deux mondes*, Musée de la civilisation, Québec, 1992
BÉLAND (M. sous la dir de) : *Restauration en sculpture ancienne*, Musée du Québec, Québec, 1994
BOLDUC (A.), HOGUE (C.) et LAROUCHE (D.) : *L'Héritage d'un siècle d'électricité*, Forces - Libre Expression, Montréal, 1989
BROUILLETTE (B.) : *La Chasse des animaux à fourrure au Canada*, Gallimard, Paris, 1934
CHALIFOUR (B.) et GERMAIN (G.-H.) : *Québec, Québec*, Art Global, Publications du Québec, Montréal, 1992
COTÉ (L.), TARDIVEL (L.) et VAUGEOIS (D.) : *L'Indien généreux*, Montréal, Boréal, Montréal,1992
DUBÉ (P.) : *Deux cents ans de villégiature dans Charlevoix*, Presses de l'université Laval, Québec, 1986
GAGNON (F.-M.) : *Images du castor canadien, XVIe-XVIIIe siècle*, Septentrion, Sillery, 1994
GENEST (B.), BOUCHARD (R.), CYR (L.) et CHOUINARD (Y.) : *Les Artisans traditionnels de l'est du Québec*, Ministère des Affaires culturelles, Québec, 1979
GIROUX (R.) : *Le Guide de la chanson québécoise*, Triptyque, Montréal, 1991
GUAY (D.) : *La Chasse au Québec. Chronologie commentée (1603-1900)*, Société québécoise d'histoire du loisir, sl, 1982

LANDRY (Y. sous la direction de) : *Pour le Christ et le Roi. La vie au temps des premiers Montréalais*, Art Global et Libre Expression, Montréal, 1992

LEAHY (G.) : *L'Ornement dans la maison québécoise aux XVIIe et XVIIIe siècles*, Septentrion, Sillery, 1994

LESSARD (M.) : *Montréal, métropole du Québec. Images oubliées de la vie quotidienne 1852-1910*, Éditions de l'Homme, Montréal, 1992

LESSARD (M.) : *Québec, ville du patrimoine mondial. Images oubliées de la vie quotidienne 1858-1914*, Éditions de l'Homme, Montréal, 1992

MARTIN (P.-L.) : *La Chasse au Québec*, Boréal, Montréal, 1990

Mathieu (J.), LACOURSIÈRE (J.) : *Les Mémoires québécoises*, Presses de l'université Laval, Québec,1991

LEVER (Y.) : *Histoire générale du cinéma au Québec*, Boréal, Montréal, 1995

MOUSSETTE (M.) : *La Pêche sur le Saint-Laurent. Répertoire des méthodes et des engins de capture*, Boréal Express, Montréal, 1979

MUSÉE DE LA CIVILISATION : *Objets de civilisation*, Broquet, Québec, 1990

MUSÉE LAURIER : *Médard Bourgault et ses fils, 60 ans de sculpture sur bois*, Musée Laurier, Arthabaska, 1989

POITRAS (J.) : *La Carte postale québécoise, une aventure photographique*, Broquet, Laprairie, 1990

POMMERLEAU (J.) : *Les Coureurs de bois*, éd. Dupont, Montréal, 1994

PROVENCHER (J.) : *Les Quatre Saisons dans la vallée du Saint-Laurent*, Boréal, Montréal, 1988

ROY (G.-A.) et RUEL (A.) : *Le patrimoine religieux de l'île d'Orléans*, Ministère des Affaires culturelles, Québec, 1982

SAINTE-MARIE (M.) : *Guide des antiquités québécoises*, Libre Expression, Montréal, 1981, vol. 2

SAUCIER (C.) et KEDL (E.) : *Image inuit du Nouveau-Québec*, Fides, musée de la Civilisation, sl, 1988

SIMARD (C.) et NOËL (M.) : *Artisanat québécois, tome III, Indiens et Esquimaux*, Éditions de l'Homme, Montréal, 1977

SIMARD (J.) : *Les Arts sacrés au Québec*, Éd. de Mortagne, Boucherville, 1989

SOUCY (C.) et ROY (J.-L.) : *Le Banc de Paspébiac, histoire, patrimoine et développement régional*, Centre de documentation et d'interprétation de Paspébiac, sl, 1983

TURNER (L.-M.), *Indiens et Esquimaux du Québec*, Desclez éd., Montréal, 1979

PORTER (J. R.) et TRUDEL (J.) : *Le Calvaire d'Oka*, Galerie nationale du Canada, Ottawa, 1974

VOISINE (N. sous la dir. de) : *Histoire du catholicisme québécois* (en plusieurs vol.), Boréal, Montréal, 1984 et ss

◆ ARTS ET ARCHITECTURE ◆

CENTRE CANADIEN D'ARCHITECTURE : *Regards sur un paysage industriel. Le canal de Lachine*, Centre canadien d'architecture, Montréal, 1992

KALDMAN (H.) et ROAF (J.) : *Exploring Ottawa*, University of Toronto Press, Toronto, 1983

MARTIN (P.-L.) et LAVOIE (J.) : *Les Chemins de la mémoire. Monuments et sites historiques du Québec*, 2 vol., Cap-aux-Diamants, Québec, 1990

NOPPEN (L) : *Notre-Dame-des-Victoires*, Ministère des Affaires culturelles, 1974

NOPPEN (L.) : *Au musée des Beaux-Arts du Canada «Une des plus belles chapelles du pays»*, Musée des Beaux-Arts du Canada, Ottawa, 1988

NOPPEN (L), PAULETTE (C.) et TREMBLAY (M.) : *Trois siècles d'architecture*, Libre Expression, 1979

Noppen (L.), Jobidon (H.) et Trépanier (P.) : *Québec monumental : 1890-1990*, Septentrion, Montréal, 1990

ORDRE DES ARCHITECTES DU QUÉBEC (L') : *L'Architecture de Montréal*, Libre Expression, Montréal, 1990

QUÉBEC : *Les Chemins de la mémoire. Monuments et sites historiques du Québec*, tome 1, Québec, 1990 ; tome 2, Québec, 1991

SERVICE DE L'URBANISME, QUÉBEC : *Regards sur l'architecture du Vieux-Québec*, Ville de Québec, Québec, 1986

QUÉBEC (VILLE DE) : *Les Quartiers de Québec*, Bibliothèque nationale du Québec, sl, 1988

◆ PEINTURE ◆

BAKER (V. A.) : *Images de Charlevoix, 1784-1950*, Musée des Beaux-Arts de Montréal, Montréal, 1981

BÉLAND (M.) : *La Peinture au Québec, 1820-1850. Nouveaux regards, nouvelles perspectives*, musée du Québec, Québec, 1991

BERTHIER (P.) ET LIZÉ (E.) : *Foi et légendes : la peinture votive au Québec (1666-1945)*, VLB éd., Montréal, 1991

BOULIZON (G.) : *Le Paysage dans la peinture au Québec vu par les peintres des cent dernières années*, Broquet, Laprairie, 1984

BRUENS (L.) : *Cent six professionnels de la peinture*, La Palette, Montréal, 1991

DÉRY (L.) : *Un archipel de désirs, les artistes du Québec et la scène internationale*, Musée du Québec, Québec, 1991

GIGUÈRE (R.) : *Montréal, agenda d'art 1992*, Musée du Québec, Publications du Québec, Québec, 1991

GLADU (P.) : *Ozias Leduc*, Broquet, Laprairie, 1989

KAREL (D.) : *La Collection Duplessis*, Musée du Québec, Québec, 1991

MARTIN (D.) et GRANDBOIS (M.) : *La collection des dessins et estampes*, musée du Québec, sl, 1991

MERCIER (G.) : *Le Lieu de l'être*, Musée du Québec, Québec, 1994

MUSÉE DU SÉMINAIRE DE QUÉBEC : *Les Maîtres canadiens de la collection Power Corporation du Canada*, 1850-1950, Musée du Séminaire de Québec, sl, 1989

MUSÉE DU QUÉBEC : *Agenda d'art 1995. Les saisons*, Musée du Québec, Québec, 1994

NADEAU (M.) : *Chefs-d'œuvre de la collection*, Musée du Québec, Québec, 1991

NOËL (M.) : *Art inuit*, Roussan, Pointe-Claire, 1992

NOËL (M.) : *Prendre la parole*, Nibimatisiwin, Artistes amérindiens du Québec, Roussan, Pointe-Claire, 1993

ROSSAHANDLER (L.) : *Tanobe*, Broquet, Laprairie, 1988

TRÉPANIER (E.) : *Peintres juifs et modernité, Montréal, 1930-1945*, Centre Saydie Bronfman, Montréal, 1987

TRÉPANIER (E.) : *Peinture et modernité au Québec, 1919-1939*, université de Lille, Lille, 1992

◆ LITTÉRATURE ◆

BEAUDOIN (R.) : *Naissance d'une littérature. Essai sur le messianisme et les débuts de la littérature canadienne-française (1850-1890)*, Boréal, Montréal, 1989

FORTIN (M.), LAMONDE (Y.) ET RICARD (F.) : *Guide de la littérature québécoise*, Boréal, Montréal, 1988

LARUE (M.) et CHASSAY (J.-F.) : *Promenades littéraires dans Montréal*, Québec/Amérique, Montréal, 1989

MARCOTTE, (G.) : *Anthologie de la littérature québécoise*, l'Hexagone, Montréal, 1994

PELLERIN (G.) : *Québec : des écrivains dans la ville*, Musée du Québec, Québec, 1995

◆ REVUES ◆

Cap-aux-Diamants, revue d'histoire publiée par la Société historique de Québec

Nos Racines - L'histoire vivante des Québécois, publiée sous la direction de Bizier (H. A.), Lacoursière (J.), Éditions TLM Inc., Montréal, 1979

REVUE D'HISTOIRE DE L'AMÉRIQUE FRANÇAISE, revue trimestrielle d'histoire publiée par l'Institut d'histoire de l'Amérique française

◆ TABLE DES ILLUSTRATIONS

◆ TABLE DES ILLUSTRATIONS

Nous tenons à remercier les personnes suivantes pour leur aide précieuse :
Nathalie Thibault
Pierre Lahoud
Brigitte Ostiguy
Mario Robert
Marie-Claude Saia
Carole Ritchot
Michel Godin
Richard Dubé
Christine Dubois
Yves Beauregard
Roanne Mohktar

◆ Localités ◆

◆ Personnages ◆

* (Mtl) : Montréal
* (Qué) : Québec

MONTRÉAL
Routes principales
Autoroutes
Parcs et jardins
Lieux importants
Chemin de fer, gares
0
0,5 km
C
D
E
A
B
3
4
5
6
7
8
9
10
Voie Camillien-Houde
MONT ROYAL
Belvedère du mont Royal
Hôpital Royal Victoria
Hôpital Général de Montréal
Av. Cedar
Av. des Pins O.
Rue Prince-Arthur O.
Pl. Walbrae
Rue University
Av. Lorne
Rue Aylmer
Rue Durocher
Av. Docteur Penfield
Côte-des-Neiges
Av. Seaforth
Av. Summerhill
Av. Selkirk
Rue Simpson
Rue Redpath
Av. du Musée
Musée des Beaux-Arts
Rue McTavish
Université McGill
Av. McGill College
Rue Victoria
Musée McCord
Rue Sherbrooke O.
Av. du Président Kennedy
Rue Stanley
Rue City Councillors
Av. Lincoln
Rue Saint-Marc
Rue Saint-Mathieu
Université Concordia
Boul. de Maisonneuve O.
Av. Union
Rue Peel
Rue Sainte-Catherine O.
Rue Mackay
Rue Bishop
Rue Crescent
Rue de la Montagne
Rue Drummond
InfoTourisme
Rue Cathcart
Sq Phillips
Rue Cypress
Rue Metcalfe
Rue Mansfield
Place Ville-Marie
Pl. du Frère-André
Rue Baile
Musée du Centre Marguerite-d'Youville
Pavillon des Beaux-Arts
Boul. René-Lévesque O.
Rue de la Cathédrale
Rue Belmont
Côte du Beaver Hall
Rue Guy
Av. Overdale
Av. Argyle
Gare Windsor
Place Bonaventure
Rue Saint-Antoine O.
Rue Coursol
Av. Wrexham
Rue Lusignan
Rue Versailles
Rue Torrance
Rue Saint-Félix
Rue Jean-D'Estrées
Rue Desrivières
Rue Lucien-L'Allier
Rue des Seigneurs
Bonaventure
Rue Saint-Jacques
Rue Montfort
Gauvin
Place Victor-Hugo
Av. Lionel-Groulx
Rue Richmond
Rue Chatham
Rue Paxton
Rue de l'Inspecteur
Saint-Maurice
Dupré
Rue Saint-Henri
Rue Notre-Dame O.
Av. Lansdowne
Barre
Rue de l'Aqueduc
Rue de la Montagne
Rue Saint-Martin
Rue Payette
Rue William
Rue Saint-Thomas
Rue du Séminaire
Rue Eleanor
Rue Murray
Rue Young
Rue Shannon
Rue Ann
Dalhousie
Rue Nazareth
Rue Duke
Rue Prince
Rue Queen
Rue King
Rue Ottawa
Wellington
Rue Basin